はじめに

　本書に掲載されている問題は、いずれも税理士簿記論合格のためには必ずマスターしていただきたい良問です。

　簿記の勉強は、「知っている」というだけでは十分でなく、「問題が解ける」ようにならなければなりません。そのためには、いろいろなパターンの問題を自分の手と頭で解いてみることが必要となります。実際に問題を解いてみると、それまで十分に理解していたと思っていたことが、実はあまりわかっていなかったということがはっきりしてきます。そうしたら、少しずつ問題が解けるように知識を吸収していきます。足もとを一歩一歩かためつつ先に進むのです。簿記の上達する秘訣はこれをおいて他にはありません。

　ひたすら簿記の本を読んでいるだけでは、簿記は自分のものになりません。本書を利用することによって「良質の問題を体系的に解く」習慣を身につけ、一人でも多くの方が合格の栄冠を勝ち取られますことを願ってやみません。

ＴＡＣ税理士講座

本書の特長

1　個別論点対策の精選問題集

本書は、個別論点対策として、基本的事項の確認から本試験に向けた応用的な問題までを収録した精選問題集です。

税理士試験の出題範囲をテーマ別に分け、各テーマを網羅的に学習し、本試験の出題傾向に照らし合わせて効果的に学習が進められるように構成されています。

2　制限時間を明示

問題にはすべて標準的な解答時間を制限時間として付しています。制限時間内の解答を目標としてください。

3　最新の改正に対応

最新の会計基準等の改正等に対応しています（令和6年7月までの施行法令に準拠）。

4　重要度を明示

章ごとに、本試験での重要度を明示しています。重要度に応じたメリハリをつけた学習を行うことが可能です。

　　Aランク…非常に重要度の高い論点

　　Bランク…比較的重要度の高い論点

　　Cランク…比較的重要度の低い論点

5　難易度を明示

問題ごとに、難易度を付しています。到達レベルにあわせて問題を選択することができます。

　　Aランク…基本問題

　　Bランク…やや難しい問題

　　Cランク…本試験レベルの難しい問題

6　本試験の出題の傾向と分析を掲載

本試験の出題傾向と分析を掲載しています。学習を進めるにあたって、参考にしてください。

(注) 本書掲載の「出題の傾向と分析」は、「2024年度版　簿記論　過去問題集」に掲載されていたものになります。

本書の利用方法

1 解答時間を計って解く

解き始めの時間と終了時間を必ずチェックし、解答時間を記録しておきます。時間を意識しないトレーニングは意味がなく、上達も期待できません。ただし、解き慣れていない人は、最初は制限時間を気にしないで自分のペースで最後まで解いてみることをお勧めします。この場合でも解答時間はチェックし、徐々に制限時間内の解答を目指すようにしてください。目標としては、制限時間の70 ～ 80％の時間で解けるようになれば理想的です。

2 チェック欄の利用方法

目次には問題ごとにチェック欄を設けてあります。実際に問題を解いた後に、日付、得点、解答時間などを記入することにより、計画的な学習、弱点の発見ができます。

3 間違えた問題はもう一度解く

間違えた問題をそのままにしておくと、後日同じような問題を解いたときに再度間違える可能性が高くなります。そのため、間違えた問題はなぜ間違えたのかを徹底的に分析して、二度と同じ間違いを繰り返さないように対策を考え、少し時期をずらしてもう一度解いて確認してください。

4 個別問題対策の次に総合問題対策をする

税理士試験の問題は、そのほとんどが総合問題（30分または60分）として出題されます。総合問題ではボリュームの多さ、問題構造等が解答者にとって最大のネックであり、個別問題を解いただけではなかなか克服できません。そのため、個別問題対策として「個別計算問題集」を解き、次に総合問題における個別論点対策として「総合計算問題集 基礎編」及び構造論点対策として「総合計算問題集 応用編」を解くと、高い学習効果が期待できます。

5 答案用紙の利用方法

「答案用紙」は、ダウンロードでもご利用いただけます。Cyber Book Store（TAC出版書籍販売サイト）の「解答用紙ダウンロード」にアクセスしてください。

https://bookstore.tac-school.co.jp

本書の問題においては、資料以外のことは考慮せずに解答するようお願いいたします。

目 次

出題の傾向と分析（学者試験委員）

(1) 解答箇所と解答要求事項

年　度 (回　数)	問　題	解答箇所	解　答　要　求　事　項					
			仕　訳	財務諸表	精算表	特定金額	特定数値	そ　の　他
平成26年 (第 64 回)	第一問	17箇所	○			○		決算整理後残高試算表
	第二問	14箇所		○		○		方法選択、理論
平成27年 (第 65 回)	第一問	12箇所	○			○		
	第二問	12箇所	○			○		
平成28年 (第 66 回)	第一問	16箇所	○			○		
	第二問	11箇所	○					
平成29年 (第 67 回)	第一問	16箇所	○			○		
	第二問	12箇所	○			○		
平成30年 (第 68 回)	第一問	17箇所	○			○		方法選択
	第二問	17箇所	○			○		
令和元年 (第 69 回)	第一問	20箇所	○	○		○	○	方法選択
	第二問	25箇所	○	○		○		
令和2年 (第 70 回)	第一問	23箇所	○			○		
	第二問	22箇所	○	○		○		
令和3年 (第 71 回)	第一問	20箇所	○			○		
	第二問	25箇所	○			○		
令和4年 (第 72 回)	第一問	33箇所	○	○		○		
	第二問	22箇所	○			○		
令和5年 (第 73 回)	第一問	25箇所	○	○		○		
	第二問	22箇所	○			○		

(注) 解答要求の「その他」の内容は次のとおりである。

　　　「方法選択」とは、採用されている商品の評価方法を選択することである。

(2) 問題構造

年　度 （回　数）	問　題	出題形式	問　題　構　造
平成26年 （第64回）	第一問	個別問題	問1　決算整理型の総合問題（特殊商品売買） 問2　在外支店の個別財務諸表の換算、繰延ヘッジに関する仕訳
	第二問	個別問題	問1　補助簿、一般商品売買に関する特定金額の算定（処理の比較） 問2　株主資本等変動計算書の金額算定
平成27年 （第65回）	第一問	個別問題	問1　工事契約に関する特定金額の算定 問2　ストック・オプションに関する仕訳
	第二問	個別問題	問1　会計方針の変更（商品の評価方法の変更）に関する特定金額の算定 問2　株主資本、吸収合併、圧縮記帳（積立金方式）に関する仕訳と特定金額の算定 問3　剰余金の配当の支払・受取に関する仕訳と分配可能額の算定
平成28年 （第66回）	第一問	個別問題	問1　一般商品売買の処理に関する特定金額の算定・仕訳と払出単価の決定方法に関する特定金額の算定 問2　税効果会計に関する仕訳
	第二問	個別問題	問1　リース取引に関する仕訳 問2　市場販売目的のソフトウェアに関する仕訳 問3　資産除去債務に関する仕訳
平成29年 （第67回）	第一問	個別問題	問1　特殊商品売買に関する特定金額・勘定科目の算定 問2　キャッシュ・フロー計算書の特定金額の算定
	第二問	個別問題	問1　吸収合併に関する仕訳 問2　退職給付会計に関する仕訳と特定金額の算定 問3　株主資本、株式交換に関する仕訳と特定金額の算定
平成30年 （第68回）	第一問	個別問題	問1　一般商品売買に関する処理方法、仕訳と特定金額の算定 問2　本支店会計に関する仕訳と特定金額の算定
	第二問	個別問題	問1　特殊商品販売に関する特定金額の算定 問2　新株予約権付社債に関する仕訳と特定金額の算定 問3　減損会計に関する特定金額の算定
令和元年 （第69回）	第一問	個別問題	問1　一般商品売買に関する処理方法、仕訳と特定金額の算定 問2　株主資本に関する仕訳と特定金額の算定、分配可能額の算定、株式交換に関する特定金額の算定
	第二問	個別問題	問1　為替予約に関する勘定科目・特定金額の算定（処理の比較） 問2　退職給付会計に関する仕訳と特定金額の算定 問3　連結会計に関する連結財務諸表の特定金額の算定
令和2年 （第70回）	第一問	個別問題	問1　勘定分析、株主資本に関する特定金額の算定、一般商品売買に関する特定金額の算定（処理の比較） 問2　株主資本に関する仕訳と特定金額の算定
	第二問	個別問題	問1　本支店会計に関する特定金額の算定 問2　リース会計に関する仕訳と特定金額の算定

年度(回数)	問題	出題形式	問題構造
令和3年(第71回)	第一問	個別問題	問1 個人商店に関する簿記一巡の手続き、推定簿記に関する特定金額の算定 問2 割賦販売に関する仕訳と特定金額の算定
	第二問	個別問題	問1 有形固定資産の取得原価の決定、減価償却の方法、有形固定資産の除却 問2 連結会計に関する仕訳と特定金額の算定
令和4年(第72回)	第一問	個別問題	問1 キャッシュ・フロー計算書の特定金額、簿記一巡の手続き 問2 買付に関する相対取引、収益認識における返品権付の販売
	第二問	個別問題	問1 減損会計(共用資産)に関する特定金額の算定 問2 有価証券、連結会計に関する仕訳と特定金額の算定
令和5年(第73回)	第一問	個別問題	問1 特殊仕訳帳制に関する仕訳と特定金額の算定 問2 自社利用目的のソフトウェアに関する仕訳
	第二問	個別問題	外貨建取引に関する仕訳と特定金額の算定

(3) 出題テーマ及び論点

テーマ	論点	平26 64回	平27 65回	平28 66回	平29 67回	平30 68回	令元 69回	令2 70回	令3 71回	令4 72回	令5 73回
簿記一巡	大陸式簿記法									●	
	費用・収益の見越・繰延								●		
推定簿記	勘定分析による金額算定							●	●	●	
	取得原価の推定								●		
帳簿組織	補助簿(当座預金出納帳)								●		
	補助簿(売上帳・仕入帳)	●									
	補助簿(得意先元帳・仕入先元帳)								●		
	補助簿(商品有高帳)					●					
	特殊仕訳帳制										●
一般商品売買	会計処理(分記法)	●					●				
	会計処理(三分法)	●		●				●	●		
	会計処理(総記法)	●		●		●		●			
	会計処理(売上原価対立法)			●			●				
	会計処理(小売棚卸法)					●					
	売上・仕入に関する返品・値引・割戻			●		●	●	●			
	払出単価の決定(先入先出法)	●	●	●			●				
	払出単価の決定(移動平均法)	●	●			●					
	払出単価の決定(総平均法)			●							
	払出単価の決定(その都度後入先出法)				●						
	払出単価の決定(最終仕入原価法)				●						
特殊商品売買	割賦販売(回収基準・未実現利益整理法)	●					●				
	割賦販売(原価率算定)						●				
	割賦販売(利息法)								●		

テ ー マ	論　　　点	平26 64回	平27 65回	平28 66回	平29 67回	平30 68回	令元 69回	令2 70回	令3 71回	令4 72回	令5 73回
特殊商品売買	未着品売買（総記法）	●									
	委託販売（その都度法）				●						
	委託販売（分記法）	●									
	委託販売（総記法）				●						
	委託販売（委託者手取額基準）	●									
	受託販売				●						
	先物販売（対照勘定法）	●									
	委託買付									●	
	受託買付									●	
貸倒引当金	一般債権（貸倒実績率法）	●		●							
	金銭債権の貸倒			●							
人件費	退職給付会計（原則法）				●		●				
有形固定資産	取得原価の決定（割賦購入）								●		
	取得原価の決定（自家建設）								●		
	取得原価の決定（交換）								●		
	減価償却（定額法）			●							
	総合償却								●		
	除却								●		
	ファイナンス・リース（借手側）			●				●			
	ファイナンス・リース（貸手側）							●			
	セール・アンド・リースバック			●							
	減損会計（共用資産・のれん）					●				●	
	資産除去債務			●							
	圧縮記帳（積立金方式）		●	●							
株主資本	株式発行						●	●			
	剰余金の処分	●	●		●		●	●			
	剰余金の処分における準備金の積立	●	●		●		●	●			
	任意積立金の積立・取崩		●					●			
	自己株式の有償取得	●	●				●	●			
	自己株式の処分		●		●			●			
	自己株式の消却						●	●			
	自己株式の単価の付替（移動平均法）							●			
	自己株式の取得・処分に関する手数料		●								
	新株と自己株式の同時交付						●				
	その他資本剰余金の負の値の補填		●		●						
税金	税効果会計	●	●	●							
	税効果会計に関する税率の変更			●							
	償却原価法（定額法）	●									
有価証券	売買目的有価証券									●	
	満期保有目的の債券									●	
	子会社株式・関連会社株式									●	

テーマ	論　点	平26 64回	平27 65回	平28 66回	平29 67回	平30 68回	令元 69回	令2 70回	令3 71回	令4 72回	令5 73回
有価証券	その他有価証券（全部純資産直入法）	●		●				●			
	減損処理									●	
	受取配当金の財源		●								
	新株予約権の取得					●					
外貨建取引等	外貨建取引の換算	●									●
	期末換算替						●				●
	満期保有目的の債券	●									
	社債										●
	為替予約（独立処理）						●				●
	為替予約（振当処理）						●				
ソフトウェア	市場販売目的のソフトウェア				●						
	自社利用目的のソフトウェア										●
新株予約権	新株予約権							●			
	ストック・オプション		●								
	新株予約権付社債（一括法・割引発行）	●									
	外貨建新株予約権付社債（一括法）					●					
会計上の変更	会計方針の変更		●								
ヘッジ会計	繰延ヘッジ（為替予約）	●									●
工事契約（旧）	工事進行基準（国内工事）		●								
本支店会計	未達取引					●					
	内部利益の除去					●					
	決算振替					●					
	在外支店	●						●			
組織再編	交換比率の算定				●						
	吸収合併	●	●								
	吸収合併における自己株式の交付	●	●		●						
	株式交換				●		●				
財務諸表	株主資本等変動計算書	●									
	キャッシュ・フロー計算書（直接法）				●					●	
	キャッシュ・フロー計算書（間接法）				●						
連結財務諸表	資本連結						●		●		
	支配獲得後の追加取得						●				
	支配獲得後の一部売却								●		
	持分法									●	
分配可能額	分配可能額		●				●				
	剰余金の変動		●								
	自己株式		●				●				
	のれん等調整額		●				●				
	その他有価証券評価額差額金（評価差損）		●								
収益認識基準	返品権付の販売									●	

(4) 出題傾向の分析

> 1 総合問題の問題構造は様々である
> 2 個別問題は設問方法に工夫がみられる
> 3 出題論点は幅広く出題される

1 　総合問題の問題構造は、簿記一巡型、決算整理型等様々であるため、問題構造を把握せずに問題を解こうとしても、なかなか解答が埋まらず、パニックに陥りやすい。よって、最初2〜3分くらいは問題の全体像を把握し、問題構造・解答手順等を考えてから解答することが大切である。つまり、**「急がば回れ」**ということが総合問題克服のカギといえる。

2 　個別問題では、設問方法に工夫がみられる。例えば、複数の処理が考えられるものや取引当事者の処理を比較する問題、取引が発生してから終了するまでの処理を問う問題、金額ではなく数値を算定させる問題が出題されている。なお、出題実績は次のとおりである。

(1) 複数の処理の比較

　　　平成26年……一般商品売買に関する処理（分記法と総記法）

　　　平成28年……一般商品売買に関する処理（総記法、三分法及び売上原価対立法）

　　　平成29年……特殊商品売買に関する処理（手元商品区分法（その都度法）と総記法）

　　　　　　　　　払出単価の決定方法（先入先出法、その都度後入先出法、年次総平均法及び最終仕入原価法）

　　　平成30年……一般商品売買に関する処理（総記法と小売棚卸法、先入先出法と移動平均法）

　　　令和元年……一般商品売買に関する処理（分記法と売上原価対立法）

　　　　　　　　　為替予約に関する処理（独立処理と振当処理）

　　　令和2年……一般商品売買に関する処理（三分法と総記法）

(2) 取引当事者の処理の比較

　　　平成27年……その他資本剰余金及びその他利益剰余金を財源とした配当（支払側と受取側）

　　　平成29年……委託販売（委託者側と受託者側）

　　　平成30年……新株予約権付社債（取得者側と発行者側）

　　　令和2年……リース会計（借手側と貸手側）

　　　令和3年……割賦販売（販売側と購入側）

　　　令和4年……特殊商品売買（委託買付と受託買付）

(3) 取引が発生してから終了するまでの処理

　　　平成25年……ストック・オプション

(4) 数値の算定

　　　平成24年・25年……商品数量の算定

　　　したがって、個別問題は**各論点について処理・金額の算定方法等の正確な理解が克服のカギ**といえる。

問題編

TAX ACCOUNTANT

第1章　簿記一巡

重要度　A

問題1−1　簿記一巡の手続　　（制限時間10分）　難易度　A

A社（3月決算）に関する下記の資料に基づいて、当期末の残高勘定及び損益勘定を完成させなさい。なお、開始残高勘定は使用していない。

【資料1】前期末の残高勘定

残　　高　　（単位：千円）

現金預金	10,900	買掛金	3,500
売掛金	5,500	未払営業費	180
繰越商品	1,200	未払利息	10
		貸倒引当金	110
		借入金	1,000
		資本金	10,000
		繰越利益剰余金	2,800
	17,600		17,600

【資料2】当期中の取引（同種取引はまとめて示す。）

1　商品51,000千円を掛により仕入れた。

2　商品を65,000千円で掛により売り上げた。

3　売掛金62,000千円を回収した。

4　期首売掛金100千円が貸倒れた。

5　買掛金47,500千円を支払った。

6　営業費12,200千円を支払った。

7　借入金500千円及び借入金利息20千円を支払った。

【資料3】決算整理事項

1　期末商品棚卸高は1,500千円である。

2　期末売掛金残高に対して2％の貸倒引当金を差額補充法により計上する。

3　当期末の未払営業費は200千円、未払利息は5千円である。

⇨解答：223ページ

　下記の資料に基づいて、当期末における決算整理仕訳及び決算整理後残高試算表（一部）を作成しなさい。

【資料1】決算整理前残高試算表（一部）

決算整理前残高試算表（一部）　　　（単位：千円）

営 業 費	32,250	受 取 地 代	2,100
支 払 利 息	360	受 取 利 息	40

【資料2】決算整理事項

1　営業費の繰延高　220千円

2　支払利息の見越高　120千円

3　受取地代の繰延高　150千円

4　受取利息の見越高　80千円

⇨解答：224ページ

問題 1-3 見越・繰延(2)　　　（制限時間3分）　　難易度 A

当社（会計期間は4月1日から翌年3月31日）に関する下記の資料に基づいて、決算整理後残高試算表（一部）を作成しなさい。

【資料1】決算整理前残高試算表（一部）

決算整理前残高試算表（一部）　　　（単位：千円）

支 払 保 険 料	960	借　　入　　金	30,000
支 払 利 息	400		

【資料2】決算整理事項等

1　支払保険料は当期の8月1日に取得した車両に対するものであり、取得時に1年分を前払いしている。

2　借入金は前期の12月1日に借り入れたものであり、期間3年、利子率年2％（1年ごとの後払い）である。

⇨解答：224ページ

当社の当期（X4年4月1日からX5年3月31日）に関する下記の資料に基づいて、決算整理後残高試算表（一部）を作成しなさい。

【資料1】決算整理前残高試算表（一部）

決算整理前残高試算表（一部）　　　（単位：千円）

支　払　利　息	（　　　　）	借　　入　　金	（　　　　）

【資料2】決算整理事項等

借入金はX1年8月1日に以下の条件等で借り入れたものである。

1　借入元本：100,000千円

2　返済条件：X2年7月31日より毎年7月31日に10,000千円ずつ分割返済

3　利子率：年3％

4　利払日：毎年7月31日（1年ごとの後払い）

⇨解答：224ページ

第2章　一般商品売買

重要度　A

問題2－1　商品売買(1)　　　（制限時間10分）　難易度　A

　下記の資料に基づいて、次の問に答えなさい。

問1　以下の処理方法に基づいた場合の決算整理前残高試算表に残高が残っている勘定科目について、その勘定科目と残高を解答欄に示しなさい。なお、残高については「借／貸」欄に借方残の場合は「借」、貸方残の場合は「貸」と記入すること。

問2　以下の処理方法に基づいた場合に必要とされる決算整理仕訳を示しなさい。仕訳が不要の場合には、借方勘定科目欄に「仕訳不要」と記入すること。

　　(1)　分記法

　　(2)　総記法

　　(3)　売上原価対立法

　　(4)　二分法

　　(5)　三分法（売上原価を仕入勘定で算定する方法）

【資　料】

1　当期の商品売買に関する内容

		原　　価	売　　価
①	期　首　商　品	3,000円	——
②	当　期　仕　入　高	30,500円	——
③	当　期　売　上　高	30,000円	37,500円
④	期　末　商　品	3,500円	——

2　使用する勘定科目は下記の　　　　　の中から選択すること。

売上	売上原価	繰越商品	仕入	商品	商品販売益

⇨解答：226ページ

下記の資料に基づいて、**問1**及び**問2**に答えなさい。なお、解答に使用する勘定科目については以下の □□□□□□ の中から選択すること。

| 商品 | 繰越商品 | 仕入 | 売上原価 | 売上 | 商品販売益 |

問1 以下の(1)～(5)の各処理方法を用いた場合の決算整理前残高試算表を作成しなさい。

問2 以下の(1)～(5)の各処理方法を用いた場合の決算整理仕訳を答えなさい。なお、行うべき仕訳がない場合には、借方科目欄に「仕訳不要」と記入すること。

(1) 分記法

(2) 総記法

(3) 売上原価対立法

(4) 二分法

(5) 三分法

【資　料】

1　当期の期首商品は1,000千円である。

2　当期の商品総仕入高は115,000千円であり、このうち、仕入返品高は2,000千円、仕入値引高は500千円である。

3　当期の商品売上高は140,000千円であり、返品、値引等はなかった。

4　当期の期末商品は1,500千円である。

⇨解答：227ページ

問題2-3 商品売買(3)　　　　　　（制限時間6分）　難易度 A

　下記の【資料】に基づいて、空欄①〜⑤に入る金額を答えなさい。【資料】は当社のX1年4月中の商品売買取引における商品勘定について、分記法を用いて記帳した場合と総記法を用いて記帳した場合を示している。なお、原価率は60%に設定している。また、当社の会計期間は4月1日〜3月31日の1年間であり、当社は月次決算を行っている。

【資料】

1　分記法を用いて記帳した場合

	商　　品	（単位：千円）

4/1 前期繰越 6,000	4/5 売掛金 （ ① ）
10 買掛金 （　）	12 売掛金 9,600
15 買掛金 18,000	20 売掛金 15,000
25 買掛金 （　）	28 売掛金 （　）
	30 次月繰越 （ ② ）

2　総記法を用いて記帳した場合

	商　　品	（単位：千円）

4/1 前期繰越 （　）	4/5 売掛金 8,000
10 買掛金 12,000	12 売掛金 （ ⑤ ）
15 買掛金 （ ③ ）	20 売掛金 （　）
25 買掛金 30,000	28 売掛金 56,000
30 （　） （ ④ ）	30 次月繰越 （　）

⇨解答：228ページ

問題２－４ 商品売買(4)　　　　　　　　（制限時間５分）　難易度　A

　下記の資料は商品売買取引について、三分法で記帳した場合の繰越商品勘定、仕入勘定及び売上勘定の記入面（同一取引はまとめて示し、日付は省略している。）を示している（単位：千円）。そこで、商品売買取引について、(1)総記法で記帳した場合と(2)売上原価対立法で記帳した場合のそれぞれについて、各勘定を完成させなさい。

【資　料】三分法で記帳した場合の各勘定の記入面（単位：千円）

繰越商品

前期繰越	12,000	（　　　）	（　　　）
（　　　）	（　　　）	次期繰越	15,000

仕　　入				売　　上			
買 掛 金	771,000	（　　　）	（　　　）	損　　益	（　　　）	売 掛 金	1,170,000
（　　　）	（　　　）	損　　益	（　　　）				

⇨解答：229ページ

問題2−5　商品の期末評価(1)　　　（制限時間7分）　難易度　A

当社の当期（X2年4月1日からX3年3月31日）に関する下記の資料に基づいて、決算整理後残高試算表及び損益計算書（売上総利益まで）を作成しなさい。

【資　料】

1

決算整理前残高試算表			（単位：千円）
繰　越　商　品	35,000	売　　　　上	4,475,000
仕　　　　入	3,150,000		

2　決算整理事項等

(1) 得意先から商品600千円（原価420千円）について、返品する旨の連絡を受けていたが、商品が当社に未着であったため、未処理であった。

(2) 期末商品帳簿棚卸高は52,500千円であり、期末商品実地棚卸高は51,450千円であった。

(3) 上記(2)の期末商品帳簿棚卸高と期末商品実地棚卸高との差額について調査したところ、期中に見本品として商品700千円を提供していたが、未処理であることが判明した。これ以外の原因は不明であった。

(4) 上記(1)の返品商品は品質低下品であり、正味売却価額を200千円として商品評価損を計上する。

(5) 棚卸減耗損の40%相当額及び商品評価損の金額は原価処理することとする。

⇨解答：229ページ

下記の資料に基づいて、決算整理後残高試算表（一部）を作成しなさい。

【資料1】決算整理前残高試算表（一部）

決算整理前残高試算表（一部） （単位：千円）

繰越商品	22,800	売　上	（　　　）
仕入	1,271,200		

【資料2】決算整理事項等

1　商品の払出単価の算定は総平均法を採用している。期首商品の棚卸数量は120個、当期商品仕入数量は6,350個である。当期中の商品1個あたりの売価は350千円である。

2　期末商品帳簿棚卸数量は200個、期末商品実地棚卸数量は170個である。期末商品実地棚卸数量のうち、5個は品質低下品であり、正味売却価額は1個あたり120千円である。

3　棚卸減耗費のうち、20個については経常的に発生し、正常な範囲内のものとして売上原価に算入し、20個を超える数量については異常な原因に基づくものとして営業外費用とする。商品評価損については売上原価に算入する。

⇨解答：230ページ

問題2-7 商品の期末評価(3)　　　（制限時間10分）　難易度　A

下記の【資料】に基づいて、次の**問1**及び**問2**に答えなさい。

問1　商品の払出単価の決定方法として、先入先出法を採用していた場合の決算整理後残高試算表（一部）の金額を答えなさい。

問2　商品の払出単価の決定方法として、移動平均法を採用していた場合の決算整理後残高試算表（一部）の金額を答えなさい。

【資　料】

1　商品の受払記録（取引順）

　(1) 期首商品　@700円　　　500個

　(2) 仕　　入　@722円　　5,000個

　(3) 売　　上　　　　　　4,500個

　(4) 仕　　入　@745円　　4,000個

　(5) 売　　上　　　　　　3,000個

　(6) 仕　　入　@752円　10,000個

　(7) 売　　上　　　　　　7,000個

　(8) 仕　　入　@766円　　5,000個

　(9) 売　　上　　　　　　8,000個

　(10) 仕　　入　@746円　10,000個

　(11) 売　　上　　　　　　9,000個

2　期末実地棚卸数量は2,900個であり、棚卸減耗損の30%相当額は売上原価に含めることとする。

3　売価は1個あたり1,000円である。

⇨解答：230ページ

下記の【資料】に基づいて、決算整理後残高試算表を示しなさい。

【資料1】

決算整理前残高試算表　　（単位：千円）

| 繰 越 商 品 | （　　　） | 売　　　　　上 | 255,200 |
| 仕　　　　　入 | 179,905 | 商 品 評 価 損 益 | （　　　） |

【資料2】

1　前期末の商品については次のとおりである。

	帳簿個数	実地個数	帳 簿 原 価	正味売却価額
A 商 品	5,200個	5,150個	1,800円／個	3,040円／個
B 商 品	2,000個	2,000個	1,650円／個	1,615円／個
C 商 品	1,850個	1,850個	1,500円／個	1,710円／個

2　当期末の商品については次のとおりである。

	帳簿個数	実地個数	帳 簿 原 価	正味売却価額
A 商 品	4,220個	4,700個	1,800円／個	3,135円／個
B 商 品	1,300個	1,200個	1,650円／個	1,710円／個
C 商 品	2,600個	2,500個	1,550円／個	1,520円／個

3　当期末の商品について、帳簿棚卸数と実地棚卸数との差異について調べたところ、次の事項が判明した。

　(1)　決算直前に売上処理したA商品500個（売価3,300円／個）が、期末現在でまだ倉庫に保管されていた。

　(2)　決算直前に見本品として提供したB商品100個が、期末現在でまだ処理されていなかった。

4　当社は収益性の低下に基づく評価損の計上については、洗替法により処理を行っている。

5　正味売却価額は、販売単価から見積販売直接経費（販売単価の5％）を控除して算定している。

⇨解答：232ページ

問題2-9　商品の期末評価(5)　　　（制限時間5分）　難易度 B

次の【資料】に基づいて、決算整理後残高試算表を示しなさい。

【資料1】決算整理前残高試算表

決算整理前残高試算表			（単位：千円）
繰　越　商　品	6,300	売　　　　　　上	100,425
仕　　　　　　入	82,050		

【資料2】決算整理事項等

(1) 払出単価の決定方法として、先入先出法を採用している。

(2) 当期の商品有高帳（一部未記入となっている。）は、次のとおりである。

商 品 有 高 帳

（単位：個・千円）

日付	摘　　要	受　入			払　出			残　高		
		数　量	単　価	金　額	数　量	単　価	金　額	数　量	単　価	金　額
	前期繰越	60	105							
	仕　　入	300	110							
	売　　上				60					
					280					
	仕　　入	450	109							
	売　　上				20					
					380					
	評価損									
	次期繰越									

(3) なお、期末商品については収益性が低下している。当期末における商品1個あたりの売価は120千円、1個あたりの見積販売直接経費は14千円であった。

また、商品評価損は原価処理する。

⇨解答：233ページ

A株式会社の当期（4月1日から3月31日）に関する下記の資料に基づいて、答案用紙に示した当期末の決算整理後残高試算表の金額を答えなさい。

【資料1】2月末の残高試算表

残 高 試 算 表		（単位：千円）	
繰 越 商 品	6,000	売　　　　　上	283,400
仕　　　入	198,400		

【資料2】営業取引及び決算整理等

(1) 棚卸資産の評価方法は、その都度先入先出法を採用している。商品売買取引について、2月末日までは適正に処理済みであるが、3月中の取引については、下記に示す補助簿を除き、主要簿には記載していない。なお、販売単価は18千円であり、資料以外は考慮不要とする。

（単位：個・千円）

摘　要	受　　入			払　　出			残　　高		
	数　量	単　価	金　額	数　量	単　価	金　額	数　量	単　価	金　額
前月繰越	600	10	6,000				600	10	6,000
仕　入	900	?	?				600	?	?
							900	11	9,900
売　上				600	?	?			
				200	?	?	700	?	?
仕　入	500	12	6,000				?	?	?
							?	?	?
売　上				?	?	?			
				100	?	?	?	?	?

(2) 月末実地棚卸数量は350個であった。

(3) 月末実地棚卸数量のうち、20個は品質低下品であり、正味売却価額（単価）は8千円であった。

⇨解答：234ページ

問題2−11　仕入諸掛　　　　　　　　　（制限時間4分）　難易度　A

　下記の資料に基づいて、次の**問1**及び**問2**に答えなさい。

問1　仕入諸掛の按分を先入先出法により計算した場合の決算整理後残高試算表（一部）を作成しなさい。

問2　仕入諸掛の按分を平均法により計算した場合の決算整理後残高試算表（一部）を作成しなさい。

【資　料】

1　決算整理前残高試算表（一部）

<table>
<tr><td colspan="4" align="center">決算整理前残高試算表（一部）</td><td align="right">（単位：千円）</td></tr>
<tr><td>繰　越　商　品</td><td align="right">20,200</td><td>売</td><td>上</td><td align="right">600,000</td></tr>
<tr><td>仕　　　　　　入</td><td align="right">404,840</td><td></td><td></td><td></td></tr>
</table>

2　決算整理事項等

（1）決算整理前残高試算表の繰越商品には諸掛200千円が含まれており、仕入には諸掛4,840千円が含まれている。

（2）期末商品（諸掛を含まない）の金額は30,000千円である。

⇨解答：234ページ

問題3−1　債権・債務(1)　　　　　（制限時間10分）　　難易度 | A

次の取引の仕訳を答えなさい。なお、商品売買は三分法で処理すること。

1　商品300,000円を掛けにより仕入れた。

2　商品600,000円を発注し、手付金として100,000円を現金で支払った。

3　上記2の商品が到着し、手付金を除いた残額は掛けとした。

4　商品を1,000,000円で掛けにより売り上げた。

5　買掛金200,000円を小切手を振り出して支払った。

6　売掛金300,000円を得意先振出の小切手で受け取った。

7　商品500,000円を売り上げ、代金はクレジットカードにより決済した。なお、クレジットカード会社に対する手数料は決済金額の1％であり、売上計上時に支払手数料に計上する。

8　上記7の代金がクレジットカード会社から当座預金口座に入金された。

9　売掛金750,000円を電子記録債権とすることとし、発生記録を行った。

10　電子記録債権300,000円を割引し、割引料10,000円が差し引かれ、残額が当座預金に入金された。

11　買掛金250,000円について、電子記録債務として発生記録が行われた。

⇨解答：236ページ

問題3−2　債権・債務(2)　　　（制限時間8分）　　難易度　A

次の取引の仕訳を答えなさい。

1　土地10,000,000円を購入し、代金は後日支払うこととした。

2　土地（帳簿価額5,000,000円）を8,000,000円で売却することとし、2,000,000円は現金で受け取り、残額は後日受け取ることとした。

3　建物の建設代金として、頭金3,000,000円を現金で支払った。

4　上記3の建物が完成し、上記3で支払った頭金を除いた残額12,000,000円は約束手形を振り出して支払った。

5　銀行から5,000,000円を借り入れ、当座預金に入金された。当該借入金の借入期間は1年、利子率は年3％であり、利息は返済日に一括払いである。

6　上記5の借入金の返済日となり、利息を含めた金額が当座預金から引き落とされた。

7　取引先に1,000,000円を貸し付けることとなり、小切手1,000,000円を振り出し、取引先からは取引先振出の約束手形を受け取った。貸付期間は6か月であり、利子率は年3％とする。利息は約束手形の額面金額に含めることとした。

8　上記7の約束手形の支払期日となり、手形金額が当座預金に入金された。

⇨解答：236ページ

問題3−3　債権・債務(3)　　　（制限時間5分）　　難易度　B

下記の【資料】に基づいて、次の問に答えなさい。なお、資料以外のことは考慮しなくてよい。

問1　当期中の営業取引の仕訳を示しなさい。

問2　答案用紙に示した買掛金勘定の記入を行いなさい（日付は省略）。

問3　当期の商品仕入高を算定しなさい。

【資　料】

1　買掛金　期首残高　4,050千円、期末残高　3,700千円

2　当期中の営業取引（同種取引は合計額で示してある。）

(1)　①　現金による仕入　　　　　　　　3,000千円

　　　②　掛による仕入　　　　　　　　各自推定　千円

(2)　買掛金の現金による支払　　　　　　7,400千円

⇨解答：236ページ

下記の【資料】に基づいて、次の問に答えなさい。なお、資料以外のことは考慮しなくてよい。

問1 当期中の営業取引の仕訳を示しなさい。

問2 答案用紙に示した各勘定の記入を行いなさい（日付は省略）。

問3 決算整理前残高試算表の売上勘定の金額を算定しなさい。

【資料Ⅰ】前期末の繰越試算表

	繰 越 試 算 表		（単位：千円）
受 取 手 形	20,000	前 受 金	1,400
売 掛 金	13,000		

【資料Ⅱ】

1 当期中の営業取引（同種取引は合計額で示してある。）

(1) 現金による売上代金の一部前受 3,600千円

(2) ① 現金による売上 6,000千円

② 掛による売上 　各自推定　千円

③ 前受金による売上 　各自推定　千円

(3) 売掛金の手形による回収 160,000千円

(4) 受取手形の当座預金による回収 150,000千円

2 受取手形の増加はすべて売掛金の回収によるものである。

【資料Ⅲ】当期の決算整理前残高試算表

	決算整理前残高試算表		（単位：千円）
受 取 手 形	30,000	前 受 金	1,000
売 掛 金	23,000	売 上	各自推定

⇨解答：237ページ

| 第 4 章 | 現 金 ・ 預 金 | 重 要 度 | A |

| 問題4－1 | 現金・預金(1) | （制限時間8分） | 難 易 度 | A |

　当社（決算日は3月31日）の下記の資料に基づいて、決算整理後残高試算表を作成しなさい。なお、解答は決算整理後残高試算表に記載されている勘定科目を使用して行うこと。

【資料1】決算整理前残高試算表

決算整理前残高試算表　　　　（単位：千円）

現　　　　　金	1,080	買　　掛　　金	31,000
当　座　預　金	130,500	未　　払　　金	600
売　　掛　　金	55,000	雑　　収　　入	50
貯　　蔵　　品	15		
営　　業　　費	115,365		
雑　　損　　失	70		

【資料2】決算整理事項等

1　現金に関する事項

　(1) 決算日に金庫の中を実査したところ、以下のものが保管されていた。

　　① 通貨：300千円

　　② 得意先振出小切手：1,500千円

　　③ 当社振出小切手：1,000千円

　　④ 収入印紙及び切手：20千円

　(2) 上記(1)②の得意先振出小切手は売掛金の回収として受け取ったものであり、未処理であった。

　(3) 上記(1)③の当社振出小切手は買掛金800千円の支払いと営業費200千円の支払いとして振出したものであり、未渡しであった。

　(4) 収入印紙及び切手は購入時に営業費に計上している。決算整理前残高試算表の貯蔵品は前期末の未使用分を計上したものである。

　(5) 期中に営業費250千円を支払った際、金額を520千円とし、貸借反対に仕訳していることが判明した。

　(6) 原因不明分については雑損失または雑収入に計上することとする。

2　当座預金に関する事項

取引銀行から取り寄せた決算日現在の当座預金の残高証明書の金額は133,180千円であった。帳簿残高との差額について調査したところ、以下の事項が判明した。

(1) 決算日に現金300千円を銀行に預入れたが、銀行では翌日の入金として処理されていた。

(2) 買掛金800千円及び営業費200千円の支払いとして振出した小切手が未渡しであった（上記1(3)参照）。

(3) 得意先から売掛金について1,880千円（振込手数料20千円控除後）の振込みがあったが、未処理であった。

(4) 営業費600千円が引き落とされていたが、未処理であった。

(5) 買掛金700千円の支払いとして振出した小切手が取立てられていなかった。

⇨解答：238ページ

問題４－２　現金・預金(2)　　　（制限時間８分）　難易度　A

当社（会計期間は４月１日から翌年３月31日）に関する下記の資料に基づいて、【資料１】①に入る金額及び決算整理後残高試算表（一部）を作成しなさい。なお、解答に使用する勘定科目は決算整理後残高試算表（一部）で使用されているものとする。

【資料１】決算整理前残高試算表（一部）

決算整理前残高試算表（一部）　　　（単位：円）

現　　　　　金	166,000	買　　掛　　金	562,000
当　座　預　金	（　①　）	未　　払　　金	235,000
売　　掛　　金	1,285,000		
営　　業　　費	885,000		

【資料２】決算整理事項等

決算日に取引銀行から取り寄せた当座預金の残高証明書の金額は3,285,150円であり、帳簿残高と不一致であったが、下記の不一致原因が判明した。

1　売掛金の回収として受け取った得意先振出小切手121,000円を決算日に銀行担当者に渡し、預け入れの処理を行ったが、銀行では翌日の入金として処理されていた。

2　買掛金55,000円及び営業費11,000円の支払いのために振出した小切手が銀行には未呈示であった。

3　買掛金88,000円及び営業費22,000円の支払いのために振出した小切手が決算日現在金庫に保管されていた。

4　得意先から売掛金220,000円の振り込みがあったが、未処理であった。

5　営業費60,000円の引き落としがあったが、未処理であった。

6　銀行に取立依頼していた他人振出小切手165,000円について、預け入れの処理を行っていたが、不渡りとなった。

⇨解答：238ページ

問題4－3 現金・預金⑶ 　　　　（制限時間7分）　難易度 A

下記の資料に基づいて、当社が行うべき修正仕訳を示し、決算整理後の当座預金の金額を答えなさい。

【資 料】

取引銀行より取り寄せた当座預金の残高証明書（3月31日現在）には、5,175,000円とあるが、当社の当座預金の帳簿残高はそれより612,500円少なかった。その不一致原因を調査したところ、次のことが判明した。なお、本日は決算日（3月31日）である。

1　売掛金の回収として小切手300,000円を受け取り、直ちに当座預金として預け入れたが、銀行が締切後であったため、翌日の入金とされていた。

2　買掛金の支払いとして小切手225,000円を振り出したが、未取付であった。

3　買掛金40,000円の支払いとして振り出された小切手が、決算日現在未渡しであった。

4　売掛金の回収分375,000円が当座預金に振り込まれていたが、未処理だった。

5　送金手数料4,500円が当座預金から引き落とされていたが、未処理だった。

6　売掛金125,000円の回収につき、当社では誤って152,000円と記帳し、しかも貸借反対に仕訳していた。

⇨解答：239ページ

下記の資料に基づいて、甲社の決算整理後残高試算表の各金額を答えなさい。

【資料1】

決 算 整 理 前 残 高 試 算 表 　（単位：千円）

現　金　預　金	1,850	支　払　手　形	520
支　払　利　息	800	買　　掛　　金	1,030
		未　　払　　金	100
		短　期　借　入　金	50,000

【資料2】決算整理事項

　決算整理前残高試算表の現金預金勘定1,850千円は現金50千円と当座預金の合計額である。甲社はA銀行とB銀行にそれぞれ当座預金口座を開設している。決算日の銀行証明書の金額はA銀行は2,470千円であり、B銀行は660千円のマイナスであった。甲社の当座預金残高との差額の内訳は次のとおりである。なお、取引銀行とは当座借越契約を結んでおり、貸方残高となる場合には短期借入金に振り替えるものとする。

1　A銀行

　(1) 取立未済の小切手（仕入先への買掛金支払分）20千円がある。

　(2) 決算日に、仕入先に対する手形代金（各自推定）千円が決済されたが、甲社では未記帳となっている。

　(3) 銀行の営業時間終了後に預け入れた他人振出の小切手40千円があり、銀行では翌日の入金とされていた。

　(4) 3月30日に振り出して記帳したが、相手先に未渡しの小切手80千円（買掛金50千円及び営業費30千円）がある。

2　B銀行

　借入金利息10千円が引き落とされていたが、甲社では未記帳となっている。

⇨解答：239ページ

当社（会計期間は４月１日から翌年３月31日）に関する下記の資料に基づいて、決算整理後残高試算表（一部）を作成しなさい。

【資料１】決算整理前残高試算表（一部）

決算整理前残高試算表（一部）　　　　（単位：千円）

現　金　預　金	52,996	買　　掛　　金	33,000
売　　掛　　金	68,200		
営　　業　　費	134,750		

【資料２】決算整理事項等

1　決算整理前残高試算表の現金預金の内訳は小口現金と当座預金である。小口現金は営業費の支払いのために使用している。

2　決算日に取引銀行から取り寄せた当座預金の残高証明書の金額は56,315千円であったが、帳簿残高と不一致であったため、調査したところ、下記の内容が判明した。

(1)　営業費550千円の支払いのために振出した小切手が未決済であった。

(2)　買掛金2,200千円及び営業費330千円の支払いのために振出した小切手が未渡しであった。

(3)　決算日に売掛金880千円の回収として受け取った得意先振出しの小切手を銀行に預け入れたが、営業時間外であったため、銀行では翌日の入金として処理されていた。

(4)　営業費220千円が引き落とされていたが、未処理であった。

(5)　得意先から売掛金の決済として、1,639千円（振込手数料11千円控除後）の振込みがあったが、未処理であった。なお、振込手数料は営業費として処理している。

3　３月分の小口現金使用高210千円について未処理であった。決算日における小口現金の実際有高は80千円であり、原因不明分については雑損失として処理する。

⇨解答：240ページ

当社の下記の【資料】に基づいて、決算整理後残高試算表を作成しなさい（事業年度はｘ１年4月1日～ｘ２年3月31日）。

【資　料】

1　決算整理前残高試算表

決算整理前残高試算表　　　（単位：円）

現　　　　　金	255,730	支　払　手　形	1,990,000
当　座　預　金	1,632,850	買　　掛　　金	7,162,000
受　取　手　形	3,420,000		
売　　掛　　金	8,840,000		
通　　信　　費	240,000		
支　払　手　数　料	22,800		

2　ｘ２年3月1日における当座預金勘定残高と取引銀行の当座預金口座残高は一致していたが、決算日現在では不一致になっていた。

(1)　当座預金出納帳

当座預金出納帳　　　（単位：円）

日付	借　　方	貸　　方	残　　高	小切手・手形No.	摘　　要
3　1			1,780,000		
7	120,000		1,900,000		甲社売掛金振込入金
18		13,150	1,886,850	小切手101	買掛金支払
25		90,000	1,796,850	小切手102	現金引き出し
28	350,000		2,146,850		受取手形取立入金
31		165,000	1,981,850	手形2111	支払手形支払
〃		189,000	1,792,850	手形2112	支払手形支払
〃		99,000	1,693,850	小切手103	買掛金支払
〃		61,000	1,632,850	小切手104	買掛金支払（※）

※　小切手104は金庫の中に保管されていた。

(2) 当座勘定照合表（※1）

当座勘定照合表　　　　　　　　　（単位：円）

日 付		出　　金	入　　金	残　　高	小切手・手形No.	摘　　　　要
3	1			1,780,000		
	7		119,400	1,899,400		甲社（※2）
	18	13,150		1,886,250	小切手101	
	25	95,000		1,791,250	小切手102	
	28		350,000	2,141,250		
	31	22,000		2,119,250		電話料金
	〃	189,000		1,930,250	手形2112	
	〃	156,000		1,774,250	手形2111	
	〃		130,000	1,904,250		乙社（※3）

※1　「当座勘定照合表」とは、一定期間ごとに銀行から送られてくる書類で、普通預金の預金通帳と同様に、その期間に当座預金口座で取引があった内容を知らせるものである。

※2　甲社からの振込代金は手数料が差し引かれている。

※3　売掛金の振込みであり、手数料は差し引かれていない。

⇨解答：240ページ

現金・預金(7)　　　　　　（制限時間７分）　　難易度　B

　下記の資料に基づいて、当社の決算整理後残高試算表の各金額を答えなさい。

【資料１】

<table>
<tr><td colspan="3" align="center">決算整理前残高試算表</td><td align="right">（単位：円）</td></tr>
<tr><td>現　金　預　金</td><td align="right">134,096,632</td></tr>
<tr><td>受　取　手　形</td><td align="right">103,950,000</td></tr>
<tr><td>売　　掛　　金</td><td align="right">165,920,000</td></tr>
<tr><td>貯　　蔵　　品</td><td align="right">50,000</td></tr>
<tr><td>営　　業　　費</td><td align="right">402,782,670</td></tr>
<tr><td>雑　　損　　失</td><td align="right">120,000</td></tr>
</table>

【資料２】決算整理事項等

1　現金預金に関する事項

(1) 現金預金の内訳は現金4,496,000円、当座預金72,433,200円、普通預金57,167,432円である。

(2) 決算にあたり、以下の事項が判明した。

　① X12年３月31日に現金1,000,000円を当座預金に預け入れる処理を行ったが、預け入れたのは翌日であった。

　② X12年３月30日に営業費の支払いのために振出した小切手704,000円が、X12年３月31日現在まだ決済されていなかった。

　③ X12年３月30日に売掛代金3,700,000円が当座預金に振込まれていたが、当社では未処理であった。

　④ X12年３月30日に取立依頼した小切手2,500,000円につき、当社では当座預金への預入処理を行っているが、銀行ではX12年４月２日に取立が完了していた。

　⑤ X12年３月29日に取立依頼した約束手形3,000,000円につき、当社では取立処理を行っているが、銀行ではX12年４月１日に取立が完了していた。

　⑥ X12年３月28日に営業費1,360,000円を現金で支払ったが、未処理となっていた。

　⑦ 未使用の収入印紙60,000円が金庫に保管されていた。当社は収入印紙購入時に営業費勘定に計上している。また、決算整理前残高試算表の貯蔵品は前期末の未使用分を計上したものである。

(3) 現金の実際有高は4,058,000円であった。上記(2)修正後の帳簿残高との差額については原因不明分として処理する。

⇨解答：241ページ

次の取引の仕訳を示しなさい。

(1) Ａ社は、仕入先Ｂ社に対する掛代金1,800円の決済として、約束手形を振り出した。

① Ａ社の仕訳

② Ｂ社の仕訳

(2) Ｃ社は、仕入先Ｄ社に対する掛代金1,000円の決済として、売掛金のある得意先Ｅ社宛に同額の為替手形を振り出し、Ｅ社の引受を得てＤ社に渡した。

① Ｃ社の仕訳

② Ｄ社の仕訳

③ Ｅ社の仕訳

(3) Ｆ社は、得意先Ｇ社に商品50,000円（売価）を売り上げ、代金としてＨ社振出の約束手形を受け取った。

① Ｆ社の仕訳（三分法で処理する。）

② Ｇ社の仕訳（三分法で処理する。）

(4) Ｉ社は、売掛金の回収として受け取った約束手形70,000円を取引銀行で割り引き、割引料4,600円を差し引いた残額を当座預金に預け入れた。

(5) Ｊ社はオフィス事務機器販売会社である。Ｋ社はＪ社からパソコン（Ｋ社は備品勘定で処理）200,000円（売価）を購入し、代金のうち80,000円は小切手を振り出して支払い、残額は約束手形を振り出して支払った。

① Ｊ社の仕訳（三分法で処理する。）

② Ｋ社の仕訳

⇨解答：243ページ

次の取引の仕訳を示しなさい。なお、仕訳を記入する必要がない場合には、「仕訳不要」と記入すること。

(1) 得意先Ａ社から売掛金の回収として、Ａ社振出、当社宛の約束手形1,000千円を受け取った。

(2) 上記(1)の手形について、取引銀行に取立を依頼した。

(3) 得意先Ｂ社から売掛代金として、Ｃ社振出、Ｄ社宛の約束手形1,500千円を裏書譲渡された。

(4) 得意先Ｅ社から売掛金の回収として、Ｆ社振出、Ｇ社宛、Ｅ社指図の為替手形2,000千円を裏書譲渡された。

(5) 仕入先Ｇ社に対する買掛金の支払いのため、Ｇ社宛の約束手形2,500千円を振り出した。

(6) 得意先Ｈ社から売掛金の回収として、かねて当社が振り出した約束手形3,000千円を受け取った。

(7) 仕入先Ｊ社に対する買掛金3,500千円を支払うため、売掛金のあるＫ社宛に同額の為替手形を振り出し、Ｋ社の引受を得てＪ社に渡した。

(8) Ｌ社に商品4,000千円を売り上げ、その代金としてＬ社宛に当社を指図人とする同額の為替手形を振り出し、Ｌ社の引受を得た。

(9) 仕入先Ｍ社に対する買掛金4,500千円を支払うため、当社宛の為替手形を振り出しＭ社に渡した。

(10) 仕入先Ｎ社に対する買掛金5,000千円を支払うため、Ｎ社振出、当社宛の同額の為替手形の呈示を受け、引受をした。

⇨解答：244ページ

下記の資料に基づいて、決算整理後残高試算表（一部）を作成しなさい。なお、会計期間は4月1日～3月31日である。

【資料1】決算整理前残高試算表（一部）

決算整理前残高試算表（一部）　　　（単位：千円）

| 受　取　手　形 | 325,000 | 貸　倒　引　当　金 | 6,200 |
| 売　　掛　　金 | 532,000 | | |

【資料2】決算整理事項等

1　貸倒引当金は売上債権を一般債権、貸倒懸念債権及び破産更生債権等に区分し、差額補充法により計上している。

2　決算整理前残高試算表の貸倒引当金は一般債権に係るものである。

3　A社は経営状態が悪化しており、弁済に重大な問題が生じていると考えられるため、A社に対する債権（受取手形10,000千円及び売掛金30,000千円）を貸倒懸念債権に区分する。A社債権に係る担保処分見込額は5,000千円であり、債権金額から担保処分見込額を控除した残額の50％を貸倒見積高とする。

4　B社は経営破綻の状態に陥っているため、B社に対する債権（受取手形20,000千円及び売掛金50,000千円）を破産更生債権等に区分し、振替処理を行う。B社債権に係る担保処分見込額は10,000千円であり、債権金額から担保処分見込額を控除した残額の100％を貸倒見積高とする。

5　上記3及び4以外の債権はすべて一般債権に区分し、債権金額の1％を貸倒見積高とする。

⇨解答：245ページ

　下記の【資料】に基づいて、決算整理後残高試算表（一部）を作成しなさい。なお、千円未満の端数は四捨五入すること。

【資　料】

1　決算整理前残高試算表（一部）

<table>
<tr><td colspan="4" align="center">決算整理前残高試算表（一部）</td><td align="right">（単位：千円）</td></tr>
<tr><td>受　取　手　形</td><td align="right">1,160,000</td><td>貸　倒　引　当　金</td><td align="right">168,000</td></tr>
<tr><td>売　　掛　　金</td><td align="right">2,740,000</td><td></td><td></td></tr>
</table>

2　決算整理事項等

(1)　決算整理前残高試算表の受取手形及び売掛金の内訳は次のとおりである。

（単位：千円）

	受取手形	売掛金
A社	50,000	100,000
B社	220,000	550,000
C社	100,000	250,000
D社	130,000	300,000
E社	660,000	1,540,000

(2)　A社に対する債権はすべて前期末に貸倒懸念債権に区分した債権であり、前期末に債権金額の50%相当額を貸倒引当金として設定している。A社は当期中に倒産しており、A社に対する債権を貸倒処理することとする。

(3)　C社に対する債権については、C社の財政状態等を考慮し、貸倒懸念債権に区分することとし、債権金額の50%相当額を貸倒引当金として設定する。

(4)　D社に対する債権はD社が会社更生法の適用申請を行っているため、破産更生債権等に区分することとし、債権金額の100%相当額を貸倒引当金として設定する。また、D社に対する債権は破産更生債権等勘定への振替処理を行うこととする。

(5)　上記以外の債権については一般債権に区分することとし、債権金額の1.5%相当額の貸倒引当金を設定する。

(6)　貸倒引当金の繰入は差額補充法により処理する。

⇨解答：245ページ

問1 次の取引の仕訳を示しなさい。

A社は、取引銀行にX社振出の約束手形100,000千円の取立を依頼したところ、不渡りになった旨の通知を受けた。B社は、以前X社から受け取ったX社振出の約束手形200,000千円を取引銀行で割り引いたが、不渡りになった旨の通知を受け、手形を当座決済により買い戻した。

(1) A社の仕訳

(2) B社の仕訳

問2 下記の資料に基づいて、当社の決算整理後残高試算表の各金額を求めなさい。

【資料1】

決算整理前残高試算表 （単位：千円）

受 取 手 形	120,000	支 払 手 形	80,000
売 掛 金	315,000	貸 倒 引 当 金	5,500
仮 払 金	3,000		

【資料2】決算整理事項等

1 買掛金の決済として取引先A社から受け取ったA社振出の約束手形3,000千円につきB社に裏書を行っているが、不渡りとなり遡求された。その際に当社では次の仕訳を行っている。なお、不渡手形は破産更生債権等に区分し、破産更生債権等勘定に振替える。

(借)仮 払 金 3,000千円 (貸)現 金 預 金 3,000千円

2 売掛金の決済として取引先C社から受け取った当社振出の約束手形8,000千円について、当社では次の仕訳を行っている。

(借)受 取 手 形 8,000千円 (貸)売 掛 金 8,000千円

3 当社は期末債権につき貸倒引当金を設定する。なお各区分における設定率は次のとおりである。

一般債権：期末債権金額に対して2％

破産更生債権等：期末債権金額に対して100％

期末において破産更生債権等に区分されるものは上記1の債権のみである。なお、決算整理前残高試算表に計上される貸倒引当金はすべて一般債権に該当するものである。

⇨解答：246ページ

甲社における下記の資料に基づいて、決算整理前残高試算表を作成しなさい。

【資　料】

1　前期末の残高勘定

残		高	（単位：千円）
受　取　手　形	69,000	貸　倒　引　当　金	3,040
売　掛　金	83,000		

（注）受取手形及び売掛金の期末残高に対して2％の貸倒引当金を計上している。

2　当期中の取引

(1) 当期売上高は850,000千円であり、その内訳は掛による売上620,000千円、約束手形の受入による売上230,000千円（他社振出182,000千円、自己振出48,000千円）であった。

(2) 前期に取得した所有手形20,000千円を割り引き、割引料1,000千円が差し引かれ、残額が当座預金に入金された。

(3) 売掛金1,900千円が貸し倒れたが、このうち300千円は当期に計上したものである。

(4) 買掛金46,500千円の支払いのため、売掛金のある得意先の引受を得て為替手形28,500千円を振り出し、前期に取得した所有手形18,000千円を裏書譲渡した。

(5) 売掛金588,200千円の当座預金への入金による回収は418,200千円、約束手形の受入による回収は170,000千円（すべて他社振出によるものである。）であった。

(6) 銀行への手形の取立依頼金額は313,400千円であり、全額当座預金に入金された。

(7) 上記の割引手形及び裏書手形は満期日に無事決済された。

3　保証債務

手形の割引及び裏書に伴う保証債務の時価を手形額面の2％と評価して計上する（保証債務費用勘定で処理する。）とともに、それぞれの手形に対して設定してあった貸倒引当金の取崩しを行う。

⇨解答：246ページ

甲社に関する下記の資料に基づいて、決算整理後残高試算表を作成しなさい。

【資　料】

1　決算整理前残高試算表

<table>
<tr><td colspan="5">決 算 整 理 前 残 高 試 算 表</td><td>（単位：千円）</td></tr>
<tr><td>受　取　手　形</td><td>44,200</td><td>貸　倒　引　当　金</td><td>2,800</td></tr>
<tr><td>売　　掛　　金</td><td>117,300</td><td>預 り 営 業 保 証 金</td><td>2,500</td></tr>
<tr><td>仮　　払　　金</td><td>4,800</td><td></td><td></td></tr>
<tr><td>貸　倒　損　失</td><td>2,500</td><td></td><td></td></tr>
</table>

2　貸倒見積高の算定にあたっては、売上債権を一般債権、貸倒懸念債権及び破産更生債権等に区分する。一般債権については、過去の貸倒実績率に基づいて受取手形及び売掛金の期末残高の2％相当額を引当計上する。貸倒懸念債権に該当するものについては、債権総額の50％相当額を引当計上する。破産更生債権等に該当するものについては、債権総額から担保等の処分見込額を控除した残額を引当計上する。

3　貸倒引当金の設定は、各区分ごとに算定した貸倒見積高の合計額をもって差額補充法により行う。なお、前期末の売上債権はすべて一般債権であり、決算整理前残高試算表に記載されている貸倒引当金はすべて一般債権に係るものである。

4　期中に売掛金2,500千円（うち前期発生分1,000千円、当期発生分1,500千円）が貸し倒れたが、その際、（借）貸倒損失2,500千円（貸）売掛金2,500千円と仕訳を行っている。

5　得意先X社は、経営破綻の状態には至っていないが、業況の不振により財務内容が悪化していることが判明した。当期末におけるX社に対する売上債権5,400千円を貸倒懸念債権に区分し、貸倒見積高を算定する。

6　得意先Y社は、当期に二度めの手形の不渡りを出し、銀行取引停止処分を受けた。Y社に対しては、その時点で売掛金3,300千円、受取手形6,500千円（うちY社振出手形3,900千円、第三者振出手形2,600千円）があったが期末時において未処理である。この他に甲社はY社振出手形4,800千円を取引銀行で割り引いていたが、買戻しについては、（借）仮 払 金4,800千円（貸）現金預金4,800千円と仕訳を行ったのみである。Y社に対する債権については回収に長期間を要すると見込まれるため「破産更生債権等」として振替処理を行う。なお、決算整理前残高試算表の預り営業保証金は、すべてY社から取引開始時に受け入れたものである。

⇨解答：247ページ

乙社（当期はx1年4月1日からx2年3月31日までである。）の次の資料から修正後及び決算整理後の残高試算表を作成しなさい。

（留意事項）

a　計算過程で千円未満の端数が生じたときは、その都度切り捨てる。

b　乙社は当期から税効果会計を採用する（法定実効税率は30%）。

なお、問題文中に「税効果会計を適用する」旨の指示がある場合のみ、税効果会計を適用する。

【資料1】乙社の修正前及び決算整理前の残高試算表　　　　　　　　　　（単位：千円）

借	方	貸	方
科　　　　　　　目	金　　　　額	科　　　　　　　目	金　　　　額
受　取　手　形	297,669	貸　倒　引　当　金	4,800
売　掛　金	251,199	売　　　　　上	2,753,089

【資料2】乙社の修正事項及び決算整理事項等

1　乙社の売掛金の残高確認を実施し、差異原因等を調査した結果、次のことが判明した。

(1)　A社に対する売掛金帳簿残高は3,045千円であったが、A社の残高確認金額（回答額）は2,289千円であった。この原因は、乙社が掛売上時の処理を誤って行っていたためである。

(2)　B社に対する売掛金帳簿残高は861千円であったが、B社からは残高確認の回答書が来なかった。調査したところ、B社は既に倒産していることが分かった。B社に対する債権はこの売掛金（前期に発生）だけであり、回収見込みがないと判断し、決算で全額を貸倒れ処理する。なお、乙社では過年度の債権に対して貸倒れが発生したときには、貸倒引当金勘定を用いて処理している。

2　貸倒引当金については、乙社は前期までは期末の売掛債権残高に法人税法に定める法定繰入率を乗じた額を設定していた。当期中、前出1の(2)以外の貸倒れは発生していない。

当期から、①一般債権に分類される期末売掛債権残高に対して乙社の過去3年間の貸倒実績率（0.9%）を乗じた額、及び②破産更生債権等に対する貸倒見積額の合計額とを貸倒引当金として設定することとした。乙社の期末売掛債権を得意先ごとに個々に検討した結果、実質的に経営破綻に陥っているC社に対する売掛金926千円は破産更生債権等に分類され、重要性がないため売掛金残高に含められている。C社以外には破産更生債権等はない。C社は乙社に担保として有価証券を差し入れており、その処分見込額は206千円である。

なお、当期末の法人税法上の貸倒引当金繰入限度額は、個別評価した売掛債権（破産更生債

権等－担保物の処分見込額控除後－）の50％、及びそれ以外の期末売掛債権（一般債権）に法定繰入率（0.5％）を乗じた額との合計額であり、貸倒引当金の設定は差額補充法による。

　　貸倒引当金の繰入限度超過額については税効果会計を適用する。

⇨解答：248ページ

問題6－7　貸倒引当金(5)　　　　（制限時間6分）　　難易度　A

　　下記の【資料】に基づいて、決算整理後残高試算表（一部）を作成しなさい。なお、円未満の端数は四捨五入すること。

【資料1】決算整理前残高試算表（一部）

決算整理前残高試算表（一部）　　　　（単位：円）

受　取　手　形	8,820,000	貸　倒　引　当　金	27,720
売　　　掛　　　金	14,680,000		

【資料2】決算整理事項等

1　貸倒引当金は受取手形及び売掛金を「一般債権」、「貸倒懸念債権」及び「破産更生債権等」に区分し、差額補充法により処理している。

2　決算整理前残高試算表の受取手形のうち200,000円及び売掛金のうち300,000円は破産更生債権等に区分し、債権金額から担保処分見込額100,000円を控除した残額と同額を貸倒引当金として設定する。なお、破産更生債権等への振替処理を行う。

3　決算整理前残高試算表の受取手形のうち250,000円及び売掛金のうち750,000円は貸倒懸念債権に区分し、債権金額から担保処分見込額300,000円を控除した残額の50％相当額を貸倒引当金として設定する。

4　上記2及び3以外の債権はすべて一般債権に区分し、債権金額に貸倒実績率を乗じた金額を貸倒引当金として設定する。貸倒実績率は当期を含めた前3事業年度の貸倒実績率（一般債権の期末残高に対する翌期1年間の貸倒損失発生額の割合）の平均値とする。各事業年度の一般債権の期末残高及び貸倒損失発生額は以下のとおりである。

（単位：円）

	前々々期	前 々 期	前　期	当　期
一般債権の期末残高	21,000,000	18,500,000	19,800,000	（　　　　　）
貸倒損失発生額	420,000	367,500	358,900	338,580

⇨解答：248ページ

下記の【資料】に基づいて、次の問1及び問2に答えなさい。なお、会計期間は4月1日～3月31日であり、収支額は現金預金勘定を使用すること。また、計算の結果、千円未満の端数が生じた場合には四捨五入すること。

問1　条件緩和後の利払を免除した場合の①x4年3月31日及び②x5年3月31日の仕訳を答えなさい。

問2　条件緩和後の利率を年1％とした場合の①x4年3月31日及び②x5年3月31日の仕訳を答えなさい。

【資　料】

　当社はA社に対してx1年4月1日に下記の条件で貸付を行ったが、A社の資金繰りの悪化によりx3年3月31日に弁済条件の緩和を行った。このため、A社に対する貸付金を貸倒懸念債権に区分し、キャッシュ・フロー見積法により貸倒見積高の算定を行うこととした。

（貸付条件）

1　貸付元本：30,000千円

2　貸付期間：x1年4月1日～x6年3月31日

3　利子率：年5％

4　利払日：毎年3月31日（年1回）

⇨解答：249ページ

問題6－9 キャッシュ・フロー見積法(2)　（制限時間10分）　難易度 B

　G社は、H社に対してx1年4月1日に以下の契約内容により貸付を行った。しかし、H社の業績不振によりx3年3月31日に貸付の契約内容を変更し、この貸付金を貸倒懸念債権に分類して、キャッシュ・フロー見積法による貸倒見積高の算定を行うこととした。G社（事業年度は4月1日から3月31日まで）に関する下記の資料に基づいて、解答欄に示した空欄に入る勘定科目及び金額を答えなさい。

【資料1】　H社に対する条件緩和前の貸付内容

　H社に対する貸付内容（条件緩和前）は次のとおりである。

貸付金額　　　　　　　100,000,000円

返済期日及び方法　　　x4年3月31日に一括返済

利子率及び利払日　　　貸付金額につき年5％の利息を毎年3月31日に受領

【資料2】　H社に対する条件緩和案

　H社に提示する予定の貸付金に係る条件緩和の代案は次のとおりである。

　代案1

　　返済期日及び方法　　　x6年3月31日に一括返済

　　利子率及び利払日　　　貸付金額につき年2％の利息を毎年3月31日に受領

　代案2

　　返済期日及び方法　　　x4年3月31日及びx5年3月31日に50,000,000円ずつ返済

　　利子率及び利払日　　　貸付金額につき年1％の利息を毎年3月31日に受領

【資料3】　解答にあたって留意すべき事項

　1　x4年3月31日以後の決算日において計上する利息は、貸付金額から設定された貸倒引当金を控除した残額に対して当初約定利子率を乗じて算定すること。

　2　計算の過程で端数が生じる場合には、そのまま計算を続け、解答の最終段階で円未満を四捨五入すること。

　3　計算にあたっては、次の現価係数を用いることとする。

割引率	1回	2回	3回	4回	5回
1％	0.99009901	0.98029605	0.97059015	0.96098034	0.95146569
2％	0.98039216	0.96116878	0.94232233	0.92384543	0.90573081
5％	0.95238095	0.90702948	0.86383760	0.82270247	0.78352617

⇨解答：250ページ

第6章 貸倒引当金

第７章

人 件 費 　　　重 要 度　A

問題７－１ 人件費(1)　　　　　　　　（制限時間４分）　　難 易 度　A

　当社の下記の資料に基づいて、決算整理後残高試算表（一部）を作成しなさい。当期はX10年度（自X10年４月１日　至X11年３月31日）である。

【資料１】決算整理前残高試算表（一部）

決算整理前残高試算表（一部）　　　　（単位：千円）

給　与　手　当	335,000	預　　り　　金	1,220
法 定 福 利 費	29,550		

【資料２】決算整理事項等

1　X11年３月に支給した３月分の従業員給与について、源泉所得税等（３月分）1,350千円及び社会保険料従業員負担額（２月分）2,200千円を差し引いた残額18,350千円を支給したが、支給額をもって給与手当に計上していた。

2　X11年３月に源泉所得税等（２月分）1,220千円及び社会保険料（２月分）4,400千円を納付したが、納付額を法定福利費に計上していた。

3　社会保険料事業主負担額（３月分）2,300千円について見越計上する。

⇨解答：252ページ

当社の下記の資料に基づいて、決算整理後残高試算表（一部）を作成しなさい。当期はＸ10年度（自Ｘ10年4月1日　至Ｘ11年3月31日）である。

【資料1】決算整理前残高試算表（一部）

決算整理前残高試算表（一部）　　　　　　（単位：千円）

給　与　手　当	528,360	預　　　り　　　金	5,350
法　定　福　利　費	43,220		

【資料2】決算整理事項等

1　Ｘ11年3月に支給した3月分の従業員給与について、源泉所得税等（3月分）2,500千円及び社会保険料従業員負担額（3月分）3,300千円を差し引いた残額32,500千円を支給したが、支給額をもって給与手当に計上していた。

2　Ｘ11年3月に源泉所得税等（2月分）2,250千円及び社会保険料（2月分）6,200千円を納付したが、納付額を法定福利費に計上していた。なお、社会保険料の従業員負担割合は50%である。

3　社会保険料事業主負担額（3月分）について見越計上する。

⇨解答：252ページ

甲社（当期：ｘ1年4月1日〜ｘ2年3月31日）の賞与支給対象期間は毎年5月から10月と11月から4月、支給日は12月10日と6月20日である。ｘ2年6月20日に総額100,800千円の賞与を支給する見込みであり、そのうち当期負担分を賞与引当金として計上する。また、当該賞与引当金に対する法定福利費の会社負担額は10%として計算し、未払費用として計上する。

甲社の決算整理仕訳を示しなさい。

⇨解答：252ページ

　当社の当期（X5年4月1日〜X6年3月31日）に関する下記の資料に基づいて、決算整理後
残高試算表（一部）を作成しなさい。

【資料1】決算整理前残高試算表（一部）

決算整理前残高試算表（一部）　　　（単位：千円）

人　　件　　費	673,840	預　　　り　　　金	3,800
法　定　福　利　費	56,800	未　払　費　用	8,800
		賞　与　引　当　金	66,000

【資料2】決算整理事項等

1　決算整理前残高試算表の預り金は前期に計上されたX5年3月分の従業員給与に係る源泉所
　得税等の金額である。当期中においては、給与支給時に支給総額から源泉所得税等及び社会保
　険料従業員負担額を差し引いた支給額及び源泉所得税等納付額を人件費に計上し、社会保険料
　納付額を法定福利費に計上している。当期に支給した給与に係る源泉所得税等の金額は43,800
　千円であり、このうちX6年3月分の給与に係る金額は4,200千円である。また、社会保険料は
　その月の給与から前月分の社会保険料従業員負担額を天引きし、月末までに従業員負担額と同
　額の事業主負担額を加えた金額を納付している。当期に納付した社会保険料の金額は56,800千
　円である。決算整理前残高試算表の未払費用のうち、2,200千円は前期末に見越計上されたX5
　年3月分の社会保険料事業主負担額である。X6年3月分の社会保険料事業主負担額2,300千円
　について見越計上する。

2　当社は従業員賞与を年2回（6月及び12月）支給している。支給対象期間は6月賞与が前年
　12月から5月、12月賞与が6月から11月である。翌期の6月賞与の支給見込額は102,000千円で
　あり、当期負担分を人件費及び賞与引当金に計上する。なお、賞与引当金に対する社会保険料
　事業主負担額は賞与引当金の10％として計算し、法定福利費及び未払費用に計上する。決算整
　理前残高試算表の賞与引当金及び未払費用のうち6,600千円は前期末に計上した当期の6月賞
　与に係る前期負担額及びそれに対する社会保険料事業主負担額であり、当期中は賞与の支給額
　を人件費に計上している。

⇨解答：252ページ

第 8 章 有形固定資産・無形固定資産 | 重 要 度 | A

問題8－1　有形固定資産(1)　　　（制限時間5分）| 難 易 度 | A

当社の下記の資料に基づいて、決算整理後残高試算表を作成しなさい。なお、当期はx11年4月1日からx12年3月31日である。また、按分計算は月割りにより行うこと。

【資料1】決算整理前残高試算表

決 算 整 理 前 残 高 試 算 表　　　（単位：千円）

建　　物	300,000	建物減価償却累計額	（各自推定）
車　　両	25,000	車両減価償却累計額	（各自推定）
備　　品	18,900	備品減価償却累計額	（各自推定）

【資料2】決算整理事項等

1　建物のうち、250,000千円はx1年4月1日に取得したものであり、50,000千円はx11年10月1日に取得したものである。建物は耐用年数40年、残存価額ゼロ、定額法（償却率0.025）により減価償却を行う。

2　車両はx9年10月1日に取得したものであり、耐用年数5年、残存価額ゼロ、定率法（償却率0.400）により減価償却を行う。

3　備品はx9年4月1日に取得したものであり、耐用年数6年、残存価額ゼロ、級数法により減価償却を行う。

⇨解答：254ページ

―43―

当社の当期（X25年4月1日からX26年3月31日）に関する下記の資料に基づいて、決算整理
後残高試算表（一部）を作成しなさい。なお、日数計算は月割計算（1月未満の端数は1月とす
る。）とし、計算の結果、千円未満の端数が生じた場合には、千円未満を四捨五入すること。

【資料1】決算整理前残高試算表（一部）

決算整理前残高試算表（一部）　　　　（単位：千円）

仮　　払　　金	266,000	
建　　　　　物	（　　　　　）	
土　　　　　地	50,000	

【資料2】決算整理事項等

1　X25年5月31日まで社用ビル（旧社用ビル）として使用していた建物を取り壊して、跡地に
新たに社用ビル（新社用ビル）を建設した。旧社用ビルはX3年4月1日に100,000千円で取得
したものであり、残存価額を取得価額の10%として定額法（耐用年数40年、償却率0.025、直接
控除法）により減価償却を行っている。新社用ビルはX26年2月1日に完成し、使用を開始し
た。新社用ビルの引渡時に旧社用ビルの取壊費用10,000千円及び新社用ビルの建設代金120,000
千円を支払ったが、支払額を仮払金に計上しているのみであった。新社用ビルは残存価額をゼ
ロとして定額法（耐用年数30年、償却率0.034、直接控除法）により減価償却を行う。

2　X25年10月1日に商品倉庫を建設するため、建物付土地を取得した。その後、直ちに建物を
取り壊し、商品倉庫を建設した。商品倉庫はX26年3月1日に完成し、使用を開始した。代金
の内訳は次のとおりであり、商品倉庫の引渡時に支払ったが、支払額を仮払金に計上している
のみであった。商品倉庫は残存価額をゼロとして定額法（耐用年数30年、償却率0.034、直接控
除法）により減価償却を行う。

　〈代金の内訳〉

　建物付土地　　80,000千円（内訳：建物10,000千円、土地70,000千円）

　建物取壊費用　　5,000千円

　土地整地費用　　1,000千円

　倉庫建設費用　50,000千円

⇨解答：254ページ

問題8−3 有形固定資産(3)　　　（制限時間5分）　難易度 A

　下記の資料に基づいて、決算整理後残高試算表（一部）を作成しなさい。なお、日数計算は月割計算とし、1月未満の端数は1月とする。また、資料の（　　　）は各自推定すること。

【資　料】

1　当期はX25年4月1日〜X26年3月31日である。

2　決算整理前残高試算表（一部）

決算整理前残高試算表（一部）　　　（単位：千円）

建　　　　物	（　　　）	建物減価償却累計額	135,000
車　　　　両	（　　　）	車両減価償却累計額	12,800
備　　　　品	（　　　）	備品減価償却累計額	9,375

3　固定資産に関する事項は次のとおりである。

	取得年月日	耐用年数	残存割合	償却方法	償却率
建　物	X1年4月1日	40年	10%	定額法	－
車　両	X23年4月1日	5年	0%	定率法	0.400
備　品	X22年4月1日	8年	0%	定額法	－

⇨解答：255ページ

有形固定資産(4)　　　　　（制限時間8分）　　難 易 度　B

　下記の資料に基づいて、決算整理後残高試算表（一部）を作成しなさい。なお、日数計算は月割計算とし、1月未満の端数は1月とする。

【資　料】

1　当期はX30年4月1日〜X31年3月31日である。

2　決算整理前残高試算表（一部）

決算整理前残高試算表（一部）　　　　　（単位：千円）

建	物	102,125
車	両	9,720
備	品	20,625

3　固定資産に関する事項は次のとおりである。なお、減価償却は直接控除法により記帳していたが、当期より間接控除法に変更することとする。

	取得年月日	耐用年数	残存割合	償却方法	償却率
建　物	X8年7月1日	40年	10%	定額法	−
車　両	X29年1月1日	5年	0%	定率法	0.400
備　品	X27年10月1日	8年	0%	定額法	−

⇨解答：255ページ

問題8-5　有形固定資産(5)　　　　（制限時間8分）　　難易度　A

　当社の当期（ x 10年 4 月 1 日〜 x 11年 3 月31日）に関する下記の資料に基づいて、決算整理後残高試算表を作成しなさい。なお、按分計算は月割り計算（ 1 月未満の端数は 1 月として計算する。）により行い、千円未満の端数が生じた場合には千円未満の端数を切り捨てること。

【資料 1 】

決 算 整 理 前 残 高 試 算 表　　　（単位：千円）

仮　　払　　金	6,400	建物減価償却累計額	112,500
建　　　　　物	200,000	車両減価償却累計額	17,700
車　　　　　両	30,000	備品減価償却累計額	7,500
備　　　　　品	20,000		

【資料 2 】

1　減価償却方法等は下記のとおりである。

	償却方法	耐用年数	償却率	残存価額
建　　物	定額法	40年	0.025	取得原価の10%
車両A	定率法	5 年	0.400	ゼロ
車両B	定率法	5 年	0.400	ゼロ
車両C	定率法	5 年	0.400	ゼロ
備品A	（　　　）	8 年	（　　　）	ゼロ
備品B	定額法	8 年	0.125	ゼロ

2　車両Aは x 8 年 4 月 1 日に5,000千円で取得したものであり、 x 10年11月30日に1,000千円で下取りに出し、車両C（定価7,400千円）を新たに取得した。当社は差額代金について小切手を振り出して支払ったが、仮払金に計上している。なお，車両Aの適正評価額は800千円であり、車両Cは翌日より使用を開始している。

3　備品Aは x 6 年 4 月 1 日に8,000千円で取得したものであり、前期まで定額法（償却率0.125）により償却していたが、当期より使用方法の変更に伴い、償却方法を定率法（償却率0.500）に変更することとした。

⇨解答：256ページ

当社の当期（自x20年4月1日　至x21年3月31日）に関する下記の資料に基づいて、決算整理後残高試算表を作成しなさい。

【資料1】決算整理前残高試算表

決算整理前残高試算表　　　　（単位：千円）

建 物	135,000	減価償却累計額	62,984
構 築 物	8,000		
車 両 運 搬 具	（　　　）		

【資料2】決算整理事項

当社が所有する減価償却資産は次のとおりである。

	取 得 原 価	期首帳簿価額	耐用年数	償却方法	償却率	残存割合
建 物 A	80,000千円	47,600千円	40年	定 額 法	──	10%
建 物 B	50,000千円	27,500千円	30年	定 額 法		10%
構 築 物	8,000千円	5,018千円	12年	定 率 法	0.208	0%
車両運搬具A	6,500千円	1,398千円	6年	定 率 法	0.319	10%
車両運搬具B	（　　　）	──	6年	定 率 法	0.333	0%

(1) 建物Aについて、x21年1月末日に火災が発生し、焼失した。なお、この建物には火災保険が付されており、x21年3月に保険金30,000千円の受取りが確定しているが、この一連の処理について未処理となっている。

(2) 建物Bは、x5年4月1日に取得したものである。当期首にこの建物について大規模な改修工事を行ったが、その支出額5,000千円を建物勘定に計上している。なお、この改修工事により残存耐用年数は10年延長し、25年となった。よって、この改修費のうち延長年数に対応する金額は資本的支出（残存割合はゼロとする。）として処理し、改修後の減価償却は残存耐用年数により行う。

(3) 構築物は、x18年4月1日に取得したものである。前期まで定率法によってきたが、当期より定額法に変更することとした。

(4) 車両運搬具Aについて、x20年7月末日に下取りに出し、車両運搬具Bを取得したが、支出額をもって車両運搬具勘定に計上している。なお、車両運搬具Aに係る下取価額は2,000千円、適正評価額は1,500千円である。また、車両運搬具Bの定価は6,000千円であり、x20年8月1日より事業供用している。

(5) 按分計算は月割りによることとし、千円未満の端数が生じた場合、四捨五入すること。

⇨解答：256ページ

問題8－7　有形固定資産(7)　　　（制限時間7分）　難 易 度　A

　当社の当期（ｘ22年4月1日からｘ23年3月31日）に関する下記の資料に基づいて、決算整理後残高試算表を作成しなさい。

【資料1】決算整理前残高試算表

決 算 整 理 前 残 高 試 算 表　　　（単位：千円）

仮　　払　　金	120,000	
建　　　　物	（　　　　）	
備　　　　品	（　　　　）	

【資料2】固定資産に関する決算整理事項等

1　減価償却等に関する内容は下記のとおりである。なお、減価償却に関する記帳方法は直接控除法である。

	取得価額	耐用年数	償却方法	残存割合	取得年月日
建　物	1,000,000千円	40年	定額法	10%	ｘ1年4月1日
備　品	300,000千円	8年	定率法	0％	ｘ20年4月1日

2　建物について、ｘ22年4月1日に大規模な改修を行い、改修費120,000千円を支払ったが、仮払金に計上している。当該改修によって耐用年数が6年延長したため、延長年数に相当する金額を資本的支出として処理する。資本的支出後の償却計算は残存耐用年数により行い、資本的支出分の残存割合は0％とする。

3　備品は定率法(償却率0.250)により償却してきたが、当期より定額法に変更することとした。

⇨解答：257ページ

有形固定資産(8)　　　　（制限時間10分）　難易度　B

　当社（3月決算）の当期（x27年4月1日～x28年3月31日）に関する資料に基づいて、決算整理後残高試算表を完成しなさい。

（解答上の留意事項）

　1　計算の結果、千円未満の端数が生じたときは四捨五入すること。

　2　日数計算は月割りとし、1か月未満の端数は1か月として計算する。

　3　固定資産については直接控除方式により記帳している。

【資料1】

決算整理前残高試算表　　　　　　　　（単位：千円）

借	方	貸	方
科　　　　　目	金　　額	科　　　　　目	金　　額
建　　　　　物	（各自推定）	仮　受　金	28,000
車　両　運　搬　具	10,533		
器　具　備　品	5,000		
建　設　仮　勘　定	208,300		
土　　　　　地	250,000		

【資料2】決算整理事項等（一部を抜粋している。）

　当社の有形固定資産の減価償却方法等は次に示すとおりである。

種　　　類	償却方法	償却率	耐用年数	残存価額
建　　　物	定額法	0.034	30年	下記(1)参照
構　築　物	定額法	0.067	15年	ゼロ
車　両　運　搬　具	定額法	0.200	5年	ゼロ
器　具　備　品	下記参照	（注）	8年	ゼロ

　（注）定率法償却率　8年：0.250　5年：0.400

(1) 建物A（取得価額60,000千円、×12年4月1日事業供用、残存価額は取得価額の10%）が×27年7月31日に火災により焼失し、その跡地に建物Bを建設した。建物Bは×28年2月1日に竣工し同日より事業の用に供している。これらに係る請求内容は次に示すとおりであり精算済であるが、支出額を建設仮勘定に計上したのみとなっている。なお、建物Bの残存価額はゼロとする。また、決算整理前残高試算表の建物はすべて建物Aであり、当該建物について保険会社に保険金を請求した（保険契約額：30,000千円）。その後、保険会社より28,000千円を支払う通知を受け、×28年1月12日に保険会社より現金で受け取ったが、仮受金勘定に計上したのみである。

　　土地整地費用（造成及び改良費用）：600千円

　　路面アスファルト舗装費用：1,000千円（×28年2月1日より償却を行う）

　　焼跡整理費用：1,000千円

　　建物建築費用：50,000千円

(2) 新営業所建設のため、×27年12月1日に建物付き土地を購入し、直ちに建物を取壊して、その跡地に建物Cを建設した。建物Cは×28年3月31日に竣工し翌日より事業の用に供する。これらに係る請求内容は次に示すとおりであり精算済であるが、支出額を建設仮勘定に計上したのみとなっている。

　　建物付き土地購入価額：120,000千円（うち建物評価額8,000千円）

　　旧建物撤去費用：500千円

　　土地整地費用（造成及び改良費用）：200千円

　　建物建築費用：35,000千円

(3) ×27年6月30日に車両運搬具（取得価額10,000千円）をすべて下取り（下取価額2,350千円、適正評価額2,200千円）に出し、定価11,550千円の車両運搬具を購入したが、その際に当社では追加支払額を車両運搬具勘定に計上したのみである。なお、新車両運搬具は翌日から使用を開始している。

(4) 器具備品（×24年4月1日取得）は、前期まで定額法により減価償却計算を行ってきたが、当期より定率法に変更することとした。当期からの償却計算は当初耐用年数により行う。

⇨解答：258ページ

ホームセンターを営むK社は新店舗に関連して以下のように支出した。

(1) 新店舗を設ける目的で、スーパーマーケットを営んでいるL社が所有していた土地付建物を80,000千円で購入した。なお、不動産評価によれば、建物のうち店舗部分の評価額は20,000千円、倉庫部分の評価額は3,000千円であり、残りは土地の評価額である。倉庫の敷地は駐車場として利用する予定でいた。

(2) 予定どおり倉庫を取り壊し、その代金1,000千円を支払った。

(3) 開店前に店舗を改装し、その代金8,000千円を支払った。

(4) 台風によって破損した店舗の屋根を補修し、その代金500千円を支払った。

(5) 店舗について大規模な改修を行い、その代金10,000千円を支払った。なお、修繕費と改良費の割合を2：3と見積もった。

　　したがって、この新店舗に関して建物勘定の借方に記入された金額の合計は　　　　　千円となる。

⇨解答：259ページ

問題8−10　法人税法における減価償却　（制限時間7分）　難易度　A

　当社の当期（x25年4月1日〜x26年3月31日）に関する下記の資料に基づいて、決算整理後残高試算表を作成しなさい。なお、円未満の端数が生じたときは切り捨てること。

【資料1】　決算整理前残高試算表

決算整理前残高試算表　　　　（単位：円）

建　　　物		63,170,000
車　　　両		150,000
備　　　品		4,400,453

【資料2】　決算整理事項等

1　有形固定資産の各勘定科目の残高内訳は、以下のとおりである。

（単位：円）

勘定科目	内訳	取得価額	帳簿価額	耐用年数	取得年月日
建　　物	A	50,000,000	33,170,000	30年	x14年4月1日
	B	30,000,000	———	20年	x25年10月1日
車　　両	——	3,000,000	150,000	6年	x18年4月1日
備　　品	A	4,000,000	400,453	8年	x17年4月1日
	B	6,000,000	4,000,000	4年	x24年8月1日

2　減価償却

　当社は減価償却の方法として、建物及び車両は定額法または旧定額法、備品は定率法または旧定率法を採用しており、取得年月日により以下のとおりに区分して計算を行う。

(1)　x19年3月31日以前に取得した資産については、旧定額法（残存価額は取得価額の10%、償却可能限度額は取得価額の95%）または旧定率法（残存価額は取得価額の10%、償却可能限度額は取得価額の95%）により計算する。

　なお、車両については、期首において帳簿価額が取得価額の5%に達しているため、当期より、帳簿価額から1円を控除した額を60月で均等償却する。

　また、償却率は次のとおりである。

耐用年数	30年	20年	8年	6年
旧定額法	0.034	0.050	0.125	0.166
旧定率法	0.074	0.109	0.250	0.319

(2) ｘ19年４月１日以後に取得した資産については、定額法（残存価額は０円）または定率法
（残存価額は０円）により計算する。

なお、償却率及び保証率・改定償却率は次のとおりである。

耐用年数	20年	6年	5年	4年
定額法	0.050	0.167	0.200	0.250
定率法	0.100	0.333	0.400	0.500
保証率	0.03486	0.09911	0.10800	0.12499
改定償却率	0.112	0.334	0.500	1.000

問題8－11　無形固定資産　　　　　（制限時間４分）　　難 易 度　A

当社の当期（４月１日から翌年３月31日までの１年間）に関する下記の資料に基づいて、決算
整理後残高試算表を作成しなさい。

【資　料】

1

決 算 整 理 前 残 高 試 算 表　　　（単位：千円）

特　許　権	2,000	
商　標　権	825	

2　決算整理事項

(1) 特許権は当期の10月１日に取得したものであり、８年間で月割償却を行う。

(2) 商標権は前々期の７月１日に取得したものであり、10年間で月割償却を行う。

第9章　株　主　資　本　[重要度 A]

問題9-1　株主資本(1)　　　　（制限時間5分）　[難易度 A]

下記の資料に基づいて、当期末の残高勘定（一部）を作成しなさい。なお、会計期間は4月1日〜3月31日の1年間である。

【資料1】

前期末の発行済株式数は300,000株であり、純資産の各勘定残高は以下のとおりである。

1　資本金150,000千円

2　資本準備金20,000千円

3　利益準備金12,500千円

4　別途積立金15,000千円

5　繰越利益剰余金52,000千円

【資料2】

当期中の取引等は以下のとおりである。

1　6月に開催された定時株主総会で以下の内容が決議された。

　(1)　剰余金の配当（配当基準日3月31日）：1株あたり30円

　(2)　利益準備金の積み立て：会社法に規定する額

　(3)　別途積立金の積み立て：10,000千円

2　11月に取締役会で剰余金の配当（配当基準日9月30日、1株あたり20円）が決議された。

3　決算にあたり、当期純利益55,000千円が算定された。

⇨解答：261ページ

　以下の資料に基づいて、当期末の残高勘定（一部）を作成しなさい。なお、会計期間は４月１日〜３月31日の１年間である。また、前期末の発行済株式数は200,000株である。

【資料１】前期末の残高勘定（一部）

残	高	（単位：千円）
資　　本　　金		1,800,000
資　本　準　備　金		200,000
そ の 他 資 本 剰 余 金		50,000
利　益　準　備　金		156,000
別　途　積　立　金		330,000
繰 越 利 益 剰 余 金		780,000

【資料２】当期中の取引

１　６月の株主総会で以下の内容が決議された。なお、配当基準日は３月31日である。

　(1)　その他資本剰余金の配当：１株あたり20円

　(2)　その他利益剰余金の配当：１株あたり100円

　(3)　準備金の積み立て：会社法に規定する額

　(4)　別途積立金の取崩：10,000千円

２　７月に増資を行い、新株20,000株を１株12,000円で発行した。資本金組入額は会社法に規定する最低額とする。

３　11月の取締役会でその他利益剰余金の配当（1株あたり100円）を決議した。なお、配当基準日は９月30日である。

４　決算において、当期純利益650,000千円が計上された。

⇨解答：261ページ

問題 9-3　株主資本 (3)　　　　　（制限時間10分）　　難易度　A

当社の当期（x5年4月1日～x6年3月31日）に関する下記の資料に基づいて、当期末の残高勘定（一部）を作成しなさい。なお、自己株式は移動平均法により単価計算を行う。

【資料1】前期末の残高勘定（一部）

残		高	（単位：千円）
自　己　株　式	28,000	資　　本　　金	2,500,000
		資　本　準　備　金	500,000
		その他資本剰余金	200,000
		利　益　準　備　金	100,000
		繰 越 利 益 剰 余 金	1,255,000

（注）前期末の発行済株式数は100,000株、自己株式保有数は1,000株である。

【資料2】当期中の取引

1　x5年4月：自己株式500株を1株あたり29,500円で取得した。

2　x5年6月：x5年3月31日を配当基準日として、その他資本剰余金を財源とする配当を1株あたり100円、その他利益剰余金を財源とする配当を1株あたり300円とする決議がなされた。

3　x5年8月：自己株式1,200株を1株あたり30,000円で処分し、自己株式300株を消却した。

4　x5年11月：x5年9月30日を配当基準日として、その他利益剰余金を財源とする配当を1株あたり400円とする決議がなされた。

5　x6年3月：決算において、当期純利益880,000千円が計上された。

⇨解答：262ページ

甲社の当期（自 x 1 年 4 月 1 日　至 x 2 年 3 月31日）に関する下記の資料に基づいて、当期末における残高勘定の空欄に適当な金額を記入しなさい。

【資料１】 x 1 年 3 月31日の残高勘定

残	高	（単位：千円）
自 己 株 式　250,000	資 本 金	2,000,000
	資 本 準 備 金	200,000
	そ の 他 資 本 剰 余 金	250,000
	利 益 準 備 金	279,000
	別 途 積 立 金	150,000
	繰 越 利 益 剰 余 金	400,000

（注）発行済株式総数100,000株、保有自己株式数10,000株

【資料２】

1　x 1 年 6 月の株主総会において、以下の内容を決議し、直ちに実行した。

　(1) 剰余金の配当（配当基準日　x 1 年 3 月31日）

　　① その他資本剰余金の配当　1 株あたり1,000円

　　② 繰越利益剰余金の配当　1 株あたり2,000円

　(2) 準備金については、会社法に規定する額を積み立てる。

2　x 1 年 7 月の取締役会において、以下の事項が決議され、実行された。

　(1) 自己株式の処分

　　① 処分する自己株式数　　　6,000株

　　② 払込金額　　　　　　　　1 株あたり30,000円（すべて払込みが行われた。）

　(2) 自己株式の消却

　　　消却する自己株式数　　　4,000株

3　x 1 年11月の取締役会において、x 1 年 9 月30日を基準日とする繰越利益剰余金の配当（1 株あたり2,000円）を決議し、直ちに実行した。

4　x 2 年 3 月31日の決算の結果、当期純利益360,000千円が算定された。

問題9−5 株主資本(5) （制限時間6分） 難易度 A

次の【資料】に基づいて、問1及び問2に答えなさい。

【資　料】

　当社（決算日は毎年3月31日）は取締役会において、下記の募集事項の内容を決議し、直ちに払込金額と同額の金銭が払い込まれ現金預金とした。なお、募集株式の交付については、自己株式の処分20,000株及び新株式の発行30,000株である。

① 募集株式の種類及び数：普通株式50,000株

② 募集株式の払込金額：1株当たり1,000円

③ 払込期日：x7年4月1日

④ 増加する資本金：資本金等増加限度額の2分の1に相当する額

問1　交付する自己株式の帳簿価額が18,000千円である場合の仕訳を示しなさい。

問2　交付する自己株式の帳簿価額が22,000千円である場合の仕訳を示しなさい。

⇨解答：263ページ

以下の【資料１】及び【資料２】は当社の当期（Ｘ３年４月１日〜Ｘ４年３月31日）における純資産に関連する取引である。【資料２】の１〜７の仕訳を答えなさい。なお、当社は自己株式の単価について移動平均法により算定している。また、解答にあたり、現金収支については現金預金勘定を使用することとし、行うべき仕訳がない場合には借方科目欄に「仕訳不要」と記入すること。

【資料１】期首における純資産勘定の残高等

　　資本金250,000千円、資本準備金32,000千円、その他資本剰余金3,500千円、利益準備金27,500千円、別途積立金55,000千円、繰越利益剰余金123,880千円、自己株式5,000千円である。なお、発行済株式数は4,000株であり、自己株式の保有株式数は200株である。

【資料２】純資産に関連する期中取引

１　Ｘ３年４月20日　自己株式100株を@22千円で取得し、代金は小切手を振り出して支払った。

２　Ｘ３年５月20日　自己株式50株を@23千円で処分し、払込金は全額当座預金に入金された。

３　Ｘ３年６月25日　株主総会で決議された配当等の内容は以下のとおりであり、直ちに支払った。なお、配当基準日はＸ３年３月31日である。

　　　　　　　　　(1) その他資本剰余金を財源とする配当　１株あたり0.3千円

　　　　　　　　　(2) その他利益剰余金を財源とする配当　１株あたり１千円

　　　　　　　　　(3) 別途積立金の積立　10,000千円

４　Ｘ３年８月20日　自己株式100株を消却した。

５　Ｘ３年10月15日　以下に示す新株の発行と自己株式の処分が同時に実行され、払込金は全額当座預金に入金された。

　　　　　　　　　(1) 募集株式の数　500株（新株の発行350株、自己株式の処分150株）

　　　　　　　　　(2) 募集株式に関する払込金額　１株あたり20千円

　　　　　　　　　(3) 新株の発行に伴い計上する資本金の金額は会社法に規定する最低額とする。

６　Ｘ３年11月30日　取締役会で決議された配当の内容は以下のとおりであり、直ちに支払った。なお、配当基準日はＸ３年９月30日である。

　　　　　　　　　(1) その他利益剰余金を財源とする配当　１株あたり１千円

７　Ｘ４年３月31日　決算日となった。その他資本剰余金の残高が負の値になっている場合にはその他利益剰余金（繰越利益剰余金）で補てんする。

⇨解答：264ページ

問題9−7 株主資本(7) （制限時間8分） 難易度 B

当社（決算日は3月31日）の下記の資料に基づき、解答欄に示した決算整理後残高試算表を作成しなさい。千円未満の端数が生じた場合には、千円未満を四捨五入すること。

【資料1】前期末（x1年3月31日）における純資産の部（発行済株式数25,000株、自己株式保有数1,000株）

資本金	250,000千円	資本準備金 45,000千円	その他資本剰余金 6,000千円
利益準備金	16,500千円	別途積立金 95,000千円	繰越利益剰余金 61,805千円
自己株式	11,000千円（一括取得したものである。）		

【資料2】当期中の資本取引

1 x1年6月30日の株主総会において、その他資本剰余金を財源とした配当（1株当たり50円）及びその他利益剰余金（繰越利益剰余金）を財源とした配当（1株当たり200円）を決議し、直ちに実行した。なお、当該配当に関する配当基準日はx1年3月31日であり、準備金の積立は会社法に規定する額とする。

2 x1年7月31日において、保有している自己株式のうち500株を1株当たり12,000円で処分した。

3 x1年11月30日の取締役会において、その他利益剰余金（繰越利益剰余金）を財源とした配当（1株当たり250円）を決議し、直ちに実行した。なお、当該配当に関する配当基準日はx1年9月30日であり、準備金の積立は会社法に規定する額とする。

4 x2年2月1日において、新株と自己株式の同時交付を行った。

(1) 募集株式の種類及び数：普通株式1,000株

(2) 募集株式の払込金額：1株当たり10,000円

(3) 募集株式の交付：自己株式の処分200株、新株の発行800株

(4) 増加する資本金：資本金等増加限度額の2分の1に相当する額

⇨解答：265ページ

第10章　　　税　　　金

重要度　A

問題10-1　消費税等(1)　　　（制限時間10分）　　難易度　B

　　下記の資料に基づいて、決算整理後残高試算表を作成しなさい。なお、決算日は３月31日、消費税等の会計処理は、税抜方式を採用しており、消費税等の税率は10％である。また、千円未満の端数が生じた場合には四捨五入すること。

【資　料】

1　前期末の残高勘定

残　　　　　　高　　　　（単位：千円）

売　　掛　　金	22,000	買　　掛　　金	13,200
繰　越　商　品	7,500	未払消費税等	420
車　両　運　搬　具	2,000	貸　倒　引　当　金	440
		減 価 償 却 累 計 額	1,080

2　当期中の取引（同種取引はまとめている。）

(1)　商品売上は、掛売上が132,000千円（税込み）であった。売掛金の現金回収は128,700千円であった。なお、売掛金のうち、4,400千円（税込み）が貸し倒れたが、このうち330千円（税込み）は前期発生分であり、残額は当期発生分である。

(2)　商品仕入は、掛仕入が105,600千円（税込み）であった。買掛金の現金支払は99,000千円であった。

(3)　営業費11,550千円（税込み）を現金で支払った。

(4)　２月１日に車両3,960千円（税込み）を購入し、事業の用に供した。その際、旧車両（取得原価2,000千円、期首減価償却累計額1,080千円）を990千円（税込み）で下取りしてもらい、差引き2,970千円を現金で支払った。旧車両の減価償却費は１月末日まで計上する。

(5)　消費税等の確定申告納付額420千円及び中間申告納付額480千円を現金で支払った。

3　決算整理事項

(1)　期末商品棚卸高は9,000千円である。

(2)　車両の減価償却は、耐用年数５年の定額法（残存価額は取得原価の10％とする。）による。減価償却は月割計算をする。

(3)　売掛金の期末残高に対して２％の貸倒引当金を差額補充法により計上する。

⇨解答：266ページ

問題10-2 消費税等(2)　　　　（制限時間12分）　　難易度 B

当社の下記の資料に基づいて、決算整理後残高試算表を作成しなさい。なお、当期はx1年4月1日からx2年3月31日である。なお、按分計算は月割りにより行うこと。

【資料1】

決算整理前残高試算表　　　　（単位：千円）

現 金 預 金	20,000	買 掛 金	24,000
受 取 手 形	10,000	仮 受 消 費 税 等	30,000
売 掛 金	55,650	貸 倒 引 当 金	975
仮 払 消 費 税 等	16,000	減 価 償 却 累 計 額	5,895
仮 払 金	3,000		
車 両	7,300		
備 品	2,800		
営 業 費	80,000		

【資料2】決算整理事項等

1　当社は消費税等の処理について税抜方式を採用しており、消費税等の税率は10%である。下記の資料中、（税込み）とある取引は消費税等を考慮して処理し、それ以外の取引は消費税等を考慮しないものとする。

2　現金預金に関する事項

当社の当座預金帳簿残高と銀行の発行する証明書残高との間に差異があった。この差異について調べてみたところ、次の事項が判明した。

(1) 営業費440千円（税込み）の決済として振り出した小切手が未決済となっている。

(2) 売掛金5,400千円の回収として当座預金に入金されたが、当社では次の処理を行っている。

（借）売 掛 金 5,400千円 （貸）現 金 預 金 5,400千円

(3) 当座預金から引き落とされた営業費330千円（税込み）が未記帳であった。

(4) 買掛金4,320千円の決済として振り出した小切手が期末現在未渡しであった。

3　債権に関する事項

(1) 期中において前期に発生した得意先A社に対する売掛金550千円（税込み）が貸し倒れたが、当社では次の処理を行っている。

（借）貸 倒 引 当 金 550千円 （貸）売 掛 金 550千円

(2) 期末債権に対して2%の貸倒引当金を設定する。

4　有形固定資産に関する事項

	耐 用 年 数	償 却 方 法	残 存 割 合	備 考
車　　　　両	5年	定 額 法	10%	下 記 参 照
備　　　　品	8年	定 額 法	10%	

　　当期の11月末日に保有する車両5,000千円（期首減価償却累計額：2,700千円）につき2,200
千円（税込み）で売却したが、当社では次の処理を行っている。

　　（借）現　金　預　金　　　　2,200千円　　　（貸）車　　　　　　　両　　　　2,200千円

5　税金に関する事項

　　消費税等については仮受消費税等と仮払消費税等との差額から中間納付額3,000千円（仮払
金で処理）との差額を「未払消費税等」として処理する。

⇨解答：267ページ

問題10－3 消費税等(3)　　　　　　（制限時間10分）　　難易度　B

　甲社の当期（自 x 17年 4 月 1 日　至 x 18年 3 月31日）中の以下の資料に基づいて、答案用紙の
決算整理後残高試算表（一部）を完成させなさい。

（注）　1　消費税等の会計処理は税抜方式を採用している。資料中に（税込み）とある金額には
　　　　　　消費税等10%が含まれており、それ以外は消費税等を考慮しないものとする。

　　　　2　減価償却は直接控除法で記帳しており、減価償却費の計算は月割り（1 か月未満の端
　　　　　　数切上げ）で行うこと。

　　　　3　計算の途中で千円未満の端数が出た場合には四捨五入すること。

【資料1】

決算整理前残高試算表（一部）　　　　　　（単位：千円）

科　　　　　目	金　　　額	科　　　　　目	金　　　額
現　金　預　金	67,322	支　払　手　形	13,400
受　取　手　形	33,670	買　　掛　　金	131,967
売　　掛　　金	193,562	仮 受 消 費 税 等	88,620
繰　越　商　品	47,400	貸　倒　引　当　金	7,150
仮　　払　　金	9,900	売　　　　　上	886,200
仮 払 消 費 税 等	68,860		
車　両　運　搬　具	500		
仕　　　　　入	668,600		
営　　業　　費	91,520		

【資料2】修正及び決算整理事項

1　当座預金に関する事項

　　決算にあたり取引銀行から当座預金残高証明書を取り寄せたところ当座預金出納帳の残高と
差異があったため、原因を調査した結果、次の事項が判明した。

（1）　3 月30日に経費の支払のために振り出した小切手330千円が、3 月31日現在でまだ決済され
　　ていない。

（2）　3 月31日に預け入れた得意先が振り出した小切手440千円が、時間外のため銀行側では 4 月
　　1 日に入金処理された。

（3）　3 月29日に売掛金1,100千円の振込があったが、甲社では 4 月 2 日に入金記帳された。

（4）　3 月28日に電話代165千円（税込み）の自動引落に関する記帳が 3 月31日現在まだ行われて
　　いなかった。

2　商品に関する事項

　　期末商品棚卸高は49,500千円である。

3　有形固定資産に関する事項

　　ｘ17年9月10日に1,980千円（税込み）の車両を購入した。その際、保有する車両のすべて（取得原価1,500千円）を330千円（税込み）で下取りに出して、差引1,650千円を小切手で支払ったが、支払額を仮払金勘定に計上したのみである。なお、車両運搬具は残存価額をゼロとする耐用年数6年の定額法で減価償却を行っている。

4　貸倒引当金に関する事項

（1）得意先M社に対する受取手形3,960千円（税込み）及び売掛金4,840千円（税込み）が当期中に貸倒れたが未処理である。なお、M社に対する債権については前期末で貸倒懸念債権に区分し、4,200千円の貸倒引当金を設定している。

（2）甲社の期末債権はすべて一般債権に区分されるため、期末の債権残高に対して2％相当額を貸倒引当金として設定する。なお、繰入れは差額補充法により行う。

5　消費税等に関する事項

　　仮払消費税等と仮受消費税等を相殺した額から消費税等の中間納付額を控除して未払消費税等を計上する。なお、決算整理前残高試算表の仮払金勘定のうち8,250千円は消費税等の中間納付額である。

⇨解答：268ページ

問題10－4 税効果会計(1) （制限時間8分） 難易度 A

下記の資料に基づいて、決算整理後残高試算表（一部）を作成しなさい。なお、法定実効税率は30%とする。

【資料1】決算整理前残高試算表（一部）

決算整理前残高試算表（一部） （単位：千円）

売	掛	金	88,000	貸	倒	引	当	金	720
繰	越	商	品	38,400				
器	具	備	品	（　　　）				
繰	延	税	金	資	産	（　　　）		
仕		入	2,135,000					

【資料2】決算整理事項等

1　期末商品帳簿棚卸高は33,000千円、期末商品実地棚卸高は32,500千円、期末商品の正味売却価額は31,000千円であった。商品評価損は税務上、損金算入が認められないため、税効果会計を適用する。なお、前期末に商品評価損1,000千円を計上しており、税効果会計を適用している。また、商品評価損については切放法により処理している。

2　当期末の売掛金残高に対して1.5%の貸倒引当金を差額補充法により設定する。なお、税務上の貸倒引当金の繰入限度額は880千円であるため、繰入限度超過額について税効果会計を適用する。なお、前期末の繰入限度超過額は400千円であり、税効果会計を適用している。

3　器具備品（取得原価18,000千円）はすべて前期首に取得したものであり、耐用年数を6年として定額法（残存価額0円）により減価償却（直接控除法）を行っている。税務上の法定耐用年数は8年であるため、償却限度超過額について税効果会計を適用する。なお、前期末においても償却限度超過額について税効果会計を適用している。

⇨解答：269ページ

当社（会計期間は4月1日～3月31日）はX1年度より備品及び貸倒引当金について税効果会計を適用している。下記の【資料】に基づいて、X1年度末（X2年3月31日）の決算整理後残高試算表（一部）、X2年度末（X3年3月31日）の決算整理後残高試算表（一部）及びX3年度末（X4年3月31日）の決算整理後残高試算表（一部）を作成しなさい。なお、法定実効税率は30％とする。

【資　料】

1　備品に関する事項

　(1)　備品はX1年4月1日に40,000千円で取得したものであり、会計上においては耐用年数8年、残存価額をゼロとする定額法により減価償却を行っている。税務上の償却限度額は耐用年数10年、残存価額をゼロとする定額法により算定した金額であり、減価償却限度超過額について税効果会計を適用する。

　(2)　X3年10月20日に備品を22,000千円で売却した。

2　貸倒引当金に関する事項

　(1) 貸倒引当金は期末売上債権残高に対して設定しており、差額補充法により処理している。会計上及び税務上の繰入率は以下のとおりであり、貸倒引当金繰入限度超過額について税効果会計を適用する。

	会計上の繰入率	税務上の繰入率
一　般　債　権	債権残高の1％	債権残高の1％
貸倒懸念債権	債権残高の50％	債権残高の1％
破産更生債権等	債権残高の100％	債権残高の50％

　(2) X1年度末、X2年度末及びX3年度末の売上債権残高

	X1年度末	X2年度末	X3年度末
一　般　債　権	60,000千円	75,000千円	80,000千円
貸倒懸念債権	10,000千円	12,000千円	5,000千円
破産更生債権等	3,000千円	0千円	10,000千円

　①　X1年度末の貸倒懸念債権のうち、3,000千円はX3年度に回収できたが、7,000千円は貸倒れとなった。また、X1年度末の破産更生債権等はX2年度に貸倒れとなった。

　②　X2年度末の貸倒懸念債権のうち、2,000千円はX3年度に貸倒れとなり、10,000千円はX3年度末に破産更生債権等に区分することとなった。

⇨解答：270ページ

問題10−6 　税効果会計(3) 　　　　　（制限時間８分） 　難 易 度 　B

当社に関する下記の資料に基づいて、決算整理後残高試算表（一部）を作成しなさい。なお、決算日は３月31日、法定実効税率は30％である。

【資料１】決算整理前残高試算表（一部）

決算整理前残高試算表（一部） 　　　　　（単位：千円）

受 取 手 形	75,000	貸 倒 引 当 金	500
売 掛 金	160,000	退 職 給 付 引 当 金	（　　　）
繰 延 税 金 資 産	14,160		
退 職 給 付 費 用	（　　　）		

【資料２】決算整理事項等

1　当社は受取手形及び売掛金を「一般債権」、「貸倒懸念債権」及び「破産更生債権等」に区分して貸倒見積高を算定し、差額補充法により貸倒引当金を計上している。なお、前期末において貸倒懸念債権及び破産更生債権等に区分された債権はなかった。

(1) 得意先Ａ社は民事再生法の手続きを開始したことが判明したため、Ａ社に対する債権（受取手形3,000千円及び売掛金5,000千円）を破産更生債権等に区分し、振替処理を行う。破産更生債権等については債権金額の100％相当額を貸倒引当金として計上する。なお、税務上の破産更生債権等に対する貸倒引当金の繰入限度額は債権金額の50％相当額であるため、繰入限度超過額について税効果会計を適用する。

(2) 得意先Ｂ社は資金繰りの悪化が見られるため、Ｂ社に対する債権（売掛金8,000千円）を貸倒懸念債権に区分し、債権金額の50％相当額を貸倒引当金として計上する。なお、税務上の貸倒懸念債権に対する貸倒引当金の繰入限度額は債権金額の１％相当額であるため、繰入限度超過額について税効果会計を適用する。

(3) 上記(1)及び(2)以外の債権はすべて一般債権であり、債権金額の１％相当額を貸倒引当金として計上する。

2　当社は年２回（６月及び12月）賞与を支給しており、支給対象期間は６月賞与が前年12月から５月、12月賞与が６月から11月である。翌期の６月賞与の支給見込額は12,000千円であり、当期負担額を賞与引当金として計上する。なお、税務上、賞与引当金の計上は認められないため、税効果会計を適用する。

3　当社は退職金制度として退職一時金制度及び企業年金制度を採用している。

(1) 当期首の退職給付債務は200,000千円、年金資産は160,000千円である。

(2) 当期の勤務費用は28,000千円、割引率は年２％、長期期待運用収益率は年１％である。

(3) 当期の掛金拠出額は8,400千円、退職一時金支給額は20,000千円、年金支給額は5,000千円
である。

(4) 税務上、退職給付引当金の計上は認められていないため、税効果会計を適用する。

4 決算整理前残高試算表の繰延税金資産は前期末の賞与引当金及び退職給付引当金に対して計
上したものである。

⇨解答：271ページ

問題10－7 税効果会計(4) （制限時間8分） 難易度 C

当社の当期（自ｘ10年4月1日 至ｘ11年3月31日）に関する下記の資料に基づいて、次の問に答えなさい。

問1 圧縮記帳について、直接減額方式を採用した場合の決算整理後残高試算表を作成しなさい。

問2 圧縮記帳について、積立金方式(税効果会計を適用しない)を採用した場合の決算整理後残高試算表を作成しなさい。

問3 圧縮記帳について、積立金方式(税効果会計を適用する、法定実効税率30%)を採用した場合の決算整理後残高試算表を作成しなさい。

【資料1】決算整理前残高試算表

決算整理前残高試算表 （単位：千円）

土　　　地	90,000	繰越利益剰余金	50,000

【資料2】決算整理事項等

ｘ10年5月1日に土地50,000千円を80,000千円で譲渡し、ｘ10年11月1日に新たな土地100,000千円を取得している。当社では、土地の取得に関しては適正に処理済であるが、譲渡に関しては、譲渡対価をもって土地勘定を減額していることが判明した。

なお、当該取引については、租税特別措置法第65条の7第1号における特定資産の買換えに該当するため、決算時において圧縮記帳（圧縮額は土地売却益の80%相当額）を適用する。

⇨解答：271ページ

当社（決算日は3月31日）の下記の【資料】に基づき、以下の**問**に答えなさい。なお、日数計算は便宜上、すべて月割りで計算することとし、計算の過程で千円未満の端数が生じた場合には、その都度四捨五入すること。

問1 x1年度の残高勘定及び損益勘定を示しなさい。

問2 x2年度の残高勘定及び損益勘定を示しなさい。

【資料Ⅰ】x1年度

1 期首試算表

<table>
<tr><td colspan="4" align="center">期 首 試 算 表</td><td align="right">（単位：千円）</td></tr>
<tr><td>建 物</td><td align="right">170,000</td><td>貸 倒 引 当 金</td><td align="right">1,700</td></tr>
<tr><td></td><td></td><td>建物減価償却累計額</td><td align="right">63,600</td></tr>
</table>

2 建物については、耐用年数を30年とする定額法で減価償却を行っている。なお、残存価額は、従来より保有しているものは取得原価の10%、新たに取得したものはゼロとする。

3 x1年9月30日に倉庫用建物（取得原価10,000千円、期首減価償却累計額6,000千円）が火災により焼失したため保険会社に保険金の請求をした（保険契約額は8,000千円）。その後、保険会社より上記保険金のうち5,650千円を支払う旨の通知を受け、x2年1月20日に保険会社より上記保険金の振込を受けた。

4 x2年3月15日、上記3により焼失した建物の代替資産として倉庫用建物13,500千円を取得したため、保険差益相当額について積立金方式による圧縮記帳を適用する。なお、当該建物はx2年4月から使用を開始した。

5 貸倒引当金については、前期まで税法基準に基づいて設定していたが、当期において破産更生債権等に該当する債権5,000千円が発生したため、法人税法で規定する貸倒引当金繰入限度額4,000千円を2,500千円超える金額で設定する。なお、当期中において、貸倒引当金の取崩しは行っていない。

6 積立金方式の圧縮記帳及び貸倒引当金繰入限度超過額に対して税効果会計を適用する。なお、法定実効税率は30%とする。

【資料Ⅱ】x2年度

1 貸倒引当金については、新たに破産更生債権等に該当する債権4,000千円が発生したため、当期は法人税法で規定する貸倒引当金繰入限度額（4,100千円）を2,000千円超える金額で設定する。なお、前期に発生した破産更生債権等については、全額の回収不能が確定し、同額の貸倒引当金の取崩しを行っている。

2 積立金方式の圧縮記帳及び貸倒引当金繰入限度超過額に対して税効果会計を適用する。なお、法定実効税率は30%とする。

⇨解答：272ページ

第 11 章　　　　社　　　　債　　　　重 要 度　A

問題11-1　普通社債(1)　　　　（制限時間5分）　　難 易 度　A

当社の下記の資料に基づいて、**問1**及び**問2**に答えなさい。なお、会計期間は4月1日～3月31日であり、千円未満の端数は四捨五入すること。

問1　社債の償却方法として、利息法を採用した場合の①x2年3月31日、②x3年3月31日、及び③x4年3月31日の決算整理後残高試算表（一部）を作成しなさい。

問2　社債の償却方法として、定額法を採用した場合の①x2年3月31日、②x3年3月31日、及び③x4年3月31日の決算整理後残高試算表（一部）を作成しなさい。

【資　料】

当社はx1年4月1日に以下の内容の普通社債を発行した。なお、債権金額と発行価額との差額は償却原価法により処理する。

1　債券金額：100,000千円

2　発行価額：　90,840千円

3　償還期限：x6年3月31日

4　実効利子率：年3％

5　クーポン利子率：年1％

6　利払日：毎年3月31日

⇨解答：274ページ

問題11-2　普通社債(2)　　　　（制限時間5分）　　難易度　A

下記の資料に基づいて、**問1**及び**問2**に答えなさい。なお、当期はx3年4月1日～x4年3月31日であり、千円未満の端数は四捨五入すること。

問1　社債の償却方法として、利息法を採用した場合の当期の決算整理後残高試算表（一部）を作成しなさい。

問2　社債の償却方法として、定額法を採用した場合の当期の決算整理後残高試算表（一部）を作成しなさい。

【資　料】

1　当社はx1年4月1日に社債を発行しており、債券金額と払込金額との差額については償却原価法により処理している。

2　社債の発行口数は500,000口であり、払込金額は1口100円につき91.9円である。

3　実効利子率は年3.6%であり、クーポン利子率は年1.8%である。利払日は毎年3月31日の年1回である。

4　償還期限はx6年3月31日である。

⇨解答：275ページ

問題11-3　普通社債(3)　　　　（制限時間4分）　　難易度　A

当社の社債に関する下記の事項に基づいて、決算整理後残高試算表を作成しなさい。なお、当期はx3年4月1日からx4年3月31日までである。

【資　料】

当社は、x2年12月1日に下記の条件で発行した。なお、社債金額と払込金額との差額は定額法による償却原価法に基づいて期末評価を行う。

社債金額	50,000千円
払込金額	44,000千円
償還期限	x7年11月末日（一括償還）
クーポン利子率	年3%
利払日	5月末日及び11月末日の年2回

⇨解答：275ページ

普通社債（4）　　　　　（制限時間10分）　難 易 度　B

　　下記の資料に基づいて、問1及び問2に答えなさい。なお、当期はx6年4月1日〜x7年3月31日であり、千円未満の端数は四捨五入すること。

問1　社債の償却方法として、利息法を採用した場合の当期の決算整理後残高試算表（一部）を作成しなさい。

問2　社債の償却方法として、定額法を採用した場合の当期の決算整理後残高試算表（一部）を作成しなさい。

【資　料】

1　社債発行日：x4年7月1日

2　債券金額：100,000千円

3　払込金額：91,900千円

4　償還期限：x9年6月30日

5　実効利子率：年3.6%

6　クーポン利子率：年1.8%

7　利払日：毎年6月30日

8　債券金額と払込金額との差額は金利調整差額と認められるため、償却原価法を採用する。

⇨解答：276ページ

下記の資料に基づいて、次の問に答えなさい。なお、収支は現金預金勘定によることとし、計算の結果、千円未満の端数が生じた場合には、四捨五入すること。

問1　答案用紙に示した各時点の仕訳を行い、決算整理後残高試算表を作成しなさい。

問2　仮に、金利調整差額の償却方法について定額法を採用した場合の、答案用紙に示した各時点の仕訳を行い、決算整理後残高試算表を作成しなさい。

【資　料】

1　当社（決算日は3月31日の年1回）はx1年4月1日に下記の条件で社債を発行した。

(1) 債券金額：100,000千円

(2) 払込金額：1口100円につき93.29円

(3) 発行口数：1,000千口

(4) 償還期限：x4年3月31日（一括償還）

(5) 実効利子率：年3.6%

(6) クーポン利子率：年1.2%

(7) 利払日：毎年3月31日

(8) 当該社債の債券金額と払込金額との差額はすべて金利調整差額と認められるため、償却原価法（利息法）を採用する。

2　x2年10月31日に債券金額40,000千円（400千口）の社債を1口100円につき95円（裸相場）で買い入れ、代金は経過利息とともに支払った。なお、クーポン利息及び金利調整差額の償却額は月割りで計算する。

⇨解答：277ページ

当社の当期（Ｘ3年4月1日～Ｘ4年3月31日）に関する下記の資料に基づいて、問1及び問2に答えなさい。なお、千円未満の端数は四捨五入すること。また、収支は現金預金勘定を使用すること。

問1　社債の償却方法として、利息法を採用した場合の当期に行うべき仕訳を示しなさい。

問2　社債の償却方法として、定額法を採用した場合の当期に行うべき仕訳を示しなさい。

【資　料】

1　当社はＸ1年4月1日に下記に示す社債を発行した。

(1) 社債金額：200,000千円

(2) 払込金額：183,650千円

(3) 償還期限：Ｘ6年3月31日

(4) 実効利子率：年3.3%

(5) クーポン利子率：年1.5%

(6) 利払日：毎年3月31日の年1回

2　Ｘ3年11月30日に社債金額60,000千円について買入消却を行い、57,600千円（経過利息を含む。）を支払った。

⇨解答：279ページ

当社（当期はｘ３年４月１日からｘ４年３月31日）の次の資料に基づき、ｘ４年３月31日における決算整理後残高試算表を作成しなさい。

【資　料】

1

決 算 整 理 前 残 高 試 算 表　　　　（単位：千円）

仮　　払　　金	6,600	社	債	（各自算定）

2　ｘ１年４月１日に社債総額30,000千円の社債を発行し、28,500千円の払込を受けた。利率は2.5%、利払日は毎年３月31日の年１回であり、社債は１年間据え置き後、ｘ３年３月31日を第１回目として毎年３月31日に6,000千円ずつ均等分割償還する。当社は、ｘ４年３月31日の処理について、クーポン利息及び社債償還金額を仮払金勘定に計上しているのみである。なお、社債金額と払込金額の差額については、定額法による償却原価法により処理する。

⇨解答：280ページ

第 12 章

有 価 証 券

| 重 要 度 | A |

問題12－1 有価証券(1) （制限時間20分） | 難 易 度 | A |

下記の資料に基づいて、次の問に答えなさい。

問1 【資料】(1)～(7)について洗替処理による場合の仕訳を示すとともに、第2期末決算整理
後残高試算表の空欄に金額を入れなさい。

問2 【資料】(1)～(7)について切放処理による場合の仕訳を示すとともに、第2期末決算整理
後残高試算表の空欄に金額を入れなさい。

【資　料】

(1) x1年3月5日にA社株式を売買目的で20,000株を1株あたり990円で取得した。

(2) x1年3月31日現在（第1期末）のA社株式の時価は1株あたり1,020円である。

(3) x1年4月1日（第2期首）。

(4) x1年7月9日に上記の株式10,000株を1株あたり1,040円で売却した。

(5) x1年10月15日にA社株式20,000株を1株あたり960円で購入した。

(6) x2年2月8日に上記の株式10,000株を1株あたり1,025円で売却した。

(7) x2年3月31日現在（第2期末）のA社株式の時価は1株あたり960円である。

〔解答上の注意点〕

1　単価計算は移動平均法によること。

2　収支はすべて現金預金勘定を用い、仕訳を行う必要のない場合は答案用紙に「仕訳不要」と
記入すること。

⇨解答：282ページ

有価証券(2)　　　　　（制限時間6分）　　難易度　A

　下記の資料に基づいて、当社の当期（1月1日から12月31日までの1年間）における売買目的有価証券の取引に関する仕訳を行い、有価証券利息勘定への記入及び締切を行いなさい。利息の計算は月割りによること。

【資　料】
　(1)　1月31日、社債額面100,000円を額面1口100円につき97円で買い入れ、代金は経過利息600円とともに小切手を振り出して支払った。この社債の利率は年7.2％、利払日は6月及び12月の末日である。
　(2)　6月30日、上記社債の利払日である。
　(3)　8月31日、上記社債を1口100円につき98円で売却し、代金は経過利息1,200円とともに現金で受け取った。

⇨解答：283ページ

有価証券(3)　　　　　（制限時間5分）　　難易度　A

　下記の資料に基づいて、問1及び問2に答えなさい。なお、会計期間は4月1日～3月31日とし、千円未満の端数は四捨五入すること。
　問1　償却原価法（利息法）により処理した場合のX3年3月31日及びX4年3月31日の決算整理後残高試算表を作成しなさい。
　問2　償却原価法（定額法）により処理した場合のX3年3月31日及びX4年3月31日の決算整理後残高試算表を作成しなさい。

【資　料】
　当社はX1年4月1日に以下の債券を発行と同時に取得し、満期保有目的の債券に区分した。
　債　券　金　額：50,000千円
　発　行　価　額：47,300千円
　償　還　期　限：X6年3月31日
　クーポン利子率：年2.4％
　利　　払　　日：毎年3月31日
　実　効　利　子　率：年3.6％

⇨解答：284ページ

問題12−4　有価証券(4)　　　（制限時間8分）　難易度 B

下記の資料に基づいて、問1及び問2に答えなさい。なお、会計期間は4月1日～3月31日とし、千円未満の端数は四捨五入すること。

問1　償却原価法（利息法）により処理した場合のX2年3月31日及びX3年3月31日の決算整理後残高試算表（一部）を作成しなさい。

問2　償却原価法（定額法）により処理した場合のX2年3月31日及びX3年3月31日の決算整理後残高試算表（一部）を作成しなさい。

【資　料】

当社はX1年4月1日に以下の債券を発行と同時に取得し、満期保有目的の債券に区分した。

債　券　金　額：80,000千円

発　行　価　額：75,140千円

償　還　期　限：X6年3月31日

クーポン利子率：年1.2%

利　　払　　日：毎年9月30日及び3月31日の年2回

実　効　利　子　率：年2.5%

⇨解答：285ページ

問題12-5 有価証券(5)　　　　　　　（制限時間5分）　　難易度 A

　下記の資料に基づいて、**問1**及び**問2**に答えなさい。なお、当期はX2年4月1日～X3年3月31日である。税効果会計の適用にあたって、法定実効税率は30%とし、繰延税金資産と繰延税金負債は相殺せずに解答すること。

問1　その他有価証券の時価評価について、全部純資産直入法（税効果会計を適用する。）により処理した場合の決算整理後残高試算表（一部）を作成しなさい。

問2　その他有価証券の時価評価について、部分純資産直入法（税効果会計を適用する。）により処理した場合の決算整理後残高試算表（一部）を作成しなさい。

【資　料】

　当社の保有する有価証券は以下のとおりである。

銘柄	取得	取得価額	X2年3月31日の時価	X3年3月31日の時価
A社株式	X1年5月	10,000千円	11,000千円	12,000千円
B社株式	X1年11月	20,000千円	18,000千円	19,000千円

⇨解答：286ページ

　下記の資料に基づいて、X2年3月31日及びX3年3月31日の決算整理後残高試算表（一部）を作成しなさい。なお、会計期間は4月1日〜3月31日とし、法定実効税率は30%とする。また、日数計算は月割計算とする。

【資　料】

　当社の保有する有価証券は以下のとおりである。その他有価証券の時価評価による評価差額は全部純資産直入法により処理し、税効果会計を適用する。なお、繰延税金資産と繰延税金負債は相殺しない。

1　A社株式

　　X1年4月にその他有価証券として12,000千円で取得したものである。X2年3月31日の時価は12,500千円、X3年3月31日の時価は12,700千円である。

2　B社株式

　　X1年8月にその他有価証券として15,000千円で取得したものである。X2年3月31日の時価は14,200千円、X3年3月31日の時価は14,600千円である。

3　C社社債

　　X1年4月1日にその他有価証券として発行と同時に9,400千円で取得したものである。債券金額は10,000千円、償還期間5年、クーポン利子率年2%（利払日は毎年3月31日）であり、償却原価法（定額法）により処理する。X2年3月31日の時価は9,550千円、X3年3月31日の時価は9,650千円である。

⇨解答：286ページ

当社の下記の資料に基づいて、次の**問**に答えなさい。

問1　当期の決算整理後残高試算表を作成しなさい。

問2　翌期におけるA社株式の決算時における仕訳を示しなさい。なお、A社株式の翌期における時価は5,000千円である。

【資　料】

1

<table>
<tr><td></td><td>決算整理前残高試算表</td><td>（単位：千円）</td></tr>
<tr><td>投　資　有　価　証　券</td><td>10,000</td><td></td></tr>
<tr><td>関　係　会　社　株　式</td><td>50,000</td><td></td></tr>
</table>

2　当社が保有する有価証券は以下のとおりである。

(1)　決算整理前残高試算表に計上されている投資有価証券はすべてA社株式（市場価格のある株式）であり、「その他有価証券」として区分保有しているものである。

A社株式の期末時価は4,000千円と著しく下落しており、回復の見込みがないと判断される。よって、当該時価をもって貸借対照表価額とし、評価差額を当期の損失として処理する。

(2)　決算整理前残高試算表に計上されている関係会社株式はすべてB社株式（市場価格のない株式）であり、「子会社及び関連会社株式」として区分保有しているものである。

B社の期末の財政状態は著しく低下しており、B社株式の実質価額は22,000千円である。よって、相当の減額を行うこととし、評価差額を当期の損失として処理する。

(3)　その他有価証券の期末評価は全部純資産直入法（税効果会計を適用する。法定実効税率は30%とする。）により行う。

⇨解答：287ページ

有価証券(8)　　　　　　（制限時間10分）　　難易度　B

当社の当期（X3年4月1日～X4年3月31日）に関する下記の資料に基づいて、決算整理後残高試算表（一部）を作成しなさい。なお、日数計算は月割計算（1月未満は1月とする。）とする。

【資　料】有価証券に関する事項

1　保有する債券については債券金額と取得価額との差額が金利調整差額と認められるため、償却原価法（定額法）を採用している。

2　その他有価証券の評価差額については全部純資産直入法により処理し、税効果会計（法定実効税率30%）を適用する。なお、繰延税金資産と繰延税金負債は相殺しない。

3　時価が取得価額（帳簿価額）に対して50%以上下落している場合には回復の見込みがないものとして減損処理を行う。なお、前期以前に減損処理を行ったものはない。

4　当期末に保有する有価証券は以下のとおりである。

（単位：千円）

	保有目的区分	取得価額	当期末時価
A社株式	売買目的有価証券	850	880
B社社債	満期保有目的の債券	4,810	4,880
C社株式	関連会社株式	15,000	7,000
D社社債	その他有価証券	7,775	7,855
E社株式	その他有価証券	3,000	3,200
F社株式	その他有価証券	5,000	4,900

(1)　A社株式は当期の3月に初めて取得したものであり、当社はA社株式以外に売買目的有価証券を保有したことはない。

(2)　B社社債はX3年10月1日に発行と同時に取得したものであり、償還期限はX8年9月30日、債券金額は5,000千円、クーポン利子率は年1.2%、利払日は毎年9月30日（年1回）である。

(3)　D社社債はX2年12月1日に発行と同時に取得したものであり、償還期限はX7年11月30日、債券金額は8,000千円、クーポン利子率は年1.8%、利払日は毎年5月31日及び11月30日（年2回）である。

⇨解答：288ページ

有価証券(9)　　　　　（制限時間15分）　難易度　C

当社の当期（自x21年4月1日　至x22年3月31日）に関する下記の資料に基づいて、決算整理後残高試算表を作成しなさい。なお、按分計算は月割りによることとし、千円未満の端数が生じた場合、四捨五入すること。また、その他有価証券の時価評価に際しては税効果会計を適用する（法定実効税率は30％）。

【資　料】

1　決算整理前残高試算表

決算整理前残高試算表　　　（単位：千円）

仮　　払　　金	26,125	仮　　受　　金	8,400
有　価　証　券	3,800	有価証券運用損益	300
関 係 会 社 株 式	9,000	有 価 証 券 利 息	200
投 資 有 価 証 券	20,400		

2　決算整理事項

	保有区分	帳簿価額	前期末時価	当期末時価	備　考
A社株式	売買目的	3,800千円	3,600千円	16,500千円	（注1）
B社社債	満期保有	4,700千円	4,650千円	4,850千円	（注2）
C社株式	関連会社	9,000千円	6,500千円	4,600千円	（注3）
D社株式	その他	2,200千円	2,400千円	7,110千円	（注4）
E社株式	その他	13,500千円	15,000千円	20,000千円	（注5）

（注1）当社は、A社と業務提携を図ることになった。そのため期中に2,000株を1株あたり8,000円で追加取得しているが、支出額を仮払金で処理している。なお、この取得によりA社株式を売買目的有価証券から関連会社株式へ区分変更を行うが未処理となっている。また、追加取得直前の保有株式数は500株である。

（注2）当社は、B社社債を下記に示す条件で取得しているが、B社の経営状態の悪化に伴い、B社社債を満期保有目的の債券からその他有価証券へ区分変更を行うが未処理となっている。

　　　　額 面 金 額　　5,000千円
　　　　取 得 価 額　　4,400千円
　　　　取 得 年 月 日　　x18年4月1日
　　　　償 還 期 日　　x24年3月31日

なお、取得差額は金利調整差額に該当するため、定額法による償却原価法を適用している。また、振替は決算時に行うものとする。

(注3) 当社は、C社と以前から資本提携を行ってきたが、この度当該提携を解消することとした。この解消に伴い当社はC社株式2,000株を1株あたり3,000円（売却原価4,500千円）で売却したが、売却額を仮受金で処理している。なお、この売却によりC社株式を関連会社株式からその他有価証券へ区分変更を行うが未処理となっている。

(注4) 当社は、D社株式をその他有価証券（全部純資産直入法で処理している。）として2,000株保有してきたが、x22年3月1日よりD社株式についてトレーディングを新たに開始した（変更時の時価は2,500千円である。）。x22年3月中の取引は下記に示すとおりであり、当社は、支出額を仮払金で、売却額を仮受金でそれぞれ処理している。なお、このトレーディング開始によりD社株式をその他有価証券から売買目的有価証券へ区分変更を行うが未処理となっている。また、売却原価は移動平均法により計算すること。

	取得価額	売却価額	備　考
x22年3月10日	4,500千円	——	3,000株取得
x22年3月15日	——	2,400千円	1,500株売却
x22年3月20日	1,625千円		1,000株取得

(注5) 当社は、E社株式をその他有価証券（全部純資産直入法で処理している。）として保有しているが、同社と業務提携を図ることになった。そのため期中に5,000株を1株あたり800円で追加取得しているが、支出額を仮払金で処理している。なお、この取得によりE社株式をその他有価証券から関連会社株式へ区分変更を行うが未処理となっている。

⇨解答：289ページ

当社の当期（自 x 1 年 4 月 1 日　至 x 2 年 3 月31日）に関する下記の資料に基づいて、次の問に答えなさい。

問1　甲社株式を「売買目的有価証券」とした場合の、下記に示す各日における仕訳を示しなさい。

(1)　x 1 年11月23日における購入代金の支払いに係る仕訳

(2)　x 2 年 1 月10日における売却に係る仕訳

(3)　x 2 年 3 月30日における購入に係る仕訳

(4)　x 2 年 3 月31日における決算整理仕訳

問2　甲社株式を「その他有価証券」とした場合の、 x 2 年 3 月31日における決算整理仕訳を示しなさい。

【資　料】

1　当社は、当期に甲社株式を取得した。当期における当該株式の売買状況は、次に示すとおりである。

約　定　日	取引内容	株　数	時　価	手　数　料
x 1 年 4 月15日	購　入	3,000株	113.8円	600円
x 1 年11月20日	購　入	300株	113.0円	300円
x 2 年 1 月10日	売　却	1,050株	120.0円	600円
x 2 年 3 月30日	購　入	1,200株	122.0円	750円

2　甲社株式は上場株式であり、約定日後 2 営業日に受渡しが行われている。なお、当社は、有価証券の売買契約の認識について、売買約定日に有価証券の発生または消滅を認識するいわゆる約定日基準を採用している。

3　当期末における時価は 1 株あたり118円である。

4　払出単価は移動平均法により計算している。

5　売却に係る手数料は売却損益に加減算する。

6　その他有価証券の期末評価は全部純資産直入法によることとし、評価差額には税効果会計を適用する。なお、法定実効税率は30％である。

⇨解答：290ページ

問題12-11 有価証券(11)　　　　　　　（制限時間3分）　　難易度　A

　下記の【資料】に基づいて、次の各場合における当社の配当金受取時の仕訳を示しなさい。なお、収支は現金預金とする。

問1　当社がA社株式を売買目的として保有していた場合

問2　当社がA社株式を子会社及び関連会社株式として保有していた場合

【資　料】

　A社は株主総会で配当を決議した。これにより、当社は配当50千円（その他資本剰余金20千円及びその他利益剰余金30千円を財源とする。）を受け取った。

⇨解答：291ページ

第12章

有価証券

第 13 章　リ ー ス 取 引　　重 要 度　A

問題13-1　リース取引(1)　　（制限時間6分）　難 易 度　A

　　下記のリース取引に関する資料に基づいて、Ｘ２年３月31日、Ｘ３年３月31日及びＸ４年３月31日の決算整理後残高試算表（一部）を作成しなさい。なお、会計期間は４月１日～３月31日の１年間であり、千円未満の端数は四捨五入する。

【資　料】リース契約の内容等

1　リース期間：Ｘ１年４月１日～Ｘ６年３月31日

2　リース料：年額5,250千円（毎年３月31日に１年分を後払い）

3　当該リース契約は解約不能であり、フルペイアウトの要件も満たすものである。

4　所有権移転条項及び割安購入選択権は付与されていない。

5　特別仕様には該当しない。

6　貸手の購入価額及び計算利子率：不明

7　借手の見積現金購入価額：23,500千円

8　借手の追加借入利子率：５％

9　リース物件の経済的耐用年数：６年

10　減価償却方法：定額法（直接控除法）

11　利息の配分方法：利息法

⇨解答：292ページ

下記のリース取引に関する資料に基づいて、Ｘ２年３月31日、Ｘ３年３月31日及びＸ４年３月31日の決算整理後残高試算表（一部）を作成しなさい。なお、会計期間は４月１日～３月31日の１年間であり、千円未満の端数は四捨五入する。

【資　料】リース契約の内容等

1　リース期間：Ｘ１年４月１日～Ｘ６年３月31日

2　リース料：年額6,600千円（毎年９月30日と３月31日に半年分を後払い）

3　当該リース契約は解約不能であり、フルペイアウトの要件も満たすものである。

4　所有権移転条項及び割安購入選択権は付与されていない。

5　特別仕様には該当しない。

6　貸手の購入価額及び計算利子率：不明

7　借手の見積現金購入価額：28,800千円

8　借手の追加借入利子率：6％

9　リース物件の経済的耐用年数：6年

10　減価償却方法：定額法（直接控除法）

11　利息の配分方法：利息法

⇨解答：293ページ

　下記のリース取引に関する資料に基づいて、Ｘ2年3月31日、Ｘ3年3月31日及びＸ4年3月31日の決算整理後残高試算表（一部）を作成しなさい。なお、会計期間は4月1日～3月31日の1年間であり、円未満の端数は四捨五入する。

【資　料】リース契約の内容等

1　リース期間：Ｘ1年7月1日～Ｘ6年6月30日

2　リース料：年額150,000円（毎年6月30日に1年分を後払い）

3　当該リース契約は解約不能であり、フルペイアウトの要件も満たすものである。

4　所有権移転条項及び割安購入選択権は付与されていない。

5　特別仕様には該当しない。

6　貸手の購入価額及び計算利子率：不明

7　借手の見積現金購入価額：700,000円

8　借手の追加借入利子率：3％（年3％で期間5年の年金現価係数は4.58とし、現在価値の算定は年金現価係数を使用すること。）

9　リース物件の経済的耐用年数：6年

10　減価償却方法：定額法（直接控除法）

11　利息の配分方法：利息法

⇨解答：294ページ

問題13－4　リース取引(4)　　　（制限時間5分）　難易度 B

下記のリース取引に関する資料に基づいて、X2年3月31日、X3年3月31日及びX4年3月31日の決算整理後残高試算表（一部）を作成しなさい。なお、会計期間は4月1日～3月31日の1年間であり、千円未満の端数は四捨五入する。

【資　料】リース契約の内容等

1　リース期間：X1年4月1日～X6年3月31日

2　リース料：年額1,750千円（毎年4月1日に1年分を前払い）

3　当該リース契約は解約不能であり、フルペイアウトの要件も満たすものである。

4　所有権移転条項及び割安購入選択権は付与されていない。

5　特別仕様には該当しない。

6　貸手の購入価額及び計算利子率：不明

7　借手の見積現金購入価額：8,400千円

8　借手の追加借入利子率：3％

9　リース物件の経済的耐用年数：6年

10　減価償却方法：定額法（直接控除法）

11　利息の配分方法：利息法

⇨解答：295ページ

　当社（借手、会計期間は4月1日〜3月31日）はX1年4月1日に下記のリース契約を締結した。当該リース契約について、答案用紙に示した各日付に行うべき仕訳を答えなさい。なお、収支額については「現金預金」勘定を使用することとし、円未満の端数は四捨五入すること。

【資　料】　リース契約の内容

1　当該リース契約はファイナンス・リース取引に該当する。

2　当該リース契約には、所有権移転条項及び割安購入選択権は付されておらず、特別仕様にも該当しない。

3　リース期間はX1年4月1日からX6年3月31日であり、当該リース契約は解約不能である。

4　リース料は毎年4月1日に年額600,000円を前払する。

5　貸手の計算利子率及び貸手の購入価額は不明であり、借手の追加借入利子率は年5％、リース物件の見積現金購入価額は2,800,000円である。年5％の現価係数は以下のとおりである。

　　1年：0.952、2年：0.907、3年：0.864、4年：0.823、5年：0.784

6　利息配分額利息法により計算する。その際の端数の調整は最終の支払回で調整する。

7　リース物件の経済的耐用年数は6年である。

8　リース物件の減価償却は定額法（残存価額ゼロ、直接控除法）により行う。

⇨解答：296ページ

C社は、D社と機械のリース契約を締結している。C社のx21年度（x21年4月1日〜x22年3月31日）におけるリース取引に関する【資料1】と【資料2】に基づいて、以下の(1)〜(5)を計算しなさい。

リース資産については、残存価額ゼロ、定額法により減価償却をし、間接控除法によるものとする。また、年度の途中で取得したものについては月割り計算する。

なお、解答に当たり端数が生じた場合には、計算の都度百円の位を四捨五入して千円単位で示すこと。

(1) 当期の減価償却費

(2) 当期の支払リース料

(3) 当期の支払利息

(4) 当期末のリース資産勘定の額

(5) 当期末のリース債務勘定の額

【資料1】　リース資産

リース資産については以下のとおりである。なお、金額は見積現金購入価額である。

機械名	取　得　日	金　　額	経済的耐用年数
甲	x21年1月1日	20,000千円	5　年
乙	x21年4月1日	49,200千円	6　年
丙	x21年10月1日	33,800千円	5　年

【資料2】　リース取引

リース取引については以下のとおりである。

機械名	年額リース料	解約不能リース期間	備　　　考
甲	6,000千円	3　年	所有権移転条項なし
乙	12,000千円	5　年	所有権移転条項あり
丙	10,000千円	4　年	所有権移転条項なし

《留意事項》

1 リース資産取得日とリース取引開始日は同日である。

2 リース料は1年ごとの後払いで支払っている。

3 解約不能リース期間と契約期間は、同一である。

4 ファイナンス・リース取引の判定にあたって、現在価値基準あるいは経済的耐用年数基準のいずれか一つの基準に該当するものをファイナンス・リース取引としている。

　現在価値基準とは、解約不能のリース期間中のリース料総額の現在価値が、当該リース物件を借手が現金で購入するものと仮定した場合の見積現金購入価額の90%以上であることとする。

　経済的耐用年数基準とは、解約不能のリース期間が、当該リース物件の経済的耐用年数の75%以上であることとする。

　なお、C社はD社の計算利子率を知り得ない。

5 甲、乙、丙のいずれも割安購入選択権や特別仕様のものはない。

6 利息相当額は利息法により処理する。なお、借手の追加借入利子率は年6%である。また、リース料総額の現在価値が借手の見積現金購入価額と等しくなる利子率は年7%である。

7 リース料総額の現在価値の算定のために用いる、各回の年金現価係数は以下のとおりである。

回	割引率6%	割引率7%
1	0.94340	0.93458
2	1.83339	1.80802
3	2.67301	2.62432
4	3.46511	3.38721
5	4.21236	4.10020

⇨解答：297ページ

　以下の資料は、当社（会計期間４月１日～３月31日）のファイナンス・リース取引に関するものである。当該資料に基づいて、解答欄に示した各時点の仕訳を答えなさい。なお、解答にあたり端数が生じた場合は、千円未満の端数は四捨五入すること。また、支出額については「現金預金」勘定を用いること。

【資　料】

　当社はⅹ１年４月１日に、以下の条件で車両のリース契約を締結した。

＜条　件＞

(1) 所有権移転条項、割安購入選択権は付されておらず、特別仕様にも該当しない。

(2) リース契約には、リース期間終了時に借手がリース物件の処分価額を12,000千円まで保証する条項（残価保証）が付されている。

(3) 解約不能のリース期間　３年

(4) 借手の見積現金購入価額　108,000千円

(5) リース料　年額36,000千円（毎年３月31日に支払う）

(6) 借手の追加借入利子率　年６％

(7) 年６％の期間３年の年金現価係数は2.6730、現価係数は0.8395である。現在価値算定においては当該係数を用いること。

(8) 減価償却については間接控除法により記帳している。

⇨解答：298ページ

リース取引(8)　　　　　（制限時間5分）　難易度　A

　以下の資料は当社（会計期間4月1日〜3月31日）が当期に開始した所有権移転外ファイナンス・リース取引に関するものである。下記の資料に基づいて解答欄に示した各時点の仕訳を答えなさい。なお、解答にあたり端数が生じた場合は、千円未満の端数を四捨五入すること。

《解答上の留意事項》

1　仕訳の解答にあたっては、次に示す勘定科目をすべて用いて、同一の勘定科目は合算又は相殺した仕訳で示すこと。

2　割引現在価値の算定にあたっては、年金現価係数を用いること。

3　最終回のリース料支払時における利息相当額は、利息相当額の総額から既に配分済みの利息相当額を控除し、差額により算定すること。

現 金 預 金	リ ー ス 資 産	支 払 利 息
リ ー ス 債 務	維 持 管 理 費	

【資　料】

1　リース期間：x3年4月1日〜x8年3月31日

2　リース契約の内容等

　(1)　解約不能のリース期間：5年

　(2)　当社の見積現金購入価額：250,500千円

　(3)　リース料：年額64,500千円（x4年3月31日を第1回目として1年ごとに支払う。）

　(4)　上記(3)に含まれる維持管理費用相当額は年額4,500千円である。これはリース資産に係る固定資産税、保険料等であり、リース会社から当社に対して明示されている。

　(5)　当社の追加借入利子率：年7％（期間5年の年金現価係数は4.100とする。）

3　リース資産の減価償却方法：定額法

⇨解答：299ページ

　当社は当期（x2年4月1日～x3年3月31日）の4月1日に前期に購入した器具備品をリース会社に売却し、その全部をファイナンス・リース取引によりリースバックすることにした。下記の資料に基づいて、次の(1)と(2)に答えなさい。なお、千円未満の端数は四捨五入すること。

　(1) 決算整理後残高試算表を作成しなさい。

　(2) 本問が所有権移転外ファイナンス・リース取引に該当した場合、損益計算書に計上される減価償却費の金額を求めなさい。なお、リース資産の計上価額は実際売却価額とする。

【資　料】

1　売却資産の内容

　①　取　得　日：x1年4月1日

　②　取得原価：120,000千円

　③　償却方法：定額法、耐用年数6年、残存価額10%

　④　記帳方法：間接控除法

2　リースバック取引の条件

　①　契　約　日：x2年4月1日

　②　売却価額：114,000千円

　③　解約不能のリース期間：契約日から5年（リースバック時以後の経済的耐用年数も5年）

　④　リース料：年額25,077千円（契約日を初回として毎年1回4月1日に均等払い）

　⑤　貸手の計算利子率は年5%であり、借手はこれを知り得る。

　⑥　リース資産の所有権はリース期間終了日に無償で当社に移転される。

3　リース資産の減価償却

　①　耐用年数5年、残存価額は当初取得原価の10%、定額法により行う。

　②　売却益はリース期間終了日までの各期間に配分し、各期の減価償却費に加減する。

⇨解答：300ページ

第13章

リース取引

問題13−10 リース取引(10) 　　　　　（制限時間９分） 　難易度 　B

　当社（決算日は３月31日の年１回）は、リース取引を主たる事業としている。ｘ３年４月１日に所有権移転ファイナンス・リース契約を締結した。リース契約の内容は資料のとおりである。次の問における各時点の仕訳を示しなさい。なお、収支については現金預金とし、千円未満の端数が生じた場合には、四捨五入すること。

問１　リース取引開始日に売上高と売上原価を計上する方法

　(1) リース取引開始日 （ｘ３年４月１日）

　(2) リース料受取時 （ｘ４年３月31日）

　(3) 決算整理 （ｘ４年３月31日）

問２　リース料受取時に売上高と売上原価を計上する方法

　(1) リース取引開始日 （ｘ３年４月１日）

　(2) リース料受取時 （ｘ４年３月31日）

問３　売上高を計上せずに利息相当額を各期に配分する方法

　(1) リース取引開始日 （ｘ３年４月１日）

　(2) リース料受取時 （ｘ４年３月31日）

問４　仮に、所有権移転外ファイナンス・リース契約である場合に、リース取引開始日に売上高と売上原価を計上する方法

　(1) リース料受取時 （ｘ５年３月31日）

　(2) 決算整理 （ｘ５年３月31日）

【資　料】

　① 解約不能のリース期間：５年

　② リース料：年額22,500千円（毎年３月31日に後受け）

　③ リース物件の購入価額：94,500千円（掛にて購入）

　④ 貸手の計算利子率：年６％（リース料総額の割引現在価値がリース物件の購入価額と等しくなる利子率）

　⑤ 貸手の見積残存価額はゼロである。

⇨解答：300ページ

問題14－1　減損会計(1)　　　　　　　（制限時間6分）　　難易度　A

　当社の当期（ x 27年4月1日から x 28年3月31日）に関する下記の資料に基づいて、決算整理後残高試算表（一部）を作成しなさい。なお、千円未満の端数は四捨五入すること。

【資　料】

1　当社の保有する固定資産は以下のとおりである。減価償却については直接控除法により記帳している。

	取得価額	耐用年数	償却方法	残存割合	取得年月日
建物	200,000千円	40年	定額法	10%	x 2年4月1日
備品	20,000千円	8年	定額法	0%	x 25年4月1日
土地	350,000千円	－	－	－	x 1年4月1日

2　決算にあたり、減損の兆候があることが判明した。減損会計の適用に関する内容は以下のとおりである。

　(1) 経済的残存使用年数は5年と見積もられ、その期間における将来キャッシュ・フローの見積額は毎期26,000千円、使用後の見積処分価額は300,000千円である。

　(2) 当期末における正味売却価額は建物48,000千円、備品5,000千円、土地300,000千円である。

　(3) 割引率は年4％である。年4％で5年の年金現価係数は4.452、現価係数は0.822である。

　(4) 減損損失は各固定資産の帳簿価額の比率に基づいて配分する。ただし、減損損失控除後の帳簿価額は当期末における正味売却価額を下回らないようにすることとし、正味売却価額を下回る場合には超過額を他の固定資産の帳簿価額（減損損失控除後）の比率により再配分する。

⇨解答：302ページ

当社は固定資産について資産グループA、B、C（キャッシュ・フローを生成する最小単位）を有しており、すべてのグループに減損の兆候が生じている。下記の資料に基づいて、各グループに計上される減損損失の金額を答えなさい。なお、千円未満の端数は四捨五入すること。

【資料1】

（単位：千円）

	グループA	グループB	グループC
帳簿価額	200,000	300,000	500,000
割引前将来キャッシュ・フロー			
使用による各期	毎期20,000	毎期45,000	毎期65,000
使用後における正味売却価額	80,000	100,000	160,000
当期末における正味売却価額	145,000	240,000	420,000
経済的残存使用年数	5年	4年	6年

【資料2】

割引率は年5％とし、年5％の現価係数は下記のとおりである。

1年	2年	3年	4年	5年	6年
0.952	0.907	0.864	0.823	0.784	0.746

⇨解答：303ページ

問題14-3 減損会計(3)　　　　　（制限時間5分）　　難易度 B

　A社（当期は4月1日から3月31日）は小売業を営んでおり、東京に本社を、神奈川、埼玉、千葉に支店を有している。A社は、「固定資産の減損に係る会計基準」の実施に伴い減損会計を適用する。よって、以下の【資料1】及び【資料2】に基づいて、【資料3】の(1)から(3)に該当する金額を答案用紙の所定の解答欄に記入しなさい。

【資料1】

1　A社は、減損会計の適用にあたり、各支店を独立したキャッシュ・フローを生成する最小単位として資産のグルーピングを行っている。

2　本社は単独ではキャッシュ・フローを生成しないが、各支店のキャッシュ・フローの生成には貢献しているため、本社に属する資産は共用資産として認識する。なお、各資産グループに当該共用資産を含めたより大きな単位については、減損の兆候ありと判定された。

3　各資産グループ及び共用資産に関する事項は以下のとおりである。

（単位：千円）

	帳簿価額合計	減損の兆候	割引前将来キャッシュ・フロー	割引後将来キャッシュ・フロー	正味売却価額合計
神奈川支店	283,500	なし	——	——	——
埼玉支店	157,500	あり	161,010	——	——
千葉支店	189,000	あり	131,250	113,400	109,689
東京本社	180,000	あり	——	——	153,000

（注1）神奈川支店及び埼玉支店の回収可能価額はそれぞれ254,700千円、141,300千円である。

（注2）各資産グループに共用資産を含めた、より大きな単位から生ずる割引前将来キャッシュ・フローは795,000千円である。

（注3）各資産グループに共用資産を含めた、より大きな単位での回収可能価額は687,000千円である。

【資料2】共用資産に関する事項

1　共用資産の減損の兆候の識別、減損損失の認識及び測定にあたっては、【資料1】で示した各資産グループごとに個別に行い、その後、共用資産を含めたより大きな単位で行う。この方法により算定された減損損失から【資料1】の資産グループに係る減損損失を控除した減損損失の増加額は、原則として共用資産に配分する。

2　共用資産に配分される減損損失が、共用資産の帳簿価額と正味売却価額との差額を超過する場合には、当該超過額を各資産グループの帳簿価額（既に各資産グループにおいて減損損失が測定されている場合には、帳簿価額からそれを控除した額）と回収可能価額の差額の比率に基づいて比例配分する。

【資料3】減損損失の計上額

（単位：千円）

	神奈川支店	埼 玉 支 店	千 葉 支 店	東 京 本 社	合　　　計
減 損 損 失	(1)	(　　　)	(2)	(　　　)	(3)

⇨解答：303ページ

第 15 章 　資産除去債務

重要度 | B

問題15－1 　資産除去債務(1) 　　（制限時間8分）

難易度 | A

下記の【資料】に基づいて、答案用紙に示した各時点の仕訳を示しなさい。なお、千円未満の端数は切り捨てること。

【資　料】

1 　当社はＸ１年４月１日に機械50,000千円を取得し、代金は小切手を振り出して支払った。当該機械は使用後に除去する法的義務があり、使用後における除去費用の見積額は4,500千円である。Ｘ１年４月１日における割引率は２％である。当該機械は耐用年数５年、残存価額ゼロ、定額法により減価償却を行い、直接控除法により処理する。

2 　Ｘ６年３月31日に機械を除去し、除去費用4,550千円を小切手を振り出して支払った。

⇨解答：305ページ

問題15－2 　資産除去債務(2) 　　（制限時間8分）

難易度 | A

下記の【資料】に基づいて、答案用紙に示した各時点の仕訳を示しなさい。なお、千円未満の端数は切り捨てること。

【資　料】

1 　Ｘ１年４月１日に機械80,000千円（耐用年数５年、残存価額ゼロ、定額法、間接控除法）を取得し、小切手を振り出して支払った。当該機械は使用後に除去する法的義務がある。使用後の除去に係る割引前キャッシュ・フローは6,200千円と見積もられた。Ｘ１年４月１日における割引率は３％とし、期間５年の現価係数は0.863である。

2 　Ｘ３年３月31日に機械の除去に係る割引前キャッシュ・フローを6,600千円に変更した。Ｘ３年３月31日における割引率は3.5％であり、期間３年の現価係数は0.902である。

3 　Ｘ６年３月31日に機械を除去し、除去費用6,700千円を小切手を振り出して支払った。

⇨解答：306ページ

当社の当期（x2年4月1日からx3年3月31日）に関する下記の資料に基づいて、答案用紙に示した当期末の決算整理後残高試算表の金額を答えなさい。なお、千円未満の端数が生じた場合には、四捨五入すること。

【資料1】決算整理前残高試算表（x3年3月31日）

決算整理前残高試算表　　　　　（単位：千円）

機械装置	（　　　）	資産除去債務	（　　　）
		減価償却累計額	（　　　）

【資料2】決算整理事項等

(1) x1年4月1日に次の機械装置50,000千円を現金で購入し、直ちに使用を開始した。当該機械装置は使用後に除去する義務があり、除去費用見積額は8,000千円であった。当該日における割引率は4％である。

(2) 機械装置は、耐用年数5年、残存価額をゼロとする定額法により減価償却を行う。

(3) x3年3月31日において、除去費用見積額は7,000千円に減少した。当該日における割引率は3％である。

(4) 現在価値の算定にあたっては、下記の現価係数を用いること。

	期間1年	期間2年	期間3年	期間4年	期間5年
年3％	0.97087	0.94260	0.91514	0.88849	0.86261
年4％	0.96154	0.92456	0.88900	0.85480	0.82193

⇨解答：307ページ

問題15－4 　資産除去債務(4)　　　　　（制限時間8分）　難易度 C

　当社の当期（Ⅹ5年4月1日～Ⅹ6年3月31日）に関する下記の資料に基づいて、決算整理後残高試算表（一部）を作成しなさい。なお、千円未満の端数は切り捨てること。

【資料1】決算整理前残高試算表（一部）

決算整理前残高試算表（一部）		（単位：千円）	
機　　　　　械	（　　　　　）	資 産 除 去 債 務	（　　　　　）
繰 延 税 金 資 産	（　　　　　）	繰 延 税 金 負 債	（　　　　　）

【資料2】決算整理事項等

1　機械はⅩ3年4月1日に100,000千円で取得したものである。当該機械は耐用年数経過後に除去する法的義務があるため、資産除去債務を計上している。取得時において耐用年数経過後の機械の除去に必要な除去費用の金額は2,500千円と見積もられた。当該機械は耐用年数10年、残存価額をゼロとして定額法（直接控除法）により減価償却を行う。Ⅹ3年4月1日における割引率は年3％であり、年3％で期間10年の現価係数は0.744である。なお、資産除去債務及び資産除去債務の計上に伴って計上された固定資産の金額は税務上認められないため、税効果会計（法定実効税率30％）を適用する。また、解答上、繰延税金資産と繰延税金負債は相殺しない。

2　当期末（Ⅹ6年3月31日）に耐用年数経過後の機械の除去に必要な除去費用の金額を3,000千円に変更した。Ⅹ6年3月31日における割引率は年2.5％であり、年2.5％で期間7年の現価係数は0.841である。

⇨解答：307ページ

　　当社は退職給付制度について、退職一時金制度及び企業年金制度を採用している。下記の資料に基づいて、**問1**及び**問2**に答えなさい。なお、前期末において未認識数理計算上の差異はない。

問1　数理計算上の差異について、発生年度の翌年度から10年で定額法により費用処理した場合の決算整理後残高試算表（一部）を作成しなさい。

問2　数理計算上の差異について、発生年度から10年で定額法により費用処理した場合の決算整理後残高試算表（一部）を作成しなさい。

【資　料】

1　当期首の退職給付債務（実際）：200,000千円

2　当期首の年金資産（実際）：80,000千円

3　割引率：年2％

4　長期期待運用収益率：年1.5％

5　当期の勤務費用：24,200千円

6　当期中の掛金拠出額：6,000千円

7　当期中の企業年金支給額：3,600千円

8　当期中の退職一時金支給額：20,000千円

9　当期末の退職給付債務（実際）：206,000千円

10　当期末の年金資産（実際）：83,000千円

⇨解答：309ページ

問題16-2 退職給付会計(2)　　　　　（制限時間5分）　　難易度　A

下記の【資料】に基づいて、**問1**及び**問2**に答えなさい。

問1　決算整理後残高試算表（一部）を作成しなさい。

問2　当期に発生した数理計算上の差異の金額を答えなさい。なお、（　　）には有利又は不利のいずれかを記入すること。

【資　料】

1　当社は退職給付制度について、退職一時金制度及び企業年金制度を採用している。期首の退職給付債務は300,000千円、年金資産は200,000千円、退職給付引当金は90,000千円である。期首未積立退職給付債務と期首退職給付引当金との差額はすべて数理計算上の差異であり、数理計算上の差異は発生年度の翌年度から10年で定率法（償却率0.206）により償却している。

2　当期の勤務費用は30,000千円、割引率は年3％、長期期待運用収益率は年2％である。

3　当期中の掛金拠出額は12,000千円である。

4　退職一時金支給額は20,000千円、当期中の年金支給額は8,400千円である。

5　期末の退職給付債務の実際額は320,000千円、年金資産の実際額は208,000千円である。

⇨解答：309ページ

下記の資料に基づいて、次の**問1**及び**問2**に答えなさい。

問1 決算整理後残高試算表（一部）を作成しなさい。

問2 当期に発生した数理計算上の差異の金額を答えなさい。なお、金額が損失となる場合には金額の前に△の符号を付すこと。

【資　料】

1　当社は退職金の給付について、退職一時金制度と企業年金制度の両方を採用している。

2　退職給付に関する資料は次のとおりである。数理計算上の差異については発生年度の翌年度から3年で定額法により費用処理している。

　⑴　期首退職給付債務：500,000千円

　⑵　期首年金資産：370,000千円

　⑶　割引率：年3％

　⑷　長期期待運用収益率：年2.5％

　⑸　勤務費用：50,000千円

　⑹　数理計算上の差異の年度別発生額

　　①　前々々期：9,000千円（損失）

　　②　前々期：6,000千円（利得）

　　③　前期：12,000千円（損失）

3　当期中の掛金拠出額は24,000千円、退職一時金支給額は30,000千円、年金支給額は12,000千円である。

4　当期末における退職給付債務（実際）は532,000千円、年金資産（実際）は389,150千円である。

⇨解答：310ページ

問題16-4 退職給付会計(4)　　（制限時間7分）　　難易度 A

　当社は退職一時金制度及び企業年金制度を採用している。下記の資料に基づいて、**問1**及び**問2**に答えなさい。なお、当期はx10年4月1日からx11年3月31日である。

問1　決算整理後残高試算表（一部）を作成しなさい。

問2　当期に発生した数理計算上の差異の金額を答えなさい。なお、金額が積立不足となる場合には金額の前に△の符号を付すこと。

【資　料】

1　期首の状況

(1) 退職給付債務（実際）：750,000千円（割引率年4％）

(2) 年金資産時価：388,000千円（長期期待運用収益率年3％）

(3) 未認識数理計算上の差異：50,000千円（積立不足）

　　数理計算上の差異は発生年度の翌年度から10年で定率法（償却率0.206）により償却している。

(4) 未認識過去勤務費用：48,000千円（積立超過）

　　過去勤務費用はx9年4月1日に退職給付規程を改訂したことにより発生したものであり、5年で定額法により償却している。

2　期中の状況

(1) 勤務費用：75,000千円

(2) 掛金拠出額：42,000千円

(3) 退職給付額：80,000千円（年金給付30,000千円、一時金給付50,000千円）

3　期末の状況

(1) 退職給付債務（実際）：793,360千円

(2) 年金資産時価：409,700千円

⇨解答：311ページ

下記の資料に基づいて、次の**問**に答えなさい。なお、当期はx7年4月1日からx8年3月31日までである。

問1　答案用紙に示した決算整理後残高試算表を作成しなさい。

問2　　**イ**　　にあてはまる適当な金額を示しなさい。

【資　料】当期の退職給付に関する事項

　　当社は退職給付に関する処理を行うため、以下のワークシートを作成した。当期における退職給付に関する会計処理は適正に処理済である。なお、空欄の不明金額は各自推定すること。

（単位：千円）

	期　首 x7.4.1	退職給付 費　用	給付／掛 金支払額	予　測 x8.3.31	数理計算 上の差異	実　際 x8.3.31
退職給付債務	(38,000)	S (4,450) I (　　)	P　1,050 P　1,200	(　　)	(　　)	(41,490)
年 金 資 産	25,000	R	P (1,050) C　2,750		(　　)	27,100
未積立退職給付債務	(13,000)	———	———	(　　)	———	(　　)
未認識数理計算上の差異	845	A (　　)	———		イ	
未認識過去勤務費用	(2,400)	A				(　　)
(退職給付引当金)	(　　)	(　　)		(　　)		(　　)

　　S：勤務費用　　I：利息費用（割引率3％）　　R：期待運用収益（長期期待運用収益率2％）

　　A：未認識差異の費用処理額　　P：退職年金による支給額、退職一時金　　C：年金掛金

(1) 期首における未認識数理計算上の差異はx6年3月決算における発生分495千円、x7年3月決算における発生分350千円である。

(2) 過去勤務費用はx5年4月1日に退職給付規程を改訂した際に発生したものである。

(3) 未認識差異の費用処理については、数理計算上の差異及び過去勤務費用とも平均残存勤務年数10年の定額法で行っている。なお、数理計算上の差異については発生年度の翌年度より費用処理を行っている。

⇨解答：312ページ

問題16－6 退職給付会計(6)　　　　（制限時間7分）　　難易度 B

当社は従業員非拠出型の企業年金制度を採用している。当社の退職給付会計に関する資料は、次のとおりである。これに基づいて、次の問に答えなさい。

問1　決算整理後残高試算表を作成しなさい。

問2　数理計算上の差異の当期発生額を答えなさい。

【資料1】期首試算表

期首試算表（一部）　　　　　　　（単位：千円）

前 払 年 金 費 用	（　　　　　）	

【資料2】当期の退職給付会計に関する事項

1　期首における退職給付債務及び年金資産は次のとおりである。なお、利息費用の算定に用いる割引率は3％とし、年金資産の長期期待運用収益率は4％とする。

退職給付債務：50,100千円　　年金資産の公正な評価額：55,000千円

2　期首における未認識数理計算上の差異は3,640千円（利得）である。なお、数理計算上の差異は発生年度の翌年度から定率法により8年間（償却率：0.250）で費用処理する。

3　勤務費用の額は4,920千円である。

4　年金資産への拠出額は8,000千円である。

5　退職給付は2,000千円である。

6　期末における退職給付債務及び年金資産は次のとおりである。

退職給付債務：54,734千円　　年金資産の公正な評価額：63,955千円

⇨解答：313ページ

退職給付会計(7)　　　　　（制限時間４分）　　難易度　A

下記の資料に基づいて、答案用紙に示した決算整理後残高試算表を作成しなさい。

【資　料】

(1)
<table>
<tr><td colspan="3">決算整理前残高試算表</td><td>（単位：千円）</td></tr>
<tr><td>退職給付費用</td><td>16,590</td><td>退職給付引当金</td><td>74,085</td></tr>
</table>

(2) 当社は従業員非拠出の退職一時金制度及び企業年金制度を採用しているが、小規模企業等に該当するため、会計処理については簡便法を適用している。なお、簡便法の適用に際しては期末自己都合要支給額と年金財政計算上の数理債務の合計額をもって退職給付債務とする。決算整理前残高試算表上の退職給付引当金は前期末の適正な金額である。

(3)　退職金5,790千円及び企業年金拠出金10,800千円を期中に支払っているが、支出額をもって退職給付費用勘定に計上している。

(4) 当期末の自己都合要支給額は62,200千円、数理債務は49,280千円と計算され、企業年金資産の時価は47,310千円と報告を受けている。

⇨解答：314ページ

外貨建取引等

重 要 度	A

問題17－1	外貨建取引等(1)	（制限時間10分）	難 易 度	A

　下記の取引について仕訳を答えなさい。なお、会計期間は１年であり、すべて同一の会計期間内の取引とする。また、現金収支額については現金預金勘定を使用すること。

1　商品2,000ドルを仕入れ、代金は掛けとした。同日の直物為替相場は１ドル135円である。

2　上記１の代金が決済された。同日の直物為替相場は１ドル138円である。

3　商品5,000ドルを売り上げ、代金は掛けとした。同日の直物為替相場は１ドル132円である。

4　上記３の代金が決済された。同日の直物為替相場は１ドル133円である。

5　商品3,000ドルの仕入代金の手付金として300ドルを支払った。同日の直物為替相場は１ドル140円である。

6　上記５の商品を受け取り、残額は掛けとした。同日の直物為替相場は１ドル136円である。

7　期首に8,000ドルの借り入れを行った。借入期間は１年、利子率は年３％（利息は返済時に一括払い）であり、同日の直物為替相場は１ドル130円である。

8　上記７の借入金の返済及び利息の支払いをした。同日の直物為替相場は１ドル131円である。

⇨解答：315ページ

　次の(1)～(4)の一連の取引に基づいて、(2)と(4)の仕訳を示しなさい。なお、収支はすべて現金預金勘定で処理し、商品売買の記帳は三分法によること。

(1)　甲社は、第10期事業年度（自 x 2年4月1日　至 x 3年3月31日）の2月1日に在外企業である得意先A社に対し、商品を10,000ドルで販売する契約を結び、手付金として1,000ドルの送金を受けた。このときの為替相場は1ドル＝125円であった。

(2)　x 3年3月10日に甲社は商品を契約どおり10,000ドルでA社に販売した。代金は手付金を除いた残額を掛とし、1か月以内に決済を受けることとした。このときの為替相場は1ドル＝135円であった。

(3)　x 3年3月31日にA社から上記の販売代金の一部4,000ドルの送金を受けた。このときの為替相場は1ドル＝132円であった。

(4)　第11期事業年度（自 x 3年4月1日　至 x 4年3月31日）の4月8日にA社から上記の販売代金の残額の送金を受けた。このときの為替相場は1ドル＝133円であった。

⇨解答：315ページ

問題17-3　外貨建取引等(3)　　　　（制限時間6分）　難易度　A

　当社の当期（x8年4月1日からx9年3月31日）に関する下記の資料に基づいて、決算整理後残高試算表（一部）を作成しなさい。

【資料1】決算整理前残高試算表（一部）

決算整理前残高試算表（一部）　　　　（単位：千円）

現　金　預　金	225,380	買　　掛　　金	88,500
売　　掛　　金	135,000	借　　入　　金	134,000
支　払　利　息	2,130	為　替　差　損　益	1,330

【資料2】決算整理事項等

1　現金預金には外国通貨10千ドルが含まれており、受取日の直物レート135円／ドルで換算されている。

2　売掛金には外貨建のもの600千ドルが含まれており、取引日の直物レート130円／ドルで換算されている。

3　買掛金には外貨建のもの500千ドルが含まれており、取引日の直物レート132円／ドルで換算されている。

4　借入金はすべて外貨建借入金1,000千ドルである。当該借入金はx7年10月1日に借り入れたものであり、期間2年、利子率は年3％、利払日は毎年9月30日（年1回）である。

5　x9年3月31日（決算日）の直物レートは131円／ドルである。

⇨解答：316ページ

当社（決算日は3月31日）の下記の資料に基づいて、決算整理後残高試算表（一部）を作成しなさい。なお、決算日の直物為替相場は1ドル132円である。

【資料1】決算整理前残高試算表（一部）

決算整理前残高試算表（一部）　　　（単位：千円）

売　　掛　　金	338,000	買　　掛　　金	236,500
繰　越　商　品	135,000	売　　　　　上	8,850,000
前　　渡　　金	19,450	為　替　差　損　益	3,250
仕　　　　　入	5,250,000		

【資料2】決算整理事項等

1　決算整理前残高試算表の売掛金のうち64,000千円は外貨建売掛金500千ドルであり、買掛金のうち37,800千円は外貨建買掛金300千ドルである。

2　決算整理前残高試算表の前渡金のうち12,900千円は外貨建前渡金100千ドルであり、決算日に商品200千ドルが当社に到着していたが、未処理であった。

3　期末商品（上記2を除く。）は89,500千円である。

⇨解答：316ページ

問題17－5　**外貨建有価証券(1)**　　　（制限時間5分）　　難易度　A

　下記の資料に基づいて、問1及び問2に答えなさい。なお、当期はX1年4月1日〜X2年3月31日とする。

問1　【資料】の債券を満期保有目的の債券に区分していた場合の決算整理後残高試算表（一部）を作成しなさい。

問2　【資料】の債券をその他有価証券に区分していた場合の決算整理後残高試算表（一部）を作成しなさい。なお、その他有価証券の時価評価差額は全部純資産直入法により処理することとし、税効果会計（法定実効税率30%）を適用する。

【資　料】

1　取得日：X1年4月1日（発行と同時に取得したものである。）

2　債券金額：2,000ドル

3　取得価額：1,880ドル

4　償還期限：X6年3月31日

5　クーポン利率：年2%

6　利払日：毎年3月31日

7　債券金額と取得価額との差額は金利調整差額と認められるため、定額法による償却原価法を適用する。

8　X2年3月31日の時価：1,910ドル

9　直物為替レート

　　X1年4月1日：130円/ドル

　　X2年3月31日：140円/ドル

10　X1年4月1日〜X2年3月31日の平均為替レート：135円/ドル

⇨解答：317ページ

当社の当期（x2年4月1日〜x3年3月31日）における以下の【資料】に基づいて、決算整理後残高試算表を完成させなさい。

【資　料】

(1)

	決算整理前残高試算表		（単位：円）
有　価　証　券	58,000	有 価 証 券 利 息	600
投 資 有 価 証 券	142,150		
関 係 会 社 株 式	88,000		

(2) 期末に次の外貨建有価証券（すべて当期中に取得したものである。）を保有しており、これらについて、適切に期末評価を行う。なお、x2年10月1日からx3年3月31日までの平均為替レートは1ドル＝118円、当期末の為替レートは1ドル＝120円である。

銘　　　　柄	保　有　区　分	取得時レート	取得原価	債券金額	当期末時価	備　考
A　株　式	売買目的有価証券	1ドル＝125円	200ドル	——	160ドル	
B　株　式	売買目的有価証券	1ドル＝110円	300ドル	——	280ドル	
C　社　債	満期保有目的の債券	1ドル＝115円	480ドル	500ドル	485ドル	(注1)
D　株　式	子会社株式・関連会社株式	1ドル＝110円	800ドル	——	760ドル	
E　株　式	その他有価証券	1ドル＝115円	260ドル	——	270ドル	
F　株　式	その他有価証券	1ドル＝125円	300ドル	——	——	(注2)
G　株　式	その他有価証券	1ドル＝115円	170ドル	——	80ドル	(注3)

(注1) C社債（償還期日x6年9月30日）は、x2年10月1日に取得したものであり、利払日は3月31日と9月30日の年2回（クーポン利率年2％）である。なお、クーポン利息は適正に処理済である。

(注2) 市場価格のない株式である。

(注3) G株式の時価は著しく下落しており、回復の見込みはないと認められるため、減損処理を行うことにする。

(3) 「その他有価証券」に区分されるものについては、全部純資産直入法を採用し、法定実効税率を30％として税効果会計を適用すること。

(4) 「満期保有目的の債券」に区分されるものについては、償却原価法（定額法、月割計算）により評価すること。

⇨解答：317ページ

（制限時間10分） 難易度 A

下記の資料に基づいて、**問1**及び**問2**に答えなさい。なお、会計期間は4月1日～3月31日の1年間であり、日数計算は月割計算とすること。また、商品売買については三分法により処理し、現金収支額については現金預金勘定を使用すること。行うべき仕訳がない場合には借方科目欄に「仕訳なし」と記入すること。

問1 為替予約について、独立処理により処理した場合の各日付における仕訳を答えなさい。

問2 為替予約について、振当処理により処理した場合の各日付における仕訳を答えなさい。

【資 料】

1　Ｘ2年2月1日（直物レートは1ドル132円）に商品3,000ドルを輸入し、代金は掛けとした。代金の決済日はＸ2年4月30日である。

2　Ｘ2年3月1日（直物レートは1ドル133円）に上記1の買掛金の決済に備えてＸ2年4月30日を決済日とする3,000ドルの為替予約（Ｘ2年4月30日を決済日とする予約レートは1ドル130円）を行った。

3　Ｘ2年3月31日（直物レートは1ドル134円）のＸ2年4月30日を決済日とする予約レートは1ドル131円である。

4　Ｘ2年4月30日（直物レートは1ドル135円）に上記1及び2の買掛金及び為替予約について決済した。

⇨解答：318ページ

第17章

外貨建取引等

為替予約(2)　　　　　　（制限時間10分）　　難易度　B

当社の当期（X2年4月1日～X3年3月31日）に関する下記の資料に基づいて、**問1**及び**問2**に答えなさい。なお、日数計算は月割計算とし、1月未満の端数は1月とする。また、資料以外の事項は考慮不要とする。

問1　為替予約の処理について、独立処理を採用した場合の決算整理後残高試算表（一部）を作成しなさい。

問2　為替予約の処理について、振当処理を採用した場合の決算整理後残高試算表（一部）を作成しなさい。

【資料1】決算整理前残高試算表（一部）

決算整理前残高試算表（一部）　　　　（単位：円）

売　　掛　　金	3,810,000	為　替　差　損　益	33,000

【資料2】決算整理事項等

1　決算整理前残高試算表の売掛金はすべて外貨建のものであり、取引日の直物レートで換算した金額である。内訳は以下のとおりである。

取引日	金額	取引日の直物レート	決済日
X3年2月1日	12,000ドル	1ドル140円	X3年4月30日
X3年3月1日	15,000ドル	1ドル142円	X3年5月31日

2　X3年3月10日に上記1の売掛金について、それぞれの決済日に合わせて為替予約を行った。為替予約に関する処理は未処理である。X3年3月10日における各レートは以下のとおりである。

　　直物レート：1ドル145円

　　X3年4月30日を決済日とする予約レート：1ドル142円

　　X3年5月31日を決済日とする予約レート：1ドル141円

3　X3年3月31日における各レートは以下のとおりである。

　　直物レート：1ドル143円

　　X3年4月30日を決済日とする予約レート：1ドル141円

　　X3年5月31日を決済日とする予約レート：1ドル140円

⇨解答：319ページ

問題17-9 為替予約(3) （制限時間10分） 難易度 A

次の**問1**及び**問2**に答えなさい。なお、会計期間は4月1日から3月31日の1年間であり、日数計算は月割計算とする。また、現金収支額については現金預金勘定を使用すること。

問1 【資料】の取引について、独立処理を採用した場合の各日付の仕訳を答えなさい。

問2 【資料】の取引について、振当処理を採用した場合の各日付の仕訳を答えなさい。

【資　料】

1　当社はX1年12月1日に以下の内容で借り入れを行った。

（1）借入元本：1,000千ドル

（2）返済日：X2年11月30日

（3）利子率：年3％

（4）利払日：X2年11月30日

2　当社は上記1の借入金について、借入と同時に元本相当額の為替予約を行った。X1年12月1日の直物為替相場は135円/ドルであり、先物為替相場は132円/ドルである。

3　X2年3月31日の直物為替相場は136円/ドル、先物為替相場は134円/ドルである。

4　X2年11月30日の直物為替相場は138円/ドルである。

⇨解答：320ページ

　当社の当期（X2年4月1日～X3年3月31日）に関する以下の資料に基づいて、決算整理後残高試算表（一部）を作成しなさい。なお、日数計算は月割計算とする。

【資　料】

1　決算整理前残高試算表（一部）

<table>
<tr><td colspan="2" align="center">決算整理前残高試算表（一部）</td><td align="right">（単位：円）</td></tr>
<tr><td>借　　入　　金</td><td align="right">2,760,000</td><td></td></tr>
</table>

2　決算整理前残高試算表の借入金はX2年7月1日に借り入れたドル建のものである。借入元本は20,000ドル、利子率は年3％、返済日及び利払日はX3年6月30日であり、借入日の直物レートで換算されたものである。X2年11月1日に当該借入金の元本相当額について為替予約を行った。X2年11月1日の直物レートは1ドル142円、X3年6月30日を決済日とする予約レートは1ドル140円である。為替予約については振当処理を採用することとするが、未処理である。

3　X3年3月31日の直物レートは1ドル145円である。

⇨解答：321ページ

問題17-11 為替予約(5) （制限時間10分） 難易度 B

当社の当期（X2年4月1日～X3年3月31日）に関する以下の資料に基づいて、決算整理後残高試算表（一部）を作成しなさい。なお、為替予約の処理は振当処理（同時予約については先物為替レートにより換算し、為替差損益を認識しない方法）により行うこととし、日数計算は月割計算とする。

【資料1】決算整理前残高試算表（一部）

決算整理前残高試算表（一部）　　　　（単位：円）

売　　掛　　金	32,780,000	長　期　借　入　金	6,900,000
支　払　利　息	106,500	売　　　　　　上	189,600,000
為　替　差　損　益	828,000		

【資料2】決算整理事項等

1　売掛金に関する事項

(1) 決算整理前残高試算表の売掛金はすべて外貨建のものであり、内訳は以下のとおりである。なお、期中は取引日の直物為替レートで換算した金額で計上している。

取引日	金額	決済日
X3年1月15日	60,000ドル	X3年4月30日
X3年2月10日	90,000ドル	X3年5月31日
X3年3月20日	80,000ドル	X3年6月30日

(2) X3年2月10日にX3年1月15日発生分とX3年2月10日発生分について為替予約を行ったが、為替予約に関する処理は行われていない。

2　長期借入金に関する事項

(1) 長期借入金は以下の条件で借り入れたものであり、為替予約（下記(2)参照）に関する処理以外の期中処理は適正に行われている。

① 借入日：X1年10月1日

② 借入元本：50,000ドル

③ 返済日：X6年9月30日

④ 利率：年3％

⑤ 利払日：毎年9月30日

(2) X2年10月1日に上記(1)の借入金の元本相当額について、為替予約を行ったが、為替予約に関する処理は行われていない。

3　為替レート

（1）直物為替レート（1 ドル）

① X 1 年10月 1 日：135円

② X 2 年 3 月31日：138円

③ X 2 年 9 月30日：140円

④ X 2 年10月 1 日：142円

⑤ X 3 年 1 月15日：140円

⑥ X 3 年 2 月10日：142円

⑦ X 3 年 3 月20日：145円

⑧ X 3 年 3 月31日：148円

（2）先物為替レート（1 ドル）

① X 2 年10月 1 日における X 6 年 9 月30日を決済日とする先物為替レート：135円

② X 3 年 2 月10日における X 3 年 4 月30日を決済日とする先物為替レート：141円

③ X 3 年 2 月10日における X 3 年 5 月31日を決済日とする先物為替レート：140円

⇨解答：321ページ

| 問題17-12 | 為替予約(6) | （制限時間6分） | 難易度 | B |

当社の当期（X1年4月1日～X2年3月31日）に関する以下の資料に基づいて、次の**問1**及び**問2**に答えなさい。なお、日数計算は月割計算とする。

問1 為替予約について独立処理を採用した場合の決算整理後残高試算表（一部）を作成しなさい。

問2 為替予約について振当処理を採用した場合の決算整理後残高試算表（一部）を作成しなさい。なお、直先差額については支払利息に加減することとする。

【資料1】決算整理前残高試算表（一部）

決算整理前残高試算表（一部）　　　　（単位：円）

| | 短 期 借 入 金 | 420,000 |

【資料2】決算整理事項等

短期借入金はすべてX1年12月1日に借り入れた3,000ドルであり、借入日の直物為替レートで換算した金額である。当該借入金の借入期間は1年、利率年3％、利払日X2年11月30日である。当社は借入と同時に元利総額について為替予約を行ったが、為替予約に関する処理が行われていない。各日付における為替レートは以下のとおりである。

1　X1年12月1日の直物為替レート：1ドル140円

2　X1年12月1日のX2年11月30日を決済日とする先物為替レート：1ドル138円

3　X2年3月31日の直物為替レート：1ドル145円

4　X2年3月31日のX2年11月30日を決済日とする先物為替レート：1ドル144円

⇨解答：322ページ

　下記の資料に基づいて、各時点の仕訳を答えなさい。なお、当社の会計期間は4月1日から3月31日の1年間である。また、仕訳に用いる勘定科目は【勘定科目群】の中から選択することとし、日数計算は月割計算とする。

【資　料】

1　当社はX1年4月1日（直物レートは140円／ドル）に満期保有目的の債券として外貨建の債券（債券金額500千ドル）を480千ドルで発行と同時に取得した。当該債券の償還期限はX4年3月31日、クーポン利子率は年3％、利払日は毎年3月31日である。

2　当社は上記1の債券について、取得と同時に償還期限であるX4年3月31日を決済日として500千ドルの為替予約（予約レートは135円／ドル）を行った。為替予約については振当処理を採用する。

3　X2年3月31日の直物レートは145円／ドル、X3年3月31日の直物レートは146円／ドル、X4年3月31日の直物レートは142円／ドルである。

【勘定科目群】

現金預金	満期保有目的の債券	長期前払費用	長期前受収益
有価証券利息	為替差損益		

⇨解答：323ページ

問題17-14　為替予約(8)　　　（制限時間8分）　難易度　A

下記の【資料】に基づいて、答案用紙に示した各日付の仕訳を答えなさい。なお、会計期間は4月1日〜3月31日である。なお、収支額は現金預金勘定を使用すること。

【資　料】

当社はX2年2月1日にX2年5月1日に行う予定のドル建仕入取引から生じる買掛金500千ドル（決済日はX2年5月31日）の決済について、同額の為替予約を付した。当該取引はヘッジ会計の要件を満たすものであり、繰延ヘッジ損益の計上にあたっては税効果会計（法定実効税率30％）を適用する。各日付の直物レート及びX2年5月31日を決済日とする予約レートは以下のとおりである。

日　　　付	直物レート	予約レート
X2年2月1日	110円／ドル	105円／ドル
X2年3月31日	115円／ドル	108円／ドル
X2年5月1日	113円／ドル	107円／ドル
X2年5月31日	116円／ドル	──────

⇨解答：323ページ

問題17-15　為替予約(9)　　　（制限時間10分）　難易度　B

当社の当期（X1年4月1日〜X2年3月31日）に関する以下の資料に基づいて、決算整理後残高試算表（一部）を作成しなさい。なお、日数計算は月割計算（1月未満切上）とする。

【資料1】決算整理前残高試算表（一部）

決算整理前残高試算表（一部）　　　（単位：円）

売　　掛　　金	18,265,000	売　　　　　　上	246,358,000
		為　替　差　損　益	380,000

【資料2】決算整理事項等

1　決算整理前残高試算表の売掛金には以下の外貨建のものが含まれており、いずれも取引日の直物レートで換算した金額である。

取引日	金額	決済日
X2年2月1日	15,000ドル	X2年4月30日
X2年3月1日	30,000ドル	X2年5月31日

2　上記1のほかにX2年5月1日に20,000ドルの輸出取引を掛けで行う予定であり、決済日の
　　予定はX2年7月31日である。

3　X2年2月20日に上記1及び2の代金について、それぞれの決済日に合わせて為替予約を行
　　った。当該為替予約はヘッジ会計の要件を満たすものであり、振当処理を採用することとする
　　が、為替予約に関する処理は行われていない。なお、繰延ヘッジ損益の計上については税効果
　　会計（法定実効税率30%）を適用すること。必要なレートは以下のとおりである。

　　(1)　直物レート（1ドル）

　　　　X2年2月1日：140円

　　　　X2年2月20日：141円

　　　　X2年3月1日：142円

　　　　X2年3月31日：144円

　　(2)　X2年2月20日における予約レート（1ドル）

　　　　X2年4月30日を決済日とする予約レート：139円

　　　　X2年5月31日を決済日とする予約レート：138円

　　　　X2年7月31日を決済日とする予約レート：136円

　　(3)　X2年3月31日における予約レート（1ドル）

　　　　X2年4月30日を決済日とする予約レート：143円

　　　　X2年5月31日を決済日とする予約レート：142円

　　　　X2年7月31日を決済日とする予約レート：140円

⇨解答：324ページ

問題18-1 商的工業簿記(1)　　　（制限時間10分）　難易度 A

当社の以下の資料に基づいて、次の**問**に答えなさい。

問1 答案用紙に示した各勘定を完成させなさい。

問2 答案用紙に示した決算整理後残高試算表を完成させなさい。

【資　料】

1

決 算 整 理 前 残 高 試 算 表		（単位：千円）	
製　　　　　品	10,000	退 職 給 付 引 当 金	13,000
材　　　　　料	3,000	減 価 償 却 累 計 額	24,210
仕　　掛　　品	4,000		
建　　　　　物	30,000		
機　　　　　械	12,000		
車　　　　　両	5,000		
土　　　　　地	50,000		
材　料　仕　入	18,000		
賃　金　給　料	22,000		
退 職 給 付 費 用	2,000		
支 払 保 険 料	1,500		
そ の 他 の 製 造 費	10,000		

2　期末材料帳簿棚卸高は2,500千円、実地棚卸高は2,000千円である。この差額はすべて減耗であり、うち20%は原価性があるものとして処理する。

3　賃金給料に係る見越額は200千円である。なお、配賦割合は、営業：30%、製造：70%とする。

4　退職給付費用の配賦割合は、営業：30%、製造：70%とする。

5　当社の保有する固定資産に係る減価償却及び各部門への配賦は下表のとおりに行う。

	償却方法	耐用年数	残存価額	配　　賦　　割　　合
建　物	定額法	30年	10%	営業：30%、製造：70%
機　械	定額法	8年	10%	営業：0%、製造：100%
車　両	定額法	5年	10%	営業：60%、製造：40%

6　支払保険料に係る繰延額は300千円である。なお、配賦割合は、営業：30%、製造：70%とする。

7　期末仕掛品は3,000千円、期末製品は8,000千円である。

⇨解答：325ページ

下記の資料に基づいて、**問1**及び**問2**に答えなさい。

問1 期末仕掛品の評価について平均法、期末製品の評価について先入先出法を採用した場合の仕掛品勘定及び製品勘定を答えなさい。

問2 期末仕掛品の評価について先入先出法、期末製品の評価について平均法を採用した場合の仕掛品勘定及び製品勘定を答えなさい。

【資　料】

1　期首仕掛品数量は500個（加工進捗度60％）、期首仕掛品勘定残高は22,470千円（内訳：材料費6,600千円、加工費15,870千円）である。

2　当期の材料投入量は12,000個であり、当期の材料費は143,400千円、労務費は358,600千円、製造経費は220,530千円である。

3　期末仕掛品数量は1,000個（加工進捗度40％）である。

4　材料は工程の始点で投入している。

5　期首製品数量は900個、期首製品勘定残高は59,130千円である。

6　期末製品数量は600個である。

⇨解答：326ページ

問題18-3　商的工業簿記(3)　　　（制限時間12分）　難易度　B

下記の【資料】に基づいて、次の**問**の場合における期末仕掛品原価の金額を求めなさい。なお、材料は始点投入である。

問1　減損は20%の地点で発生し、先入先出法の場合（完成品と仕掛品の両者に負担）

問2　減損は終点で発生し、平均法の場合（完成品のみに負担）

問3　減損は80%の地点で発生し、先入先出法の場合（完成品のみに負担）

【資　料】

1　原価データ

	材　料　費	加　工　費
期　首　仕　掛　品	320,000円	720,000円
当期総製造費用	1,080,000円	1,620,000円
計	1,400,000円	2,340,000円

2　生産データ

期　首　仕　掛　品　量	8,000kg	（1／2）（注）カッコ内は加工進捗度
当　期　投　入　量	20,000kg	
計	28,000kg	
期　末　仕　掛　品　量	6,000kg	（2／3）
正　常　減　損　量	2,000kg	（　？　）
差引：完成品量	20,000kg	

⇨解答：327ページ

当社の当期（X20年4月1日からX21年3月31日）に関する下記の資料に基づいて、次の問1及び問2に答えなさい。

問1　決算整理後残高試算表（一部）を作成しなさい。

問2　製造原価報告書を作成しなさい。

【資料1】決算整理前残高試算表（一部）

決算整理前残高試算表（一部）　　　（単位：千円）

製　　品	164,160	退職給付引当金	120,000
材　　料	3,000	売　　上	2,520,000
仕　掛　品	33,200		
仮　払　金	24,000		
建　　物	220,800		
機　　械	88,000		
車　　両	60,000		
土　　地	600,000		
材　料　仕　入	492,000		
労　務　費	522,810		
製　造　経　費	275,990		

【資料2】決算整理事項等

1　期末材料に関する事項

（1）期末材料帳簿棚卸高：5,000千円

（2）期末材料実地棚卸高：4,800千円

（3）材料棚卸減耗損のうち、60%は原価性があるものとして処理する。

2　賞与引当金に関する事項

　翌期に支給する夏期賞与の見込額のうち、当期負担分を賞与引当金として計上する。翌期の夏期賞与の支給見込額は45,000千円であり、支給対象期間はX20年12月からX21年5月である。賞与引当金繰入額のうち、60%を製造に係る費用として処理する。

3　退職給付引当金に関する事項

　退職給付費用の計上がされておらず、期中に支出した金額は仮払金に計上している。当期首の退職給付債務は300,000千円、年金資産は180,000千円であり、数理計算上の差異等は発生していない。当期の勤務費用は25,000千円、割引率は年2%、長期期待運用収益率は年1%であ

る。当期の掛金拠出額は6,000千円、企業年金給付額は3,600千円、退職一時金支給額は18,000千円である。退職給付費用のうち、60%を製造に係る費用として処理する。

4　固定資産に関する事項

　当社の保有する固定資産は以下のとおりである。減価償却はすべて定額法を採用し、直接控除法により記帳している。

	取得価額	耐用年数	残存割合	取得年月日	配賦割合
建物	480,000千円	30年	10%	X2年4月1日	製造70%、営業30%
機械	220,000千円	10年	0%	X14年4月1日	製造100%
車両	100,000千円	5年	0%	X18年4月1日	製造30%、営業70%
土地	350,000千円	―	―	X1年4月1日	―

5　仕掛品及び製品の評価に関する事項

(1)　材料は工程の始点で投入しており、仕掛品の評価は平均法、製品の評価は先入先出法により行う。

(2)　期首仕掛品数量は500個（加工進捗度60%、材料費14,600千円、加工費18,600千円）、当期材料投入量は14,000個、期末仕掛品数量は800個（加工進捗度50%）である。

(3)　期首製品数量は1,800個、期末製品数量は1,500個である。

⇨解答：328ページ

商的工業簿記(5)　　　（制限時間15分）　難易度 B

当社の当期（x30年4月1日からx31年3月31日）に関する下記の資料に基づいて、次の**問1**及び**問2**に答えなさい。

問1　決算整理後残高試算表（一部）を作成しなさい。

問2　製造原価報告書を作成しなさい。

【資料1】決算整理前残高試算表（一部）

決算整理前残高試算表（一部）　　　（単位：千円）

製　　　　　品	33,600	賞 与 引 当 金	20,000
材　　　　　料	12,000	退 職 給 付 引 当 金	350,000
仕　　掛　　品	24,650	減 価 償 却 累 計 額	500,000
建　　　　　物	800,000	売　　　　　上	4,254,000
機　　　　　械	80,000		
車　　　　　両	50,000		
土　　　　　地	500,000		
材　料　仕　入	720,000		
人　　件　　費	1,353,620		
その他販売管理費	885,600		

【資料2】決算整理事項等

1　期末材料帳簿棚卸高は10,000千円、期末材料実地棚卸高は9,500千円であり、差額はすべて減耗損である。減耗損のうち30%は原価性があるものとして処理する。なお、材料はすべて工程の始点で投入している。

2　仕掛品の評価は平均法を採用しており、期首仕掛品数量は1,000個（加工進捗度80%）であり、材料費10,250千円、加工費14,400千円である。当期の材料投入量は72,000個であり、期末仕掛品数量は1,200個（加工進捗度70%）である。当期中に減損が発生し、500個が消失した。減損の発生は工程の60%地点である。

3　製品の評価は先入先出法を採用しており、期首製品数量は1,200個、期末製品数量は1,600個である。

4　固定資産の減価償却に関する事項は以下のとおりである。なお、当期に固定資産の売買はなく、償却方法はすべて定額法である。

(1)　建物は耐用年数40年、残存価額を取得原価の10%として減価償却を行っている。減価償却費の配賦割合は製造80%、営業20%とする。

(2) 機械は耐用年数10年、残存価額をゼロとして減価償却を行っている。減価償却費の配賦割合は製造100%とする。

(3) 車両は耐用年数５年、残存価額をゼロとして減価償却を行っている。減価償却費の配賦割合は製造20%、営業80%とする。

5　その他販売管理費のうち、425,946千円は製造に係る経費である。

6　当社は６月と12月の年２回賞与を支給しており、６月賞与の支給対象期間は前年12月から５月、12月賞与の支給対象期間は６月から11月である。当期に支給した賞与については人件費に計上している。翌期の６月賞与の支給見込額は36,000千円である。賞与引当金繰入額の配賦割合は製造60%、営業40%とする。

7　当社は退職給付について、企業年金制度及び退職一時金制度を採用しているが、従業員が少ないため、退職給付債務の計算は企業年金制度については年金財政計算上の数理債務とし、退職一時金制度については期末自己都合要支給額とする簡便法を採用している。当期に支出した金額22,000千円については人件費に計上している。当期末における年金財政計算上の数理債務は120,000千円、期末自己都合要支給額は350,000千円であり、年金資産時価は90,000千円である。退職給付費用の配賦割合は製造60%、営業40%とする。

8　人件費のうち、852,950千円は製造に係る費用である。

⇨解答：330ページ

第18章　製造業会計

—137—

問題19-1　研究開発費　　　（制限時間8分）　　難 易 度　A

　当社は製造業を行っており、研究開発部門を設け、新製品の開発等も行っている。下記の資料に基づいて、決算整理後残高試算表（一部）を作成しなさい。なお、研究開発に係る費用はすべて研究開発費として処理すること。

【資　料】

1　決算整理前残高試算表（一部）

決算整理前残高試算表（一部）　　　　（単位：千円）

材　　　　　料	15,000	減 価 償 却 累 計 額	159,750
仮　　払　　金	12,000		
建　　　　　物	300,000		
器　具　備　品	30,000		
材　料　仕　入	3,128,000		
営　　業　　費	2,186,000		
研　究　開　発　費	24,650		

2　期末材料棚卸高は12,000千円であり、当期の材料消費高のうち10%は研究開発部門で使用したものである。

3　仮払金は当期首に研究開発部門において、研究開発用の機械装置を購入した際に支出した金額を計上したものである。当該機械装置は特定の研究開発目的で取得したものであり、他の目的には使用されない。なお、税務上は当該機械装置を資産計上し、減価償却を行うため、税効果会計（法定実効税率30%）を適用する。当該機械装置に係る税務上の減価償却は耐用年数10年、残存価額をゼロとする定額法により行う。

4　建物は耐用年数40年、残存価額を取得原価の10%として定額法により減価償却を行うが、建物のうち50,000千円については研究開発部門のものである。

5　器具備品は耐用年数8年、残存価額をゼロとして定額法により減価償却を行うが、器具備品のうち10,000千円は研究開発部門のものである。

6　決算整理前残高試算表の営業費のうち、55,000千円は研究開発部門に係る費用である。

⇨解答：332ページ

ソフトウェア(1)　　　　（制限時間8分）　難易度　A

　下記の【資料】1〜3の仕訳を答えなさい。なお、会計期間は4月1日〜3月31日の1年間とし、日数計算は月割計算（1月未満の端数は1月とする。）とすること。また、仕訳に使用する勘定科目は〈勘定科目群〉にあるものを選択すること。

〈勘定科目群〉

現金預金　ソフトウェア　販売費・一般管理費　ソフトウェア償却　ソフトウェア廃棄損

【資　料】

1　X1年10月1日に自社利用目的でソフトウェアを購入し、下記に示す代金について小切手を振り出して支払った。なお、当該ソフトウェアについては将来の費用削減が確実であると認められるものである。また、無形固定資産に計上したソフトウェアの耐用年数は5年であり、定額法により償却する。

　(1)　パッケージソフト：20,000千円

　(2)　ソフトウェアの仕様変更に係る費用：2,000千円

　(3)　ソフトウェアの設定作業に係る費用：1,200千円

　(4)　ソフトウェアの導入に伴うトレーニング費用：1,500千円

2　X2年3月31日、決算日となった。

3　X4年6月30日に新たな自社利用目的のソフトウェアを購入し、下記に示す代金について小切手を振り出して支払った。これに伴い、従来より使用していたソフトウェアは廃棄処分とした。

　(1)　パッケージソフト：22,000千円

　(2)　ソフトウェアの仕様変更に係る費用：1,800千円

　(3)　ソフトウェアの設定作業に係る費用：1,200千円

　(4)　旧システムからのデータ移替に係る費用：600千円

　(5)　ソフトウェアの導入に伴うトレーニング費用：1,500千円

⇨解答：332ページ

第19章

研究開発費等

当社は市場販売目的のソフトウェアを制作・販売している。以下の資料に基づいて、問1及び問2に答えなさい。なお、千円未満の端数は四捨五入すること。

問1　ソフトウェアの減価償却を見込販売数量に基づいて行った場合のX1年度及びX2年度のソフトウェア償却額を答えなさい。

問2　ソフトウェアの減価償却を見込販売収益に基づいて行った場合のX1年度及びX2年度のソフトウェア償却額を答えなさい。

【資　料】

1　当社はX1年度の期首よりソフトウェアを販売しており、当該ソフトウェアについて無形固定資産に計上された金額は580,000千円である。当該ソフトウェアの見込有効期間は3年とする。

2　X1年度期首（販売開始時）における各年度の見込販売数量及び見込販売収益は以下のとおりである。

(1)　X1年度：販売数量1,200個、販売単価@500千円、販売収益600,000千円

(2)　X2年度：販売数量800個、販売単価@400千円、販売収益320,000千円

(3)　X3年度：販売数量500個、販売単価@350千円、販売収益175,000千円

3　X1年度及びX2年度ともに販売開始時の見込どおりに販売され、各年度において見込販売数量等の変更はなかった。

⇨解答：333ページ

当社は市場販売目的のソフトウェアを制作・販売している。以下の資料に基づいて、**問1**及び**問2**に答えなさい。なお、千円未満の端数は四捨五入すること。

問1 ソフトウェアの減価償却を見込販売数量に基づいて行った場合のＸ1年度及びＸ2年度のソフトウェア償却額を答えなさい。

問2 ソフトウェアの減価償却を見込販売収益に基づいて行った場合のＸ1年度及びＸ2年度のソフトウェア償却額を答えなさい。

【資　料】

1　当社はＸ1年度の期首よりソフトウェアを販売しており、当該ソフトウェアについて無形固定資産に計上された金額は600,000千円である。当該ソフトウェアの見込有効期間は3年とする。

2　Ｘ1年度期首（販売開始時）における各年度の見込販売数量及び見込販売収益は以下のとおりである。

	見込販売数量	見込販売単価	見込販売収益
Ｘ1年度	2,000個	700千円	1,400,000千円
Ｘ2年度	1,500個	600千円	900,000千円
Ｘ3年度	1,000個	500千円	500,000千円

3　Ｘ1年度の実際販売数量は1,800個（実際販売単価700千円）であった。Ｘ1年度期末においてＸ2年度の見込販売数量を1,200個、見込販売単価を550千円、Ｘ3年度の見込販売数量を1,300個、見込販売単価を450千円に変更した。

4　Ｘ2年度の実際販売数量は1,000個（実際販売単価550千円）であった。Ｘ2年度期末にＸ3年度の見込販売数量を1,100個（見込販売単価450千円）に変更した。

⇨解答：333ページ

　　次の本支店間取引について、本店及び支店それぞれに必要な仕訳を示しなさい。また、各取引は独立しており、関連はないものとする。

(1)　本店は支店に現金9,000円を送付した。

(2)　本店は支店の売掛金50,000円を現金で回収した。

(3)　支店は本店が支払うべき販売費4,000円を現金で立替払いした。

(4)　本店は支店に対し、商品14,400円（原価12,000円）を送付した。

(5)　支店は本店の買掛金35,000円を小切手を振り出して決済した。

(6)　本店は支店の得意先に商品90,000円（原価50,000円）を直接掛販売した。これについて本店は支店へ商品を販売したものとして処理する。なお、本店から支店への振替価格は原価の20%増しである。

(7)　支店は本店の仕入先から商品48,000円（原価）を掛で仕入れた。これについて支店は本店から商品を仕入れたものとして処理する。なお、本店から支店への振替価格は原価の20%増しである。

(8)　本店は支店が受け取るべき手数料5,500円を代わりに現金で受け取った。

⇨解答：335ページ

本支店会計(2)　　　　　　（制限時間8分）　　難易度　A

　下記の資料に基づいて、**問1**及び**問2**に答えなさい。なお、本店から支店への商品の送付には毎期10%の利益を加算している。

問1　未達取引の仕訳を答えなさい。なお、（　　）には仕訳を行う側（本店または支店）を記入すること。

問2　未達取引整理後の本店における支店勘定及び支店売上勘定の残高を答えなさい。

【資料1】決算整理前残高試算表（一部）

決算整理前残高試算表（一部）　　　　　　　（単位：千円）

借方科目	本　店	支　店	貸方科目	本　店	支　店
支　　　店	13,580	－	本　　　店	－	14,000
本　店　仕　入	－	88,000	支　店　売　上	88,660	－

【資料2】未達事項

1　本店から支店へ商品100千円（本店仕入原価）を送付したが、支店に未達である。

2　支店から本店へ現金300千円を送金したが、本店に未達である。

3　本店は支店の営業費120千円を支払ったが、支店に未達である。

4　支店は本店の売掛金1,500千円を回収したが、本店に未達である。

5　支店は本店の仕入先より商品500千円（原価）を掛けにより直接仕入れたが、本店に未達である。

6　本店は支店の得意先に商品1,000千円（本店仕入原価）を1,500千円で掛けにより直接売り上げたが、支店に未達である。

⇨解答：336ページ

下記の資料に基づいて、本店及び支店の損益勘定を作成しなさい。

〈留意事項〉

1 当期はX1年4月1日～X2年3月31日である。

2 本店から支店への商品の送付価格は毎期仕入原価の10%増としている。

3 未達取引は決算日に到着したものとして処理する。

【資料1】決算整理前残高試算表

決算整理前残高試算表　　　　　（単位：千円）

借 方 科 目	本 店	支 店	貸 方 科 目	本 店	支 店
現 金 預 金	279,340	158,660	買 掛 金	83,000	35,000
売 掛 金	210,000	88,000	貸 倒 引 当 金	500	200
繰 越 商 品	3,000	3,100	繰 延 内 部 利 益	100	―
支 店	38,660	―	本 店	―	39,200
建 物	50,000	20,000	減価償却累計額	29,325	5,300
車 両	3,000	1,500	資 本 金	100,000	―
土 地	80,000	10,000	利 益 準 備 金	1,000	―
仕 入	1,002,000	385,000	繰越利益剰余金	55,075	―
本 店 仕 入	―	132,440	売 上	1,500,000	861,000
営 業 費	235,000	142,000	支 店 売 上	132,000	―
合 計	1,901,000	940,700	合 計	1,901,000	940,700

【資料2】決算整理事項等

1 未達取引

(1) 本店から支店への商品送付高200千円（本店仕入原価）

(2) 本店の支店売掛金回収高1,200千円

(3) 本店の支店営業費支払高300千円

(4) 支店から本店への現金送付高800千円

(5) 支店得意先から本店への直接返品高1,000千円（売価）、600千円（本店仕入原価）

2 期末商品棚卸高（未達商品は含まれていない）

本店5,000千円、支店5,150千円（うち本店仕入分1,650千円）

3 貸倒引当金は本店、支店とも期末売掛金の2％を差額補充法により計上する。

4　減価償却は建物の耐用年数は40年、車両の耐用年数は5年として定額法により行う。本店の
　　建物は残存価額を取得価額の10%、それ以外の残存価額はゼロとする。

5　営業費の見越高は本店280千円、支店120千円である。

⇨解答：336ページ

本支店会計(4)　　　　　（制限時間25分）　　難易度　B

　当社は大阪に本店を、東京に支店を有し、商品売買業を営んでおり、支店の業績を明確化するため、支店独立会計制度を採用している。下記の資料に基づいて、答案用紙に示した本支店合併精算表を作成しなさい。なお、会計期間は4月1日から3月31日までの1年間である。

【資料1】内部取引に関する事項

1　本店は支店以外に外部の得意先にも商品を販売している。また、支店は本店以外に外部の仕入先からも商品を仕入れている。

2　本店は支店へ毎期仕入原価の15%増の価格で商品を発送している。

3　支店の期首商品棚卸高のうち、667千円は本店からの仕入商品である。

【資料2】未達取引事項

1　本店は支店の買掛金125千円を支払ったが、支店に未達である。

2　支店は本店に450千円の送金を行ったが、本店に未達である。

3　本店は支店へ商品828千円（振替価格）を発送したが、支店に未達である。

4　本店は期中において支店の営業費210千円を立て替えたが、本店・支店ともに金額を誤って120千円として処理していることがわかった。本店では既に修正済みであるが、支店にはその通知が未達である。

【資料3】決算整理事項

1　期末商品棚卸高（未達商品は含まれていない。）

　　本店：1,600千円

　　支店：　853千円（うち本店からの仕入商品253千円）

2　貸倒引当金は本店・支店ともに売掛金の期末残高に対して1%を洗替法により計上する。

3　備品について本店・支店ともに定率法（耐用年数10年、年償却率0.25、残存割合ゼロ）により減価償却を行う。

4　営業費の見越

　　本店：30千円

　　支店：20千円

⇨解答：338ページ

当期（x1年4月1日～x2年3月31日）に関する下記の【資料】に基づき、次の問に答えなさい。なお、本店は支店へ商品を送付する際に原価の10%の利益を加算している。

問1　本店及び支店の決算整理後残高試算表を作成しなさい。

問2　本支店合併損益計算書及び本支店合併貸借対照表を作成しなさい。

【資料1】

決算整理前残高試算表　　　　　（単位：千円）

借　方　科　目	本　店	支　店	貸　方　科　目	本　店	支　店
現　金　預　金	1,410	12,100	買　　掛　　金	5,680	3,175
売　　掛　　金	4,500	1,800	貸　倒　引　当　金	30	15
繰　越　商　品	2,500	2,090	建物減価償却累計額	6,000	3,500
建　　　　　物	15,000	20,000	内　　部　　利　　益	90	－
支　　　　　店	20,190	－	本　　　　　店	－	19,860
仕　　　　　入	47,000	10,000	資　　本　　金	25,000	－
本　店　仕　入	－	21,560	繰越利益剰余金	200	－
営　　業　　費	3,400	1,500	売　　　　　上	35,000	42,500
			支　店　売　上	22,000	－
合　　　　　計	94,000	69,050	合　　　　　計	94,000	69,050

【資料2】決算日における未達事項

1　本店から支店への商品発送高440千円であった。

2　支店から本店への送金高90千円であった。

3　本店は支店の売掛金300千円を回収したが、その通知が支店に未達であった。

4　支店は本店の営業費100千円を支払ったが、その通知が本店に未達であった。

5　未達事項は、実際到着日に帳簿上の処理を行う。

【資料3】決算整理事項

1　期末商品棚卸高（未達商品は含まれていない。）

　(1) 本店：3,500千円　　　(2) 支店：1,175千円（うち、本店仕入分は825千円である。）

2　建物減価償却費

　(1) 本店：1,500千円　　　(2) 支店：500千円

3　貸倒引当金は、売掛金残高の2%を差額補充法により設定する。

4　費用の見越・繰延

　(1) 本店：営業費の繰延額250千円　　　(2) 支店：営業費の見越額175千円

⇨解答：340ページ

下記の資料に基づいて、次の**問**に答えなさい。なお、会計期間は4月1日から3月31日までの1年間である。

問1　決算整理後残高試算表を作成しなさい。

問2　本支店合併損益計算書を作成しなさい。

【資料1】決算整理前残高試算表

決算整理前残高試算表　　　　　　　（単位：千円）

借方科目	本店	A支店	B支店	貸方科目	本店	A支店	B支店
現金預金	12,200	1,810	2,790	買掛金	1,500	300	200
売掛金	1,350	1,500	2,000	借入金	2,000	—	—
繰越商品	1,000	430	320	貸倒引当金	10	20	30
車両	8,000	—	—	減価償却累計額	1,890	—	—
A支店	2,210	—	—	繰延内部利益	50	—	—
B支店	4,640	—	—	本店	—	2,035	3,590
仕入	8,000	1,500	1,000	資本金	15,000	—	—
本店仕入	—	3,135	2,200	利益準備金	5,000	—	—
A支店仕入	—	—	1,210	繰越利益剰余金	3,000	—	—
営業費	2,000	1,800	2,800	売上	5,500	6,500	8,500
支払利息	50	—	—	A支店売上	3,300	—	—
				B支店売上	2,200	1,320	—
合計	39,450	10,175	12,320	合計	39,450	10,175	12,320

【資料2】本支店間取引

1　当社は、本店集中計算制度を採用している。

2　本支店間及び支店相互間における商品の送付はすべて外部仕入価格に10%の内部利益を付加して行っている。

3　未達取引

(1) 本店はB支店の営業費50千円を支払ったが、未達となっている。

(2) A支店は本店の売掛金100千円を回収したが、未達となっている。

(3) B支店は本店に400千円、A支店に600千円を送金したが、それぞれ未達となっている。

(4) 本店はA支店に商品165千円(振替価格)を送付したが、未達となっている。

(5) A支店はB支店に商品110千円(振替価格)を送付したが、それぞれ未達となっている。

【資料3】決算整理事項

1　期末商品棚卸高（未達商品は含まれていない。）

　　本　店　　　　1,200千円

　　Ａ支店　　　　　410千円（うち外部仕入分300千円）

　　Ｂ支店　　　　　265千円（うち外部仕入分100千円）

2　本店及び各支店とも期末売掛金に2％の貸倒引当金を設定する。

3　本店で計上されている車両のうち2,500千円はＡ支店に係るもの、3,500千円はＢ支店に係るものである。当社は保有する車両をすべて本店で一括管理している。減価償却については本店でその額を算定し、内部取引をもって決算整理時に各支店にそれぞれ振替えることとする。なお、車両の減価償却については、残存価額を取得価額の10％、耐用年数5年の定額法により行う。

4　見越・繰延

　(1)　営業費の見越額

　　　本　店　　　　　100千円

　　　Ａ支店　　　　　120千円

　　　Ｂ支店　　　　　150千円

　(2)　支払利息の繰延額

　　　本　店　　　　　　20千円

⇨解答：341ページ

第20章

本支店会計

　当社は本店及び支店を設け、各々を独立した会計単位として会計処理を行っている。下記の資料に基づいて、以下の問に答えなさい。なお、当期はx5年4月1日からx6年3月31日である。なお、資料中の(　　　)の金額は各自推定し、計算の結果、千円未満の端数が生じた場合は、切捨てなさい。

問1　資料中の（　①　）から（　⑨　）に入る金額を示しなさい。

問2　合併整理において相殺消去されるべき支店勘定及び支店へ売上勘定の金額を示しなさい。

問3　本支店合併損益計算書の空欄を埋めなさい。

【資料1】

決算整理前残高試算表　　　　　（単位：千円）

勘定科目	本店	支店	勘定科目	本店	支店
現金預金	22,443	7,678	買掛金	72,000	4,370
売掛金	74,000	21,800	繰延内部利益	(　①　)	－
繰越商品	45,000	19,300	貸倒引当金	720	180
有価証券	8,000	－	本店	－	34,205
仮払金	10	－	資本金	86,400	－
建物	74,000	－	利益準備金	1,000	－
備品	11,562	6,562	任意積立金	19,390	－
支店	35,385	－	繰越利益剰余金	(　　)	－
仕入	801,000	35,200	売上	866,000	249,245
本店より仕入	－	169,210	支店へ売上	170,200	－
営業費	148,000	28,250	有価証券運用損益	900	－
合計	1,219,400	288,000	合計	1,219,400	288,000

【資料２】本支店間取引に関する事項

1 本店はA商品のみを取扱っており、外部への販売及び支店への送付を行っている。なお、支店に対しては毎期本店仕入原価に10%の内部利益を加算した金額を内部振替価格として送付している。

2 支店は本店より送付されるA商品の販売のほか、独自にB商品の卸売を行っている。

3 未達取引

(1) 本店は支店にA商品（　　　）千円（内部振替価格）を送付したが、支店に未達である。

(2) 本店の売掛金250千円を支店が回収したが、本店に未達である。

(3) 本店の営業費（　②　）千円を支店が立替払いしたが、本店に未達である。

(4) 本店は支店に280千円を送金したが、支店には未達である。

(5) 本店は支店の得意先に直接A商品330千円（内部振替価格）を440千円で掛販売したが、支店に未達である。

(6) 未達取引の処理は、決算日に到着したものとみなして帳簿上の処理を行う。

【資料３】決算整理等に関する事項

1 本店の現金手許有高を確認したところ、帳簿残高より31千円少なかった。その原因を調査した結果、以下の事実が明らかとなった。

(1) 営業費20千円を支払った際に二重記帳していた。

(2) 買掛金150千円を決済したが未処理であった。なお、早期支払を行ったため、買掛代金の2％が免除されている。

(3) 売掛金100千円の回収が未処理であった。

(4) 不足額のうち原因不明分については、雑損失として計上する。

(5) 上記の結果、本店の決算整理後残高試算表に計上される現金預金勘定の金額は（　③　）千円である。

2 棚卸商品に関する事項は次のとおりである。

(1) 支店の期首商品のうち、16,500千円は本店から仕入れたA商品である。

(2) 本支店それぞれの期末商品は以下のとおりである。なお、下記の金額に未達商品は含まれていない。

　　本店：A商品42,500千円

　　支店：A商品15,290千円　B商品2,500千円

(3) 上記の結果、支店の決算整理後残高試算表に計上される繰越商品勘定の金額は（　④　）千円、売上原価勘定の金額は（　⑤　）千円であり、本店の決算整理後残高試算表に計上される繰延内部利益勘定の金額は（　⑥　）千円である。

　　また、本店における繰延内部利益勘定の次期繰越額は（　⑦　）千円である。

3　有価証券に関する事項

　　当社が保有する有価証券は以下のとおりである。なお、売買目的有価証券から生ずる損益は
すべて有価証券運用損益勘定で処理する。

銘　　柄	帳簿価額	時　　価	分　　類
株　　式　　C	3,500千円	3,390千円	売買目的有価証券
株　　式　　D	4,500千円	4,625千円	売買目的有価証券

4　固定資産の減価償却に関する事項は次のとおりである。なお、残存価額はゼロとする。

　(1)　建物

　　　償却方法：定額法（定額法償却率0.025）

　　　取得価額：80,000千円

　　　取　得　日：x2年4月1日

　(2)　備品（本店）

　　　償却方法：定率法（定率法償却率0.250）

　　　当期の9月30日において備品の一部（期首帳簿価額1,800千円）を廃棄しているが、廃棄に
伴い要した費用10千円を仮払金に計上したのみである。

　　　なお、上記の結果、本店の決算整理後残高試算表に計上される備品勘定の金額は（　⑧　）
千円である。

　(3)　備品（支店）

　　　償却方法：定率法（定率法償却率0.250）

5　貸倒引当金は、本店及び支店ともに期末売上債権残高に対して1％を乗じた額を差額補充法
により計上する。

6　営業費の見越・繰延に関する事項

　　見　　越：本店 30千円　支店 10千円

　　繰　　延：本店 12千円

7　上記の結果、本店における支店勘定の次期繰越額は（　⑨　）千円である。

⇨解答：343ページ

下記の資料に基づいて、次の**問**に答えなさい。

問1　支店の決算整理後残高試算表（円換算後）を作成しなさい。

問2　本支店合併財務諸表を作成しなさい。

【資料1】支店の決算整理前残高試算表（単位：千ドル）

現　金　預　金	200	減 価 償 却 累 計 額	54
売　　掛　　金	100	本　　　　　　店	506
繰　越　商　品	60	売　　　　　　上	600
備　　　　　品	150	有 価 証 券 利 息	5
投 資 有 価 証 券	95		
本　店　仕　入	360		
営　　業　　費	200		
	1,165		1,165

【資料2】本支店間取引に関する事項

1　当社の本支店間取引は、本店から支店への商品送付と支店から本店への送金のみである。

2　当期における支店勘定及び本店勘定の記載(未達事項処理前)は以下のとおりである。

	支 店 勘 定	本 店 勘 定
前期繰越額	47,560千円	426千ドル
借方記載額	45,840千円	280千ドル
貸方記載額	29,350千円	360千ドル

3　支店の商品はすべて本店から仕入れたものであり、本店は外部仕入価格に毎期20%の利益を付加して支店へ送付している。

4　期首商品60千ドルは1ドル＝116円で前期末において換算を行っている。

5　決算整理に先立ち処理すべき未達事項は以下のとおりである。

(1)　本店からの商品送付（期末）　　24千ドル(支店に未達である。)

(2)　支店からの送金処理（期末）　　25千ドル(本店に未達である。)

【資料3】 支店の決算整理に関する事項

1 期末商品棚卸高(注)　　　　48千ドル(未達商品は含まれていない。)

　　(注) 先入先出法により期末商品の評価を行う。

2 減価償却費　　　　　　　27千ドル

3 貸倒引当金　　　　　　　 2千ドル

　　(注) すべて一般債権に係るものである。

4 投資有価証券はすべて当期首に満期保有目的で取得した債券(当社の発行したものではない。)である。債券金額100千ドルと取得時の価額との差額はすべて金利調整差額に相当するものである。よって、償却原価法(定額法により行う。なお、満期までは当期首より5年である。)により当該有価証券の期末評価を行う。また、利息の受取は利払日(期末)において適正に処理されている。

【資料4】 支店の換算に関する事項

1 支店の換算は本店と同様に行う。ただし、売上及び営業費については期中における平均為替相場によるものとする。

2 換算に際して使用すべき為替相場は次のとおりである。

　　　備品取得時の為替相場　　　　　　　1ドル＝125円

　　　投資有価証券取得時の為替相場　　　1ドル＝114円

　　　本店仕入時の為替相場(期中)　　　　1ドル＝120円

　　　期中の平均為替相場　　　　　　　　1ドル＝112円

　　　期末時の為替相場　　　　　　　　　1ドル＝110円

【資料5】本店の決算整理後残高試算表 (単位：千円)

現　金　預　金	13,700	買　　　掛　　　金	10,000
売　　掛　　金	25,000	未　払　費　用	2,000
繰　越　商　品	8,500	未　払　法　人　税　等	3,000
備　　　　　品	24,000	借　　入　　金	20,000
支　　　　　店	(　　　)	繰　延　内　部　利　益	1,160
売　上　原　価	70,200	貸　倒　引　当　金	500
営　　業　　費	23,700	減　価　償　却　累　計　額	13,500
減　価　償　却　費	2,700	資　　本　　金	50,000
貸　倒　引　当　金　繰　入	100	繰　越　利　益　剰　余　金	24,000
支　払　利　息	800	売　　　　　上	65,000
法　人　税　等	5,000	支　店　売　上	(　　　)
	(　　　)		(　　　)

⇨解答：347ページ

甲製造株式会社（以下「甲社」という。）は、本社と工場を有し、それぞれ独立会計制度を採用し、単一製品の製造及び販売を行っている。材料は工場で一括して仕入れている。工場は完成した製品を本社に送付し、本社から外部に販売している。工場から本社へは、毎期1個当たり40千円の価格で製品を送付している。なお、工場では原価計算制度は採用していない。

甲社の当期における下記の【資料1】本社及び工場の決算整理前残高試算表、【資料2】未達取引、【資料3】決算整理事項に基づいて以下の問に答えなさい。

問1　工場の元帳勘定の記入を示しなさい。

問2　本社の元帳勘定の記入を示しなさい。

【資料1】本社及び工場の決算整理前残高試算表

決算整理前残高試算表　　　　　（単位：千円）

借　方　科　目	本　社	工　場	貸　方　科　目	本　社	工　場
現　金　預　金	79,000	27,600	買　　掛　　金	─	9,800
売　　掛　　金	57,000	─	貸 倒 引 当 金	780	─
製　　　　　品	35,200	23,100	減価償却累計額	116,500	104,500
材　　　　　料	─	25,300	内　部　利　益	8,800	─
仕　　掛　　品	─	19,800	本　　　　　社	─	115,160
固　定　資　産	260,000	210,000	資　　本　　金	250,000	─
工　　　　　場	133,760	─	利　益　準　備　金	62,500	─
材　料　仕　入	─	139,700	繰越利益剰余金	47,140	─
工 場 よ り 仕 入	343,640	─	売　　　　　上	502,680	─
営　　業　　費	79,800	─	本 社 へ 売 上	─	359,040
労　　務　　費	─	73,200			
製　造　経　費	─	69,800			
合　　　　　計	988,400	588,500	合　　　　　計	988,400	588,500

【資料2】未達取引

(1) 本社で工場の製造経費13,200千円を立替払いしたが工場に未達である。

(2) 工場は製品385個を発送したが本社に未達である。

(3) 工場は本社の売掛金10,000千円を回収したが本社に未達である。

(4) 未達取引は、決算日に到着したものとみなして処理を行うこと。

【資料3】決算整理事項

(1) 期首棚卸資産

① 本社：製 品 35,200千円（うち、工場が加算した内部利益8,800千円）

② 工場：材 料 25,300千円

　　　　仕掛品 19,800千円

　　　　製 品 23,100千円

(2) 期末棚卸資産

① 本社：製品 各自推定 千円（うち、工場が加算した内部利益13,200千円）

　　なお、未達分を含めて1,320個である。

② 工場：材 料 46,200千円

　　　　仕掛品 22,000千円

　　　　製 品 18,700千円

(3) 減価償却費を次のとおり計上する。

① 本社：16,150千円

② 工場：12,330千円

　　なお、工場の減価償却費はすべて製造経費とする。

(4) 貸倒引当金は、売掛金期末残高の2％を洗替法により設定する。

(5) 費用の見越・繰延

① 本社：営業費の繰延 1,360千円

② 工場：労務費の見越 3,180千円

⇨解答：348ページ

問題21-1　推定簿記(1)　　　　（制限時間8分）　　難易度　A

　下記の資料に基づいて、当期の売上高及び仕入高を答えなさい。なお、資料から判明する事項以外考慮する必要はない。

【資料】

1　前期末残高

残		高	（単位：千円）
受　取　手　形	10,000	支　払　手　形	3,000
売　　掛　　金	22,000	買　　掛　　金	11,000
前　　渡　　金	1,000	貸　倒　引　当　金	640

2　当期末残高

残		高	（単位：千円）
受　取　手　形	15,000	支　払　手　形	5,000
売　　掛　　金	25,000	買　　掛　　金	18,000
前　　渡　　金	700	貸　倒　引　当　金	800

3　その他の事項

(1) 当期中の収入額は以下のとおりである。

①　売上高150,000千円

②　売掛金の回収額500,000千円

③　受取手形の回収額296,700千円

(2) 当期中の支出額は以下のとおりである。

①　仕入高30,000千円

②　前渡金の支払額1,200千円

③　買掛金の支払額256,000千円

④　支払手形の決済額130,000千円

(3) 当期の損益計算書に計上された貸倒引当金繰入額は460千円である。

⇨解答：351ページ

推定簿記(2)　　　　　　（制限時間8分）　　難 易 度　　A

　下記の資料に基づいて、当期の営業収入額及び仕入支出額を答えなさい。なお、資料から判明する事項以外考慮する必要はない。

【資料１】期首試算表

期 首 試 算 表　　　（単位：千円）

受　取　手　形	35,000	支　払　手　形　　12,000
売　　掛　　金	58,000	買　　掛　　金　　25,000
繰　越　商　品	21,000	貸　倒　引　当　金　　　930

【資料２】決算整理後残高試算表

決 算 整 理 後 残 高 試 算 表　　　（単位：千円）

受　取　手　形	30,000	支　払　手　形　　18,000
売　　掛　　金	66,000	買　　掛　　金　　37,000
繰　越　商　品	29,000	貸　倒　引　当　金　　　960
仕　　　　　入	642,000	売　　　　　上　　1,250,000
貸 倒 引 当 金 繰 入	530	

【資料３】その他の事項

1　当期中の売上高の内訳は現金預金100,000千円、売掛金（　　　　　）千円、受取手形300,000千円である。

2　当期中の仕入高の内訳は現金預金50,000千円、買掛金（　　　　　）千円、支払手形180,000千円である。

3　当期中に買掛金の決済として得意先振出約束手形60,000千円を裏書譲渡している。

4　売掛金の現金預金による回収額は585,500千円である。

5　買掛金の現金預金による支払額は168,000千円である。

⇨解答：352ページ

推定簿記(3)　　　　　　（制限時間8分）　　難易度　B

　下記の資料に基づいて、①～③の金額を答えなさい。なお、会計期間は4月1日～翌年3月31日の1年間である。日数計算は月割計算（1月未満の端数は1月とする。）とし、資料から判明する事項以外考慮する必要はない。

【資料1】期首試算表

<table>
<tr><td colspan="4" align="center">期　首　試　算　表　　　　（単位：千円）</td></tr>
<tr><td>建　　　　　物</td><td align="right">150,000</td><td>建物減価償却累計額</td><td align="center">（　①　）</td></tr>
<tr><td>車　　　　　両</td><td align="center">（　②　）</td><td>車両減価償却累計額</td><td align="right">41,000</td></tr>
</table>

【資料2】決算整理後残高試算表

<table>
<tr><td colspan="4" align="center">決 算 整 理 後 残 高 試 算 表　　　　（単位：千円）</td></tr>
<tr><td>建　　　　　物</td><td align="right">230,000</td><td>建物減価償却累計額</td><td align="right">105,625</td></tr>
<tr><td>車　　　　　両</td><td align="right">50,000</td><td>車両減価償却累計額</td><td align="right">30,000</td></tr>
<tr><td>減 価 償 却 費</td><td align="right">18,875</td><td>車 両 売 却 益</td><td align="center">（　③　）</td></tr>
</table>

【資料3】その他の事項

1　期首に保有している建物は耐用年数40年、残存価額を取得価額の10％として定額法により減価償却を行っている。当期の10月に建物を新たに取得したが、当期に取得した建物は耐用年数40年、残存価額をゼロとして減価償却を行っている。

2　車両は耐用年数5年、残存価額をゼロとする定額法により減価償却を行っている。当期の12月に車両の一部を5,000千円で売却している。

⇨解答：353ページ

　下記の資料に基づいて、①〜③に入る金額を答えなさい。なお、資料から判明する事項以外考慮する必要はない。

【資　料】
1　期首試算表

<table>
<tr><td colspan="4" align="center">期　首　試　算　表</td><td align="right">（単位：千円）</td></tr>
<tr><td>受　取　手　形</td><td align="right">18,000</td><td>支　払　手　形</td><td align="right">（　①　）</td></tr>
<tr><td>売　　掛　　金</td><td align="right">60,000</td><td>買　　掛　　金</td><td align="right">21,000</td></tr>
<tr><td>繰　越　商　品</td><td align="right">55,000</td><td>貸　倒　引　当　金</td><td align="right">1,560</td></tr>
<tr><td>備　　　　　品</td><td align="right">32,000</td><td>備品減価償却累計額</td><td align="right">16,800</td></tr>
</table>

2　決算整理後残高試算表

<table>
<tr><td colspan="4" align="center">決算整理後残高試算表</td><td align="right">（単位：千円）</td></tr>
<tr><td>受　取　手　形</td><td align="right">22,000</td><td>支　払　手　形</td><td align="right">10,000</td></tr>
<tr><td>売　　掛　　金</td><td align="right">65,000</td><td>買　　掛　　金</td><td align="right">30,000</td></tr>
<tr><td>繰　越　商　品</td><td align="right">62,000</td><td>貸　倒　引　当　金</td><td align="right">1,914</td></tr>
<tr><td>備　　　　　品</td><td align="right">（　②　）</td><td>備品減価償却累計額</td><td align="right">17,700</td></tr>
<tr><td>仕　　　　　入</td><td align="right">925,000</td><td>売　　　　　上</td><td align="right">（　③　）</td></tr>
<tr><td>棚　卸　減　耗　損</td><td align="right">1,200</td><td>為　替　差　損　益</td><td align="right">1,000</td></tr>
<tr><td>商　品　評　価　損</td><td align="right">800</td><td></td><td></td></tr>
<tr><td>減　価　償　却　費</td><td align="right">10,300</td><td></td><td></td></tr>
<tr><td>貸　倒　引　当　金　繰　入</td><td align="right">1,354</td><td></td><td></td></tr>
<tr><td>備　品　売　却　損</td><td align="right">1,100</td><td></td><td></td></tr>
</table>

3　当期中の取引及び当期末の決算整理に関する事項
　(1)　売上高には現金預金売上220,000千円及び手形売上500,000千円が含まれている。
　(2)　当期の営業収入額は2,121,000千円である。
　(3)　為替差損益はすべて外貨建売掛金について計上したものであり、その内訳は決済時に計上した為替差益1,200千円及び決算時に計上した為替差損200千円である。
　(4)　買掛金の決済として約束手形（得意先振出）50,000千円の裏書譲渡及び為替手形（得意先引受）20,000千円を振り出している。
　(5)　仕入高には現金預金仕入135,000千円及び手形仕入280,000千円が含まれている。
　(6)　当期の仕入支出額は866,000千円である。

(7) 当期中に備品の一部を下取りに出し、新たに備品を取得した。備品の下取価額は1,500千円であり、取得代金との差額36,500千円を支払っている。

⇨解答：354ページ

第
21
章

推定簿記

問題22－1	特殊仕訳帳制 (1)	（制限時間15分）	難易度	A

　甲商店（個人企業）は仕訳帳として普通仕訳帳、当座預金出納帳、売上帳、仕入帳、受取手形記入帳、支払手形記入帳を設けている。下記の資料に基づいて、**問１**及び**問２**に答えなさい。なお、当期はＸ１年１月１日～Ｘ１年12月31日であり、大陸式簿記法（開始残高勘定は使用しない。）により記帳している。

問１　二重仕訳金額を答えなさい。

問２　決算整理前合計試算表を作成しなさい。

【資　料】

1　前期末の残高勘定

	残　　高		（単位：千円）
現　　　　　金	1,000	支　払　手　形	3,500
当　座　預　金	13,500	買　　掛　　金	9,200
受　取　手　形	11,000	未　払　営　業　費	10
売　　掛　　金	18,000	貸　倒　引　当　金	290
繰　越　商　品	500	資　　本　　金	31,000
	44,000		44,000

2　当期中の取引に関する各仕訳帳の記入内容（単位：千円）

(1) 当座預金出納帳

　　預入：売上3,000、売掛金118,000、受取手形180,000

　　引出：仕入1,000、買掛金65,000、支払手形113,000、諸口（現金1,200、営業費2,500）

(2) 売上帳：売掛金250,000、受取手形95,000、諸口（当座預金3,000、現金1,800）

(3) 仕入帳：買掛金125,000、支払手形65,000、諸口（当座預金1,000、現金1,200）

(4) 受取手形記入帳：売掛金120,000、売上95,000

(5) 支払手形記入帳：買掛金55,000、仕入65,000

(6) 普通仕訳帳

　① 営業費700千円の現金払い

　② 期首売掛金100千円の貸倒れ

　③ 買掛金1,000千円の支払いのための受取手形の裏書譲渡

⇨解答：355ページ

問題22-2　特殊仕訳帳制(2)　　　（制限時間15分）　難易度 B

　　甲商店（個人企業）は普通仕訳帳のほかに特殊仕訳帳として当座預金出納帳、売上帳、仕入帳、受取手形記入帳、支払手形記入帳を設けている。下記の資料に基づいて、**問1及び問2**に答えなさい。

〈留意事項〉

1　甲商店の当期はX2年1月1日～X2年12月31日である。

2　甲商店は大陸式簿記法により帳簿記帳している。なお、開始残高勘定は使用していない。

3　一部当座取引については取引全体を普通仕訳帳に記帳するとともに当座預金の入出金額について当座預金出納帳にも記帳する方法を採用している。

4　各特殊仕訳帳の金額欄の設定については合計仕訳より判断すること。

問1　答案用紙に示した各特殊仕訳帳に関する合計仕訳の〔　　　　〕に入る金額を答えなさい。

問2　決算整理前合計試算表を作成しなさい。

問3　一次締切金額を答えなさい。

【資料1】各勘定の期首残高（単位：千円）

　　現金1,190、当座預金12,000、受取手形8,000、売掛金15,000、繰越商品800、土地20,000

　　支払手形3,000、買掛金7,500、未払営業費30、貸倒引当金460、資本金46,000

【資料2】当期中の取引（単位：千円）

1　売上：現金500、当座預金2,000、売掛金150,000、受取手形50,000

2　売掛金の回収：現金600、当座預金85,000、受取手形70,000

3　受取手形の回収：当座預金（下記4を除く）40,000

4　受取手形3,000を銀行で割り引き、割引料80を控除した残額を当座預金とした。

5　期首売掛金の貸倒れ：200

6　仕入：現金300、当座預金1,800、買掛金88,000、支払手形30,000、受取手形5,000

7　買掛金の決済：現金700、当座預金50,000、支払手形25,000

8　支払手形の決済：当座預金48,000

9　営業費の支払い：現金800、当座預金1,600

10　当座預金からの現金引き出し：5,000

11　土地の売却：土地5,000を4,800で売却し、代金は当座預金とした。

⇨解答：356ページ

伝票会計(1)　　　　　　　（制限時間6分）　　難易度　B

　当店は3伝票制（入金伝票、出金伝票及び振替伝票を用いる方法）を採用しており、各勘定への転記は、仕訳日計表から行っている。下記に示した7月7日の資料に基づき、次の問1及び問2に答えなさい。

問1　振替伝票に記入される仕訳の合計額を求めなさい。

問2　仮に5伝票制（入金伝票、出金伝票、売上伝票、仕入伝票及び振替伝票を用いる方法）を採用した場合、振替伝票に記入される仕訳の合計額及び仕訳日計表の合計額を求めなさい。

【資　料】

1　7月7日の仕訳日計表

仕　訳　日　計　表　　　（単位：円）

借方金額	勘　定　科　目	貸方金額
4,000	現　　　　　金	10,000
5,000	当　座　預　金	6,000
14,000	受　取　手　形	
18,000	売　　掛　　金	
1,000	消　　耗　　品	
	買　　掛　　金	13,000
	支　払　手　形	10,000
	売　　　　　上	41,000
32,000	仕　　　　　入	
6,000	給　　　　　料	
80,000	合　　　　　計	80,000

2　7月7日の仕入取引

　　現金仕入　3,000円　　当座仕入　6,000円　　掛仕入　13,000円　　手形仕入　10,000円

3　7月7日の売上取引

　　現金売上　4,000円　　当座売上　5,000円　　掛売上　18,000円　　手形売上　14,000円

⇨解答：357ページ

－164－

問題22－4　伝票会計(2)　　　　（制限時間6分）　難易度 B

　G社のx8年11月28日における取引について、3伝票制の場合と5伝票制の場合の日計表を示すと下記の資料のとおりとなる。そこで、3伝票制の場合の日計表を参考にして、5伝票制の場合の日計表の合計額を算定しなさい。

【資　料】　3伝票制の場合と5伝票制の場合の日計表

3伝票制　　日　計　表　（単位：円）

借　　方	勘 定 科 目	貸　　方
500,000	現　　　　　金	195,000
180,000	受 取 手 形	
450,000	売　掛　金	570,000
	前　渡　金	20,000
105,000	買　掛　金	135,000
	前　受　金	20,000
40,000	売　　　　　上	580,000
215,000	仕　　　　　入	
8,000	消 耗 品 費	
22,000	広　告　費	
1,520,000	合　　　　　計	1,520,000

5伝票制　　日　計　表　（単位：円）

借　　方	勘 定 科 目	貸方
	現　　　　　金	
	受 取 手 形	
	売　掛　金	
	前　渡　金	
	買　掛　金	
	前　受　金	
	売　　　　　上	
	仕　　　　　入	
	消 耗 品 費	
	広　告　費	
（ 解答 ）	合　　　　　計	（ 解答 ）

⇨解答：358ページ

　　　　新 株 予 約 権　　　　| 重 要 度 | B |

| 問題23－1 | 新株予約権(1) | （制限時間6分） | 難 易 度 | B |

次の取引について仕訳を示しなさい。なお、収支は現金預金勘定を使用すること。

(1) x1年4月1日に、次の新株予約権を発行した。

　① 発行する新株予約権の総数：120個（1個あたり5株割当）

　② 新株予約権の目的となる株式の種類及び総数：普通株式600株

　③ 払込金額：6,000千円

　④ 権利行使時の払込金額：1株あたり100千円（新株予約権1個あたり500千円）

　⑤ 権利行使期間：x1年4月1日からx6年3月31日

(2) x1年6月30日に、新株予約権72個が行使され、新株を交付した。

(3) x2年4月30日に、新株予約権30個が行使され、保有する自己株式（帳簿価額15,900千円）を交付した。

(4) x6年3月31日に、権利行使期間が満了した。なお、新株予約権18個については権利行使されなかった。

⇨解答：360ページ

問題23−2　新株予約権(2)　　　（制限時間10分）　　難易度　A

　当社の当期（Ｘ１年４月１日〜Ｘ２年３月31日）に関する下記の資料に基づいて、当期末の貸借対照表（一部）を答えなさい。なお、資料から読み取れる事項以外は考慮不要である。

【資料１】期首試算表

期　首　試　算　表			（単位：千円）
自　己　株　式	60,000	資　　本　　金	1,000,000
		資　本　準　備　金	100,000
		その他資本剰余金	10,000
		利　益　準　備　金	20,000
		繰 越 利 益 剰 余 金	880,000

　（注）発行済株式総数50,000株、自己株式保有数2,000株

【資料２】

1　Ｘ１年４月１日に新株予約権100個を１個あたり20千円で発行した。新株予約権の権利行使期間はＸ１年４月１日〜Ｘ３年３月31日、新株予約権１個あたり５株割当、権利行使価格は１株あたり45千円である。

2　Ｘ１年６月の株主総会でＸ１年３月31日を配当基準日として１株あたり２千円の利益配当を決議し、直ちに支払った。なお、会社法に規定する利益準備金の積立も行うこととする。

3　Ｘ１年８月に上記１の新株予約権のうち20個が行使され自己株式を交付した。

4　Ｘ１年11月の取締役会でＸ１年９月30日を配当基準日として１株あたり２千円の利益配当を決議し、直ちに支払った。なお、会社法に規定する利益準備金の積立も行うこととする。

5　Ｘ２年２月に上記１の新株予約権のうち50個が行使され新株を交付した。資本金組入額は会社法に規定する最低額とする。

6　Ｘ２年３月31日の決算において当期純利益150,000千円が算定された。

⇨解答：360ページ

下記の【資料】に基づいて、問1及び問2に答えなさい。なお、現金収支額については現金預金勘定を使用することとする。

問1　取得した新株予約権及び権利行使によって取得した株式を売買目的有価証券に区分した場合の【資料】1～3の仕訳を答えなさい。なお、売買目的有価証券については洗替方式を採用し、売買目的有価証券に係る損益は有価証券運用損益勘定を使用している。

問2　取得した新株予約権及び権利行使によって取得した株式をその他有価証券に区分した場合の【資料】1～3の仕訳を答えなさい。なお、その他有価証券については全部純資産直入法により処理している。

【資　料】

1　当社はA社の発行した新株予約権100個を1個あたり20千円で取得した。当該新株予約権は1個につき10株が割り当てられており、権利行使価格は1株あたり25千円である。

2　上記1の新株予約権のうち90個について権利行使した。同日におけるA社の新株予約権の時価は1個あたり22千円であり、A社株式の時価は1株あたり30千円である。

3　上記1の新株予約権のうち10個は権利行使しないまま、権利行使期間が満了となった。同日におけるA社の新株予約権の時価は1個あたり18千円であり、A社株式の時価は1株あたり24千円である。

⇨解答：361ページ

問題23−4 新株予約権(4) （制限時間10分） 難易度 B

　当社（決算日は毎期3月31日の年1回である）に関する以下の資料に基づいて、解答欄に示した各時点の仕訳を答えなさい。なお、収支については現金預金勘定を用いることとし、按分計算を行う場合には、月割計算により行うこと。

【資料1】

　当社は、x11年6月の株主総会において、従業員75名に対して以下の条件のストック・オプション（新株予約権）を付与することを決議し、同年7月1日に付与した。

1　ストック・オプションの数：従業員1名当たり160個（合計12,000個）であり、ストック・オプションの一部行使はできないものとする。

2　ストック・オプションの行使により与えられる株式の数：1個当たり1株で合計12,000株

3　ストック・オプションの行使時の払込金額：1株当たり150,000円

4　ストック・オプションの権利確定日：x13年6月30日

5　ストック・オプションの行使期間：x13年7月1日からx15年6月30日

6　付与されたストック・オプションは、他者に譲渡できない。

7　x11年7月のストック・オプション付与時点におけるストック・オプションの1個当たりの公正な評価単価は16,000円、x13年6月30日までの退職による失効の見込みはゼロである。

8　新株を交付する場合の資本金組入額：会社法に規定する最低限度額

　　ストック・オプションについては「ストック・オプション等に関する会計基準」に基づいて処理を行うこととし、各期における費用計上額は、ストック・オプションの公正な評価額のうち、対象勤務期間を基礎として計算した金額とする。

【資料2】

1　x12年3月期　x12年3月期の退職者は1名であった。

2　x13年3月期　x13年3月期の退職者は2名であった。

3　x14年3月期　x13年4月から6月までの退職者は2名であった。また、従業員20名からストック・オプションの行使を受け、当社は自己株式を処分した。なお、処分した自己株式の取得価額は1株当たり140,000円であった。

4　x15年3月期　従業員48名からストック・オプションの行使を受け、新株を交付した。

5　x16年3月期　従業員2名のストック・オプションについては、権利行使されずに失効した。

⇨解答：362ページ

　C社（決算日は毎期3月31日の年1回である）の下記の資料に基づいて、(1)～(3)の時点でC社が行うべき仕訳を示しなさい。なお、収支は現金預金勘定により処理すること。また、記入の必要がない箇所については空欄のままにしておくこと。

〔留意事項〕

1　計算の結果、千円未満の端数がでた場合には、四捨五入を行う。

2　按分計算は月割計算による。

3　資料から読み取れる事項以外は、考慮する必要はない。

【資　料】

(1)　x1年4月1日

　　C社は下記の条件で新株予約権付社債を発行した。

①　社債金額：120,000千円

②　払込金額：112,800千円

③　利率：利息は付さない。

④　新株予約権の権利行使に伴う払込方法：代用払込

⑤　償還期日：x7年3月31日

⑥　権利行使期間：x1年5月1日からx6年3月30日

⑦　資本金組入額は、会社法に規定する最低限度額とする。

⑧　当該新株予約権社債については、一括法により処理を行う。社債金額と払込金額との差額は、償却原価法（定額法）により処理を行う。

(2)　x2年6月30日

　　権利行使により社債金額12,000千円の代用払込を受け、新株を交付した。

(3)　x3年8月31日

　　権利行使により社債金額24,000千円の代用払込を受け、自己株式（帳簿価額18,000千円）を交付した。

⇨解答：363ページ

問題23-6　新株予約権付社債(2)　　　（制限時間12分）　難易度　B

　D社（決算日は毎期3月31日の年1回である）の下記の資料に基づいて、(1)～(3)の時点でD社が行うべき仕訳を示しなさい。なお、収支は現金預金勘定により処理すること。また、記入の必要がない箇所については空欄のままにしておくこと。

〔留意事項〕

1　計算の結果、千円未満の端数がでた場合には、四捨五入を行う。

2　按分計算は月割計算による。

3　資料から読み取れる事項以外は、考慮する必要はない。

【資　料】

(1)　x1年4月1日

　　D社は下記の条件で新株予約権付社債を発行した。

①　社債金額：120,000千円

②　払込金額（社債の対価112,800千円、新株予約権の対価7,200千円）

③　利率：利息は付さない。

④　新株予約権の権利行使に伴う払込方法：代用払込

⑤　償還期日：x7年3月31日

⑥　権利行使期間：x1年5月1日からx6年3月30日

⑦　資本金組入額は、会社法に規定する最低限度額とする。

⑧　当該新株予約権付社債については、区分法により処理を行う。社債金額と払込金額との差額は償却原価法（定額法）により処理を行う。

(2)　x2年6月30日

　　新株予約権10%の権利行使により社債金額12,000千円の代用払込を受け、新株を交付した。

(3)　x3年8月31日

　　新株予約権20%の権利行使により社債金額24,000千円の代用払込を受け、自己株式（帳簿価額18,000千円）を交付した。

⇨解答：363ページ

第24章　繰延資産

重要度　C

問題24-1　繰延資産(1)　　　　（制限時間4分）　　難易度　A

下記の【資料】1〜3の仕訳を答えなさい。なお、会計期間は4月1日〜3月31日の1年間とし、現金収支額は現金預金勘定を使用すること。

【資　料】

1　X1年4月1日の会社設立時に設立費用2,000千円を支出した。創立費は繰延資産として計上し、5年間で月割償却する。

2　X1年6月1日に開業し、開業費用1,500千円を支出した。開業費は繰延資産として計上し、5年間で月割償却する。

3　X2年3月31日決算日となり、上記1の創立費及び上記2の開業費について償却の処理を行う。

⇨解答：365ページ

問題24-2　繰延資産(2)　　　　（制限時間4分）　　難易度　A

当社の当期（X5年4月1日〜X6年3月31日）に関する下記の資料に基づいて、決算整理後残高試算表（一部）を答えなさい。なお、資料から読み取れる事項以外は考慮不要である。

【資料1】決算整理前残高試算表（一部）

決算整理前残高試算表（一部）　　　　（単位：千円）

株 式 交 付 費	270	社 　 　 債	29,700

【資料2】決算整理事項等

1　株式交付費はX4年7月1日に新株を発行した際に繰延資産として計上したものであり、発行時から3年で月割償却している。

2　社債はX5年12月1日に債券金額30,000千円（償還期限X10年11月30日）を債券金額と同額で発行したものであり、社債発行費用を控除した金額で計上している。社債発行費は繰延資産として計上し、償還期間で月割償却する。

⇨解答：365ページ

重要度 B

問題25－1 会計上の変更及び誤謬の訂正(1)（制限時間５分） 難易度 A

次の【資料】に基づいて次の**問**に答えなさい。なお、会計期間は４月１日から３月31日までの１年間である。

問１ 遡及適用に関する修正仕訳を示しなさい。

問２ 決算整理後残高試算表を示しなさい。

【資　料】

1　決算整理前残高試算表

決算整理前残高試算表			（単位：千円）
繰　越　商　品	20,000	繰越利益剰余金	155,000
仕　　　　　入	295,000		

2　当期より、棚卸資産の評価方法を総平均法から先入先出法に変更したが未処理である。当期の棚卸資産について、先入先出法を遡及適用した場合の金額と従来の方法である総平均法の金額は次のとおりである。

（単位：千円）

	期首残高	期末残高
総　平　均　法	20,000	25,000
先　入　先　出　法	21,000	27,000

⇨解答：366ページ

会計上の変更及び誤謬の訂正(2)（制限時間５分）

難 易 度　A

　下記の資料に基づいて、決算整理後残高試算表を示しなさい。なお、当期はＸ12年４月１日から Ｘ13年３月31日までである。

【資　料】

1　決算整理前残高試算表

決算整理前残高試算表　　　　（単位：千円）

車　　　　　両	150,000	減 価 償 却 累 計 額	126,000
備　　　　　品	120,000		

2　有形固定資産の減価償却方法等

	取得価額	償却方法	残存割合	耐用年数	取得年月	備考
車両	150,000千円	（　　　）	ゼロ	5年	Ｘ10年４月	注１
備品	120,000千円	定額法	ゼロ	8年	Ｘ10年４月	注２

（注１）車両は前期まで定率法（償却率0.400）により償却してきたが、当期より定額法に変更することとした。

（注２）備品について、耐用年数の見直しを行い、耐用年数を８年から５年に変更した。

⇨解答：366ページ

問題25-3　会計上の変更及び誤謬の訂正(3)（制限時間8分）　難易度　B

当社の当期（X2年4月1日〜X3年3月31日）に関する下記の資料に基づいて、決算整理後残高試算表（一部）を答えなさい。なお、遡及適用に係る処理については税効果会計を適用することとし、法定実効税率は30％とする。また、資料から判明する事項以外は考慮不要とする。

【資料1】決算整理前残高試算表（一部）

決算整理前残高試算表（一部）　　　　　（単位：千円）

繰　越　商　品	20,000	仮　　受　　金	4,500
土　　　　　地	50,000	繰越利益剰余金	132,000
仕　　　　　入	520,000		
営　　業　　費	86,000		

【資料2】決算整理事項等

1　商品の評価方法について、前期までの総平均法から当期より先入先出法に変更することとしたが、変更に関する処理は未処理である。総平均法及び先入先出法により算定した金額は以下のとおりである。

日　　付	総平均法	先入先出法
X1年3月31日	18,000千円	19,000千円
X2年3月31日	20,000千円	22,000千円
X3年3月31日	25,000千円	27,500千円

2　土地の一部（取得価額20,000千円）について、前期末に減損損失を計上すべきであったが、未処理である。当該土地の回収可能価額は12,000千円であった。当期に当該土地の40％を4,500千円で売却したが、売却代金を仮受金に計上したのみである。

3　営業費の計上について、前期までの現金主義から当期より発生主義に変更することとしたが、変更に関する処理は未処理である。各期末における未払営業費の金額は以下のとおりである。

日　　付	未払営業費
X1年3月31日	110千円
X2年3月31日	130千円
X3年3月31日	160千円

⇨解答：366ページ

会計上の変更及び誤謬の訂正(4)（制限時間8分）　難易度　B

　当社の当期（X2年4月1日～X3年3月31日）に関する下記の資料に基づいて、決算整理後残高試算表（一部）を答えなさい。なお、遡及適用に係る処理については税効果会計を適用することとし、法定実効税率は30％とする。また、資料から判明する事項以外は考慮不要とする。

【資料1】決算整理前残高試算表（一部）

決算整理前残高試算表（一部）			（単位：千円）
繰 越 商 品	54,000	繰 越 利 益 剰 余 金	852,000
仕　　　　　入	960,000	売　　　　　上	1,560,000

【資料2】決算整理事項等

1　当社は商品の販売価格について毎期原価率が60％となるように設定している。

2　売上の計上基準について、前期まで出荷基準を採用していたが、当期より検収基準に変更することとした。当該変更に関する処理は行われておらず、期中は出荷基準により売上を計上していた。

3　前期末における得意先未検収高（売価）は30,000千円であり、当期末未検収高（売価）は50,000千円である。

4　期末手許商品の金額は78,000千円である。

⇨解答：367ページ

問題26−1　事業譲渡・事業譲受　　　（制限時間5分）　難易度 | A

　下記の【資料】に基づいて、A社及びB社の仕訳を答えなさい。なお、解答に使用する勘定科目は〈勘定科目群〉の中から適切なものを選択すること。

【資　料】

　A社はB社に甲事業部門を譲渡することとし、対価120,000千円はB社振出小切手で受け取った。甲事業部門に関する金額は以下のとおりである。

	帳簿価額	時　価
諸資産	200,000千円	220,000千円
諸負債	115,000千円	115,000千円

〈勘定科目群〉

現金預金　　諸資産　　のれん　　諸負債　　移転損益

⇨解答：368ページ

第26章

組織再編

下記の【資料】に基づいて、A社の仕訳を答えなさい。なお、解答に使用する勘定科目は〈勘定科目群〉の中から適切なものを選択すること。

【資　料】

A社はB社を吸収合併することとした。取得企業はA社であり、当該合併は取得と判定された。なお、A社は合併にあたり交付株式はすべて新株を発行することとした。

1　合併直前の諸資産及び諸負債の金額

	A　社		B　社	
	帳簿価額	時　価	帳簿価額	時　価
諸資産	500,000千円	550,000千円	100,000千円	110,000千円
諸負債	200,000千円	200,000千円	60,000千円	60,000千円

2　発行済株式総数はA社50,000株、B社8,000株である。

3　株式の交換比率はA社1：B社0.8である。

4　合併期日におけるA社株式の株価は1株あたり8千円である。

5　吸収合併により増加させる資本は資本金及び資本準備金をそれぞれ20,000千円ずつとし、残額はその他資本剰余金とする。

〈勘定科目群〉

諸資産　　のれん　　諸負債　　資本金　　資本準備金　　その他資本剰余金

⇨解答：368ページ

吸収合併(2)　　　　　　（制限時間5分）　　難易度 A

　下記の【資料】に基づいて、A社の仕訳を答えなさい。なお、解答に使用する勘定科目は〈勘定科目群〉の中から適切なものを選択すること。

【資　料】

　A社はB社を吸収合併することとした。取得企業はA社であり、当該合併は取得と判定された。なお、A社は合併にあたり交付株式のうち2,000株は自己株式（1株あたりの帳簿価額は25千円）を交付し、残りは新株を発行することとした。

1　合併直前の諸資産及び諸負債の金額

	A　　社		B　　社	
	帳簿価額	時　　価	帳簿価額	時　　価
諸資産	800,000千円	820,000千円	380,000千円	400,000千円
諸負債	250,000千円	250,000千円	180,000千円	180,000千円

2　発行済株式総数はA社20,000株、B社12,000株である。

3　株式の交換比率はA社1：B社0.6である。

4　合併期日におけるA社株式の株価は1株あたり35千円である。

5　吸収合併により増加させる資本は資本金100,000千円、資本準備金80,000千円とし、残額はその他資本剰余金とする。

〈勘定科目群〉

諸資産　　のれん　　諸負債　　資本金　　資本準備金　　その他資本剰余金　　自己株式

⇨解答：368ページ

第26章　組織再編

甲社は、乙社を吸収合併することとなった。下記の資料に基づいて、甲社の会計処理を示しなさい。なお、当該吸収合併の経済的実態は、取得と判定されるため、パーチェス法により会計処理を行う。

【資　料】

1　甲社の合併直前における貸借対照表

(甲社)	貸　借　対　照　表		(単位：百万円)
諸　　資　　産	26,400	諸　　負　　債	10,380
投 資 有 価 証 券	1,600	資　　本　　金	12,600
		資 本 剰 余 金	1,400
		利 益 剰 余 金	3,500
		その他有価証券評価差額金	120
	28,000		28,000

2　乙社の合併直前における貸借対照表

(乙社)	貸　借　対　照　表		(単位：百万円)
諸　　資　　産	12,600	諸　　負　　債	4,200
		資　　本　　金	6,300
		資 本 剰 余 金	700
		利 益 剰 余 金	1,400
	12,600		12,600

3　甲社の貸借対照表の投資有価証券は、乙社株式を1株当たり140,000円で10,000株取得し、その他有価証券として保有しているものである。当該株式については全部純資産直入法(税効果会計を適用する、法定実効税率40%)により評価している。

4　乙社における諸資産の時価は14,700百万円、諸負債の時価は4,900百万円である。

5　株式の交換比率は、甲社：乙社＝1：0.8である。

6　乙社の発行済株式数は110,000株である。

7　企業結合日における甲社の株価は、1株あたり175,000円である。

8　吸収合併に伴い増加させる資本については、資本金を8,800百万円とし、それ以外はその他資本剰余金とする。

▷解答：368ページ

甲社は、乙社の株主と株式交換を行うこととなった。下記の資料に基づいて、甲社の会計処理を示すとともに、株式交換直後の甲社の貸借対照表を作成しなさい。なお、当該株式交換の経済的実態は、取得と判定されるため、パーチェス法により会計処理を行う。

【資　料】

1　甲社の株式交換直前における貸借対照表

(甲社)	貸　借　対　照　表		(単位：百万円)
諸　　資　　産	28,000	諸　　負　　債	10,500
		資　　本　　金	12,600
		資　本　剰　余　金	1,400
		利　益　剰　余　金	3,500
	28,000		28,000

2　乙社の株式交換直前における貸借対照表

(乙社)	貸　借　対　照　表		(単位：百万円)
諸　　資　　産	12,600	諸　　負　　債	4,200
		資　　本　　金	6,300
		資　本　剰　余　金	700
		利　益　剰　余　金	1,400
	12,600		12,600

3　乙社における諸資産の時価は14,700百万円、諸負債の時価は4,900百万円である。

4　株式の交換比率は、甲社：乙社＝1：0.8である。

5　乙社の発行済株式数は110,000株である。

6　企業結合日における甲社の株価は、1株あたり175,000円である。

7　株式交換に伴い増加させる資本については、資本金を8,800百万円とし、それ以外はその他資本剰余金とする。

⇨解答：369ページ

株式交換(2)　　　　　　　（制限時間4分）　　難 易 度　　A

　甲社は、乙社の株主と株式交換することとなった。下記の資料に基づいて、甲社の会計処理を示すとともに、株式交換直後の甲社の貸借対照表を作成しなさい。なお、当該株式交換の経済的実態は、取得と判定されるため、パーチェス法により会計処理を行う。

【資　料】

1　甲社の株式交換直前における貸借対照表

（甲社）　　　　　　　　　貸　借　対　照　表　　　　　（単位：百万円）

諸　資　産	26,800	諸　　負　　債	10,500
自　己　株　式	1,200	資　　本　　金	12,600
		資 本 剰 余 金	1,400
		利 益 剰 余 金	3,500
	28,000		28,000

2　乙社の株式交換直前における貸借対照表

（乙社）　　　　　　　　　貸　借　対　照　表　　　　　（単位：百万円）

諸　資　産	12,600	諸　　負　　債	4,200
		資　　本　　金	6,300
		資 本 剰 余 金	700
		利 益 剰 余 金	1,400
	12,600		12,600

3　乙社における諸資産の時価は14,700百万円、諸負債の時価は4,900百万円である。

4　株式の交換比率は、甲社：乙社＝1：0.8である。

5　乙社の発行済株式数は110,000株である。

6　企業結合日における甲社の株価は、1株あたり175,000円である。

7　甲社は、乙社株主への甲社株式の交付にあたっては、自己株式8,000株（帳簿価額1,200百万円）を充当し、残りの株式については新株を発行した。

8　株式交換に伴い増加させる資本については、資本金を8,800百万円とし、それ以外はその他資本剰余金とする。

⇨解答：369ページ

問題26−7 株式交換(3) （制限時間6分） 難易度 B

甲社は、乙社の株主と株式交換することとなった。下記の資料に基づいて、甲社の会計処理を
示しなさい。なお、当該株式交換の経済的実態は、取得と判定されるため、パーチェス法により
会計処理を行う。

【資　料】

1　甲社の株式交換直前における貸借対照表

(甲社)	貸　借　対　照　表		(単位：百万円)
諸　　資　　産	26,400	諸　　負　　債	10,380
投 資 有 価 証 券	1,600	資　　本　　金	12,600
		資 本 剰 余 金	1,400
		利 益 剰 余 金	3,500
		その他有価証券評価差額金	120
	28,000		28,000

2　乙社の株式交換直前における貸借対照表

(乙社)	貸　借　対　照　表		(単位：百万円)
諸　　資　　産	12,600	諸　　負　　債	4,200
		資　　本　　金	6,300
		資 本 剰 余 金	700
		利 益 剰 余 金	1,400
	12,600		12,600

3　甲社の貸借対照表の投資有価証券は、乙社株式を1株当たり140,000円で10,000株取得し、そ
の他有価証券として保有しているものである。当該株式については全部純資産直入法(税効果会
計を適用する、法定実効税率40%)により評価している。

4　乙社における諸資産の時価は14,700百万円、諸負債の時価は4,900百万円である。

5　株式の交換比率は、甲社．乙社＝1：0.8である。

6　乙社の発行済株式数は110,000株である。

7　企業結合日における甲社の株価は、1株あたり175,000円である。

8　株式交換に伴い増加させる資本については、資本金を8,800百万円とし、それ以外はその他資
本剰余金とする。

⇨解答：369ページ

下記の【資料】に基づいて、問1～問3に答えなさい。なお、解答に使用する勘定科目は〈勘定科目群〉の中から適切なものを選択すること。

〈勘定科目群〉

| 諸資産 | のれん | 諸負債 | 資本金 | 資本準備金 |

問1　企業評価額を簿価純資産額と収益還元価値額の平均値とした場合の合併比率及び合併仕訳を答えなさい。

問2　企業評価額を時価純資産額と株価の平均値とした場合の合併比率及び合併仕訳を答えなさい。

問3　企業評価額を収益還元価値額と株価の平均値とした場合の合併比率及び合併仕訳を答えなさい。

【資　料】

1　A社はB社を吸収合併することとした。取得企業はA社であり、当該合併は取得と判定された。なお、A社は当該合併に際し、交付する株式はすべて新株を発行することとした。

2　A社及びB社に関する資料は次のとおりである。合併比率及び合併仕訳の金額についてはこの資料に基づいて算定すること。

(1) 諸資産及び諸負債の金額

	A　　　社		B　　　社	
	帳簿価額	時　　価	帳簿価額	時　　価
諸資産	500,000千円	580,000千円	200,000千円	228,000千円
諸負債	100,000千円	100,000千円	80,000千円	80,000千円

(2) 発行済株式数及び株価

	A　　社	B　　社
発 行 済 株 式 数	2,000株	1,000株
株 価 （ 1 株 ）	320千円	160千円

(3) 自己資本利益率及び資本還元率

	A　　社	B　　社
自 己 資 本 利 益 率	3％	2.5％
資 本 還 元 率	2％	2％

(4) 合併にともない増加させる資本は資本金100,000千円とし、残額は資本準備金とする。

⇨解答：370ページ

甲社は乙社を吸収合併することとした。下記の【資料】に基づいて、甲社の合併後貸借対照表を作成しなさい。なお、当該合併の存続会社は甲社であり、当該合併は取得と判定されるものである。

【資　料】

1　合併直前の貸借対照表

貸借対照表　　　　　　（単位：千円）

資　　　産	甲　　社	乙　　社	負債・純資産	甲　　社	乙　　社
諸　資　産	880,000	350,000	諸　負　債	200,000	170,000
			資　本　金	350,000	120,000
			資本準備金	50,000	10,000
			利益準備金	20,000	5,000
			繰越利益剰余金	260,000	45,000
合　　　計	880,000	350,000	合　　　計	880,000	350,000

2　甲社の発行済株式数は17,000株、乙社の発行済株式数は5,000株である。

3　合併比率は上記1の純資産額と収益還元価値額の平均値を企業評価額として算定する。

4　自己資本利益率は甲社6％、乙社3％であり、資本還元率は4％とする。

5　甲社は合併の対価として交付する株式はすべて新株を発行する。合併に際し、増加する資本については資本金を100,000千円、資本準備金を50,000千円とし、残額はその他資本剰余金とする。

6　合併期日における諸資産の時価は甲社950,000千円、乙社330,000千円であり、諸負債については両社とも時価と帳簿価額は一致している。

7　合併期日における甲社株式の時価は1株52千円である。

⇨解答：371ページ

第26章

組織再編

下記の【資料】に基づいて、問１及び問２に答えなさい。なお、解答に使用する勘定科目は〈勘定科目群〉の中から適切なものを選択すること。

〈勘定科目群〉

| 諸資産 | 投資有価証券 | 関係会社株式 | のれん | 諸負債 | 移転損益 |

問１　甲社が取得した株式の保有目的区分をその他有価証券とした場合の甲社の仕訳を答えなさい。

問２　甲社が取得した株式の保有目的区分を子会社株式・関連会社株式とした場合の甲社の仕訳を答えなさい。

【資　料】

1　甲社は事業部門の一部を乙社に移転することとし、対価として乙社株式2,000株を受け入れた。移転した事業部門の諸資産及び諸負債は次のとおりである。

	帳簿価額	時　価
諸資産	100,000千円	110,000千円
諸負債	60,000千円	60,000千円

2　乙社株式の事業分離日における時価は１株26千円である。

⇨解答：372ページ

| 問題27－1 | 株主資本等変動計算書 | （制限時間15分） | 難 易 度 | B |

　丁社の下記の資料に基づいて、答案用紙に示した当期（自 x 1 年 4 月 1 日　至 x 2 年 3 月31日）の株主資本等変動計算書を作成しなさい（単位：千円）。なお、金額がマイナスとなる場合には、金額の前に△の符号を付すこと。

【資　料】

1　x 1 年 6 月の株主総会において、下記(1)、(2)及び 2 の事項を決議し、剰余金及びその他の処分については直ちに実行した。

　(1)　剰余金の配当及び準備金の積立

　　　繰越利益剰余金を財源とするもの　　　10,000千円

　　　利益準備金への繰入　　　　　　　　　 1,000千円

　(2)　剰余金のその他の処分

　　　別途積立金の積立　　　　　　　　　　 1,000千円

2　x 1 年 6 月の株主総会で決議された資本金5,000千円の資本準備金への振替について、債権者保護手続が完了し、効力が発生した。

3　x 1 年 8 月に自己株式800株を1,600千円で取得した。

4　x 2 年 1 月に自己株式500株を950千円で処分した。

5　x 2 年 2 月に新株予約権600千円の権利行使を受け、6,000千円の払込を受けた。

6　かねてより建設していた建物が完成したため、取締役会決議により、新築積立金の全額を取り崩した。

7　丁社の保有するその他有価証券は次のとおりである。なお、その他有価証券の期末評価に関しては、全部純資産直入法（税効果会計を適用する、税率40%）によるものとする。

　　A社株式：取得原価 1,200千円、前期末時価 1,300千円、当期末時価 1,450千円

　　B社株式：取得原価 1,800千円、前期末時価 1,500千円、当期末時価 1,600千円

8　x 2 年 3 月期の当期純利益は、15,000千円であった。

⇨解答：373ページ

当社（決算日は3月31日）の下記の資料に基づいて、**問1**及び**問2**に答えなさい。なお、金額がマイナスとなる場合には、金額の前に「△」を付すこと。また、資料から判明すること以外は考慮不要である。

問1 キャッシュ・フロー計算書（直接法）を作成しなさい。

問2 キャッシュ・フロー計算書（間接法、小計まで）を作成しなさい。

【資　料】

1　貸借対照表

貸　借　対　照　表　　　　　（単位：千円）

資　　　産	前期末	当期末	負債・純資産	前期末	当期末
現　金　預　金	126,830	235,630	仕　入　債　務	60,000	55,000
売　上　債　権	100,000	92,000	未　払　費　用	3,280	3,410
貸　倒　引　当　金	△　1,000	△　920	未　払　法　人　税　等	10,500	12,000
商　　　　　品	52,000	44,000	借　　入　　金	200,000	220,000
車　　　　　両	20,000	15,000	資　　本　　金	300,000	350,000
減　価　償　却　累　計　額	△　9,050	△　8,300	利　益　準　備　金	30,000	32,000
土　　　　　地	500,000	500,000	繰　越　利　益　剰　余　金	185,000	205,000
合　　　計	788,780	877,410	合　　　計	788,780	877,410

2　損益計算書

損　益　計　算　書　　　　　（単位：千円）

借　方　科　目	金　　額	貸　方　科　目	金　　額
売　上　原　価	750,000	売　　上　　高	1,250,000
営　業　費	162,790	車　両　売　却　益	200
給　　　料	267,780		
減　価　償　却　費	3,250		
貸　倒　引　当　金　繰　入　額	220		
支　払　利　息	6,160		
法　人　税　等	18,000		
当　期　純　利　益	42,000		
合　　　計	1,250,200	合　　　計	1,250,200

3　貸借対照表の未払費用の内訳は未払営業費（前期末280千円、当期末250千円）と未払利息（前期末3,000千円、当期末3,160千円）である。

⇨解答：375ページ

キャッシュ・フロー計算書(2) （制限時間12分） | 難 易 度 | B |

当社（決算日は３月31日）の下記の資料に基づいて、**問1**及び**問2**に答えなさい。なお、金額がマイナスとなる場合には、金額の前に「△」を付すこと。また、資料から判明すること以外は考慮不要である。

問1 キャッシュ・フロー計算書（直接法、小計まで）を作成しなさい。

問2 キャッシュ・フロー計算書（間接法、小計まで）を作成しなさい。

【資料１】比較貸借対照表（一部）

比較貸借対照表（一部）　　　　（単位：千円）

資　　　産	前期末	当期末	負債・純資産	前期末	当期末
現 金 預 金	（　　　）	（　　　）	支 払 手 形	12,000	13,000
受 取 手 形	30,000	45,000	買 　 掛 　 金	35,000	21,000
売 　 掛 　 金	80,000	115,000	未 払 費 用	1,200	1,470
貸 倒 引 当 金	△（　　　）	△（　　　）	未 払 法 人 税 等	75,000	90,000
商 　 　 　 品	24,000	31,500	賞 与 引 当 金	24,000	26,000
前 払 費 用	200	350	退職給付引当金	125,000	139,000

【資料２】損益計算書

損 益 計 算 書　　　　（単位：千円）

借 方 科 目	金　　　額	貸 方 科 目	金　　　額
売 上 原 価	1,501,800	売 　 上 　 高	2,500,000
営 　 業 　 費	97,850		
給 　 　 　 料	222,200		
賞 与 手 当	48,000		
賞与引当金繰入額	26,000		
退 職 給 付 費 用	76,000		
減 価 償 却 費	23,500		
貸倒引当金繰入額	2,500		
支 払 利 息	2,150		
法 人 税 等	150,000		
当 期 純 利 益	350,000		
合 　 　 計	2,500,000	合 　 　 計	2,500,000

【資料3】補足事項

1　当期の決算において、棚卸減耗損1,200千円及び商品評価損600千円が計上され、売上原価に含める処理を行っている。

2　貸倒引当金は毎期売上債権の2％を差額補充法により計上している。

3　前払費用はすべて営業費に係るものであり、未払費用は給料と支払利息に係るものである。未払費用の内訳は次のとおりである。

	前期末	当期末
給　料	700千円	820千円
支払利息	500千円	650千円

⇨解答：376ページ

当社の下記の資料に基づいて、【資料5】キャッシュ・フロー計算書 (間接法) の（　(1)　）から（　(8)　）に入る適当な金額を求めなさい。なお、解答の際、キャッシュ・フロー計算書において減算すべき項目となる場合には、金額の前に「△」を付すこと。

【資料1】前期の貸借対照表

貸 借 対 照 表 (単位：千円)

借　　　方	金　　　額	貸　　　方	金　　　額
現　金　預　金	44,600	仕　入　債　務	31,000
売　上　債　権	51,000	未　払　費　用	500
貸　倒　引　当　金	△　1,020	未　払　法　人　税　等	6,700
商　　　　　品	28,400	社　　　　　債	9,700
前　払　費　用	1,270	長　期　借　入　金	8,000
備　　　　　品	30,000	資　　本　　金	80,000
減　価　償　却　累　計　額	△　10,350	利　益　準　備　金	7,400
長　期　貸　付　金	15,000	別　途　積　立　金	5,200
		繰　越　利　益　剰　余　金	10,400
合　　　　　計	158,900	合　　　　　計	158,900

【資料2】当期の貸借対照表

貸 借 対 照 表 (単位：千円)

借　　　方	金　　　額	貸　　　方	金　　　額
現　金　預　金	56,090	仕　入　債　務	34,600
売　上　債　権	59,000	未　払　費　用	800
貸　倒　引　当　金	△　1,180	未　払　法　人　税　等	7,800
商　　　　　品	29,100	社　　　　　債	7,840
前　払　費　用	1,000	長　期　借　入　金	20,000
備　　　　　品	34,000	資　　本　　金	80,000
減　価　償　却　累　計　額	△　7,650	利　益　準　備　金	8,200
長　期　貸　付　金	15,000	別　途　積　立　金	5,200
		繰　越　利　益　剰　余　金	20,920
合　　　　　計	185,360	合　　　　　計	185,360

【資料3】 当期の損益計算書

損 益 計 算 書　　　　　　　（単位：千円）

借　　　方	金　　額	貸　　　方	金　　　額
売 上 原 価	248,300	売　　上　　高	341,800
給　　　　　料	30,400	受 取 利 息 配 当 金	600
そ の 他 営 業 費	25,700	為　替　差　益	300
貸 倒 引 当 金 繰 入 額	410	社 債 償 還 益	20
減 価 償 却 費	3,000		
棚 卸 減 耗 費	200		
支 払 利 息	420		
社 債 利 息	270		
備 品 売 却 損	400		
法 人 税 等	14,000		
当 期 純 利 益	19,620		
合　　　　計	342,720	合　　　　計	342,720

【資料4】 その他の事項

1　前期末及び当期末の前払費用の内訳は、すべてその他営業費に係るものである。

2　前期末及び当期末の未払費用は、給料と支払利息に係るものである。なお、当期末の支払利息に関する未払費用の金額は、前期末に比べ180千円増加している。

3　為替差益の内訳

　(1) 現 金 預 金： 80千円（益）

　(2) 売 上 債 権：270千円（益）

　(3) 長 期 借 入 金： 50千円（損）

4　現金及び現金同等物は現金預金のみである。

【資料 5 】キャッシュ・フロー計算書（間接法）

キャッシュ・フロー計算書　　　　　（単位：千円）

I　営業活動によるキャッシュ・フロー		
税引前当期純利益	(	)
減価償却費	(	)
貸倒引当金の(　)額	((1)	)
受取利息及び受取配当金	(	)
支払利息	(	)
社債利息	(	)
為替差益	((2)	)
備品売却損	(	)
社債償還益	(	)
売上債権の(　)額	((3)	)
たな卸資産の(　)額	((4)	)
前払費用の(　)額	((5)	)
仕入債務の(　)額	(	)
未払費用の(　)額	((6)	)
小　　　　　計	((7)	)
⋮		
IV　現金及び現金同等物に係る換算差額	((8)	)
⋮		

⇨解答：378ページ

第27章

財務諸表

問題28−1　連結財務諸表(1)　　（制限時間５分）　難易度 A

　下記の【資料】に基づいて、連結貸借対照表を作成しなさい。なお、のれんは発生年度の翌年度から５年で償却するものとし、税効果会計は考慮しなくてよい。

【資　料】

1　P社はX２年３月31日にS社株式の70％を取得し、S社を子会社とした。両社の会計期間は４月１日〜３月31日であり、当期末はX２年３月31日である。

2　X２年３月31日の貸借対照表は以下のとおりである。

貸　借　対　照　表　　　　（単位：千円）

資　　産	P社	S社	負債・純資産	P社	S社
諸　資　産	80,000	8,000	諸　負　債	12,000	5,000
S 社 株 式	2,300	—	資　本　金	50,000	2,000
			利 益 剰 余 金	20,300	1,000
合　　計	82,300	8,000	合　　計	82,300	8,000

3　S社の諸資産のうち800千円は土地であり、X２年３月31日における時価は1,000千円である。

⇨解答：379ページ

問題28-2 連結財務諸表(2) （制限時間10分） 難易度 A

P社はX2年3月31日にS社株式の80%を取得し、S社を子会社とした。下記の【資料】に基づいて、連結財務諸表を作成しなさい。

〈留意事項〉

1　P社及びS社の当事業年度はX2年4月1日～X3年3月31日とする。

2　のれんは発生年度の翌年度から5年で定額法により償却する。

3　税効果会計は法定実効税率を30%として適用する。

4　金額がマイナスとなる場合には金額の前に「△」を付すこと。

5　資料から判明する事項以外は考慮不要とする。

【資　料】当事業年度の個別財務諸表

1　貸借対照表

貸　借　対　照　表　　　　（単位：千円）

資　　　産	P社	S社	負債・純資産	P社	S社
諸　資　産	100,000	11,000	諸　負　債	34,500	2,970
S　社　株　式	5,500	－	資　本　金	30,000	5,000
			利　益　剰　余　金	41,000	3,030
合　　　計	105,500	11,000	合　　　計	105,500	11,000

（注）S社の諸資産のうち1,000千円は土地であり、X2年3月31日の時価は1,100千円、X3年3月31日の時価は1,200千円である。

2　損益計算書

損　益　計　算　書　　　　（単位：千円）

借　方　科　目	P社	S社	貸　方　科　目	P社	S社
諸　　費　　用	320,000	78,000	諸　　収　　益	350,000	80,000
当　期　純　利　益	30,000	2,000			
合　　　計	350,000	80,000	合　　　計	350,000	80,000

3　株主資本等変動計算書

株主資本等変動計算書　　　　　（単位：千円）

	資　本　金		利益剰余金	
	P社	S社	P社	S社
当 期 首 残 高	30,000	5,000	16,000	1,230
剰 余 金 の 配 当			△　5,000	△　　200
当 期 純 利 益			30,000	2,000
当 期 末 残 高	30,000	5,000	41,000	3,030

⇨解答：379ページ

連結財務諸表(3)　　　　　（制限時間12分）　難易度　A

下記の【資料】に基づいて、連結財務諸表を作成しなさい。なお、資料から判明する事項以外は考慮不要とする。

〈留意事項〉

1　P社はX2年3月31日にS社株式の60%を11,850千円で取得し、X3年3月31日にS社株式の10%を2,040千円で追加取得した。

2　P社及びS社の当事業年度はX2年4月1日～X3年3月31日とする。

3　のれんは発生年度の翌年度から5年で定額法により償却する。

4　税効果会計は法定実効税率を30%として適用する。

5　金額がマイナスとなる場合には金額の前に「△」を付すこと。

【資　料】当事業年度の個別財務諸表

1　貸借対照表

貸 借 対 照 表　　　　　（単位：千円）

資　　産	P社	S社	負債・純資産	P社	S社
諸　資　産	100,000	30,000	諸　負　債	27,040	10,000
S　社　株　式	13,890	－	資　本　金	30,000	8,000
			資 本 剰 余 金	1,000	500
			繰 越 利 益 剰 余 金	55,850	11,500
合　　計	113,890	30,000	合　　計	113,890	30,000

（注）S社の諸資産のうち5,000千円は土地であり、X2年3月31日の時価は5,500千円、X3年3月31日の時価は5,400千円である。

2　損益計算書

損 益 計 算 書　　　　　（単位：千円）

借 方 科 目	P社	S社	貸 方 科 目	P社	S社
諸　費　用	470,000	94,000	諸　収　益	500,000	100,000
当 期 純 利 益	30,000	6,000			
合　　計	500,000	100,000	合　　計	500,000	100,000

3　株主資本等変動計算書

株主資本等変動計算書　　　　　　　（単位：千円）

	資　本　金		資本剰余金		利益剰余金	
	P社	S社	P社	S社	P社	S社
当 期 首 残 高	30,000	8,000	1,000	500	35,850	10,000
剰余金の配当					△10,000	△ 4,500
当 期 純 利 益					30,000	6,000
当 期 末 残 高	30,000	8,000	1,000	500	55,850	11,500

⇨解答：380ページ

問題28－4 連結財務諸表（4）　　　（制限時間12分）　　難易度 B

　下記の資料に基づいて、子会社の資産及び負債の時価評価に全面時価評価法を採用した場合における当事業年度（ｘ1年4月1日からｘ2年3月31日）の連結損益計算書、連結株主資本等変動計算書及び連結貸借対照表を作成しなさい。

【資料1】資本連結に関する事項

1　P社はｘ1年3月31日にS社の発行済株式総数の80％を2,940千円で取得し、関係会社株式勘定に計上した。

2　決算日は両社とも3月31日である。

3　S社の土地の帳簿価額は1,400千円であり、ｘ1年3月31日における時価は1,750千円、ｘ2年3月31日における時価は1,800千円である。

4　のれんは発生年度の翌年度から20年間で定額法により償却する。

5　P社及びS社のｘ2年3月31日における個別財務諸表は、次のとおりである。

損 益 計 算 書

自ｘ1年4月1日　至ｘ2年3月31日　　　（単位：千円）

借 方 科 目	P社	S社	貸 方 科 目	P社	S社
売 上 原 価	30,625	8,225	売 上 高	35,000	12,250
貸倒引当金繰入額	112	10	受 取 配 当 金	140	―
支 払 利 息	―	78	受 取 利 息	78	―
そ の 他 の 費 用	1,856	3,412			
当 期 純 利 益	2,625	525			
合 計	35,218	12,250	合 計	35,218	12,250

株主資本等変動計算書

自ｘ1年4月1日　至ｘ2年3月31日　　　（単位．千円）

	株 主 資 本					
	資 本 金		利 益 剰 余 金		株主資本合計	
	P社	S社	P社	S社	P社	S社
当期首残高	19,250	1,750	7,525	1,400	26,775	3,150
当期変動額						
剰余金の配当			△ 1,225	△ 175	△ 1,225	△ 175
当期純利益			2,625	525	2,625	525
当期末残高	19,250	1,750	8,925	1,750	28,175	3,500

－199－

貸 借 対 照 表

x 2 年 3 月31日 　　　　　　　（単位：千円）

借 方 科 目	P社	S社	貸 方 科 目	P社	S社
売 掛 金	7,000	4,000	買 掛 金	6,125	3,325
貸 倒 引 当 金	△ 70	△ 40	借 入 金	—	5,200
商 品	4,025	980	その他の負債	1,575	750
関 係 会 社 株 式	2,940	—	資 本 金	19,250	1,750
貸 付 金	5,200	—	利 益 剰 余 金	8,925	1,750
貸 倒 引 当 金	△ 52	—			
その他の資産	16,832	7,835			
合 計	35,875	12,775	合 計	35,875	12,775

【資料２】成果連結に関する事項

1　P社は、S社に対して当期より連結外部から仕入れた商品を、利益率20％でS社に掛販売している。当事業年度におけるP社からS社への売上高は3,500千円である。なお、S社の期末商品には、P社から仕入れた商品が525千円含まれている。また、P社の期末売掛金のうちS社に対するものが1,700千円あり、P社は売掛金の期末残高に対して１％の貸倒引当金を設定している。

2　P社の貸付金はすべてS社に対してのものであり、貸付条件は次のとおりである。なお、P社は貸付金の期末残高に対して１％の貸倒引当金を設定している。

(1)　貸付日：x１年10月１日

(2)　返済期日：x２年９月30日（一括返済）

(3)　金利：年３％

(4)　利払日：３月末日、９月末日

⇨解答：381ページ

下記の資料に基づいて、P社の×2年3月31日及び×3年3月31日の連結財務諸表に計上される次の①～④の金額を示しなさい。

① ×2年3月31日の連結貸借対照表に計上されるA社株式に係る持分法投資額の金額

② ×2年3月31日の連結損益計算書に計上されるA社株式に係る持分法投資損益の金額

③ ×3年3月31日の連結貸借対照表に計上されるA社株式に係る持分法投資額の金額

④ ×3年3月31日の連結損益計算書に計上されるA社株式に係る持分法投資損益の金額

【資　料】

(1) P社は、×1年3月31日にA社の発行済株式数の20％を6,270百万円の価額で取得してA社を関連会社とし、それ以降A社株式に持分法を適用して連結財務諸表を作成している。

(2) P社は持分法の適用に当たって、A社の土地を時価で評価している。ただし、A社の土地以外の資産及び負債については、簿価と時価の差額に重要性が乏しいため、簿価（個別貸借対照表上の金額）で評価している。

(3) P社は、のれん相当額（投資消去差額）については、発生した年度の翌年度から10年間にわたり定額法により均等償却している。

(4) ×1年3月31日におけるA社の個別貸借対照表は、次のとおりである。

貸 借 対 照 表　　　　　　（単位：百万円）

借　方　科　目	金　　額	貸　方　科　目	金　　額
諸　　資　　産	80,000	諸　　負　　債	50,000
		資　　本　　金	20,000
		利　益　剰　余　金	10,000
合　　　　計	80,000	合　　　　計	80,000

諸資産の中には、土地15,000百万円（簿価）が含まれており、この土地の×1年3月31日における時価は15,600百万円である。

(5) A社の×1年6月25日開催の株主総会で、次の内容が決議された。

利益準備金の積立：26百万円　　　配当金：260百万円

(6) A社の×2年3月31日の決算における当期純利益は800百万円である。

(7) A社の×2年6月25日開催の株主総会で、次の内容が決議された。

利益準備金の積立：28百万円　　　配当金：280百万円

(8) A社の×3年3月31日の決算における当期純利益は900百万円である。

⇨解答：382ページ

第28章 連結財務諸表

　　特殊商品売買　　　　　　　　　

問題29－1　割賦販売(1)　　　　　（制限時間8分）　　　難易度　A

　　下記の問1及び問2に答えなさい。なお、会計期間は4月1日～3月31日の1年間であり、円未満の端数は四捨五入すること。

問1　利息相当額の配分について、定額法を採用した場合の【資料】1～3の仕訳を答えなさい。

問2　利息相当額の配分について、利息法を採用した場合の【資料】1～3の仕訳を答えなさい。

【資　料】

1　当社はX2年4月1日に商品（現金販売価格200,000円）を割賦販売した。代金は年3％の利息相当額2,760円を含む総額202,760円を10回（10ヵ月）の均等払いとし、X2年5月1日より毎月1日に20,276円を現金で受け取ることとなっている。利息相当額は重要な金融要素である。

2　X2年5月1日、割賦代金20,276円を現金で受け取った。

3　X2年6月1日、割賦代金20,276円を現金で受け取った。

⇨解答：383ページ

問題29－2　割賦販売(2)　　　　　（制限時間5分）　　　難易度　B

　　下記の【資料】に基づいて、(1)～(3)に答えなさい。なお、円未満の端数が生じた場合は四捨五入すること。

【資　料】

　　当社はX1年4月1日に商品を割賦販売し、代金はX2年3月31日、X3年3月31日、X4年3月31日にそれぞれ現金で250,000円ずつ3回の年賦で受け取ることとした。割賦代金には年利3％（複利）の利息が含まれている。割賦代金に含まれている利息相当額は重要な金融要素であり、利息の配分額は利息法により算定する。

(1)　X1年4月1日の割賦販売時の仕訳を答えなさい。

(2)　X2年3月31日の割賦代金回収時の仕訳を答えなさい。

(3)　X3年3月31日の割賦代金回収時の仕訳を答えなさい。

⇨解答：383ページ

問題29-3　割賦販売(3)　　　　（制限時間10分）　　難易度 B

下記の資料に基づいて、答案用紙に示した各日付の仕訳を答えなさい。なお、会計期間は4月1日～3月31日であり、千円未満の端数は四捨五入すること。

【資　料】

当社はX1年4月1日に商品を割賦販売し、代金はX2年3月31日を第1回目として、毎年3月31日に現金で5,000千円ずつ5回に分けて受け取ることとした。受取額には年3％（複利）の金利相当額が含まれており、重要な金融要素と考えられる。なお、年3％で期間5年の年金現価係数は4.58として計算することとし、利息配分額の算定は利息法による。その際、端数額の調整は最終年度において行うこととする。

⇨解答：384ページ

問題29-4　未着品売買(1)　　　　（制限時間5分）　　難易度 A

下記の資料に基づいて、決算整理後残高試算表を作成しなさい。

【資料1】

決算整理前残高試算表　　　　（単位：千円）

繰 越 商 品	22,500	一 般 売 上	295,000
未 着 品	14,200	未 着 品 売 上	10,000
仕 入	174,000		

【資料2】

1　未着品につき決算日に現品12,000千円の引取りを行っているが、未処理となっている。

2　期中において貨物代表証券のまま転売したものについては売上原価の振替処理も含めて適正に処理されている。

3　期末商品棚卸高は(　　　)千円である。

4　一般販売利益率は40％、未着品販売利益率は20％である。

⇨解答：385ページ

下記の資料に基づいて、**問1**及び**問2**に答えなさい。

問1 未着品売買の会計処理について手許商品区分法（その都度法）を採用した場合の決算整理前残高試算表（一部）及び決算整理後残高試算表（一部）を作成しなさい。

問2 未着品売買の会計処理について手許商品区分法（期末一括法）を採用した場合の決算整理前残高試算表（一部）及び決算整理後残高試算表（一部）を作成しなさい。

【資　料】

1　期首手許商品有高：2,700千円

2　期首貨物代表証券有高：900千円

3　当期商品仕入高（貨物代表証券を除く）：270,000千円

4　当期貨物代表証券購入高：180,000千円

5　当期中の貨物代表証券の現品引取高：107,820千円

6　当期中の貨物代表証券販売高（売価）：90,000千円

7　当期中の一般販売高（売価）：470,925千円

8　期末商品手許有高：3,780千円

9　期末貨物代表証券有高：1,080千円

⇨解答：385ページ

問題29-6　未着品売買(3)　　　　（制限時間5分）　難易度　A

下記の【資料】に基づいて、決算整理で必要となる仕訳を示しなさい。

【資料1】

決算整理前残高試算表		（単位：千円）	
繰　越　商　品	98,400	一　　般　　売　　上	1,470,000
未　　着　　品	280,800	未　着　品　売　上	312,000
仕　　　　　入	1,170,600		

【資料2】

(1) 決算日に購入した貨物代表証券36,000千円について、商品代金の80%は荷為替手形（期日は翌期）を引き受け、残額は掛としたが未処理である。また、貨物代表証券18,000千円について現品引取を行ったが未処理である。なお、当期の未着品販売の原価率は90%であり、売上原価については、期末に一括して計上する。

(2) 期末手許商品棚卸高111,000千円、期末未着品（各自推定）千円

⇨解答：386ページ

下記の【資料】に基づいて、決算整理後残高試算表を作成しなさい。

【資料1】

決算整理前残高試算表 （単位：千円）

委 託 販 売	23,000	一 般 売 上 245,000
繰 越 商 品	16,400	積 送 品 売 上 44,200
積 送 品	7,600	
仕 入	234,000	

【資料2】

(1) 決算日直近に次の売上計算書が到着したが、未処理となっている。なお、売上計上額については委託者手取額基準によること。また、売上原価については、売上計算書到着の都度、仕入勘定に計上することとしている。

売 上 計 算 書

売 上 高：		3,000千円
諸 掛：雑 費	80千円	
保 管 料	170千円	
手 数 料	150千円	400千円
差 引		2,600千円
荷 為 替 立 替 金		1,500千円
差 引 手 取 金		1,100千円

(2) 期末手許商品棚卸高18,000千円、期末積送品（各自推定）千円

(3) 委託販売の原価率は受託者売上額の70%であり、毎期一定である。

⇨解答：386ページ

問題29-8 **委託販売(2)** （制限時間12分） 難易度 B

　以下の【資料】に基づき、問1～問3の金額を算定しなさい。なお、金額算定の際には答案用紙に示した仕訳及び勘定記入（「諸口」は用いない。）も行いなさい。事業年度は4月1日から3月31日までとする。

問1　当期中の商品の仕入額はいくらか。

問2　損益勘定の積送品売上の金額はいくらか。

問3　損益勘定の積送諸掛費の金額はいくらか。

【資料1】前期末の残高（単位：千円）

	残	高
3/31 積 送 売 掛 金	64,000	
〃 繰 越 商 品	143,000	
〃 積 送 品	24,000	
〃 繰 延 積 送 諸 掛	2,200	

【資料2】当期の期中取引（同種取引は合計額で示してある。）

　(1)　当期仕入高（掛仕入のみ）は　　問1　　千円である。

　(2)　委託販売取引

　　①　積送高は200,000千円であり、発送時に諸費用20,000千円を支払った。

　　②　委託販売では、販売手数料を差し引いた純手取額を積送品売上額としている。なお、当期の委託販売売上原価は180,000千円であり、期中に仕入勘定に振り戻している。

　　③　積送売掛金の当期中の回収額は284,000千円である。

【資料3】当期末の損益及び残高（単位：千円）

	損		益	
3/31 仕　　　　入	1,270,000	3/31 積 送 品 売 上	問2	
〃 積 送 諸 掛 費	問3			

	残	高
3/31 積 送 売 掛 金	14,000	
〃 繰 越 商 品	159,000	
〃 積 送 品	44,000	
〃 繰 延 積 送 諸 掛	3,000	

⇨解答：386ページ

試用販売(1)　　　　　　　　（制限時間５分）　　難　易　度　｜　B

下記の資料に基づいて、決算整理後残高試算表を作成しなさい。

【資　料】

1

	決 算 整 理 前 残 高 試 算 表		（単位：千円）
繰　越　商　品	3,000	一　　般　　売　　上	54,000
繰　越　試　用　品	2,160	試　　用　　売　　上	各自推定
試　用　未　収　金	4,600	試　用　仮　売　上	4,600
仕　　　　　　入	67,340		

2　試用販売は、商品試送時に売価をもって対照勘定に計上し、試送先から買取りの意思表示を受ける都度、試用売上を計上するとともに対照勘定を相殺消去している。

3　当期の試送高は36,000千円（売価）である。

4　期首の試送品は前期に試送した商品であり、すべて買取りの意思表示を受けた。

5　期末に試送先から試送品600千円（売価）を買い取る旨の連絡を受けたが未処理である。

6　試用販売の原価率は毎期同じではないが、期中は一定している。試用販売の原価率は前期60％、当期64％である。

7　期末手許商品棚卸高は4,100千円である。

⇨解答：387ページ

問題29-10　試用販売(2)　　　　（制限時間6分）　　難易度 B

　下記の資料に基づいて、決算整理後残高試算表を作成しなさい。

【資　料】

1

決算整理前残高試算表			（単位：千円）
繰　越　商　品	3,000	一　　般　　売　　上	54,000
繰　越　試　用　品	2,160	試　　用　　売　　上	35,000
試　用　未　収　金	4,600	試　用　仮　売　上	4,600
仕　　　　　　　入	67,340		

2　試用販売は、商品試送時に売価をもって対照勘定に計上し、試送先から買取りの意思表示を
　受ける都度、試用売上を計上するとともに対照勘定を相殺消去している。

3　当期の試送高は36,000千円（売価）である。

4　期首の試送品は前期に試送した商品であり、すべて買取りの意思表示を受けた。

5　期末に試送先から試送品600千円（売価）を買い取る旨の連絡を受けたが未処理である。

6　試用販売の原価率は毎期同じではないが、期中は一定している。試用販売の前期の原価率は
　60%であり、当期の試用販売価格は一般販売価格の25%増しである。

7　期末手許商品棚卸高は4,100千円である。

⇨解答：388ページ

試用販売(3) 　　　　（制限時間4分） | 難 易 度 | B |

下記の資料に基づいて、解答欄に示した決算整理後残高試算表を作成しなさい。

【資料1】

決算整理前残高試算表　　　（単位：千円）

繰 越 商 品	4,900	一　般　売　上	104,300
試　用　品	28,350	試 用 品 売 上	37,800
仕　　　入	75,810		

【資料2】

1　期末手許商品　7,700千円

2　試用品売価は一般売価の20%増である。なお、試用品の売上原価は、期末に一括して仕入勘定へ振戻す方法によっている。

⇨解答：388ページ

複合問題 　　　　（制限時間8分） | 難 易 度 | B |

下記の【資料】に基づいて、決算整理後残高試算表（一部）を作成しなさい。

【資料1】決算整理前残高試算表（一部）

決算整理前残高試算表（一部）　　　（単位：千円）

繰 越 商 品	75,000	一　般　売　上	1,780,000
繰 越 試 用 品	3,000	積 送 品 売 上	858,000
積　送　品	555,000	試 用 品 売 上	147,500
仕　　　入	1,440,000	試 用 仮 売 上	7,500
試 用 未 収 金	7,500		

【資料2】決算整理事項等

1　期末手許商品棚卸高は90,000千円である。一般販売の原価率は毎期一定である。

2　委託販売については期末に売上原価を一括して仕入勘定に振り替える方法により処理している。委託販売の売価は毎期一般販売売価の20%増に設定している。

3　試用販売については対照勘定法により処理している。試用販売の売価は毎期一般販売売価の25%増に設定している。

⇨解答：389ページ

第 30 章　　収 益 認 識　　重要度 B

問題30－1　収益認識(1)　　（制限時間5分）　難易度 B

　以下の資料に基づいて、次の問1及び問2に答えなさい。なお、商品販売はすべて掛とする。

問1　追加販売分について、別個の独立した契約として処理した場合の【資料】2～4の仕訳を答えなさい。

問2　追加販売分について、既存の契約を解約して新しい契約を締結したものと仮定して処理した場合の【資料】2～4の仕訳を答えなさい。

【資　料】

1　x1年4月1日

　　当社はA社に商品1,000個を@1,000円で販売する契約を締結した。

2　x1年4月15日

　　当社はA社に上記1のうち800個を販売し、追加で300個を@900円で販売する契約を締結した。

3　x1年4月30日

　　当社はA社に当初契約していた1,000個のうち、残り200個を販売した。

4　x1年5月10日

　　当社はA社に追加で契約した300個を販売した。

⇨解答：390ページ

問題30-2 収益認識(2)　　　　　（制限時間2分）　　難易度　A

下記の資料に基づいて、次の**問1**及び**問2**に答えなさい。

問1　取引価格について期待値を採用した場合の金額を答えなさい。

問2　取引価格について最頻値を採用した場合の金額を答えなさい。

【資　料】

当社が商品の販売価格について、過去の実績等を考慮して算定した金額等は以下のとおりである。

1　100,000円　（30%）

2　120,000円　（50%）

3　140,000円　（20%）

⇨解答：390ページ

問題30-3 収益認識(3)　　　　　（制限時間5分）　　難易度　B

下記の資料に基づいて、次の**問1**及び**問2**に答えなさい。

問1【資料】1及び2の仕訳を答えなさい。

【資　料】

当社はA社と商品の販売契約を締結している。商品の販売単価は1個あたり100円であるが、月間の販売数量が1,000個以上の販売となった場合には販売単価を遡及的に1個あたり90円とする契約となっている。

1　4月5日

A社から商品200個の注文を受け、掛により販売した。これにより4月の販売数量が1,000個以上になる可能性は低いと考えられる。

2　4月15日

A社から商品500個の注文を受け、掛により販売した。これにより4月の販売数量が1,000個以上になる可能性が高くなったと考えられる。

問2　当社はB社に商品10,000円を掛により販売した。B社とは販売数量に応じたリベートを支払う契約となっている。当社は過去の実績に基づいて、当期の販売に対して生じる将来のリベートを300円と見積もった。B社に対して支払うと見積もられるリベートを収益の減額として認識することを前提として当社のB社に対する販売に係る仕訳を答えなさい。

⇨解答：390ページ

問題30−4　収益認識(4)　　　　　（制限時間5分）　難易度 A

以下の1及び2について当社の仕訳を答えなさい。

1　当社はA社に商品1,000個（売価@500円、原価@300円）を販売し、代金は現金で受け取った。当該商品には返品権が付されており、当社はA社からの返品見込を10個とした。なお、商品売買については売上原価対立法により処理する。

2　A社から上記1で販売した商品のうち10個が返品され、代金を現金で返金した。

⇨解答：391ページ

問題30−5　収益認識(5)　　　　　（制限時間8分）　難易度 B

以下の1〜3についての仕訳を答えなさい。なお、商品売買については三分法により処理する。また、円未満の端数は四捨五入すること。

1　A社は自社の商品を販売した際に販売価格の1％を自社ポイントとして付与している。当該ポイントについては1ポイントにつき、A社の商品1円と交換できることとなっている。

（1）A社は商品25,000円を現金で販売し、当該販売に対してポイントを付与した。A社はポイントの消化率を100％と見込んでいる。

（2）（1）で付与したポイントのすべてが使用された。

2　B社は自社の商品を販売した際に販売価格の1％を自社ポイントとして付与している。当該ポイントについては1ポイントにつき、B社の商品1円と交換できることとなっている。

（1）B社は商品30,000円を現金で販売し、当該販売に対してポイントを付与した。B社はポイントの消化率を80％と見込んでいる。

（2）B社は商品200円を販売し、（1）で付与したポイントが使用された。

3　C社は自社の商品を販売した際に販売価格の1％を自社ポイントとして付与している。当該ポイントについては1ポイントにつき、C社の商品1円と交換できることとなっている。

（1）C社は商品20,000円を現金で販売し、当該販売に対してポイントを付与した。C社はポイントの消化率を100％と見込んでいる。

（2）C社は商品30,000円を販売し、（1）で付与したポイントが使用され、残額は現金で受け取った。なお、当該販売に係るポイントは現金受取額に対してのみ付与するものとする。C社はポイントの消化率を100％と見込んでいる。

⇨解答：391ページ

以下の１及び２について、Ｃ社の仕訳を答えなさい。なお、商品売買については三分法により処理する。また、円未満の端数は四捨五入すること。

　Ｃ社はＺ社が運営するポイントプログラムに参加している。当該プログラムにおいてはＣ社の商品を購入した顧客に対し、購入時に購入価額100円につきＺ社ポイントが２ポイント付与され、その後、Ｃ社はＺ社に対し、１ポイントにつき１円を支払うこととなっている。

１　Ｃ社は商品10,000円を現金で販売し、当該販売に対してＺ社ポイントを付与した。

２　Ｃ社は上記１の販売に対するポイント相当額をＺ社に現金で支払った。

⇨解答：392ページ

問題30－7 収益認識(7)　　　　　（制限時間5分）　難易度 A

当社の当期（x2年4月1日からx3年3月31日）に関する下記の資料に基づいて、決算整理後残高試算表（一部）を作成しなさい。なお、計算の結果、千円未満の端数が生じた場合には、千円未満の端数を四捨五入すること。

【資料1】決算整理前残高試算表（一部）

決算整理前残高試算表（一部）　　　　（単位：千円）

売	掛	金	360,000	返	金	負	債	1,200
商		品	12,600	売			上	3,816,000
返	品 資	産	900					
売	上 原	価	2,862,000					

【資料2】決算整理事項

1　当社は商品売買について、売上原価対立法により処理している。

2　決算整理前残高試算表（一部）に計上されている返金負債及び返品資産は、期中に掛で販売した商品について、返品を見込んだ金額（10個分）を計上したものである。当該商品については期末日までに商品10個が返品されていたが、未処理である。

3　期末日直前に商品100個（売価@120千円、原価@90千円）を販売し、このうち、5個は返品されると見込んだが、100個分の金額をもって売上及び売上原価に計上している。

⇨解答：392ページ

収益認識(8)　　　　　　　（制限時間5分）　　難易度　A

　下記の資料に基づいて、決算整理後残高試算表（一部）を作成しなさい。なお、当期はx2年4月1日からx3年3月31日である。また、円未満の端数が生じた場合には円未満の端数を四捨五入することとし、資料以外の事項は考慮する必要はない。

【資料】

1　決算整理前残高試算表（一部）

決算整理前残高試算表（一部）　　　　（単位：円）

売　　　　上	50,000,000

2　当社は当期より、カスタマー・ロイヤルティ・プログラムを提供しており、顧客に対して販売金額100円につき5ポイントを付与している。顧客に付与されたポイントは1ポイントあたり1円の値引きを受けることができる。決算整理前残高試算表に計上されている売上の金額は当期に販売した商品の金額であり、付与したポイント（2,500,000ポイント）については考慮されていない。

(1)　顧客に販売した商品の独立販売価格は50,000,000円であり、商品の販売時点で2,250,000ポイントが使用されると見込み、1ポイントあたりの独立販売価格を0.9円（合計2,250,000円）と見積もった。

(2)　上記(1)のうち、1,800,000ポイントが当期において使用されたが、未処理である。

⇨解答：393ページ

収益認識(9)　　　　　　　（制限時間5分）　　難易度　B

　下記の資料に基づいて、1～3の仕訳を答えなさい。

【資　料】

　当社はZ社と商品の販売について契約を締結している。この契約においては1年間の販売数量について1,000個までは販売単価を100千円とし、1,001個からは販売単価を90千円とすることとなっている。当期1年間におけるZ社に対する商品の販売実績は以下のとおりである。

1　Z社に商品1,000個を現金で販売した。当社はZ社に対する販売数量を2,500個と見込んでいる。

2　Z社に商品1,000個を現金で販売した。当社のZ社に対する販売数量の見込みに変更はない。

3　Z社に商品500個を現金で販売した。

⇨解答：393ページ

問題30−10 建設業(1)　　　　　（制限時間7分）　　難易度 A

問1　A社は建設業を営んでいる。x1年度に建物の建設工事に係る契約を締結した。下記の【資料】に基づいて、x1年度からx3年度の各年度における工事収益の金額を答えなさい。

【資　料】

(1) 当該工事の契約金額は250,000千円である。

(2) A社の契約時における見積工事原価総額は180,000千円である。なお、当該工事はx3年度の完成を予定している。また、決算日における工事進捗度の見積りは原価比例法を用いることとする。

(3) 各年度における工事原価の発生額

x1年度：45,000千円、x2年度90,000千円、x3年度：48,000千円

(4) x1年度及びx2年度の決算において、見積工事原価総額の変更はない。

(5) 当該建物は予定どおり、x3年度に完成し、引渡した。

問2　仮に、上記問1において、工事進捗度を合理的に見積もることができず、原価回収基準を採用した場合のx1年度からx3年度の各年度における工事収益の金額を答えなさい。

問3　B社は建設業を営んでいる。x4年度に建物の建設工事に係る契約を締結した。下記の【資料】に基づいて、x4年度からx6年度の各年度における工事原価及び工事収益の金額を答えなさい。

【資　料】

(1) 当該工事の契約金額は300,000千円である。

(2) B社の契約時における見積工事原価総額は290,000千円である。なお、当該工事はx6年度の完成を予定している。また、決算日における工事進捗度を原価比例法により算定している。

(3) x4年度の工事原価の発生額は87,000千円であった。x4年度の決算において、見積工事原価総額の変更はない。

(4) x5年度の工事原価の発生額は157,000千円であった。x5年度の決算において、見積工事原価総額を305,000千円に変更したが、契約金額の変更はされなかったため、工事損失引当金を計上する。

(5) x6年度の工事原価の発生額は65,000千円であった。x6年度に予定どおり完成し、引渡した。

⇨解答：393ページ

下記の資料に基づいて、当期（Ｘ４年４月１日〜Ｘ５年３月31日）の(1)工事収益、(2)工事原価（売上原価）、当期末（Ｘ５年３月31日）の(3)完成工事未収入金、(4)契約資産、(5)契約負債の金額を答えなさい。なお、解答金額がゼロとなる場合には解答欄に「0」と記入すること。また、千円未満の端数は四捨五入すること。

【資　料】

	Ａ工事	Ｂ工事	Ｃ工事	Ｄ工事
請負価額	30,000千円	50,000千円	12,000千円	3,000千円
見積工事原価総額	21,000千円	30,000千円	（　　）千円	2,000千円
過年度工事原価	12,600千円	3,000千円	－	－
当期工事原価発生額	9,000千円	16,800千円	3,000千円	1,200千円
当期末までの入金額	25,000千円	18,000千円	5,000千円	1,000千円
当期末の状況	完成引渡済	工事中	工事中	工事中

1　Ａ工事及びＢ工事は工事進捗割合の見積りができるものであり、工事進捗度の見積りは原価比例法による。

2　Ｂ工事は当期末に見積工事原価総額を33,000千円に変更した。

3　Ｃ工事は工事進捗割合の見積りができないものであり、原価回収基準により収益を認識する。

4　Ｄ工事は工事期間がごく短いものであり、完成引渡時に収益を認識する。

⇨解答：394ページ

問題30-12　建設業(3)　　　（制限時間8分）　　難易度　B

　下記の【資料】に基づいて、当期（X4年4月1日～X5年3月31日）の(1)工事収益、(2)工事原価（売上原価）、当期末（X5年3月31日）の(3)完成工事未収入金、(4)契約資産、(5)契約負債の金額を答えなさい。なお、解答金額がゼロとなる場合には解答欄に「0」と記入すること。また、千円未満の端数は四捨五入すること。

【資　料】

1　甲工事

　X3年10月に請け負った工事であり、当期末現在工事中である。請負価額は80,000千円、見積工事原価総額は48,000千円である。工事進捗度は原価比例法を採用する。

　X3年10月からX4年3月までに発生した工事原価は9,600千円、X4年4月からX5年3月までに発生した工事原価は17,900千円であった。当期末において、見積工事原価総額を50,000千円に変更した。当期末までに受領した金額は60,000千円である。

2　乙工事

　X3年2月に請け負った工事であり、当期中に完成し、引渡しが完了している。請負価額は60,000千円であり、見積工事原価総額は40,000千円であった。工事進捗度は原価比例法を採用する。

　X3年2月からX4年3月までに発生した工事原価は24,000千円、X4年4月から完成までに発生した工事原価は18,000千円であり、見積工事原価総額に変更はなかった。当期末までに受領した金額は50,000千円である。

3　丙工事

　X3年8月に請け負った工事であり、当期中に完成し、引渡しが完了している。請負価額は22,000千円であった。工事進捗度の見積りが困難であると判断し、原価回収基準により収益を認識することとした。

　X3年8月からX4年3月までに発生した工事原価は8,800千円、X4年4月から完成までに発生した工事原価は6,000千円であり、見積工事原価総額に変更はなかった。当期末までに受領している金額は15,000千円である。

4　丁工事

　X4年2月に請け負った工事であり、当期中に完成し、引渡しが完了している。請負価額は4,000千円であり、見積工事原価総額は2,500千円であった。工事期間がごく短い工事であるため、完成引渡時に収益を認識することとした。

　X4年2月からX4年3月までに発生した工事原価は1,000千円、X4年4月から完成までに発生した工事原価は1,800千円であった。当期末までに受領した金額は4,000千円である。

⇨解答：394ページ

下記の【資料】に基づいて、当期（X4年4月1日～X5年3月31日）の(1)工事収益、(2)工事原価（売上原価）、当期末（X5年3月31日）の(3)完成工事未収入金、(4)契約資産、(5)契約負債、(6)工事損失引当金の金額を答えなさい。なお、解答金額がゼロとなる場合には解答欄に「0」と記入すること。また、千円未満の端数は四捨五入すること。

【資　料】　当社の工事契約に関する内容

（単位：千円）

| | 請負価額 | 見積工事原価総額 | 実際発生原価 | | 入 金 額 |
			前期以前	当　　期	
A工事	76,800	51,200	40,000	12,800	62,000
B工事	60,000	45,000	13,500	18,000	28,000
C工事	36,000	24,000	10,000	15,000	25,000
D工事	8,000	5,000	―	4,000	3,000
E工事	50,000	48,000	14,400	24,600	30,000

1　A工事、B工事及びE工事は工事進捗割合の見積りができるものであり、工事進捗度の見積りは原価比例法による。

2　E工事は当期末に工事原価総額を52,000千円に変更したが、請負価額は変更されなかった。これにより、工事損失が発生することが見込まれたため、工事損失引当金を計上する。

3　C工事は工事進捗割合の見積りができないものであり、原価回収基準により収益を認識する。

4　D工事は工事期間がごく短いものであり、完成引渡時に収益を認識する。

5　A工事及びC工事は当期中に完成し、引渡しが完了しているが、B工事、D工事及びE工事は当期末現在工事中である。

⇨解答：395ページ

TAX ACCOUNTANT

解答編

◆換算レート等の略号

　　HR：(Historical Rate)　：取引発生時レート

　　HC：(Historical Cost)　：外貨による取得原価

　　CR：(Current Rate)　　：決算時レート

　　CC：(Current Cost)　　：外貨による時価

　　AR：(Average Rate)　　：期中平均レート

　　FR：(Forward Rate)　　：予約レート

　　SR：(Spot Rate)　　　：直物レート

第 1 章　　　簿　記　一　巡　　　重要度　A

問題 1 - 1 簿記一巡の手続

解 答

残　　高　　（単位：千円）

現 金 預 金	12,680	買 掛 金	7,000
売 掛 金	8,400	未払営業費	200
繰 越 商 品	1,500	未 払 利 息	5
		貸倒引当金	168
		借 入 金	500
		資 本 金	10,000
		繰越利益剰余金	4,707
	22,580		22,580

損　　益　　（単位：千円）

仕 　　 入	50,700	売 　　 上	65,000
営 業 費	12,220		
貸倒引当金繰入額	158		
支 払 利 息	15		
繰越利益剰余金	1,907		
	65,000		65,000

解答への道　（単位：千円）

1　期首（開始手続）

(1) 開始仕訳

（現 金 預 金）	10,900	（買 掛 金）	3,500
（売 掛 金）	5,500	（未払営業費）	180
（繰 越 商 品）	1,200	（未 払 利 息）	10
		（貸倒引当金）	110
		（借 入 金）	1,000
		（資 本 金）	10,000
		（繰越利益剰余金）	2,800

(2) 再振替仕訳

（未払営業費）	180	（営 業 費）	180
（未 払 利 息）	10	（支 払 利 息）	10

2　期中（営業手続）

(1) 商品の仕入

（仕 　 入）	51,000	（買 掛 金）	51,000

(2) 商品の売上

（売 掛 金）	65,000	（売 　 上）	65,000

(3) 売掛金の回収

（現 金 預 金）	62,000	（売 掛 金）	62,000

(4) 期首売掛金の貸倒れ

（貸倒引当金）	100	（売 掛 金）	100

(5) 買掛金の支払

（買 掛 金）	47,500	（現 金 預 金）	47,500

(6) 営業費の支払

（営 業 費）	12,200	（現 金 預 金）	12,200

(7) 借入金及び借入金利息の支払

（借 入 金）	500	（現 金 預 金）	500
（支 払 利 息）	20	（現 金 預 金）	20

3　期末（決算手続）

(1) 決算整理前残高試算表

決算整理前残高試算表

現 金 預 金	12,680	買 掛 金	7,000
売 掛 金	8,400	貸倒引当金	10
繰 越 商 品	1,200	借 入 金	500
仕 　 入	51,000	資 本 金	10,000
営 業 費	12,020	繰越利益剰余金	2,800
支 払 利 息	10	売 　 上	65,000
	85,310		85,310

(2) 決算整理仕訳

① 売上原価の算定

（仕 　 入）	1,200	（繰 越 商 品）	1,200
（繰 越 商 品）	1,500	（仕 　 入）	1,500

② 貸倒引当金

（貸倒引当金繰入額）※	158	（貸倒引当金）	158

※　売掛金残高8,400×2％−前T/B貸引10＝158

③ 営業費及び支払利息の見越計上

（営 業 費）	200	（未払営業費）	200
（支 払 利 息）	5	（未 払 利 息）	5

(3) 決算整理後残高試算表

決算整理後残高試算表

現 金 預 金	12,680	買 掛 金	7,000
売 掛 金	8,400	未 払 営 業 費	200
繰 越 商 品	1,500	未 払 利 息	5
仕 入	50,700	貸 倒 引 当 金	168
営 業 費	12,220	借 入 金	500
貸倒引当金繰入額	158	資 本 金	10,000
支 払 利 息	15	繰越利益剰余金	2,800
		売 上	65,000
	85,673		85,673

(4) 決算振替仕訳

① 収益及び費用の損益勘定への振替

(売 上)	65,000	(損 益)	65,000
(損 益)	63,093	(仕 入)	50,700
		(営 業 費)	12,220
		(貸倒引当金繰入額)	158
		(支 払 利 息)	15

② 当期純利益の振替

(損 益)※	1,907	(繰越利益剰余金)	1,907

※ 収益65,000－費用63,093＝1,907

③ 資産、負債及び純資産の振替

(残 高)	22,580	(現 金 預 金)	12,680
		(売 掛 金)	8,400
		(繰 越 商 品)	1,500
(買 掛 金)	7,000	(残 高)	22,580
(未 払 営 業 費)	200		
(未 払 利 息)	5		
(貸 倒 引 当 金)	168		
(借 入 金)	500		
(資 本 金)	10,000		
(繰越利益剰余金)※	4,707		

※ 後T/B2,800＋当期純利益1,907＝4,707

問題1－2 見越・繰延(1)

解 答

決算整理仕訳　　　　　　　　（単位：千円）

借 方 科 目	金 額	貸 方 科 目	金 額
前 払 費 用	220	営 業 費	220
支 払 利 息	120	未 払 費 用	120
受 取 地 代	150	前 受 収 益	150
未 収 収 益	80	受 取 利 息	80

決算整理後残高試算表（一部）　（単位：千円）

前 払 費 用	(220)	未 払 費 用	(120)
未 収 収 益	(80)	前 受 収 益	(150)
営 業 費	(32,030)	受 取 地 代	(1,950)
支 払 利 息	(480)	受 取 利 息	(120)

問題1－3 見越・繰延(2)

解 答

決算整理後残高試算表（一部）　（単位：千円）

前 払 費 用	(320)	未 払 費 用	(200)
支 払 保 険 料	(640)	借 入 金	30,000
支 払 利 息	(600)		

解答への道　（単位：千円）

1 支払保険料の繰延

(前 払 費 用)※	320	(支 払 保 険 料)	320

※ $960 \times \dfrac{4月}{12月} = 320$

2 支払利息の見越

(支 払 利 息)※	200	(未 払 費 用)	200

※ $30,000 \times 2\% \times \dfrac{4月}{12月} = 200$

問題1－4 見越・繰延(3)

解 答

決算整理後残高試算表（一部）　（単位：千円）

支 払 利 息	(2,200)	未 払 費 用	(1,400)
		借 入 金	(70,000)

解答への道　（単位：千円）

1 前T/B借入金：100,000－10,000×3回＝70,000

2　前T/B支払利息：$80,000 \times 3\% \times \dfrac{4 \text{月}}{12 \text{月}} = 800$

3　支払利息の見越

（支 払 利 息）※　　1,400　（未 払 費 用）　　　1,400

　※　$70,000 \times 3\% \times \dfrac{8 \text{月}}{12 \text{月}} = 1,400$

問題2-1 商品売買(1)

解答

問1 決算整理前残高試算表における残高 （単位：円）

処理方法	勘定科目	借/貸	金額
(1) 分記法	商 品	借	3,500
	商 品 販 売 益	貸	7,500
(2) 総記法	商 品	貸	4,000
(3) 売上原価対立法	商 品	借	3,500
	売 上 原 価	借	30,000
	売 上	貸	37,500
(4) 二分法	商 品	借	33,500
	売 上	貸	37,500
(5) 三分法	繰 越 商 品	借	3,000
	仕 入	借	30,500
	売 上	貸	37,500

問2 《仕訳》 （単位：円）

処理方法	借 方		貸 方	
	勘定科目	金額	勘定科目	金額
(1) 分記法	仕 訳 不 要			
(2) 総記法	商 品	7,500	商品販売益	7,500
(3) 売上原価対立法	仕 訳 不 要			
(4) 二分法	売 上 原 価	30,000	商 品	30,000
(5) 三分法	仕 入	3,000	繰 越 商 品	3,000
	繰 越 商 品	3,500	仕 入	3,500

解答への道 （単位：円）

(1) 分記法

1 仕入時

（商 品） 30,500 （買 掛 金） 30,500

2 売上時

（売 掛 金） 37,500 （商 品） 30,000

（商品販売益） 7,500

3 決算整理

（仕 訳 不 要）

(2) 総記法

1 仕入時

（商 品） 30,500 （買 掛 金） 30,500

2 売上時

（売 掛 金） 37,500 （商 品） 37,500

3 決算整理

（商 品）※ 7,500 （商品販売益） 7,500

※ 前T/B4,000＋期末商品3,500＝7,500

(3) 売上原価対立法

1 仕入時

（商 品） 30,500 （買 掛 金） 30,500

2 売上時

（売 掛 金） 37,500 （売 上） 37,500

（売 上 原 価） 30,000 （商 品） 30,000

3 決算整理

（仕 訳 不 要）

(4) 二分法

1 仕入時

（商 品） 30,500 （買 掛 金） 30,500

2 売上時

（売 掛 金） 37,500 （売 上） 37,500

3 決算整理

（売 上 原 価） 30,000 （商 品） 30,000

(5) 三分法

1　仕入時

（仕　　　　入）	30,500	（買　掛　金）	30,500

2　売上時

（売　掛　金）	37,500	（売　　　　上）	37,500

3　決算整理

（仕　　　　入）	3,000	（繰 越 商 品）	3,000
（繰 越 商 品）	3,500	（仕　　　　入）	3,500

問題2-2 商品売買(2)

解　答

問1

(1) 分記法　　決算整理前残高試算表　（単位：千円）

借 方 科 目	金　額	貸 方 科 目	金　額
商　　　　品	1,500	商 品 販 売 益	28,000

(2) 総記法　　決算整理前残高試算表　（単位：千円）

借 方 科 目	金　額	貸 方 科 目	金　額
		商　　　　品	26,500

(3) 売上原価対立法　　決算整理前残高試算表　（単位：千円）

借 方 科 目	金　額	貸 方 科 目	金　額
商　　　　品	1,500	売　　　　上	140,000
売 上 原 価	112,000		

(4) 二分法　　決算整理前残高試算表　（単位：千円）

借 方 科 目	金　額	貸 方 科 目	金　額
商　　　　品	113,500	売　　　　上	140,000

(5) 三分法　　決算整理前残高試算表　（単位：千円）

借 方 科 目	金　額	貸 方 科 目	金　額
繰 越 商 品	1,000	売　　　　上	140,000
仕　　　　入	112,500		

問2

(1) 分記法　　　　　　　　　　　　（単位：千円）

借 方 科 目	金　額	貸 方 科 目	金　額
仕 訳 不 要			

(2) 総記法　　　　　　　　　　　　（単位：千円）

借 方 科 目	金　額	貸 方 科 目	金　額
商　　　　品	28,000	商 品 販 売 益	28,000

(3) 売上原価対立法　　　　　　　　（単位：千円）

借 方 科 目	金　額	貸 方 科 目	金　額
仕 訳 不 要			

(4) 二分法　　　　　　　　　　　　（単位：千円）

借 方 科 目	金　額	貸 方 科 目	金　額
売 上 原 価	112,000	商　　　　品	112,000

(5) 三分法　　　　　　　　　　　　（単位：千円）

借 方 科 目	金　額	貸 方 科 目	金　額
仕　　　　入	1,000	繰 越 商 品	1,000
繰 越 商 品	1,500	仕　　　　入	1,500

解答への道　（単位：千円）

1　分記法

(1) 決算整理前残高試算表

決算整理前残高試算表

借 方 科 目	金　額	貸 方 科 目	金　額
商　　　　品	※1　1,500	商 品 販 売 益	※2　28,000

　※1　期末商品1,500

　※2　売上原価：期首1,000＋仕入（115,000－返品

　　　　　　　　　2,000－値引500）－期末1,500

　　　　　　　　＝112,000

　　　　売上高140,000－売上原価112,000＝28,000

(2) 決算整理仕訳

（仕 訳 不 要）

2　総記法

(1) 決算整理前残高試算表

決算整理前残高試算表

借 方 科 目	金　額	貸 方 科 目	金　額
		商　　　　品	※ 26,500

　※　売上高140,000－{期首1,000＋仕入（115,000－

　　　返品2,000－値引500）＝26,500

(2) 決算整理仕訳

（商　　　　品）　　28,000　（商品販売益）※　28,000

　※　前T/B26,500＋期末1,500＝28,000

3 売上原価対立法

(1) 決算整理前残高試算表

決算整理前残高試算表

借 方 科 目	金 額	貸 方 科 目	金 額
商　　　　品	※1 1,500	売　　　　上	※3 140,000
売 上 原 価	※2 112,000		

※1　期末商品1,500

※2　期首1,000＋仕入(115,000－返品2,000－値引500)－期末1,500＝112,000

※3　売上高140,000

(2) 決算整理仕訳

(仕 訳 不 要)

4 二分法

(1) 決算整理前残高試算表

決算整理前残高試算表

借 方 科 目	金 額	貸 方 科 目	金 額
商　　　　品	※1 113,500	売　　　　上	※2 140,000

※1　期首1,000＋仕入(115,000－返品2,000－値引500)＝113,500

※2　売上高140,000

(2) 決算整理仕訳

(売 上 原 価)※ 112,000 (商　　　品) 112,000

※　前T/B113,500－期末1,500＝112,000

5 三分法

(1) 決算整理前残高試算表

決算整理前残高試算表

借 方 科 目	金 額	貸 方 科 目	金 額
繰 越 商 品	※1 1,000	売　　　　上	※3 140,000
仕　　　　入	※2 112,500		

※1　期首商品1,000

※2　仕入115,000－返品2,000－値引500＝112,500

※3　売上高140,000

(2) 決算整理仕訳

(仕　　　　入)	1,000	(繰 越 商 品)※1	1,000
(繰 越 商 品)※2	1,500	(仕　　　　入)	1,500

※1　期首商品1,000

※2　期末商品1,500

問題２−３ 商品売買(3)

解 答

(単位：千円)

①	4,800	②	3,000	③	18,000	④	42,000
⑤	16,000						

解答への道 (単位：千円)

1　分記法を用いて記帳した場合

商　　品

4/1 前期繰越	6,000	4/5 売 掛 金	(※2① 4,800)
10 買 掛 金	(※1 12,000)	12 売 掛 金	9,600
15 買 掛 金	18,000	20 売 掛 金	15,000
25 買 掛 金	(※1 30,000)	28 売 掛 金	(※3 33,600)
		30 次月繰越	(※4② 3,000)

※1　下記２総記法の商品勘定より

※2　売上高8,000(下記２総記法の商品勘定より)×0.6＝4,800

※3　売上高56,000(下記２総記法の商品勘定より)×0.6＝33,600

※4　差額

2　総記法を用いて記帳した場合

商　　品

4/1 前期繰越	(※1 6,000)	4/5 売 掛 金	8,000
10 買 掛 金	12,000	12 売 掛 金	(※2⑤16,000)
15 買 掛 金	(※1③18,000)	20 売 掛 金	(※3 25,000)
25 買 掛 金	30,000	28 売 掛 金	56,000
30(商品販売益)	(※4④42,000)	30 次月繰越	(※1 3,000)

※1　上記１分記法の商品勘定より

※2　売上原価9,600(上記１分記法の商品勘定より)÷0.6＝16,000

※3　売上原価15,000(上記１分記法の商品勘定より)÷0.6＝25,000

※4　売上高(8,000＋16,000＋25,000＋56,000)×(1－0.6)＝42,000

問題2－4 商品売買(4)

解　答

(1) 総記法

商　品　　　（単位：千円）

（前 期 繰 越）（ 12,000）	（売 掛 金）（1,170,000）
（買 掛 金）（ 771,000）	（次 期 繰 越）（ 15,000）
（商品販売益）（ 402,000）	

商品販売益　　　（単位：千円）

（損　　益）（ 402,000）	（商　品）（ 402,000）

(2) 売上原価対立法

商　品　　　（単位：千円）

（前 期 繰 越）（ 12,000）	（売 上 原 価）（ 768,000）
（買 掛 金）（ 771,000）	（次 期 繰 越）（ 15,000）

売 上 原 価　　　（単位：千円）

（商　　品）（ 768,000）	（損　　益）（ 768,000）

売　　上　　　（単位：千円）

（損　　益）（1,170,000）	（売 掛 金）（1,170,000）

解答への道　（単位：千円）

1　売上高及び売上原価等の各金額

(1) 売上高：1,170,000（売上勘定より）

(2) 期首商品：12,000（繰越商品勘定の前期繰越より）

(3) 当期仕入高：771,000（仕入勘定より）

(4) 期末商品：15,000（繰越商品勘定の次期繰越より）

(5) 売上原価：期首12,000＋仕入771,000－期末15,000
　　　　　　＝768,000

(6) 商品販売益：売上1,170,000－売上原価768,000
　　　　　　　＝402,000

2　総記法で記帳した場合

(1) 期首試算表

期首試算表

| 商　　　品 | 12,000 | |

(2) 仕入時

（商　　品）771,000　（買 掛 金）771,000

(3) 売上時

（売 掛 金）1,170,000　（商　　品）1,170,000

(4) 決算整理仕訳

（商　　品）402,000　（商品販売益）402,000

(5) 決算振替仕訳

（商品販売益）402,000　（損　　益）402,000

3　売上原価対立法で記帳した場合

(1) 期首試算表

期首試算表

| 商　　　品 | 12,000 | |

(2) 仕入時

（商　　品）771,000　（買 掛 金）771,000

(3) 売上時

（売 掛 金）1,170,000　（売　　上）1,170,000
（売 上 原 価）768,000　（商　　品）768,000

(4) 決算振替仕訳

（売　　上）1,170,000　（損　　益）1,170,000
（損　　益）768,000　（売 上 原 価）768,000

問題2－5 商品の期末評価(1)

解　答

決算整理後残高試算表（一部）（単位：千円）

繰 越 商 品	51,650	売　　上	4,474,400
仕　　入	3,132,440		
見 本 品 費	700		
棚 卸 減 耗 損	210		

損 益 計 算 書　（単位：千円）

Ⅰ　売 上 高		（4,474,400）
Ⅱ　売 上 原 価		
商品期首たな卸高	（ 35,000）	
当期商品仕入高	（3,150,000）	
合　　計	（3,185,000）	
見本品費振替高	（ 700）	
商品期末たな卸高	（ 52,220）	
差　　引	（3,132,080）	
棚 卸 減 耗 損	（ 140）	
商 品 評 価 損	（ 220）	（3,132,440）
売上総利益		（1,341,960）

1　売上返品

| （売 上） | 600 | （売 掛 金） | 600 |

2　見本品の提供

| （見 本 品 費） | 700 | （仕 入） | 700 |

3　売上原価の算定等

（仕 入）	35,000	（繰 越 商 品）	35,000
（繰 越 商 品）※1	52,220	（仕 入）	52,220
（仕 入）※3	140	（繰 越 商 品）※2	350
（棚 卸 減 耗 損）※4	210		
（仕 入）	220	（繰 越 商 品）※5	220

※1　52,500＋返品420−見本700＝52,220

※2　帳簿52,220−実地（51,450＋返品420）＝350

※3　350×40％＝140

※4　350−140＝210

※5　420−200＝220

問題2−6 商品の期末評価(2)

解　答

決算整理後残高試算表（一部）　（単位：千円）

繰 越 商 品	（ 33,600）	売 上	（2,194,500）
仕 入	（1,258,400）		
棚 卸 減 耗 費	（ 2,000）		

解答への道 （単位：千円）

1　売上原価の算定等

（仕 入）	22,800	（繰 越 商 品）	22,800
（繰 越 商 品）※1	40,000	（仕 入）	40,000
（仕 入）※2	4,000	（繰 越 商 品）	6,400
（棚 卸 減 耗 費）※3	2,000		
（仕 入）※4	400		

※1　平均単価：$\dfrac{22,800＋1,271,200}{120個＋6,350個}＝$@200

期末帳簿棚卸高：@200×200個＝40,000

※2　@200×20個＝4,000

※3　@200×（200個−170個−20個）＝2,000

※4　（@200−@120）×5個＝400

2　売上高の算定

@350×（期首120個＋仕入6,350個−期末200個）

＝2,194,500

問題2−7 商品の期末評価(3)

解　答

問1

決算整理後残高試算表（一部）　（単位：円）

繰 越 商 品	（ 2,163,400）	売 上	（31,500,000）
仕 入	（23,534,380）		
棚 卸 減 耗 損	（ 52,220）		

問2

決算整理後残高試算表（一部）　（単位：円）

繰 越 商 品	（ 2,169,200）	売 上	（31,500,000）
仕 入	（23,528,440）		
棚 卸 減 耗 損	（ 52,360）		

解答への道　（単位：円）

問1

1　期末帳簿棚卸高の算定

（単位：個・円）

摘　要	受　　入			払　　出			残　　高		
	数量	単価	金　額	数量	単価	金　額	数量	単価	金　額
(1)　期　首	500	700	350,000				500	700	350,000
(2)　仕　入	5,000	722	3,610,000				500	700	350,000
							5,000	722	3,610,000
(3)　売　上				500	700	350,000			
				4,000	722	2,888,000	1,000	722	722,000
(4)　仕　入	4,000	745	2,980,000				1,000	722	722,000
							4,000	745	2,980,000
(5)　売　上				1,000	722	722,000			
				2,000	745	1,490,000	2,000	745	1,490,000
(6)　仕　入	10,000	752	7,520,000				2,000	745	1,490,000
							10,000	752	7,520,000
(7)　売　上				2,000	745	1,490,000			
				5,000	752	3,760,000	5,000	752	3,760,000
(8)　仕　入	5,000	766	3,830,000				5,000	752	3,760,000
							5,000	766	3,830,000
(9)　売　上				5,000	752	3,760,000			
				3,000	766	2,298,000	2,000	766	1,532,000
(10)　仕　入	10,000	746	7,460,000				2,000	766	1,532,000
							10,000	746	7,460,000
(11)　売　上				2,000	766	1,532,000			
				7,000	746	5,222,000	3,000	746	2,238,000

2　決算整理仕訳（三分法で示す。）

（仕　　　　入）　　350,000　（繰 越 商 品）　　350,000

（繰 越 商 品）　2,238,000　（仕　　　　入）　2,238,000

（仕　　　　入）※2　　22,380　（繰 越 商 品）※1　　74,600

（棚卸減耗損）※3　　52,220

　※1　＠746×（帳簿数量3,000個－実地数量

　　　2,900個）＝74,600

　※2　74,600×30％＝22,380

　※3　差額

3　売上高

　＠1,000×（4,500個＋3,000個＋7,000個＋8,000個

　＋9,000個）＝31,500,000

問2

1 期末帳簿棚卸高の算定

（単位：個・円）

摘　要	受　入			払　出			残　高		
	数量	単価	金　額	数量	単価	金　額	数量	単価	金　額
(1) 期　首	500	700	350,000				500	700	350,000
(2) 仕　入	5,000	722	3,610,000				5,500	720	3,960,000
(3) 売　上				4,500	720	3,240,000	1,000	720	720,000
(4) 仕　入	4,000	745	2,980,000				5,000	740	3,700,000
(5) 売　上				3,000	740	2,220,000	2,000	740	1,480,000
(6) 仕　入	10,000	752	7,520,000				12,000	750	9,000,000
(7) 売　上				7,000	750	5,250,000	5,000	750	3,750,000
(8) 仕　入	5,000	766	3,830,000				10,000	758	7,580,000
(9) 売　上				8,000	758	6,064,000	2,000	758	1,516,000
(10) 仕　入	10,000	746	7,460,000				12,000	748	8,976,000
(11) 売　上				9,000	748	6,732,000	3,000	748	2,244,000

2 決算整理仕訳（三分法で示す。）

（仕　　　入）　　　350,000　（繰越商品）　　　350,000

（繰越商品）　2,244,000　（仕　　　入）　2,244,000

（仕　　　入）※2　　22,440　（繰越商品）※1　　74,800

（棚卸減耗損）※3　　52,360

※1　@748×（帳簿数量3,000個－実地数量2,900
個）＝74,800

※2　74,800×30％＝22,440

※3　差額

<h2>問題2－8　商品の期末評価(4)</h2>

解　答

決算整理後残高試算表　（単位：千円）

繰越商品	14,240	売　上	253,550
仕　入	180,579		
商品評価損益	5		
棚卸減耗費	191		
見本品費	165		

解答への道　（単位：千円）

1 前T/Bの金額

(1) 商品評価損益

① A商品：帳簿原価@1,800円 ≦ 正味売却価額@3,040円

∴　収益性の低下なし

② B商品：帳簿原価@1,650円 ＞ 正味売却価額@1,615円

∴　収益性の低下あり

③ C商品：帳簿原価@1,500円 ≦ 正味売却価額@1,710円

∴　収益性の低下なし

④ 会計処理（期首の振戻処理）

（繰越商品）　　　70　（商品評価損益）　　　70

※　（@1,650円－@1,615円）×2,000個＝70

(2) 繰越商品

① A商品：@1,800円×5,150個＝9,270

② B商品：@1,615円×2,000個＝3,230

③ C商品：@1,500円×1,850個＝2,775

④ ①＋②＋③＋商品評価損益70＝15,345

又は、

① A商品：@1,800円×5,150個＝9,270

② B商品：@1,650円×2,000個＝3,300

③ C商品：@1,500円×1,850個＝2,775

④ ①＋②＋③＝15,345

2 売上の修正

(1) A商品

（売　　　上）※　　1,650　（売　掛　金）　　　1,650

※　@3,300円×500個＝1,650

(2) B商品

（見本品費）　　　165　（仕　　　入）　　　165

※　@1,650円×100個＝165

3 売上原価の算定

（仕　　　入）　　15,345　（繰越商品）　　15,345

（繰越商品）※　14,506　（仕　　　入）　　14,506

※(1) A商品：@1,800円×（修正前4,220個
＋売上取消500個）＝8,496

(2)　B商品：@1,650円×(修正前1,300個
　　　　　　　　　－見本品100個)＝1,980

(3)　C商品：@1,550円×2,600個＝4,030

(4)　(1)＋(2)＋(3)＝14,506

4　棚卸減耗費の算定

(棚卸減耗費)　　　　191　(繰越商品)※　　　　191

※(1)　A商品：@1,800円×(帳簿4,720個－実地4,700個)＝36

(2)　B商品：減耗なし

(3)　C商品：@1,550円×(帳簿2,600個－実地2,500個)＝155

(4)　(1)＋(2)＋(3)＝191

5　収益性の低下による帳簿価額の切下げ

(商品評価損益)　　　　75　(繰越商品)※　　　　75

※(1)　A商品：帳簿原価@1,800円 ≦ 正味売却価額@3,135円

　　　∴　収益性の低下なし

(2)　B商品：帳簿原価@1,650円 ≦ 正味売却価額@1,710円

　　　∴　収益性の低下なし

(3)　C商品：帳簿原価@1,550円 ＞ 正味売却価額@1,520円

　　　∴　収益性の低下あり

　　　　(@1,550円－@1,520円)×2,500個＝75

(4)　(1)＋(2)＋(3)＝75

問題2−9　商品の期末評価(5)

解　答

決算整理後残高試算表　(単位：千円)

| 繰越商品 | 7,420 | 売　上 | 100,425 |
| 仕　入 | 80,930 | | |

解答への道　(単位：千円)

1　売上原価の算定

(仕　　入)　　6,300　(繰越商品)　　6,300

(繰越商品)※　7,630　(仕　　入)　　7,630

※　期末帳簿棚卸数量：前期繰越60個＋受入300個－払出 (60個＋280個)
　　　　　　　　　　＋受入450個－払出 (20個＋380個)＝70個 (最終
　　　　　　　　　　仕入数量450個の残量)

期末帳簿棚卸高：最終仕入単価@109×70個＝7,630

2　収益性の低下による帳簿価額の切下げ

(仕　　入)※　210　(繰越商品)　　210

※　正味売却価額：(売価@120－見積販売直接経費@14) ×70個＝7,420

商品評価損：期末帳簿棚卸高7,630－正味売却価額7,420＝210

3　商品有高帳の記入 (参考)

商 品 有 高 帳

(単位：個・千円)

日付	摘　　要	受　入 数量	単　価	金　額	払　出 数量	単　価	金　額	残　高 数量	単　価	金　額
	前期繰越	60	105	6,300				60	105	6,300
	仕　入	300	110	33,000				60	105	6,300
								300	110	33,000
	売　上				60	105	6,300			
					280	110	30,800	20	110	2,200
	仕　入	450	109	49,050				20	110	2,200
								450	109	49,050
	売　上				20	110	2,200			
					380	109	41,420	70	109	7,630
	評 価 損						210	70	106	7,420
					740		80,930			
	次 期 繰 越				70	106	7,420			
		810		88,350	810		88,350			

問題2-10 商品の期末評価(6)

解答

決算整理後残高試算表 （単位：千円）

繰越商品	4,120	売 上	312,200
仕 入	215,500		
商品評価損	80		
棚卸減耗費	600		

解答への道 （単位：千円）

1 商品有高帳

（単位：個・千円）

摘 要	受入			払出			残高		
	数 量	単 価	金 額	数 量	単 価	金 額	数 量	単 価	金 額
前月繰越	600	10	6,000				600	10	6,000
仕　入	900	11	9,900				600	10	6,000
							900	11	9,900
売　上				600	10	6,000			
				200	11	2,200	700	11	7,700
仕　入	500	12	6,000				700	11	7,700
							500	12	6,000
売　上				700	11	7,700			
				100	12	1,200	400	12	4,800

2 3月中の取引（同種取引はまとめて示す。）

(1) 仕入

（仕　　　入）※ 15,900 （買　掛　金） 15,900

　※ 9,900＋6,000＝15,900

(2) 売上

（売　掛　金） 28,800 （売　　　上）※ 28,800

　※ @18×1,600個＝28,800

3 決算整理

(1) 売上原価の算定

（仕　　　入） 6,000 （繰　越　商　品） 6,000

（繰越商品）※ 4,800 （仕　　　入） 4,800

　※ @12×400個＝4,800

(2) 棚卸減耗の算定

（棚卸減耗費）※ 600 （繰　越　商　品） 600

　※ @12×50個＝600

(3) 収益性の低下に基づく簿価の切り下げ

（商品評価損）※ 80 （繰　越　商　品） 80

　※ （@12－@8）×20個＝80

4 決算整理後残高試算表

決算整理後残高試算表

繰越商品	(4,120)	売 上	(312,200)
仕 入	(215,500)		
商品評価損	(80)		
棚卸減耗費	(600)		

問題2-11 仕入諸掛

解答

問1

決算整理後残高試算表（一部）（単位：千円）

繰越商品	(30,363)	売 上	600,000
仕 入	(394,677)		

問2

決算整理後残高試算表（一部）（単位：千円）

繰越商品	(30,360)	売 上	600,000
仕 入	(394,680)		

－234－

解答への道　（単位：千円）

問1　先入先出法

諸　掛	商品原価			諸　掛
200	期　　首　20,000	売上原価 390,000		4,677
				（※2）
4,840	仕　　入　400,000	期　　末　30,000		363
				（※1）

※1　$4,840 \times \dfrac{30,000}{400,000} = 363$

※2　$200 + 4,840 - 363 = 4,677$

問2　平均法

諸　掛	商品原価			諸　掛
200	期　　首　20,000	売上原価 390,000		4,680
				（※2）
4,840	仕　　入　400,000	期　　末　30,000		360
				（※1）

※1　$(200 + 4,840) \times \dfrac{30,000}{20,000 + 400,000} = 360$

※2　$200 + 4,840 - 360 = 4,680$

問題3−1 債権・債務(1)

解 答

（単位：円）

	借 方 科 目	金 額	貸 方 科 目	金 額
1	仕　　　　入	300,000	買　掛　金	300,000
2	前　渡　金	100,000	現　　　　金	100,000
3	仕　　　　入	600,000	前　渡　金	100,000
			買　掛　金	500,000
4	売　掛　金	1,000,000	売　　　　上	1,000,000
5	買　掛　金	200,000	当　座　預　金	200,000
6	現　　　　金	300,000	売　掛　金	300,000
7	クレジット売掛金	495,000	売　　　　上	500,000
	支 払 手 数 料	5,000		
8	当　座　預　金	495,000	クレジット売掛金	495,000
9	電 子 記 録 債 権	750,000	売　掛　金	750,000
10	当　座　預　金	290,000	電 子 記 録 債 権	300,000
	電子記録債権売却損	10,000		
11	買　掛　金	250,000	電 子 記 録 債 務	250,000

問題3−2 債権・債務(2)

解 答

（単位：円）

	借 方 科 目	金 額	貸 方 科 目	金 額
1	土　　　　地	10,000,000	未　払　金	10,000,000
2	現　　　　金	2,000,000	土　　　　地	5,000,000
	未　収　金	6,000,000	土 地 売 却 益	3,000,000
3	建 設 仮 勘 定	3,000,000	現　　　　金	3,000,000
4	建　　　　物	15,000,000	建 設 仮 勘 定	3,000,000
			営業外支払手形	12,000,000
5	当　座　預　金	5,000,000	借　入　金	5,000,000
6	借　入　金	5,000,000	当　座　預　金	5,150,000
	支　払　利　息	150,000		
7	手 形 貸 付 金	1,015,000	当　座　預　金	1,000,000
			受　取　利　息	15,000
8	当　座　預　金	1,015,000	手 形 貸 付 金	1,015,000

解答への道　（単位：円）

6　支払利息：5,000,000×3％＝150,000

7　受取利息：$1,000,000 \times 3\% \times \dfrac{6月}{12月} = 15,000$

問題3−3 債権・債務(3)

解 答

問1

（単位：千円）

		借方科目	金 額	貸方科目	金 額
(1)	①	仕　　　入	3,000	現　　　金	3,000
	②	仕　　　入	7,050	買　掛　金	7,050
(2)		買　掛　金	7,400	現　　　金	7,400

問2　（単位：千円）

買　　掛　　金

現　　金	7,400	前 期 繰 越	4,050
次 期 繰 越	3,700	仕　　　入	7,050
	11,100		11,100

問3　　10,050　千円

解答への道 （単位：千円）

(1) 仕入取引

① 現金仕入

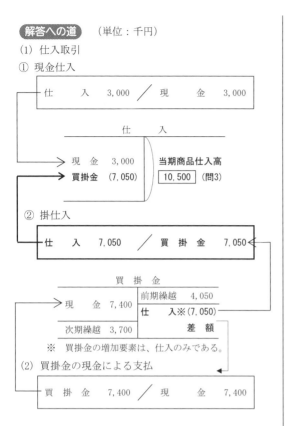

```
仕　　　入　3,000 ／ 現　　　金　3,000
```

```
                  仕　　　入
現　　　金　3,000      当期商品仕入高
買　掛　金　(7,050)   ┌─────────┐
                      │ 10,500  │（問3）
                      └─────────┘
```

② 掛仕入

```
仕　　　入　7,050 ／ 買　掛　金　7,050
```

```
                  買　掛　金
現　　　金　7,400   前期繰越　4,050
次期繰越　3,700    仕　入※(7,050)
                          差　額
```

※ 買掛金の増加要素は、仕入のみである。

(2) 買掛金の現金による支払

```
買　掛　金　7,400 ／ 現　　　金　7,400
```

問題3－4 債権・債務(4)

解答

問1　　　　　　　　　　　　　　　（単位：千円）

		借方科目	金額	貸方科目	金額
(1)		現　　金	3,600	前　受　金	3,600
(2)	①	現　　金	6,000	売　　上	6,000
	②	売　掛　金	170,000	売　　上	170,000
	③	前　受　金	4,000	売　　上	4,000
(3)		受　取　手　形	160,000	売　掛　金	160,000
(4)		当　座　預　金	150,000	受　取　手　形	150,000

問2　　　　　　　　　　　　　　　（単位：千円）

受　取　手　形

前期繰越	20,000	当座預金	150,000
売　掛　金	160,000	次期繰越	30,000
	180,000		180,000

売　掛　金

前期繰越	13,000	受取手形	160,000
売　　上	170,000	次期繰越	23,000
	183,000		183,000

前　受　金

売　　上	4,000	前期繰越	1,400
次期繰越	1,000	現　　金	3,600
	5,000		5,000

問3　　┌─────────┐
　　　　│ 180,000 │千円
　　　　└─────────┘

第3章　債権・債務

解答への道 （単位：千円）

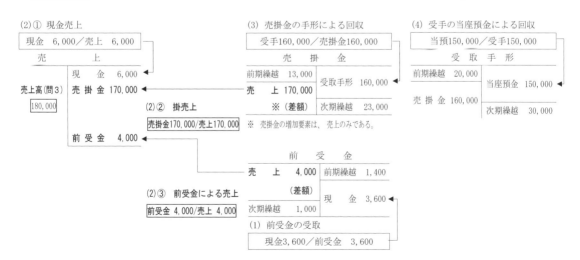

(2)① 現金売上

```
現金　6,000／売上　6,000
```

```
          売　　上
          現　　金　6,000
売上高（問3）  売　掛　金　170,000
┌─────┐
│180,000│ 前　受　金　4,000
└─────┘
```

(2)② 掛売上

```
売掛金170,000／売上170,000
```

(2)③ 前受金による売上

```
前受金 4,000／売上 4,000
```

(3) 売掛金の手形による回収

```
受手160,000／売掛金160,000
```

```
          売　掛　金
前期繰越　13,000   受取手形　160,000
売　上　170,000    ※（差額）
                  次期繰越　23,000
```

※ 売掛金の増加要素は、売上のみである。

```
          前　受　金
売　上　4,000   前期繰越　1,400
（差額）
次期繰越　1,000   現　金　3,600
```

(1) 前受金の受取

```
現金3,600／前受金　3,600
```

(4) 受手の当座預金による回収

```
当預150,000／受手150,000
```

```
          受　取　手　形
前期繰越　20,000   当座預金　150,000
売　掛　金　160,000  次期繰越　30,000
```

第4章　現　金・預　金　重要度　A

問題4-1 現金・預金(1)

解答

決算整理後残高試算表　（単位：千円）

現　　金	(1,800)	買　掛　金	(31,800)
当座預金	(132,780)	未　払　金	(800)
売　掛　金	(51,600)	雑　収　入	(50)
貯　蔵　品	(20)		
営　業　費	(116,750)		
雑　損　失	(80)		

解答への道　（単位：千円）

1　現金等

(1) 売掛金の回収の未処理

（現　　金）　1,500　（売　掛　金）　1,500

(2) 未渡小切手 ⇨ 下記2 (2)参照

(3) 収入印紙及び切手

（営　業　費）　15　（貯　蔵　品）　15

（貯　蔵　品）　20　（営　業　費）　20

(4) 営業費支払の誤記帳

① 適正な仕訳

（営　業　費）　250　（現　　金）　250

② 当社が行った仕訳

（現　　金）　520　（営　業　費）　520

③ 修正仕訳（①－②）

（営　業　費）　770　（現　　金）　770

(5) 原因不明分

（雑　損　失）　10　（現　　金）※　10

※　①　帳簿残高：前T/B1,080＋1,500－770＝1,810

②　実際有高：通貨300＋得意先振出小切手

1,500＝1,800

③　②－①＝△10

2　当座預金

(1) 時間外預入 ⇨ 銀行側加算（仕訳不要）

(2) 未渡小切手

（当座預金）　1,000　（買　掛　金）　800

（未　払　金）　200

(3) 売掛金の振込未記帳

（当座預金）　1,880　（売　掛　金）　1,900

（営　業　費）　20

(4) 営業費の引落未記帳

（営　業　費）　600　（当座預金）　600

(5) 未取付小切手 ⇨ 銀行側減算（仕訳不要）

(6) 銀行勘定調整表

銀行勘定調整表

勘 定 残 高	130,500	証明書残高	133,180
未渡小切手	＋1,000	時間外預入	＋ 300
振込未記帳	＋1,880	未取付小切手	△ 700
引落未記帳	△ 600		
修正後残高	132,780	修正後残高	132,780

問題4-2 現金・預金(2)

解答

【資料1】①の金額　[3,235,150] 円

決算整理後残高試算表（一部）（単位：円）

現　　金	(166,000)	買　掛　金	(650,000)
当座預金	(3,340,150)	未　払　金	(257,000)
売　掛　金	(1,065,000)		
不渡小切手	(165,000)		
営　業　費	(945,000)		

解答への道　（単位：円）

1　時間外預入 ⇨ 仕訳なし

2　未取付小切手 ⇨ 仕訳なし

3　未渡小切手

（当座預金）　110,000　（買　掛　金）　88,000

（未　払　金）　22,000

4　振込未記帳

（当座預金）　220,000　（売　掛　金）　220,000

5 引落未記帳

（営 業 費）	60,000	（当座預金）	60,000

6 誤記帳

（不渡小切手）	165,000	（当座預金）	165,000

7 銀行勘定調整表

前T/B残高	①3,235,150	残高証明書	3,285,150
3 未渡小切手	+ 110,000	1 時間外預入	+ 121,000
4 振込未記帳	+ 220,000	2 未取付小切手	△ 66,000
5 引落未記帳	△ 60,000		
6 誤 記 帳	△ 165,000		
修正後残高	3,340,150	修正後残高	3,340,150

問題4−3 現金・預金(3)

解　答

（単位：円）

借 方 科 目	金　　額	貸 方 科 目	金　　額
当 座 預 金	40,000	買　　掛　　金	40,000
当 座 預 金	375,000	売　　　掛　　　金	375,000
支 払 手 数 料	4,500	当 座 預 金	4,500
当 座 預 金	277,000	売　　　掛　　　金	277,000

決算整理後の当座預金の金額 | 5,250,000 | 円

解答への道　（単位：円）

1 誤記帳（【資　料】6について）

(1) 適正な仕訳

（当座預金）	125,000	（売 掛 金）	125,000

(2) 当社の仕訳（誤処理）

（売 掛 金）	152,000	（当座預金）	152,000

(3) 修正仕訳（(1)−(2)）

（当座預金）	277,000	（売 掛 金）	277,000

2 決算整理後の当座預金の金額は、銀行勘定調整表の修正後残高と一致する。

当 座 預 金 a/c

修正前	(4,562,500)	5 支払手数料	4,500
3 買掛金	40,000		
4 売掛金	375,000	決算整理後	5,250,000
6 売掛金	277,000		

---

3 銀行勘定調整表

当社の帳簿残高※	(4,562,500)	銀行証明書残高	5,175,000
未渡小切手	+ 40,000	時間外預入	+ 300,000
振込未記帳	+ 375,000	未取付小切手	△ 225,000
誤 記 帳	+ 277,000		
引落未記帳	△ 4,500		
修正後残高	5,250,000	修正後残高	5,250,000

※ 当社の当座預金の帳簿残高：

残高証明書5,175,000−612,500＝4,562,500

または、貸借差額

問題4−4 現金・預金(4)

解　答

決算整理後残高試算表　（単位：千円）

現 金 預 金	2,540	支 払 手 形	480
支 払 利 息	810	買　　掛　　金	1,080
		未　　払　　金	130
		短 期 借 入 金	50,660

解答への道　（単位：千円）

1 決算整理前の当座預金の帳簿残高：前T/B1,850−現金50＝1,800（A銀行とB銀行の合計）

2 銀行勘定調整（銀行ごとに行う。）

B銀行の帳簿残高を求めてからA銀行の帳簿残高を求める。

（B銀行）　　　銀行勘定調整

差額→	帳簿残高	（△ 650）	証明書金額	△ 660
		△ 10		
	修正後	（△ 660） ←		△ 660

（A銀行）　　　銀行勘定調整

	帳簿残高※	(2,450)	証明書金額	2,470
差額→	(2)	（△ 40）	(1)	△ 20
	(4)	+ 80	(3)	+ 40
	修正後	(2,490) ←		2,490

※　　　　　　　　現金預金a/c

現金	50	B銀行（貸方残）	
A銀行			650
		前T/B 1,850	

差額→ (2,450)

3　B銀行に係る修正仕訳

(1) 引落未記帳

（支 払 利 息）　　10　（現 金 預 金）　　10

(2) 短期借入金への振替

（現 金 預 金）　660　（短期借入金）※　660

※　当座預金勘定残高が貸方残となる場合は、当座借越勘定で処理するが、当座借越は実質的に銀行からの短期借入金であるため、指示にしたがって短期借入金勘定に振り替える。

4　A銀行に係る修正仕訳

(1) 未取付小切手（仕訳不要）

(2) 引落未記帳

（支払手形）※　　　40　（現 金 預 金）　　40

※　上記2A銀行の銀行勘定調整より

(3) 時間外預入（仕訳不要）

(4) 未渡小切手

（現 金 預 金）　　80　（買 　掛 　金）　　50

　　　　　　　　　　　（未 　払 　金）※　　30

※　すでに発生した費用については「未払金」で処理する。

∴　決算整理後の現金預金：現金50＋修正後A銀行残高2,490＝2,540

問題4－5　現金・預金(5)

解答

決算整理後残高試算表（一部）（単位：千円）

現 金 預 金	(56,725)	買 掛 金	(35,200)
売 掛 金	(66,550)	**未 払 金**	(330)
営 業 費	(135,191)		
雑 損 失	(10)		

解答への道　（単位：千円）

1　当座預金

(1) 未取付小切手

（仕 訳 な し）

---

(2) 未渡小切手

（現 金 預 金）　2,530　（買 　掛 　金）　2,200

　　　　　　　　　　　　（未 　払 　金）　　330

(3) 時間外預入

（仕 訳 な し）

(4) 引落未記帳

（営 　業 　費）　　220　（現 金 預 金）　　220

(5) 振込未記帳

（現 金 預 金）　1,639　（売 　掛 　金）　1,650

（営 　業 　費）　　　11

(6) 銀行勘定調整表

勘 定 残 高	※ 52,696	残 高 証 明 書	56,315
(2)未渡小切手	＋2,530	(1)未取付小切手	△ 550
(4)引落未記帳	△ 220	(3)時間外預入	＋ 880
(5)振込未記帳	＋1,639		
修 正 後 残 高	56,645	修 正 後 残 高	56,645

※　差額

2　小口現金

(1) 3月使用分

（営 　業 　費）　　210　（現 金 預 金）　　210

(2) 原因不明分

（雑 　損 　失）　　10　（現 金 預 金）※　　10

※①　帳簿残高：前T/B現金預金52,996－当座預金52,696－3月使用210＝90

　②　実際80－帳簿90＝△10

問題4－6　現金・預金(6)

解答

決算整理後残高試算表 （単位：円）

現　　　金	(260,730)	支 払 手 形	(1,999,000)
当 座 預 金	(1,805,250)	買 掛 金	(7,223,000)
受 取 手 形	(3,420,000)		
売 掛 金	(8,710,000)		
通 信 費	(262,000)		
支 払 手 数 料	(23,400)		

解答への道 （単位：円）

(1) 甲社売掛金振込の修正

① 適正な仕訳

（当 座 預 金）※1 119,400 （売 掛 金）120,000
（支払手数料）※2 600

※1 当座勘定照合表より

※2 差額

② 当社が行った仕訳

（当 座 預 金）120,000 （売 掛 金）120,000

③ 修正仕訳（①－②）

（支払手数料）600 （当 座 預 金）600

(2) 現金引き出しの修正（小切手102）

① 適正な仕訳

（現 金）95,000 （当 座 預 金）※ 95,000

※ 当座勘定照合表より

② 当社が行った仕訳

（現 金）90,000 （当 座 預 金）※ 90,000

※ 当座預金出納帳より

③ 修正仕訳（①－②）

（現 金）5,000 （当 座 預 金）5,000

(3) 支払手形の修正（手形2111）

① 適正な仕訳

（支 払 手 形）156,000 （当 座 預 金）※ 156,000

※ 当座勘定照合表より

② 当社が行った仕訳

（支 払 手 形）165,000 （当 座 預 金）※ 165,000

※ 当座預金出納帳より

③ 修正仕訳（①－②）

（当 座 預 金）9,000 （支 払 手 形）9,000

(4) 買掛金の修正

① 未取付小切手（小切手103）

　帳簿上で記帳済みだが、照合表には記載されていないため、未取付小切手と判断する。

　⇨銀行側の調整

② 未渡小切手（小切手104）

　帳簿上で記帳済みだが、照合表には記載されていない。また、金庫の中に保管されていることから、未渡小切手と判断する。

（当 座 預 金）61,000 （買 掛 金）61,000

(5) 電話料金引落未記帳

　照合表には記載されているが、帳簿上では未記帳となっている。

（通 信 費）22,000 （当 座 預 金）※ 22,000

※ 当座勘定照合表より

(6) 乙社売掛金の振込未記帳

　照合表には記載されているが、帳簿上では未記帳となっている。

（当 座 預 金）※ 130,000 （売 掛 金）130,000

※ 当座勘定照合表より

(7) 銀行勘定調整表（参考）

銀行勘定調整表

当座預金出納帳	1,632,850	銀行勘定調整表	1,904,250
(1) 誤 記 帳	△600	(4) 未取付小切手	△99,000
(2) 誤 記 帳	△5,000		
(3) 誤 記 帳	+9,000		
(4) 未渡小切手	+61,000		
(5) 未 記 帳	△22,000		
(6) 未 記 帳	+130,000		
修正後残高	1,805,250	修 正 後 残 高	1,805,250

問題4－7 現金・預金(7)

解答

決算整理後残高試算表 （単位：円）

現 金 預 金	(133,358,632)
受 取 手 形	(106,950,000)
売 掛 金	(162,220,000)
貯 蔵 品	(60,000)
営 業 費	(404,132,670)
雑 損 失	(198,000)

解答への道 （単位：円）

1 現金及び預金

(1) 未預入

（現 金 預 金）1,000,000 （現 金 預 金）1,000,000
〈現 金〉 〈当 座 預 金〉

(2) 未取付小切手 ⇨ 仕訳不要(銀行側減算調整)

(3) 振込未記帳

（現 金 預 金）3,700,000 （売 掛 金）3,700,000
〈当 座 預 金〉

(4) 未取立小切手 ⇨ 仕訳不要（銀行側加算調整）

(5) 手形の取立依頼

① 適正な仕訳 ⇨ 仕訳不要（受取手形の減額処理は
入金時に行う。）

② 当社が行った仕訳

（現 金 預 金） 3,000,000 （受 取 手 形） 3,000,000

③ 修正仕訳（①－②）

（受 取 手 形） 3,000,000 （現 金 預 金） 3,000,000
〈当 座 預 金〉

(6) 営業費の支払

（営 業 費） 1,360,000 （現 金 預 金） 1,360,000
〈現 金〉

(7) 収入印紙

（営 業 費） 50,000 （貯 蔵 品） 50,000

（貯 蔵 品） 60,000 （営 業 費） 60,000

(8) 現金過不足

（雑 損 失） 78,000 （現 金 預 金）※ 78,000
〈現 金〉

※① 実際有高：4,058,000

② 帳簿残高：前T/B4,496,000＋1,000,000－
1,360,000＝4,136,000

③ ①－②＝△78,000

－242－

問題5－1　手形(1)

解　答

(単位：円)

		借方科目	金　額	貸方科目	金　額
(1)	①	買　掛　金	1,800	支 払 手 形	1,800
	②	受 取 手 形	1,800	売　掛　金	1,800
(2)	①	買　掛　金	1,000	売　掛　金	1,000
	②	受 取 手 形	1,000	売　掛　金	1,000
	③	買　掛　金	1,000	支 払 手 形	1,000
(3)	①	受 取 手 形	50,000	売　　　上	50,000
	②	仕　　　入	50,000	受 取 手 形	50,000
(4)		当 座 預 金	65,400	受 取 手 形	70,000
		手 形 売 却 損	4,600		
(5)	①	現　　　金	80,000	売　　　上	200,000
		受 取 手 形	120,000		
	②	備　　　品	200,000	当 座 預 金	80,000
				営業外支払手形	120,000

解答への道

1　約束手形

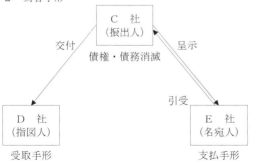

2　為替手形

3　裏書譲渡

① 受取手形／○○○○
②受取手形／売　　　上　② 仕　　入／受取手形

4　割引

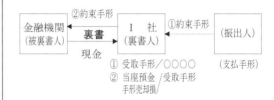

① 受取手形／○○○○
② 当座預金 ／受取手形
　手形売却損／

5　営業取引・営業外取引

J社：売上取引

　　J社にとってはパソコンの販売は商品売買取引であるため、売上取引となる。

　　他人振出の小切手を受け取った場合は、「現金」で処理する。

　　売上取引として受け取った約束手形は、「受取手形」で処理する。

K社：備品の購入取引

　　小切手の振出は、当座預金勘定の減額処理となる。

　　備品の購入は仕入取引ではないため、手形を振り出した場合、「営業外支払手形」

　　（固定資産購入支払手形、備品購入支払手形でも可）で処理する。

問題5−2 手形(2)

解 答

(単位：千円)

	借方科目	金　額	貸方科目	金　額
(1)	受 取 手 形	1,000	売 掛 金	1,000
(2)	仕 訳 不 要			
(3)	受 取 手 形	1,500	売 掛 金	1,500
(4)	受 取 手 形	2,000	売 掛 金	2,000
(5)	買 掛 金	2,500	支 払 手 形	2,500
(6)	支 払 手 形	3,000	売 掛 金	3,000
(7)	買 掛 金	3,500	売 掛 金	3,500
(8)	受 取 手 形	4,000	売 上	4,000
(9)	買 掛 金	4,500	支 払 手 形	4,500
(10)	買 掛 金	5,000	支 払 手 形	5,000

解答への道

(1) 約束手形の受領

(2) 取立依頼時は仕訳なし（取立完了時に仕訳する。）

(3) 約束手形の裏書譲受（当社が手形債権者となる。）

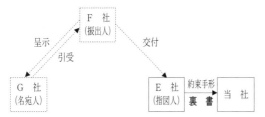

(4) 為替手形の裏書譲受（当社が手形債権者となる。）

(5) 約束手形の振出

(6) 自己振出約束手形の受領（手形債務の消滅）

(7) 他人宛為替手形の振出

(8) 自己指図為替手形の振出（約束手形の受領と同じ。）

(9) 自己宛為替手形の振出（約束手形の振出と同じ。）

(10) 為替手形の引受

問題6-1　貸倒引当金(1)

解 答

決算整理後残高試算表（一部）　（単位：千円）

受 取 手 形	(305,000)	貸倒引当金	(84,970)
売 掛 金	(482,000)		
破産更生債権等	(70,000)		
貸倒引当金繰入	(78,770)		

解答への道　（単位：千円）

1　貸倒懸念債権

(貸倒引当金繰入)※　17,500　(貸倒引当金)　17,500

※　(受手10,000＋売掛30,000－担保5,000)×50%
　＝17,500

2　破産更生債権等

(1) 振替処理

(破産更生債権等)　70,000　(受 取 手 形)　20,000
　　　　　　　　　　　　　(売 掛 金)　50,000

(2) 貸倒引当金の計上

(貸倒引当金繰入)※　60,000　(貸倒引当金)　60,000

※　(70,000－担保10,000)×100%＝60,000

(3) 一般債権

(貸倒引当金繰入)※　1,270　(貸倒引当金)　1,270

※　{受手(325,000－20,000)＋売掛(532,000
　－50,000)－懸念(10,000＋30,000)}×1%
　＝7,470
　　7,470－前T/B貸引6,200＝1,270

問題6-2　貸倒引当金(2)

解 答

決算整理後残高試算表（一部）　（単位：千円）

借 方 科 目	金 額	貸 方 科 目	金 額
受 取 手 形	980,000	貸 倒 引 当 金	649,550
売 掛 金	2,340,000		
破産更生債権等	430,000		
貸倒引当金繰入額	556,550		
貸 倒 損 失	75,000		

解答への道　（単位：千円）

1　A社に対する債権

(貸倒引当金)※1　75,000　(受 取 手 形)　50,000
(貸 倒 損 失)※2　75,000　(売 掛 金)　100,000

※1　(50,000＋100,000)×50%＝75,000

※2　差額

2　貸倒引当金の設定

(1) 貸倒懸念債権（C社債権）

(貸倒引当金繰入額)※　175,000　(貸倒引当金)　175,000

※　(100,000＋250,000)×50%＝175,000

(2) 破産更生債権等（D社債権）

① 破産更生債権等への振替処理

(破産更生債権等)　430,000　(受 取 手 形)　130,000
　　　　　　　　　　　　　　(売 掛 金)　300,000

② 貸倒引当金の設定

(貸倒引当金繰入額)※　430,000　(貸倒引当金)　430,000

※　(130,000＋300,000)×100%＝430,000

(3) 一般債権（B社債権及びE社債権）

(貸倒引当金)　48,450　(貸倒引当金繰入額)※　48,450

※　{B社(220,000＋550,000)＋E社(660,000＋
　1,540,000)}×1.5%＝44,550
　　44,550－(前T/B168,000－貸倒75,000)
　＝△48,450

(注) 差額補充法であるため、貸倒引当金繰入額で
　　処理している。

問題6-3 不渡手形

解答

問1

(単位：千円)

	借方科目	金 額	貸方科目	金 額
(1)	不 渡 手 形	100,000	受 取 手 形	100,000
(2)	不 渡 手 形	200,000	当 座 預 金	200,000

問2

決算整理後残高試算表 (単位：千円)

受 取 手 形	112,000	支 払 手 形	72,000
売 掛 金	315,000	貸倒引当金	11,540
破産更生債権等	3,000		
貸倒引当金繰入	6,040		

解答への道 (単位：千円)

問1

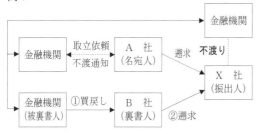

(1) 手持ちの手形が不渡りとなった場合、振出人（または裏書人）に償還請求（遡求）を行い、「受取手形」から「不渡手形」に振り替える。

(2) 割引手形が不渡りとなった場合、

① 銀行から手形を当座預金による決済で買い戻し、支出額をもって「不渡手形」を計上する。

② B社は手形の振出人であるX社に対して手形代金の償還請求（遡求）を行う。

問2

1 不渡り

(破産更生債権等)※ 3,000 (仮 払 金) 3,000

2 自己振出約束手形の受取

(支 払 手 形) 8,000 (受 取 手 形) 8,000

3 貸倒引当金

(1) 一般債権

(貸倒引当金繰入)※ 3,040 (貸倒引当金) 3,040

※ ｛受取手形(前T/B120,000－8,000)＋売掛金315,000｝×2％－前T/B5,500＝3,040

(2) 破産更生債権等

(貸倒引当金繰入)※ 3,000 (貸倒引当金) 3,000

※ 3,000×100％＝3,000

問題6-4 保証債務

解答

決算整理前残高試算表 (単位：千円)

受 取 手 形	69,600	貸倒引当金	680
売 掛 金	84,400	売 上	850,000
貸 倒 損 失	300	保証債務取崩益	760
手形売却損	1,000	貸倒引当金戻入	760
保証債務費用	760		

解答への道 (単位：千円)

1 売上取引

(売 掛 金) 620,000 (売 上) 850,000

(受 取 手 形)※1 182,000

(支 払 手 形)※2 48,000

※1 他社振出の約束手形

※2 自己振出の約束手形

2 手形の割引

(1) 割引

(当 座 預 金) 19,000 (受 取 手 形) 20,000

(手形売却損) 1,000

(2) 保証債務

(保証債務費用) 400 (保 証 債 務)※ 400

※ 手形額面20,000×2％＝400

(3) 貸倒引当金の取崩し

(貸倒引当金)※ 400 (貸倒引当金戻入) 400

※ 手形額面20,000×2％＝400

3 売掛金の貸倒れ

(貸倒引当金)※1 1,600 (売 掛 金) 1,900

(貸 倒 損 失)※2 300

※1 前期計上分

※2 当期計上分

4 為替手形の振出

（買　掛　金）	28,500	（売　掛　金）	28,500

5 手形の裏書

(1) 裏書

（買　掛　金）	18,000	（受取手形）	18,000

(2) 保証債務

（保証債務費用）	360	（保証債務）※	360

※　手形額面18,000× 2 ％＝360

(3) 貸倒引当金の取崩し

（貸倒引当金）※	360	（貸倒引当金戻入）	360

※　手形額面18,000× 2 ％＝360

6 売掛金の回収

（当 座 預 金）	418,200	（売　掛　金）	588,200
（受 取 手 形）	170,000		

7 手形の取立

（当 座 預 金）	313,400	（受 取 手 形）	313,400

8 割引手形及び裏書手形の満期日による保証債務の取崩し

（保 証 債 務）※	760	（保証債務取崩益）	760

※　割引分400＋裏書分360＝760

9 勘定分析

貸倒引当金

売掛金	1,600	期首	3,040
戻入　割引	400		
裏書	360		
前T/B	680		

保 証 債 務

取崩益　割引	400	割引	400
裏書	360	裏書	360

売 掛 金

期首	83,000	貸倒　前期分	1,600
売上	620,000	当期分	300
		買掛金	28,500
		回収	
		当預	418,200
		受手	170,000
		前T/B	84,400

受 取 手 形

期首	69,000	割引	20,000
売上	182,000	裏書	18,000
		取立	313,400
売掛金	170,000		
		前T/B	69,600

第6章 貸倒引当金

問題6－5　貸倒引当金(3)

解　答

決算整理後残高試算表　（単位：千円）

受 取 手 形	40,300	貸倒引当金	15,178
売　掛　金	114,000	預り営業保証金	2,500
破産更生債権等	12,000		
貸 倒 損 失	1,500		
貸倒引当金繰入	13,378		

解答への道　（単位：千円）

1 貸倒損失の修正

(1) 適正な仕訳

（貸倒引当金）※1	1,000	（売　掛　金）	2,500
（貸 倒 損 失）※2	1,500		

※ 1 　前期発生分

※ 2 　当期発生分

(2) 甲社の仕訳（誤処理）

（貸 倒 損 失）	2,500	（売　掛　金）	2,500

(3) 修正仕訳（(1)－(2)）

（貸倒引当金）	1,000	（貸 倒 損 失）	1,000

2 破産更生債権等（Y社）

（破産更生債権等）	12,000	（受 取 手 形）※1		3,900
		（売 掛 金）		3,300
		（仮 払 金）※2		4,800

※1　Y社振出手形

※2　割引手形の買戻し

(注) 第三者振出手形とは、甲社及びY社以外の第三者が振出した手形をいい、Y社からの裏書手形は、Y社の倒産にかかわらず、振出人である第三者から回収できるため、破産更生債権等に振り替える必要はない。

3 貸倒引当金

(1) 一般債権

（貸倒引当金繰入）※　1,178　（貸倒引当金）　1,178

※①　設定額

受取手形｛(44,200－破産3,900)＋売掛金(117,300－破産3,300)－懸念5,400｝×2％＝2,978

②　繰入額

2,978－前T/B(2,800－上記(1)1,000)＝1,178

(2) 貸倒懸念債権

（貸倒引当金繰入）※　2,700　（貸倒引当金）　2,700

※　5,400×50％＝2,700

(3) 破産更生債権等

（貸倒引当金繰入）※　9,500　（貸倒引当金）　9,500

※　12,000－保証2,500＝9,500

問題6－6　貸倒引当金(4)

解　答

乙社の残高試算表（一部）（単位：千円）

借　　　　方		貸　　　　方	
科　　　目	金　額	科　　　目	金　額
売　掛　金	249,582	貸 倒 引 当 金	5,636
繰延税金資産	763	売　　上	2,752,333
貸倒引当金繰入額	1,697	法人税等調整額	763

解答への道　（単位：千円）

1 売掛金

(1) 誤記帳

（売　　上）　756　（売 掛 金）※　756

※　3,045－2,289＝756

(2) 貸倒れ

（貸倒引当金）　861　（売 掛 金）　861

2 貸倒引当金

(1) 貸倒引当金の設定

（貸倒引当金繰入額）　1,697　（貸倒引当金）※　1,697

※①　当期末設定額

(a) 破産更生債権等

926－206＝720

(b) 一般債権

受取手形：297,669

売 掛 金：251,199－756－861｝合計546,325

－破産926＝248,656

∴　546,325×0.9％＝4,916（千円未満切捨）

(c) (a)＋(b)＝5,636

②　繰入額

5,636－(4,800－861)＝1,697

(注)　売掛債権は、売上債権と同義である。売掛金のみではなく、受取手形も含まれるので留意されたい。

(2) 税効果会計

（繰延税金資産）※　763　（法人税等調整額）　763

※　会計上：5,636

税務上：一般分546,325×0.5％＋破産分720×50％＝3,091（千円未満切捨）

∴　(5,636－3,091)×30％＝763（千円未満切捨）

問題6－7　貸倒引当金(5)

解　答

決算整理後残高試算表（一部）（単位：円）

借 方 科 目	金　額	貸 方 科 目	金　額
受 取 手 形	8,620,000	貸 倒 引 当 金	1,146,000
売　掛　金	14,380,000		
破産更生債権等	500,000		
貸倒引当金繰入額	1,118,280		

解答への道　（単位：円）

1 破産更生債権等への振替処理

（破産更生債権等）	500,000	（受 取 手 形）	200,000
		（売 掛 金）	300,000

2 貸倒引当金の設定

（貸倒引当金繰入額)※ 1,118,280 （貸倒引当金) 1,118,280

※(1) 破産更生債権等：(200,000＋300,000
  －担保100,000)×100％＝400,000

(2) 貸倒懸念債権：(250,000＋750,000
  －担保300,000)×50％＝350,000

(3) 一般債権：

① 貸倒実績率：$(\dfrac{367,500}{21,000,000}＋\dfrac{358,900}{18,500,000}$
  $＋\dfrac{338,580}{19,800,000})÷3$年＝0.018 (1.8％)

② 貸倒引当金設定額：(受手8,620,000
  ＋売掛14,380,000－懸念1,000,000)
  ×0.018＝396,000

(4) 繰入額：(400,000＋350,000＋396,000)
  －前T/B27,720＝1,118,280

問題6－8 キャッシュ・フロー見積法(1)

解答

問1

① x4年3月31日の仕訳 （単位：千円)

借方科目	金額	貸方科目	金額
貸倒引当金	1,296	受取利息	1,296

② x5年3月31日の仕訳 （単位：千円)

借方科目	金額	貸方科目	金額
貸倒引当金	1,361	受取利息	1,361

問2

① x4年3月31日の仕訳 （単位：千円)

借方科目	金額	貸方科目	金額
現金預金	300	受取利息	1,337
貸倒引当金	1,037		

② x5年3月31日の仕訳 （単位：千円)

借方科目	金額	貸方科目	金額
現金預金	300	受取利息	1,388
貸倒引当金	1,088		

解答への道 （単位：千円)

問1

1 x3年3月31日（決算整理仕訳)

（貸倒引当金繰入額) 4,085 （貸倒引当金)※ 4,085

※ $30,000－30,000÷1.05^3＝4,085$（千円未満四捨五入)

2 x4年3月31日

（貸倒引当金) 1,296 （受取利息)※ 1,296

※ $(30,000－4,085)×5％＝1,296$（千円未満四捨五入)

3 x5年3月31日

（貸倒引当金) 1,361 （受取利息)※ 1,361

※ ｛$30,000－(4,085－1,296)$｝×5％＝1,361（千円未満四捨五入)

問2

1 x3年3月31日（決算整理仕訳)

（貸倒引当金繰入額) 3,268 （貸倒引当金)※ 3,268

※(1) 現在価値：$300÷1.05＋300÷1.05^2＋(300＋30,000)÷1.05^3＝26,732$（千円未満四捨五入)

(2) $30,000－26,732＝3,268$

2 x4年3月31日

（現金預金)※2 300 （受取利息)※1 1,337
（貸倒引当金)※3 1,037

※1 $(30,000－3,268)×5％＝1,337$（千円未満四捨五入)

※2 $30,000×1％＝300$

※3 差額

3 x5年3月31日

（現金預金)※2 300 （受取利息)※1 1,388
（貸倒引当金)※3 1,088

※1 ｛$30,000－(3,268－1,037)$｝×5％＝1,388（千円未満四捨五入)

※2 $30,000×1％＝300$

※3 差額

解 答

1 代案1の場合　　　　　　　　　　　　　　　　　　　　　　　　　　　　　　　　　　　（単位：円）

x3年3月31日						
(借)	現 金 預 金	5,000,000	(貸)	受 取 利 息	5,000,000
(借)	貸倒引当金繰入	8,169,744	(貸)	貸 倒 引 当 金	8,169,744

x4年3月31日						
(借)	現 金 預 金	2,000,000	(貸)	受 取 利 息	4,591,513
	貸 倒 引 当 金	2,591,513			

x5年3月31日						
(借)	現 金 預 金	2,000,000	(貸)	受 取 利 息	4,721,088
	貸 倒 引 当 金	2,721,088			

x6年3月31日						
(借)	現 金 預 金	2,000,000	(貸)	受 取 利 息	4,857,143
	貸 倒 引 当 金	2,857,143			
(借)	現 金 預 金	100,000,000	(貸)	貸 付 金	100,000,000

2 代案2の場合　　　　　　　　　　　　　　　　　　　　　　　　　　　　　　　　　　　（単位：円）

x3年3月31日						
(借)	現 金 預 金	5,000,000	(貸)	受 取 利 息	5,000,000
(借)	貸倒引当金繰入	5,623,583	(貸)	貸 倒 引 当 金	5,623,583

x4年3月31日						
(借)	現 金 預 金	1,000,000	(貸)	受 取 利 息	4,718,821
	貸 倒 引 当 金	3,718,821			
(借)	現 金 預 金	50,000,000	(貸)	貸 付 金	50,000,000

x5年3月31日						
(借)	現 金 預 金	500,000	(貸)	受 取 利 息	2,404,762
	貸 倒 引 当 金	1,904,762			
(借)	現 金 預 金	50,000,000	(貸)	貸 付 金	50,000,000

解答への道　（単位：円）

1 代案1

(1) x3年3月31日

(現 金 預 金) 5,000,000　(受 取 利 息) 5,000,000
(貸倒引当金繰入)※ 8,169,744　(貸倒引当金) 8,169,744

※① 将来キャッシュ・フロー

x4年3月31日　100,000,000×2％
　　　　　　　＝2,000,000

x5年3月31日　100,000,000×2％
　　　　　　　＝2,000,000

x6年3月31日　100,000,000×2％
　　　　　　　＋100,000,000＝102,000,000

② 現在価値

2,000,000×0.95238095＋2,000,000
×0.90702948＋102,000,000×0.86383760
＝91,830,256（円未満四捨五入）

③ 貸倒引当金設定額

100,000,000－91,830,256＝8,169,744

(2) x4年3月31日

(現 金 預 金)※2 2,000,000　(受 取 利 息)※1 4,591,513
(貸倒引当金)※3 2,591,513

※1　(100,000,000－8,169,744)×5％
　　　＝4,591,513（円未満四捨五入）

※2　100,000,000×2％＝2,000,000

※3　差額

-250-

(3) ｘ５年３月31日

(現 金 預 金)※2 2,000,000　(受 取 利 息)※1 4,721,088

(貸倒引当金)※3 2,721,088

　※１　｛100,000,000－(8,169,744－2,591,513)｝

　　　　×５％＝4,721,088（円未満四捨五入）

　※２　100,000,000×２％＝2,000,000

　※３　差額

(4) ｘ６年３月31日

(現 金 預 金)※1　2,000,000　(受 取 利 息)※3　4,857,143

(貸倒引当金)※2　2,857,143

(現 金 預 金)　100,000,000　(貸 付 金)　100,000,000

　※１　100,000,000×２％＝2,000,000

　※２　8,169,744－2,591,513－2,721,088

　　　　＝2,857,143

　※３　借方合計

２　代案２

(1) ｘ３年３月31日

(現 金 預 金)　5,000,000　(受 取 利 息)　5,000,000

(貸倒引当金繰入)※　5,623,583　(貸倒引当金)　5,623,583

　※①　将来キャッシュ・フロー

　　　　　　ｘ４年３月31日　100,000,000×１％

　　　　　　　　　　　　　＋50,000,000＝51,000,000

　　　　　　ｘ５年３月31日　50,000,000×１％

　　　　　　　　　　　　　＋50,000,000＝50,500,000

　　②　現在価値

　　　　51,000,000×0.95238095＋50,500,000

　　　　×0.90702948＝94,376,417（円未満四捨五入）

　　③　貸倒引当金設定額

　　　　100,000,000－94,376,417＝5,623,583

(2) ｘ４年３月31日

(現 金 預 金)※2 1,000,000　(受 取 利 息)※1 4,718,821

(貸倒引当金)※3 3,718,821

(現 金 預 金)　50,000,000　(貸 付 金)　50,000,000

　※１　(100,000,000－5,623,583)×５％

　　　　＝4,718,821（円未満四捨五入）

　※２　100,000,000×１％＝1,000,000

　※３　差額　又は【解答欄】より

(3) ｘ５年３月31日

(現 金 預 金)※1　500,000　(受 取 利 息)※3　2,404,762

(貸倒引当金)※2　1,904,762

(現 金 預 金)　50,000,000　(貸 付 金)　50,000,000

　※１　50,000,000×１％＝500,000

　※２　5,623,583－3,718,821＝1,904,762

　※３　借方合計

第 7 章　　人　件　費　　重要度　A

問題7-1　人件費(1)

解答

決算整理後残高試算表（一部）（単位：千円）

給 与 手 当	（338,550）	預 り 金	（ 1,350）
法定福利費	（ 28,430）	未 払 費 用	（ 2,300）

解答への道　（単位：千円）

1　3月分給与の修正

（給 与 手 当）　3,550　（預　り　金）※　3,550

※　源泉1,350＋社保2,200＝3,550

2　源泉所得税等及び社会保険料納付額の修正

（預　り　金）※　3,420　（法定福利費）　3,420

※　源泉1,220＋社保（4,400－2,200）＝3,420

3　社会保険料（事業主負担額）の見越計上

（法定福利費）　2,300　（未 払 費 用）　2,300

問題7-2　人件費(2)

解答

決算整理後残高試算表（一部）（単位：千円）

給 与 手 当	（534,160）	預 り 金	（ 5,800）
法定福利費	（ 41,170）	未 払 費 用	（ 3,300）

解答への道　（単位：千円）

1　3月分給与の修正

（給 与 手 当）　5,800　（預　り　金）※　5,800

※　源泉2,500＋社保3,300＝5,800

2　源泉所得税等及び社会保険料納付額の修正

（預　り　金）※　5,350　（法定福利費）　5,350

※　源泉2,250＋社保6,200×50％＝5,350

3　社会保険料（事業主負担額）の見越計上

（法定福利費）　3,300　（未 払 費 用）　3,300

問題7-3　人件費(3)

解答

（単位：千円）

借 方 科 目	金 額	貸 方 科 目	金 額
賞与引当金繰入	84,000	賞 与 引 当 金	84,000
法 定 福 利 費	8,400	未 払 費 用	8,400

解答への道　（単位：千円）

賞与引当金：支給見込額$100,800 \times \dfrac{5月}{6月} = 84,000$

　（注）支給対象期間が11月～4月であることに留意する。

未払費用：賞与引当金84,000×10％＝8,400

問題7-4　人件費(4)

解答

決算整理後残高試算表（一部）（単位：千円）

人 件 費	（704,640）	預 り 金	（ 4,200）
法定福利費	（ 28,700）	未 払 費 用	（ 9,100）
		賞 与 引 当 金	（ 68,000）

解答への道　（単位：千円）

1　給与

(1)　当期に支給した給与に係る源泉所得税等の修正

（人 件 費）　43,800　（預　り　金）　43,800

(2)　当期に納付した源泉所得税等の修正

（預　り　金）※　43,400　（人 件 費）　43,400

※　3,800＋43,800－4,200＝43,400

2　社会保険料

(1)　期首再振替仕訳

（未 払 費 用）　2,200　（法定福利費）　2,200

(2)　当期に支給した給与に係る修正

（人 件 費）　28,400　（預　り　金）※　28,400

※　56,800×50％＝28,400

(3) 当期に納付した社会保険料の修正

(預　り　金)※　　28,400　(法定福利費)　　28,400

　※　56,800×50%＝28,400

(4) 見越計上

(法定福利費)　　2,300　(未 払 費 用)　　2,300

3　賞与

(1) 期首再振替仕訳

(未 払 費 用)　　6,600　(法定福利費)　　6,600

(2) 賞与引当金の取崩

(賞与引当金)　　66,000　(人　件　費)　　66,000

(3) 賞与引当金の繰入

(人　件　費)　　68,000　(賞与引当金)※　　68,000

　※　$102,000 \times \dfrac{4 \text{月}}{6 \text{月}} = 68,000$

(4) 賞与引当金に対する法定福利費の見越計上

(法定福利費)※　　6,800　(未 払 費 用)　　6,800

　※　68,000×10%＝6,800

第 8 章	有形固定資産・無形固定資産	重 要 度	A

問題8−1 有形固定資産(1)

解 答

決算整理後残高試算表 （単位：千円）

建 物	300,000	建物減価償却累計額	(69,375)
車 両	25,000	車両減価償却累計額	(17,800)
備 品	18,900	備品減価償却累計額	(13,500)
減価償却費	(15,275)		

解答への道 （単位：千円）

1 建物

(1) 前T/B建物減価償却累計額：$250,000 \times 0.025 \times 10$ 年＝62,500

(2) 減価償却

(減価償却費)※ 6,875 （建物減価償却累計額） 6,875

※(1) 前期以前取得分：$250,000 \times 0.025 = 6,250$

(2) 当期取得分：$50,000 \times 0.025 \times \dfrac{6月}{12月} = 625$

(3) (1)＋(2)＝6,875

2 車両

(1) 前T/B車両減価償却累計額

① 1年目（X10年3月31日）：$25,000 \times 0.400 \times \dfrac{6月}{12月} = 5,000$

② 2年目（X11年3月31日）：$(25,000 - 5,000) \times 0.400 = 8,000$

③ ①＋②＝13,000

(2) 減価償却

(減価償却費)※ 4,800 （車両減価償却累計額） 4,800

※ $(25,000 - 13,000) \times 0.400 = 4,800$

3 備品

(1) 前T/B備品減価償却累計額

$18,900 \times \dfrac{11}{21} = 9,900$

(2) 減価償却

(減価償却費)※ 3,600 （備品減価償却累計額） 3,600

※ $18,900 \times \dfrac{4}{21} = 3,600$

問題8−2 有形固定資産(2)

解 答

決算整理後残高試算表 （一部） （単位：千円）

建 物	(169,178)
土 地	(136,000)
減価償却費	(1,197)
建物取壊損	(60,125)

解答への道 （単位：千円）

1 前T/B建物（旧社用ビルの期首帳簿価額）

$100,000 - 100,000 \times 0.9 \times 0.025 \times 22年 = 50,500$

2 建物（旧社用ビル）の取壊し

(減価償却費)※1	375	（建 物）	50,500
(建物取壊損)※2	60,125	（仮 払 金）	10,000

※1 $100,000 \times 0.9 \times 0.025 \times \dfrac{2月}{12月} = 375$

※2 差額

3 建物（新社用ビル）の取得

（建 物）	120,000	（仮 払 金）	120,000

4 建物付土地の取得及び商品倉庫の建設

（建 物）※1	50,000	（仮 払 金）	136,000
（土 地）※2	86,000		

※1 倉庫建設費用

※2 建物付土地80,000＋取壊費用5,000 ＋整地費用1,000＝86,000

5 決算整理（減価償却費の計上）

(1) 新社用ビル

(減価償却費)※	680	（建 物）	680

※ $120,000 \times 0.034 \times \dfrac{2月}{12月} = 680$

(2) 商品倉庫

(減価償却費)※	142	（建 物）	142

※ $50,000 \times 0.034 \times \dfrac{1月}{12月} = 142$ （千円未満四捨五入）

問題8-3　有形固定資産(3)

解答

決算整理後残高試算表（一部）（単位：千円）

建　　物	(250,000)	建物減価償却累計額	(140,625)
車　　両	(20,000)	車両減価償却累計額	(15,680)
備　　品	(25,000)	備品減価償却累計額	(12,500)
減価償却費	(11,630)		

解答への道　（単位：千円）

1　建物

(1) 取得価額（前T/B建物）の推定

$$\chi \times 0.9 \times \frac{24年}{40年} = 135,000$$
$$0.54\chi = 135,000$$
$$\chi = 250,000$$

(2) 減価償却費の計上

（減価償却費）※　5,625　（建物減価償却累計額）　5,625

※　$250,000 \times 0.9 \times \dfrac{1年}{40年} = 5,625$

2　車両

(1) 取得価額（前T/B車両）の推定

$$\chi - \chi \times (1 - 0.400)^{2年} = 12,800$$
$$0.64\chi = 12,800$$
$$\chi = 20,000$$

(2) 減価償却費の計上

（減価償却費）※　2,880　（車両減価償却累計額）　2,880

※　$(20,000 - 12,800) \times 0.400 = 2,880$

3　備品

(1) 取得価額（前T/B備品）の推定

$$\chi \times \frac{3年}{8年} = 9,375$$
$$0.375\chi = 9,375$$
$$\chi = 25,000$$

(2) 減価償却費の計上

（減価償却費）※　3,125　（備品減価償却累計額）　3,125

※　$25,000 \times \dfrac{1年}{8年} = 3,125$

問題8-4　有形固定資産(4)

解答

決算整理後残高試算表（一部）（単位：千円）

建　　物	(200,000)	建物減価償却累計額	(102,375)
車　　両	(18,000)	車両減価償却累計額	(12,168)
備　　品	(30,000)	備品減価償却累計額	(13,125)
減価償却費	(12,138)		

解答への道　（単位：千円）

1　建物

(1) 間接控除法への変更

（建　　物）　97,875　（建物減価償却累計額）※　97,875

※① 取得価額の推定：$\chi - \chi \times 0.9 \times \dfrac{261月}{480月} = 102,125$
$$0.510625\chi = 102,125$$
$$\chi = 200,000$$

② 期首減価償却累計額：$200,000 - 102,125 = 97,875$

(2) 減価償却費の計上

（減価償却費）※　4,500　（建物減価償却累計額）　4,500

※　$200,000 \times 0.9 \times \dfrac{1年}{40年} = 4,500$

2　車両

(1) 間接控除法への変更

（車　　両）　8,280　（車両減価償却累計額）※　8,280

※① 取得価額の推定

1年目：$\chi \times 0.400 \times \dfrac{3月}{12月} = 0.1\chi$

2年目：$(\chi - 0.1\chi) \times 0.400 = 0.36\chi$
$$\chi - (0.1\chi + 0.36\chi) = 9,720$$
$$0.54\chi = 9,720$$
$$\chi = 18,000$$

② 期首減価償却累計額：$18,000 - 9,720 = 8,280$

(2) 減価償却費の計上

（減価償却費）※　3,888　（車両減価償却累計額）　3,888

※　$(18,000 - 8,280) \times 0.400 = 3,888$

3　備品

(1) 間接控除法への変更

（備　　品）　9,375　（備品減価償却累計額）※　9,375

※① 取得価額の推定：$\chi - \chi \times \dfrac{30月}{96月} = 20,625$
$$0.6875\chi = 20,625$$
$$\chi = 30,000$$

② 期首減価償却累計額：$30,000 - 20,625 = 9,375$

(2) 減価償却費の計上

(減価償却費)※　　3,750　（備品減価償却累計額）　　3,750

※　$30,000 \times \dfrac{1 \text{年}}{8 \text{年}} = 3,750$

問題8-5 有形固定資産(5)

解答

決算整理後残高試算表　（単位：千円）

建　　物	200,000	建物減価償却累計額	(117,000)
車　　両	(32,200)	車両減価償却累計額	(19,660)
備　　品	20,000	備品減価償却累計額	(11,000)
減価償却費	(13,640)		
車両売却損	(520)		

解答への道　（単位：千円）

1　建物

(減価償却費)※　　4,500　（建物減価償却累計額）　　4,500

※　$200,000 \times 0.9 \times 0.025 = 4,500$

2　車両

(1) 車両A及び車両C

① 買換

(車両減価償却累計額)※1　3,200　（車　　両）　5,000

(減価償却費)※2　　480　（仮　払　金）　6,400

(車両売却損)※3　　520

(車　　両)※4　7,200

※1　(a)　$5,000 \times 0.400 = 2,000$

(b)　$(5,000 - 2,000) \times 0.400 = 1,200$

(c)　(a) + (b) = 3,200

※2　$(5,000 - 3,200) \times 0.400 \times \dfrac{8 \text{月}}{12 \text{月}} = 480$

※3　適正評価額800－帳簿価額$(5,000 - 3,200 - 480) = \triangle 520$

※4　定価7,400－（下取価額1,000－適正評価額800）= 7,200

② 減価償却（車両C）

(減価償却費)※　　960　（車両減価償却累計額）　　960

※　$7,200 \times 0.400 \times \dfrac{4 \text{月}}{12 \text{月}} = 960$

(2) 車両B

(減価償却費)※　　4,200　（車両減価償却累計額）　　4,200

※　$\{(30,000 - 5,000) - (17,700 - 3,200)\} \times 0.400 = 4,200$

3　備品

(1) 備品A

(減価償却費)※　　2,000　（備品減価償却累計額）　　2,000

※　① 期首減価償却累計額：$8,000 \times 0.125 \times 4 \text{年} = 4,000$

② $(8,000 - 4,000) \times 0.500 = 2,000$

(2) 備品B

(減価償却費)※　　1,500　（備品減価償却累計額）　　1,500

※　$(20,000 - 8,000) \times 0.125 = 1,500$

問題8-6 有形固定資産(6)

解答

決算整理後残高試算表　（単位：千円）

未　収　金	30,000	減価償却累計額	28,185
建　　物	52,000	車両運搬具売却益	251
構　築　物	8,000		
車両運搬具	5,500		
修　繕　費	3,000		
減価償却費	4,352		
火　災　損失	16,100		

解答への道　（単位：千円）

1　建物A

(減価償却累計額)※1　32,400　（建　　物）　80,000

(減価償却費)※2　1,500

(未　収　金)　30,000

(火　災　損）※3　16,100

※1　$80,000 - 47,600 = 32,400$

※2　$80,000 \times 0.9 \times \dfrac{1 \text{年}}{40 \text{年}} \times \dfrac{10 \text{月}}{12 \text{月}} = 1,500$

※3　差額

2　建物B

(1) 改修

① 適正な仕訳

(修　繕　費)※1　3,000　（現金預金）　5,000

(建　　物)※2　2,000

※1　$5,000 \times \dfrac{15 \text{年}}{25 \text{年}} = 3,000$

※2　$5,000 \times \dfrac{10 \text{年}}{25 \text{年}} = 2,000$

② 当社の処理

| (建 物) | 5,000 | (現 金 預 金) | 5,000 |

③ 修正仕訳（①－②）

| (修 繕 費) | 3,000 | (建 物) | 3,000 |

(2) 減価償却

| (減価償却費)※ | 980 | (減価償却累計額) | 980 |

※ 既存：$(27,500-50,000\times10\%)\times\dfrac{1\,年}{25\,年}=900$

改修：$2,000\times\dfrac{1\,年}{25\,年}=80$

$\Big\}980$

3 構築物

| (減価償却費)※ | 502 | (減価償却累計額) | 502 |

※ $5,018\times\dfrac{1\,年}{12\,年-2\,年}=502$（千円未満四捨五入）

4 車両運搬具

(1) 買換え

① 適正な仕訳

(減価償却累計額)※1	5,102	(車両運搬具)	6,500
(減価償却費)※2	149	(車両運搬具売却益)※3	251
(車両運搬具)※4	5,500	(現 金 預 金)※5	4,000

※1 $6,500-1,398=5,102$

※2 $1,398\times0.319\times\dfrac{4\,月}{12\,月}=149$（千円未満四捨五入）

※3 適正評価額$1,500-$売却時簿価$(1,398-149)$ $=251$（売却益）

※4 定価$6,000-$値引（下取価額$2,000-$適正評価額$1,500)=5,500$

※5 $5,500-$適正評価額$1,500=4,000$又は、定価$6,000-$下取価額$2,000=4,000$

② 当社の処理

| (車両運搬具) | 4,000 | (現 金 預 金) | 4,000 |

③ 修正仕訳（①－②）

| (減価償却累計額) | 5,102 | (車両運搬具) | 5,000 |
| (減価償却費) | 149 | (車両運搬具売却益) | 251 |

(2) 減価償却

| (減価償却費)※ | 1,221 | (減価償却累計額) | 1,221 |

※ $5,500\times0.333\times\dfrac{8\,月}{12\,月}=1,221$

問題 8 ー 7 有形固定資産 (7)

解 答

決算整理後残高試算表 （単位：千円）

建 物	(538,048)
備 品	(140,625)
減価償却費	(46,377)
修 繕 費	(91,200)

解答への道 （単位：千円）

1 建物

(1) 前T/B建物残高

$1,000,000-1,000,000\times0.9\times\dfrac{21\,年}{40\,年}=527,500$

(2) 改修

| (建 物)※1 | 28,800 | (仮 払 金) | 120,000 |
| (修 繕 費)※2 | 91,200 | | |

※1 $120,000\times\dfrac{延長6\,年}{当初残存19\,年+延長6\,年}$
　　$=28,800$

※2 $120,000\times\dfrac{当初残存19\,年}{当初残存19\,年+延長6\,年}$
　　$=91,200$

(3) 減価償却

| (減価償却費)※ | 18,252 | (建 物) | 18,252 |

※① 既存分：$(527,500-1,000,000\times10\%)$

$\times\dfrac{1\,年}{当初残存19\,年+延長6\,年}$

$=17,100$

② 資本的支出分：$28,800\times\dfrac{1\,年}{当初残存19\,年+延長6\,年}$
　　　　　　　　$=1,152$

③ ①＋②＝18,252

2 備品

(1) 前T/B備品残高

$300,000\times(1-0.250)^{2\,年}=168,750$

(2) 減価償却

| (減価償却費)※ | 28,125 | (備 品) | 28,125 |

※ $168,750\times\dfrac{1\,年}{8\,年-経過2\,年}=28,125$

第8章 有形固定資産・無形固定資産

－257－

問題8-8 有形固定資産(8)

解 答

決算整理後残高試算表 （単位：千円）

借	方		貸	方	
科 目	金 額		科 目	金 額	
建 物	84,717		車両運搬具売却益	1,367	
構 築 物	989				
車 両 運 搬 具	9,690				
器 具 備 品	3,750				
土 地	371,300				
減 価 償 却 費	4,366				
火 災 損 失	4,848				

解答への道 （単位：千円）

1 建物の焼失

(1) 建物Aの焼失

(減価償却費)※2 612 （建 物)※1 32,460
(火災未決算) 30,000 （建設仮勘定)※3 1,000
(火 災 損 失)※4 2,848

※1 60,000－60,000×0.9×0.034×15年＝32,460

※2 $60,000×0.9×0.034×\frac{4月}{12月}=612$

※3 焼跡整理費用1,000

※4 差額

(注) 保険金額を超過する額については7月31日時点に損失が確定するため、確定時点に火災損失を計上する。

(2) 保険金の受取

(仮 受 金) 28,000 （火災未決算) 30,000
(火 災 損 失)※ 2,000

※ 差額

(3) 建物Bの建設及びその他の取得

(建 物)※1 50,000 （建設仮勘定) 51,600
(構 築 物)※2 1,000
(土 地)※3 600

※1 建築費用50,000

※2 アスファルト舗装費用1,000

※3 整地費用600

(4) 減価償却

(減価償却費) 294 （建 物)※1 283
（構 築 物)※2 11

※1 $50,000×0.034×\frac{2月}{12月}=283$（千円未満四捨五入）

※2 $1,000×0.067×\frac{2月}{12月}=11$（千円未満四捨五入）

2 新営業所の建設

(建 物)※1 35,000 （建設仮勘定) 155,700
(土 地)※2 120,700

※1 建築費用35,000

※2 建物付き土地購入価額120,000＋旧建物撤去費用500＋整地費用200＝120,700

(注) 建物付き土地の取得は土地の取得が目的であるため、当該購入価額及び建物撤去費用はすべて土地の取得価額とする。

3 車両運搬具

(1) 買換

① 適正な仕訳

(減価償却費)※2 500 （車両運搬具)※1 1,333
(車両運搬具)※4 11,400 （車両運搬具売却益)※3 1,367
（現 金 預 金)※5 9,200

※1 前T/B車両10,533－追加支払額9,200(定価11,550－下取価額2,350)＝期首簿価1,333

※2 $10,000×0.200×\frac{3月}{12月}=500$

※3 適正評価額2,200－売却時簿価(1,333－500)＝1,367

※4 定価11,550－値引(下取価額2,350－適正評価額2,200)＝11,400

※5 定価11,550－下取価額2,350＝9,200

② 当社が行った仕訳

(車両運搬具) 9,200 （現 金 預 金) 9,200

③ 修正仕訳（①－②）

(車両運搬具) 867 （車両運搬具売却益) 1,367
(減価償却費) 500

(2) 減価償却

(減価償却費)※ 1,710 （車両運搬具) 1,710

※ $11,400×0.200×\frac{9月}{12月}=1,710$

4　器具備品（償却方法の変更）

（減価償却費）※　　1,250　（器 具 備 品）　　1,250

　※　5,000×0.250＝1,250

問題8－9 　有形固定資産(9)

解　答

34,000	千円

解答への道 　（単位：千円）

(1)　土地付建物の取得

（建　　　物）　　20,000　（現 金 預 金）　　80,000

（土　　　地）※　　60,000

　※　80,000－店舗部分の評価額20,000＝60,000

(注)　倉庫については、倉庫として使うのではなく、これを取り壊し、その敷地を利用する目的であることが明らかであるため、倉庫の評価額及びその取壊費用は土地の取得原価に算入する。

(2)　倉庫の取り壊し

（土　　　地）※　　1,000　（現 金 預 金）　　1,000

　※　上記(1)(注)参照

(3)　店舗の改装

（建　　　物）　　8,000　（現 金 預 金）　　8,000

(4)　店舗屋根の補修

（修　繕　費）　　500　（現 金 預 金）　　500

(5)　大規模な改修

（修　繕　費）※1　4,000　（現 金 預 金）　　10,000

（建　　　物）※2　6,000

　※1　収益的支出　$10,000 \times \dfrac{2}{2+3} = 4,000$

　※2　資本的支出　$10,000 \times \dfrac{3}{2+3} = 6,000$

(6)　建物勘定の記入

建　物

借方合計	34,000	(1) 20,000
		(3) 8,000
		(6) 6,000

問題8－10 　法人税法における減価償却

解　答

決算整理後残高試算表　（単位：円）

建　　　物	(60,890,000)
車　　　両	(120,001)
備　　　品	(2,300,340)
減価償却費	(4,410,112)

解答への道 　（単位：円）

1　建物

（減価償却費）※　2,280,000　（建　　　物）　2,280,000

　※　建物A：50,000,000×0.9×0.034＝1,530,000

　　　建物B：$30,000,000 \times 0.050 \times \dfrac{6月}{12月} = 750,000$

　　　　　　　合計2,280,000

2　車両

（減価償却費）※　29,999　（車　　　両）　29,999

　※　$(150,000 - 1) \times \dfrac{12月}{60月} = 29,999$（円未満切り捨て）

3　備品

（減価償却費）※　2,100,113　（備　　　品）　2,100,113

　※　備品A：400,453×0.250＝100,113（円未満切り捨て）

　　　備品B：①　調整前償却額

　　　　　　　　　4,000,000×0.500＝2,000,000

　　　　　　　②　償却保証額

　　　　　　　　　6,000,000×0.12499＝749,940

　　　　　　　③　①≧②　2,000,000

　　　合計　2,100,113

問題8－11 　無形固定資産

解　答

決算整理後残高試算表　（単位：千円）

特　許　権	1,875
商　標　権	725
特許権償却	125
商標権償却	100

1　特許権償却

（特許権償却)※　　　125　（特　許　権）　　　125

※　$2,000 \times \dfrac{6月}{96月} = 125$

2　商標権償却

（商標権償却)※　　　100　（商　標　権）　　　100

※　$825 \times \dfrac{12月}{120月 - 21月} = 100$

第9章	株 主 資 本	重要度	A

問題9－1 株主資本(1)

解答

残高（一部） （単位：千円）

資 本 金	150,000
資本準備金	20,000
利益準備金	14,000
別途積立金	25,000
繰越利益剰余金	80,500

解答への道 （単位：千円）

1 剰余金の配当及び準備金の積み立て（6月）

（繰越利益剰余金） 9,000 （現金預金）※1 9,000

（繰越利益剰余金） 900 （利益準備金）※2 900

※1 @30円×300,000株＝9,000

※2 (1) $150,000×\frac{1}{4}-(20,000+12,500)$

＝5,000

(2) $9,000×\frac{1}{10}=900$

(3) (1)＞(2) ∴ 900

2 別途積立金の積み立て

（繰越利益剰余金） 10,000 （別途積立金） 10,000

3 剰余金の配当及び準備金の積み立て（11月）

（繰越利益剰余金） 6,000 （現金預金）※1 6,000

（繰越利益剰余金） 600 （利益準備金）※2 600

※1 @20円×300,000株＝6,000

※2 (1) $150,000×\frac{1}{4}-(20,000+12,500+900)$

＝4,100

(2) $6,000×\frac{1}{10}=600$

(3) (1)＞(2) ∴ 600

4 当期純利益

（損 益） 55,000 （繰越利益剰余金） 55,000

問題9－2 株主資本(2)

解答

残高（一部） （単位：千円）

資 本 金	1,920,000
資本準備金	320,400
その他資本剰余金	45,600
利益準備金	159,600
別途積立金	320,000
繰越利益剰余金	1,394,400

解答への道 （単位：千円）

1 剰余金の配当等（6月）

(1) その他資本剰余金の配当

（その他資本剰余金） 4,000 （現金預金）※ 4,000

※ @20円×200,000株＝4,000

(2) その他利益剰余金の配当

（繰越利益剰余金） 20,000 （現金預金）※ 20,000

※ @100円×200,000株＝20,000

(3) 準備金の積み立て

（その他資本剰余金） 400 （資本準備金）※ 400

（繰越利益剰余金） 2,000 （利益準備金）※ 2,000

※ ① $1,800,000×\frac{1}{4}-(200,000+156,000)$

＝94,000

② $(4,000+20,000)×\frac{1}{10}=2,400$

③ ①＞② ∴ 2,400

④ 資本準備金積立額：$4,000×\frac{1}{10}=400$

⑤ 利益準備金積立額：$20,000×\frac{1}{10}=2,000$

(4) 別途積立金の取崩

（別途積立金） 10,000 （繰越利益剰余金） 10,000

2 増資（7月）

（現金預金）※1 240,000 （資 本 金）※2 120,000

（資本準備金）※2 120,000

※1 @12,000円×20,000株＝240,000

※2 $240,000×\frac{1}{2}=120,000$

3 剰余金の配当等（11月）

（繰越利益剰余金）	22,000	（現金預金）※1	22,000
（繰越利益剰余金）	1,600	（利益準備金）※2	1,600

※1　@100円×220,000株＝22,000

※2　(1)　$(1,800,000+120,000) \times \frac{1}{4} - (200,000$
　　　　$+400+120,000+156,000+2,000)=1,600$

　　　(2)　$22,000 \times \frac{1}{10} = 2,200$

　　　(3)　(1)＜(2)　∴　1,600

4　当期純利益

（損　益）	650,000	（繰越利益剰余金）	650,000

問題9-3　株主資本(3)

解　答

残高（一部）　　　（単位：千円）

資　本　金	2,500,000
資本準備金	500,990
その他資本剰余金	182,360
利益準備金	106,958
繰越利益剰余金	2,058,462

解答への道　（単位：千円）

1　自己株式の取得（4月）

（自己株式）	14,750	（現金預金）※	14,750

※　@29,500円×500株＝14,750

∴　平均単価：$\frac{28,000+14,750}{1,000株+500株} = $ @28,500円

2　剰余金の配当等（6月）

(1)　その他資本剰余金の配当

（その他資本剰余金）	9,900	（現金預金）※	9,900

※　@100円×(100,000株－1,000株)＝9,900

(2)　その他利益剰余金の配当

（繰越利益剰余金）	29,700	（現金預金）※	29,700

※　@300円×(100,000株－1,000株)＝29,700

(3)　準備金の積み立て

（その他資本剰余金）	990	（資本準備金）※	990
（繰越利益剰余金）	2,970	（利益準備金）※	2,970

※　①　$2,500,000 \times \frac{1}{4} - (500,000+100,000)$
　　　　$=25,000$

　　②　$(9,900+29,700) \times \frac{1}{10} = 3,960$

　　③　①＞②　∴　3,960

④　資本準備金積立額：$9,900 \times \frac{1}{10} = 990$

⑤　利益準備金積立額：$29,700 \times \frac{1}{10} = 2,970$

3　自己株式の処分及び消却（8月）

(1)　自己株式の処分

（現金預金）※1	36,000	（自己株式）※2	34,200
		（その他資本剰余金）※3	1,800

※1　@30,000円×1,200株＝36,000

※2　@28,500円×1,200株＝34,200

※3　差額

(2)　自己株式の消却

（その他資本剰余金）	8,550	（自己株式）※	8,550

※　@28,500円×300株＝8,550

4　剰余金の配当等（11月）

（繰越利益剰余金）	39,880	（現金預金）※1	39,880
（繰越利益剰余金）	3,988	（利益準備金）※2	3,988

※1　@400円×99,700株＝39,880

※2　(1)　$2,500,000 \times \frac{1}{4} - (500,000+990$
　　　　$+100,000+2,970)=21,040$

　　　(2)　$39,880 \times \frac{1}{10} = 3,988$

　　　(3)　(1)＞(2)　∴　3,988

5　当期純利益

（損　益）	880,000	（繰越利益剰余金）	880,000

問題9-4　株主資本(4)

解　答

残　高　　　　（単位：千円）

資　本　金	2,000,000
資本準備金	207,000
その他資本剰余金	83,000
利益準備金	293,000
別途積立金	150,000
繰越利益剰余金	374,000

解答への道　（単位：千円）

1　x1年6月（剰余金の配当）

(1)　その他資本剰余金の配当及び資本準備金の積立

（その他資本剰余金）	90,000	（現金預金）※1	90,000
（その他資本剰余金）	7,000	（資本準備金）※2	7,000

※1　＠１×（発行済100,000株−保有自己株式10,000
株）＝90,000

なお、保有自己株式に対して配当は行わない。

※2　下記(3)参照

(2) 繰越利益剰余金の配当及び利益準備金の積立

（繰越利益剰余金）　180,000　（現 金 預 金）※1　180,000

（繰越利益剰余金）　 14,000　（利益準備金）※2　 14,000

※1　＠２×（発行済100,000株−保有自己株式10,000
株）＝180,000

※2　下記(3)参照

(3) 準備金

① 準備金の積立額

$\left. \begin{array}{l} 資本金2,000,000\times\dfrac{1}{4}−（資準200,000 \\ +利準279,000）＝21,000 \\ \\ 配当（90,000+180,000）\times\dfrac{1}{10} \\ \qquad\qquad\qquad =27,000 \end{array} \right\}$ 小さい方 21,000

② 資本準備金積立額

$21,000\times\dfrac{資剰配当90,000}{資剰配当90,000+利剰配当180,000}=7,000$

③ 利益準備金積立額

$21,000\times\dfrac{利剰配当180,000}{資剰配当90,000+利剰配当180,000}=14,000$

2　x１年７月（自己株式の処分及び消却）

(1) 自己株式の処分

（現 金 預 金）※1　180,000　（自 己 株 式）※2　150,000
　　　　　　　　　　　　　　（その他資本剰余金）※3　 30,000

※1　＠30×6,000株＝180,000

※2　$250,000\times\dfrac{6,000株}{10,000株}=150,000$

※3　差額

(2) 自己株式の消却

（その他資本剰余金）　100,000　（自 己 株 式）※　100,000

※　$250,000\times\dfrac{4,000株}{10,000株}=100,000$
　　または　250,000−150,000＝100,000

3　x１年11月（剰余金の配当）

（繰越利益剰余金）　192,000　（現 金 預 金）※　192,000

※　＠２×発行済（100,000株−消却4,000株）＝192,000
　　なお、準備金はすでに資本金の４分の１に達し
　　ているため、積み立てない。

4　x２年３月31日（決算振替）

（損　　益）　360,000　（繰越利益剰余金）　360,000

問題9-5　株主資本(5)

解答

問1

（単位：千円）

借 方 科 目	金 額	貸 方 科 目	金 額
現 金 預 金	50,000	自 己 株 式	18,000
		その他資本剰余金	2,000
		資 本 金	15,000
		資 本 準 備 金	15,000

問2

（単位：千円）

借 方 科 目	金 額	貸 方 科 目	金 額
現 金 預 金	50,000	自 己 株 式	22,000
		資 本 金	14,000
		資 本 準 備 金	14,000

解答への道　（単位：千円）

問1

(1) 現金預金：＠1,000円×50,000株＝50,000

(2) ① その他資本剰余金（自己株式処分差損益）

払込50,000×自己株式処分割合$\dfrac{20,000株}{50,000株}$

−自株簿価18,000＝2,000（処分差益）

② 資本金等増加限度額

払込50,000×新株式発行割合$\dfrac{30,000株}{50,000株}$

−処分差損０＝30,000

③ 資本金の額

$30,000\times\dfrac{1}{2}=15,000$

④ 資本準備金の額

30,000−15,000＝15,000

問2

(1) 現金預金：＠1,000円×50,000株＝50,000

(2) ① その他資本剰余金（自己株式処分差損益）

払込50,000×自己株式処分割合$\dfrac{20,000株}{50,000株}$

−自株簿価22,000＝△2,000（処分差損）

② 資本金等増加限度額

払込50,000×新株式発行割合 $\dfrac{30,000株}{50,000株}$

－処分差損2,000＝28,000

③ 資本金の額

$28,000 \times \dfrac{1}{2} = 14,000$

④ 資本準備金の額

$28,000 - 14,000 = 14,000$

問題9－6 株主資本(6)

解 答

（単位：千円）

	借方科目	金額	貸方科目	金額
1	自 己 株 式	2,200	現 金 預 金	2,200
2	現 金 預 金	1,150	自 己 株 式	1,200
	その他資本剰余金	50		
3	その他資本剰余金	1,140	現 金 預 金	1,140
	その他資本剰余金	114	資 本 準 備 金	114
	繰越利益剰余金	3,800	現 金 預 金	3,800
	繰越利益剰余金	380	利 益 準 備 金	380
	繰越利益剰余金	10,000	別 途 積 立 金	10,000
4	その他資本剰余金	2,400	自 己 株 式	2,400
5	現 金 預 金	10,000	自 己 株 式	3,600
			資 本 金	3,200
			資 本 準 備 金	3,200
6	繰越利益剰余金	3,750	現 金 預 金	3,750
	繰越利益剰余金	106	利 益 準 備 金	106
7	繰越利益剰余金	204	その他資本剰余金	204

解答への道 （単位：千円）

1 自己株式の取得（X3年4月20日）

（自 己 株 式） 2,200 （現 金 預 金）※ 2,200

※ @22×100株＝2,200

∴ 平均単価：$\dfrac{5,000 + 2,200}{200株 + 100株} = @24$

2 自己株式の処分（X3年5月20日）

（現 金 預 金）※1 1,150 （自 己 株 式）※2 1,200

（その他資本剰余金）※3 50

※1 @23×50株＝1,150

※2 @24×50株＝1,200

※3 差額

3 剰余金の配当等（X3年6月25日）

(1) その他資本剰余金の配当

（その他資本剰余金） 1,140 （現 金 預 金）※ 1,140

※ @0.3×（4,000株－200株）＝1,140

(2) その他利益剰余金の配当

（繰越利益剰余金） 3,800 （現 金 預 金）※ 3,800

※ @1×（4,000株－200株）＝3,800

(3) 準備金の積み立て

（その他資本剰余金） 114 （資本準備金）※ 114

（繰越利益剰余金） 380 （利益準備金）※ 380

※ ① $250,000 \times \dfrac{1}{4} - (32,000 + 27,500) = 3,000$

② $(1,140 + 3,800) \times \dfrac{1}{10} = 494$

③ ①＞② ∴ 494

④ 資本準備金積立額：$1,140 \times \dfrac{1}{10} = 114$

⑤ 利益準備金積立額：$3,800 \times \dfrac{1}{10} = 380$

(4) 別途積立金の積立

（繰越利益剰余金） 10,000 （別途積立金） 10,000

4 自己株式の消却（X3年8月20日）

（その他資本剰余金） 2,400 （自 己 株 式）※ 2,400

※ @24×100株＝2,400

5 新株と自己株式の同時交付（X3年10月15日）

（現 金 預 金）※1 10,000 （自 己 株 式）※2 3,600

（資 本 金）※3 3,200

（資 本 準 備 金）※3 3,200

※1 @20×500株＝10,000

※2 @24×150株＝3,600

※3 ① 自己株式処分差損益：@20×150株－
3,600＝△600（処分差損）

② $(@20 \times 350株 - 処分差損600) \times \dfrac{1}{2}$
＝3,200

6 剰余金の配当等（X3年11月30日）

（繰越利益剰余金） 3,750 （現 金 預 金）※1 3,750

（繰越利益剰余金） 106 （利益準備金）※2 106

※1 @1×（発行済3,900株－自己株式150株）
＝3,750

※2 (1) $(250,000 + 3,200) \times \dfrac{1}{4} - (32,000 + 114$
$+ 3,200 + 27,500 + 380) = 106$

(注) 準備金の積立額については配当日現在で算定することに留意する。

(2) $3,750 \times \dfrac{1}{10} = 375$

(3) (1) < (2) ∴ 106

7 その他資本剰余金の負の値の補てん（x4年3月31日）

（繰越利益剰余金）　　204　（その他資本剰余金）※　　204

※　3,500－処分50－配当等(1,140＋114)－消却2,400＝△204

問題9－7 **株主資本(7)**

解 答

決算整理後残高試算表 （単位：千円）

自 己 株 式	(3,300)	資 本 金	(253,900)
		資 本 準 備 金	(49,020)
		その他資本剰余金	(5,180)
		利 益 準 備 金	(17,380)
		別 途 積 立 金	95,000
		繰越利益剰余金	(50,000)

解答への道 （単位：千円）

1 配当及び準備金の積立（x1年6月30日）

(1) その他資本剰余金の配当及び資本準備金の積立

（その他資本剰余金）　　1,200　（現 金 預 金）※1　　1,200
（その他資本剰余金）　　 120　（資本準備金）※2　　 120

※1　@50円×（発行済株式数25,000株－自己株式保有数1,000株）＝1,200

※2　下記(2)※2参照

(2) その他利益剰余金（繰越利益剰余金）の配当及び利益準備金の積立

（繰越利益剰余金）　　4,800　（現 金 預 金）※1　　4,800
（繰越利益剰余金）　　 480　（利益準備金）※2　　 480

※1　@200円×（発行済株式数25,000株－自己株式保有数1,000株）＝4,800

※2① 準備金の積立額

$\left.\begin{array}{l} 資本金250,000 \times \dfrac{1}{4} －(資準45,000 \\ ＋利準16,500)＝1,000 \\ 配当(1,200＋4,800) \times \dfrac{1}{10}＝600 \end{array}\right\}$ 小さい方 ∴600

② 資本準備金積立額：600× $\dfrac{資剰配当1,200}{資剰配当1,200＋利剰配当4,800}＝120$

③ 利益準備金積立額：600× $\dfrac{利剰配当4,800}{資剰配当1,200＋利剰配当4,800}＝480$

2 自己株式の処分（x1年7月31日）

（現 金 預 金）※1　　6,000　（自 己 株 式）※2　　5,500
　　　　　　　　　　　　　（その他資本剰余金）※3　　 500

※1　@12,000円×500株＝6,000

※2　11,000× $\dfrac{500株}{1,000株}＝5,500$

※3　差額

3 その他利益剰余金（繰越利益剰余金）の配当及び利益準備金の積立（x1年11月30日）

（繰越利益剰余金）　　6,125　（現 金 預 金）※1　　6,125
（繰越利益剰余金）　　 400　（利益準備金）※2　　 400

※1　@250円×｛発行済株式数25,000株－自己株式保有数(1,000株－500株)｝＝6,125

※2　$\left.\begin{array}{l} 資本金250,000 \times \dfrac{1}{4}－(資準45,000 \\ ＋120＋利準16,500＋480)＝400 \\ 配当6,125 \times \dfrac{1}{10} \\ ＝613(千円未満四捨五入) \end{array}\right\}$ 小さい方 ∴400

4 自己株式と新株の同時交付（x2年2月1日）

（現 金 預 金）※1　　10,000　（自 己 株 式）※2　　2,200
　　　　　　　　　　　　　（資 本 金）※3　　3,900
　　　　　　　　　　　　　（資本準備金）※3　　3,900

※1　@10,000円×1,000株＝10,000

※2　(11,000－5,500)× $\dfrac{200株}{1,000株－500株}＝2,200$

※3① その他資本剰余金（自己株式処分差損益）

払込10,000×自己株式処分割合 $\dfrac{200株}{1,000株}$ －自己株式2,200＝△200（処分差損）

② 資本金等増加限度額

払込10,000×新株発行割合 $\dfrac{800株}{1,000株}$ －処分差損200＝7,800

③ 資本金の額：7,800× $\dfrac{1}{2}＝3,900$

④ 資本準備金の額：7,800－3,900＝3,900

第 10 章	税　　　　　　金	重 要 度	A

問題10－1 消費税等(1)

解　答

決算整理後残高試算表　（単位：千円）

売 掛 金	20,900	買 掛 金	19,800
繰 越 商 品	9,000	未払消費税等	200
車 両 運 搬 具	3,600	貸倒引当金	418
仕 入	94,500	減価償却累計額	108
営 業 費	10,500	売 上	120,000
貸倒引当金繰入	278	車両運搬具売却益	280
減価償却費	408		
貸 倒 損 失	3,700		

解答への道　（単位：千円）

1　期中取引

(1) 売上取引

(売 掛 金) 132,000 (売 上)※1 120,000
(仮受消費税等)※2 12,000

※1　$132,000 \times \dfrac{1}{1.1} = 120,000$

※2　$132,000 \times \dfrac{0.1}{1.1} = 12,000$

(2) 売掛金の回収

(現 金) 128,700 (売 掛 金) 128,700

(3) 売掛金の貸倒れ

(仮受消費税等)※1 400 (売 掛 金) 4,400
(貸倒引当金)※2 300
(貸 倒 損 失)※3 3,700

※1　前期発生分$330 \times \dfrac{0.1}{1.1} = 30$ ⎫
　　　当期発生分$(4,400-330) \times \dfrac{0.1}{1.1} = 370$ ⎬ 400
　　　　　　　　　　　　　　　　　　　　　⎭

※2　前期発生分330－仮受消費税等30＝300

※3　当期発生分（4,400－前期発生分330）－仮受
　　　消費税等370＝3,700

(4) 仕入取引

(仕 入)※1 96,000 (買 掛 金) 105,600
(仮払消費税等)※2 9,600

※1　$105,600 \times \dfrac{1}{1.1} = 96,000$

※2　$105,600 \times \dfrac{0.1}{1.1} = 9,600$

(5) 買掛金の支払い

(買 掛 金) 99,000 (現 金) 99,000

(6) 営業費の支払い

(営 業 費)※1 10,500 (現 金) 11,550
(仮払消費税等)※2 1,050

※1　$11,550 \times \dfrac{1}{1.1} = 10,500$

※2　$11,550 \times \dfrac{0.1}{1.1} = 1,050$

(7) 車両の買換

(減価償却累計額)※2 1,080 (車両運搬具)※1 2,000
(減価償却費)※3 300 (仮受消費税等)※4 90
(車両運搬具)※6 3,600 (車両運搬具売却益)※5 280
(仮払消費税等)※7 360 (現 金) 2,970

※1　旧車両の取得原価

※2　旧車両の期首減価償却累計額

※3　$2,000 \times 0.9 \times \dfrac{1 年}{5 年} \times \dfrac{10 月}{12 月} = 300$

※4　下取価額$990 \times \dfrac{0.1}{1.1} = 90$

※5　旧車両売却時簿価：取得原価2,000
　　　　　－期首減累1,080－減費300＝620 ⎫
　　　　　　　　　　　　　　　　　　　　　⎬ 売却益280
　　　下取価額（税抜き）：$990 \times \dfrac{1}{1.1} = 900$ ⎭

※6　新車両$3,960 \times \dfrac{1}{1.1} = 3,600$

※7　$3,960 \times \dfrac{0.1}{1.1} = 360$

(参考) 買換の仕訳の考え方

　　①旧車両の売却と②新車両の購入を分けて考え、
　　仕訳をまとめればよい。

① 旧車両の売却

(減価償却累計額) 1,080 (車両運搬具) 2,000
(減価償却費) 300 (仮受消費税等) 90
(未 収 金)※ 990 (車両運搬具売却益) 280

② 新車両の購入

(車両運搬具) 3,600 (未 収 金)※ 990
(仮払消費税等) 360 (現 金) 2,970

　　※　下取価額（税込み）

(8) 確定申告納付

(未払消費税等) 420 (現 金) 420

(9) 中間申告納付

(仮払消費税等)	480	(現　　　金)	480

2　決算整理前残高試算表

決算整理前残高試算表

売　掛　金	20,900	買　掛　金	19,800
繰 越 商 品	7,500	仮受消費税等	11,690
仮払消費税等	11,490	貸倒引当金	140
車両運搬具	3,600	売　　　上	120,000
仕　　　入	96,000	車両運搬具売却益	280
営　業　費	10,500		
減価償却費	300		
貸 倒 損 失	3,700		

3　決算整理

(1) 売上原価の算定

(仕　　　入)	7,500	(繰越商品)	7,500
(繰越商品)	9,000	(仕　　　入)	9,000

(2) 減価償却

(減価償却費)※	108	(減価償却累計額)	108

$$※\quad 3,600×0.9×\frac{1年}{5年}×\frac{2月}{12月}=108$$

(3) 貸倒引当金

(貸倒引当金繰入)※	278	(貸倒引当金)	278

※　前T/B売掛金20,900×2％－前T/B貸引140＝278
（千円未満四捨五入）

(4) 未払消費税等の計上

(仮受消費税等)	11,690	(仮払消費税等)	11,490
		(未払消費税等)	200

問題10－2　消費税等(2)

解　答

決算整理後残高試算表 （単位：千円）

現 金 預 金	34,790	買　掛　金	28,320
受 取 手 形	10,000	未払消費税等	11,120
売　掛　金	44,850	貸倒引当金	1,097
車　　　両	4,500	減価償却累計額	4,320
備　　　品	2,800	車両売却益	300
営　業　費	80,300		
減価償却費	1,725		
貸倒引当金繰入	72		

解答への道　（単位：千円）

1　現金預金

(1) 未取付小切手　⇨　仕訳不要（銀行側処理）

(2) 誤処理

① 適正な仕訳

(現 金 預 金)	5,400	(売　掛　金)	5,400

② 当社の仕訳

(売　掛　金)	5,400	(現 金 預 金)	5,400

③ 修正仕訳（①－②）

(現 金 預 金)	10,800	(売　掛　金)	10,800

(3) 引落未記帳

(営　業　費)※1	300	(現 金 預 金)	330
(仮払消費税等)※2	30		

$$※1\quad 330×\frac{1}{1.1}=300$$

$$※2\quad 330×\frac{0.1}{1.1}=30$$

(4) 未渡小切手

(現 金 預 金)	4,320	(買　掛　金)	4,320

2　債権

(1) 貸倒れ

① 適正な仕訳

(貸倒引当金)※1	500	(売　掛　金)	550
(仮受消費税等)※2	50		

$$※1\quad 550×\frac{1}{1.1}=500$$

$$※2\quad 550×\frac{0.1}{1.1}=50$$

② 当社の仕訳

(貸倒引当金)	550	(売　掛　金)	550

③ 修正仕訳（①－②）

(仮受消費税等)	50	(貸倒引当金)	50

(2) 貸倒引当金の設定

(貸倒引当金繰入)※	72	(貸倒引当金)	72

※　（受手10,000＋売掛55,650－10,800）×2％－貸
引（975＋50）＝72

3　有形固定資産

(1) 売却

① 適正な仕訳

(減価償却累計額)	2,700	(車　　　両)	5,000
(減価償却費)※1	600	(仮受消費税等)※2	200
(現 金 預 金)	2,200	(車両売却益)※3	300

右側余白：第10章　税金

$$※1 \quad 5,000×0.9×\frac{1年}{5年}×\frac{8月}{12月}=600$$

$$※2 \quad 2,200×\frac{0.1}{1.1}=200$$

$$※3 \quad 差額 \quad または、2,200×\frac{1}{1.1}-(5,000-2,700-600)=300$$

② 当社の仕訳

(現 金 預 金)	2,200	(車 両)	2,200

③ 修正仕訳（①-②）

(減価償却累計額)	2,700	(車 両)	2,800
(減価償却費)	600	(仮受消費税等)	200
		(車両売却益)	300

(2) 減価償却

(減価償却費)※	1,125	(減価償却累計額)	1,125

$$※ \quad 車両：(7,300-2,800)×0.9×\frac{1年}{5年}=810$$
$$備品：2,800×0.9×\frac{1年}{8年}=315$$
$$\left.\right\}1,125$$

4 消費税

(仮受消費税等)※1	30,150	(仮払消費税等)※2	16,030
		(仮 払 金)	3,000
		(未払消費税等)※3	11,120

※1　30,000-50+200=30,150

※2　16,000+30=16,030

※3　差額

問題10-3　消費税等(3)

解答

決算整理後残高試算表（一部）（単位：千円）

借方科目	金額	貸方科目	金額
現 金 預 金	68,257	支 払 手 形	13,400
受 取 手 形	29,710	買 掛 金	131,967
売 掛 金	187,622	未払消費税等	10,545
繰 越 商 品	49,500	貸 倒 引 当 金	4,347
車 両 運 搬 具	1,625	売 上	886,200
仕 入	666,500		
営 業 費	91,670		
貸倒引当金繰入	1,397		
貸 倒 損 失	3,800		
減 価 償 却 費	300		
車両運搬具売却損	75		

解答への道　（単位：千円）

1 当座預金

(1) 未取付小切手 ⇨ 銀行側減算

(2) 時間外預入 ⇨ 銀行側加算

(3) 振込未記帳

(現 金 預 金)	1,100	(売 掛 金)	1,100

(4) 引落未記帳

(営 業 費)※1	150	(現 金 預 金)	165
(仮払消費税等)※2	15		

$$※1 \quad 165×\frac{1}{1.1}=150$$

$$※2 \quad 165×\frac{0.1}{1.1}=15$$

2 売上原価

(仕 入)	47,400	(繰 越 商 品)	47,400
(繰 越 商 品)	49,500	(仕 入)	49,500

3 車両運搬具

(1) 買換の修正

① 適正な仕訳

(減価償却費)※1	125	(車両運搬具)	500
(車両運搬具売却損)※2	75	(仮受消費税等)※3	30
(車両運搬具)※4	1,800	(現 金 預 金)	1,650
(仮払消費税等)※5	180		

$$※1 \quad 1,500×\frac{1年}{6年}×\frac{6月}{12月}=125$$

$$※2 \quad 330×\frac{1}{1.1}-(500-125)=△75（売却損）$$

$$※3 \quad 330×\frac{0.1}{1.1}=30$$

$$※4 \quad 1,980×\frac{1}{1.1}=1,800$$

$$※5 \quad 1,980×\frac{0.1}{1.1}=180$$

② 甲社が行った仕訳

(仮 払 金)	1,650	(現 金 預 金)	1,650

③ 修正仕訳（①-②）

(減価償却費)	125	(仮受消費税等)	30
(車両運搬具売却損)	75	(仮 払 金)	1,650
(車両運搬具)	1,300		
(仮払消費税等)	180		

(2) 減価償却

(減価償却費)※	175	(車両運搬具)	175

$$※ \quad 1,800×\frac{1年}{6年}×\frac{7月}{12月}=175$$

4 貸倒引当金

(1) 債権の貸倒れ

(仮受消費税等)※1	800	(受 取 手 形)	3,960
(貸倒引当金)	4,200	(売 掛 金)	4,840
(貸 倒 損 失)※2	3,800		

※1　$(3,960+4,840) \times \dfrac{0.1}{1.1} = 800$

※2　差額

(2) 貸倒引当金の設定

(貸倒引当金繰入)※	1,397	(貸倒引当金)	1,397

※　設定残高：受取手形(33,670−3,960)
　　　　　　　　＋売掛金(193,562−1,100
　　　　　　　　−4,840)＝217,332

　　設 定 額：217,332×2％
　　　　　　　＝4,347（千円未満四捨五入）

　　繰 入 額：4,347−(7,150−4,200)
　　　　　　　＝1,397

5 消費税等

(仮受消費税等)※1	87,850	(仮払消費税等)※2	69,055
		(仮 払 金)	8,250
		(未払消費税等)※3	10,545

※1　88,620＋30−800＝87,850

※2　68,860＋15＋180＝69,055

※3　差額

問題10−4　税効果会計(1)

【解　答】

決算整理後残高試算表（一部）　（単位：千円）

売 掛 金	88,000	貸倒引当金	1,320
繰 越 商 品	31,000	法人税等調整額	387
器 具 備 品	12,000		
繰延税金資産	1,032		
仕　　　　入	2,140,400		
棚 卸 減 耗 損	500		
商 品 評 価 損	1,500		
減 価 償 却 費	3,000		
貸倒引当金繰入額	600		

解答への道　（単位：千円）

1 前T/B繰延税金資産

(1) 商品：1,000×30％＝300

(2) 貸倒引当金：400×30％＝120

(3) 器具備品：$\{(18,000-18,000 \times \dfrac{1年}{8年}) - (18,000$

$-18,000 \times \dfrac{1年}{6年})\} \times 30\% = 225$

(4) 繰延税金資産：(1)＋(2)＋(3)＝645

2 売上原価の算定等

(1) 売上原価の算定

(仕　　　入)	38,400	(繰越商品)	38,400
(繰 越 商 品)	33,000	(仕　　　入)	33,000

(2) 商品の期末評価

(棚卸減耗損)※1	500	(繰 越 商 品)	500
(商品評価損)※2	1,500	(繰 越 商 品)	1,500

※1　帳簿33,000−実地32,500＝500

※2　実地32,500−正味31,000＝1,500

(3) 税効果会計

(繰延税金資産)※	150	(法人税等調整額)	150

※　当期末1,500×30％−前T/B300＝150

3 貸倒引当金

(1) 貸倒引当金の繰入処理

(貸倒引当金繰入額)※	600	(貸倒引当金)	600

※　88,000×1.5％−前T/B720＝600

(2) 税効果会計

(繰延税金資産)※	12	(法人税等調整額)	12

※　当期末(1,320−880)×30％−前T/B120＝12

4 器具備品

(1) 減価償却費の計上

(減価償却費)※	3,000	(器 具 備 品)	3,000

※　$18,000 \times \dfrac{1年}{6年} = 3,000$

(2) 税効果会計

(繰延税金資産)※	225	(法人税等調整額)	225

※　$\{(18,000-18,000 \times \dfrac{2年}{8年}) - (18,000-18,000$

$\times \dfrac{2年}{6年})\} \times 30\% - 前T/B225 = 225$

解答

(1) X1年度末の決算整理後残高試算表（一部）

決算整理後残高試算表（一部）（単位：千円）

繰延税金資産	(2,220)	法人税等調整額	(2,220)

(2) X2年度末の決算整理後残高試算表（一部）

決算整理後残高試算表（一部）（単位：千円）

繰延税金資産	(2,364)	法人税等調整額	(144)

(3) X3年度末の決算整理後残高試算表（一部）

決算整理後残高試算表（一部）（単位：千円）

繰延税金資産	(2,235)	
法人税等調整額	(129)	

解答への道 （単位：千円）

1 X1年度末

(1) 備品

（繰延税金資産） 300 （法人税等調整額）※ 300

※① 会計上：$40,000 \times \dfrac{1年}{8年} = 5,000$

② 税務上：$40,000 \times \dfrac{1年}{10年} = 4,000$

③ 繰延税金資産：（会計上5,000−税務上4,000）
$\times 30\% = 300$

(2) 貸倒引当金

（繰延税金資産） 1,920 （法人税等調整額）※ 1,920

※① 会計上

イ 一般債権：$60,000 \times 1\% = 600$

ロ 貸倒懸念債権：$10,000 \times 50\% = 5,000$

ハ 破産更生債権等：$3,000 \times 100\% = 3,000$

ニ イ＋ロ＋ハ＝8,600

② 税務上

イ 一般債権：$60,000 \times 1\% = 600$

ロ 貸倒懸念債権：$10,000 \times 1\% = 100$

ハ 破産更生債権等：$3,000 \times 50\% = 1,500$

ニ イ＋ロ＋ハ＝2,200

③ 繰延税金資産：（会計上8,600−税務上2,200）
$\times 30\% = 1,920$

2 X2年度末

(1) 備品

（繰延税金資産） 300 （法人税等調整額）※ 300

※① 会計上：$40,000 \times \dfrac{1年}{8年} = 5,000$

② 税務上：$40,000 \times \dfrac{1年}{10年} = 4,000$

③ 繰延税金資産：（会計上5,000−税務上4,000）
$\times 30\% = 300$

(2) 貸倒引当金

（法人税等調整額）※ 156 （繰延税金資産） 156

※① 会計上

イ 一般債権：$75,000 \times 1\% = 750$

ロ 貸倒懸念債権：$12,000 \times 50\% = 6,000$

ハ イ＋ロ＝6,750

② 税務上

イ 一般債権：$75,000 \times 1\% = 750$

ロ 貸倒懸念債権：$12,000 \times 1\% = 120$

ハ イ＋ロ＝870

③ 繰延税金資産：（会計上6,750−税務上870）
$\times 30\% = 1,764$

④ 法人税等調整額：X2年度末1,764−X1
年度末1,920＝△156

3 X3年度末

(1) 備品

（法人税等調整額） 600 （繰延税金資産）※ 600

※ 備品を売却しているため、X1年度及びX2年
度に計上した繰延税金資産を全額取り崩す。

(2) 貸倒引当金

（繰延税金資産） 471 （法人税等調整額）※ 471

※① 会計上

イ 一般債権：$80,000 \times 1\% = 800$

ロ 貸倒懸念債権：$5,000 \times 50\% = 2,500$

ハ 破産更生債権等：$10,000 \times 100\% = 10,000$

ニ イ＋ロ＋ハ＝13,300

② 税務上

イ 一般債権：$80,000 \times 1\% = 800$

ロ 貸倒懸念債権：$5,000 \times 1\% = 50$

ハ 破産更生債権等：$10,000 \times 50\% = 5,000$

ニ イ＋ロ＋ハ＝5,850

③ 繰延税金資産：（会計上13,300−税務上5,850）
$\times 30\% = 2,235$

④ 法人税等調整額：Ｘ３年度末2,235－Ｘ２
年度末1,764＝471

問題10－6 税効果会計(3)

解答

決算整理後残高試算表（一部）（単位：千円）

受 取 手 形	72,000	貸倒引当金	14,190
売 掛 金	155,000	賞与引当金	8,000
破産更生債権等	8,000	退職給付引当金	42,000
繰延税金資産	17,376	法人税等調整額	3,216
退職給付費用	30,400		
賞与引当金繰入額	8,000		
貸倒引当金繰入額	13,690		

解答への道　（単位：千円）

1　貸倒引当金等

(1) 破産更生債権等への振替処理

（破産更生債権等）　8,000　（受 取 手 形）　3,000
（売 掛 金）　5,000

(2) 貸倒引当金の繰入処理

① 破産更生債権等

（貸倒引当金繰入額）※　8,000　（貸倒引当金）　8,000

※ 8,000×100％＝8,000

② 貸倒懸念債権

（貸倒引当金繰入額）※　4,000　（貸倒引当金）　4,000

※ 8,000×50％＝4,000

③ 一般債権

（貸倒引当金繰入額）※　1,690　（貸倒引当金）　1,690

※ ｛受手(75,000－3,000)＋売掛(160,000－5,000)
－懸念8,000｝×1％－前T/B500＝1,690

2　賞与引当金

（賞与引当金繰入額）※　8,000　（賞与引当金）　8,000

※ $12,000×\dfrac{4月}{6月}＝8,000$

3　退職給付引当金

(1) 期首退職給付引当金：期首退職給付債務200,000
－期首年金資産160,000＝40,000

(2) 退職給付費用の計上（期首）

（退職給付費用）※　30,400　（退職給付引当金）　30,400

※ ① 勤務費用：28,000

② 利息費用：200,000×2％＝4,000

③ 期待運用収益：160,000×1％＝1,600

④ ①＋②－③＝30,400

∴ 前T/B退職給付費用：30,400

(3) 掛金の拠出及び一時金の支給

（退職給付引当金）※　28,400　（現 金 預 金）　28,400

※ 掛金8,400＋一時金20,000＝28,400

∴ 前T/B退職給付引当金：期首40,000
＋退費30,400－掛金・一時金28,400＝42,000

4　税効果会計

（繰延税金資産）※　3,216　（法人税等調整額）　3,216

※ (1) 当期末繰延税金資産

① 破産更生債権等：｛8,000×(100％－50％)｝
×30％＝1,200

② 貸倒懸念債権：｛8,000×(50％－1％)｝
×30％＝1,176

③ 賞与引当金：8,000×30％＝2,400

④ 退職給付引当金：42,000×30％＝12,600

⑤ ①＋②＋③＋④＝17,376

(2) (1)－前T/B14,160＝3,216

問題10－7 税効果会計(4)

解答

問1　決算整理後残高試算表　（単位：千円）

土 地	96,000	繰越利益剰余金	50,000
土地圧縮損	24,000	土地売却益	30,000

問2　決算整理後残高試算表　（単位：千円）

土 地	120,000	圧縮積立金	24,000
		繰越利益剰余金	26,000
		土地売却益	30,000

問3　決算整理後残高試算表　（単位：千円）

土 地	120,000	繰延税金負債	7,200
法人税等調整額	7,200	圧縮積立金	16,800
		繰越利益剰余金	33,200
		土地売却益	30,000

解答への道　（単位：千円）

(注) 決算整理前残高試算表の土地90,000の内訳は、
次のとおりである。

土		地	
譲渡分	50,000	誤処理	80,000
既存分※	20,000		
新規分	100,000	前T/B90,000	

※ 何も処理がない既存分20,000があることに注意して頂きたい。

(1) 譲渡に関する修正

① 適正な仕訳

(現 金 預 金)　80,000　(土　　　地)　50,000
　　　　　　　　　　　　　 (土地売却益)　30,000

② 当社が行った仕訳

(現 金 預 金)　80,000　(土　　　地)　80,000

③ 修正仕訳（①－②）

(土　　　地)　30,000　(土地売却益)　30,000

(2) 圧縮記帳

① 問1の場合

(土地圧縮損)※　24,000　(土　　　地)　24,000

※　土地売却益30,000×80％＝24,000

② 問2の場合

(繰越利益剰余金)※　24,000　(圧縮積立金)　24,000

※　土地売却益30,000×80％＝24,000

③ 問3の場合

(法人税等調整額)※1　7,200　(繰延税金負債)　7,200
(繰越利益剰余金)※2　16,800　(圧縮積立金)　16,800

※1　土地売却益30,000×80％×30％＝7,200
※2　土地売却益30,000×80％×（1－30％）
　　　＝16,800

問題10-8　税効果会計(5)

解　答

問1

残		高	（単位：千円）
建　　物	173,500	繰延税金負債	540
繰延税金資産	750	貸倒引当金	6,500
		建物減価償却累計額	62,400
		圧縮積立金	1,260

損		益	（単位：千円）
貸倒引当金繰入額	4,800	保 険 差 益	1,800
減価償却費	4,950	法人税等調整額	210

問2

残		高	（単位：千円）
建　　物	173,500	繰延税金負債	522
繰延税金資産	600	貸倒引当金	6,100
		建物減価償却累計額	67,650
		圧縮積立金	1,218

損		益	（単位：千円）
貸倒引当金繰入額	4,600		
減価償却費	5,250		
法人税等調整額	132		

解答への道　（単位：千円）

Ⅰ　x1年度

1　焼失及び保険金の受領

(建物減価償却累計額)　6,000　(建　　物)　10,000
(減価償却費)※1　150　(保 険 差 益)※2　1,800
(現 金 預 金)　5,650

※1　$10,000 \times 0.9 \times \dfrac{1年}{30年} \times \dfrac{6月}{12月} = 150$

※2　差額

2　代替資産の取得

(建　　物)　13,500　(○　○　○)　13,500

3　減価償却

(減価償却費)※　4,800　(建物減価償却累計額)　4,800

※　(首T/B建物170,000－焼失10,000)×0.9
　　$\times \dfrac{1年}{30年} = 4,800$

4　積立金方式による圧縮記帳

(法人税等調整額)　540　(繰延税金負債)※1　540
(繰越利益剰余金)　1,260　(圧縮積立金)※2　1,260

※1　保険差益相当額1,800×30％＝540
※2　保険差益相当額1,800－繰延税金負債540
　　　＝1,260

5　貸倒引当金

(貸倒引当金繰入額)※1　4,800　(貸倒引当金)　4,800
(繰延税金資産)※2　750　(法人税等調整額)　750

※1　① 設定額：4,000＋2,500＝6,500
　　　② 繰入額：6,500－首T/B1,700＝4,800
※2　貸倒引当金繰入限度超過額2,500×30％＝750

II　x 2 年度

1　減価償却

（減価償却費）※　　　5,250　　（建物減価償却累計額）　　　5,250

$$※\quad 160,000×0.9×\frac{1年}{30年}=4,800$$
$$13,500×\frac{1年}{30年}=450$$
$$\left.\begin{array}{}\end{array}\right\}5,250$$

2　積立金方式による圧縮記帳

（繰延税金負債）※1　　　18　　（法人税等調整額）　　　18

（圧縮積立金）※2　　　42　　（繰越利益剰余金）　　　42

$$※1\quad(1)\quad(1,800-1,800×\frac{1年}{30年})×30\%=522$$
　　　　（2）522－前T/B540＝△18

$$※2\quad(1)\quad(1,800-1,800×\frac{1年}{30年})-繰延税金負債$$
　　　　　　522＝1,218
　　　　（2）1,218－前T/B1,260＝△42

3　貸倒引当金

（貸倒引当金）　　　5,000　　（破産更生債権等）　　　5,000

（貸倒引当金繰入額）※1　4,600　（貸倒引当金）　　　4,600

（法人税等調整額）　　150　（繰延税金資産）※2　　150

　※1　①　設定額：4,100＋2,000＝6,100
　　　　②　繰入額：6,100－（6,500－5,000）＝4,600

　※2　貸倒引当金繰入限度超過額2,000×30%－前
　　　　T/B750＝△150

税金

第 11 章　社　　　債　　　　重要度　A

解　答

問1

① x 2 年 3 月31日

決算整理後残高試算表（一部）（単位：千円）

社債利息	(2,725)	社　　　債	(92,565)

② x 3 年 3 月31日

決算整理後残高試算表（一部）（単位：千円）

社債利息	(2,777)	社　　　債	(94,342)

③ x 4 年 3 月31日

決算整理後残高試算表（一部）（単位：千円）

社債利息	(2,830)	社　　　債	(96,172)

問2

① x 2 年 3 月31日

決算整理後残高試算表（一部）（単位：千円）

社債利息	(2,832)	社　　　債	(92,672)

② x 3 年 3 月31日

決算整理後残高試算表（一部）（単位：千円）

社債利息	(2,832)	社　　　債	(94,504)

③ x 4 年 3 月31日

決算整理後残高試算表（一部）（単位：千円）

社債利息	(2,832)	社　　　債	(96,336)

解答への道　（単位：千円）

問1　利息法

1 x 1 年 4 月 1 日（発行日）

（現 金 預 金）　90,840　（社　　　債）　90,840

2 x 2 年 3 月31日（利払日）

（社 債 利 息）※1　2,725　（現 金 預 金）※2　1,000

（社　　　債）※3　1,725

※1　90,840×3％＝2,725（千円未満四捨五入）

※2　100,000×1％＝1,000

※3　差額

3 x 3 年 3 月31日（利払日）

（社 債 利 息）※1　2,777　（現 金 預 金）※2　1,000

（社　　　債）※3　1,777

※1　(90,840＋1,725)×3％＝2,777（千円未満四捨五入）

※2　100,000×1％＝1,000

※3　差額

4 x 4 年 3 月31日（利払日）

（社 債 利 息）※1　2,830　（現 金 預 金）※2　1,000

（社　　　債）※3　1,830

※1　(90,840＋1,725＋1,777)×3％＝2,830（千円未満四捨五入）

※2　100,000×1％＝1,000

※3　差額

問2　定額法

1 x 1 年 4 月 1 日（発行日）

（現 金 預 金）　90,840　（社　　　債）　90,840

2 x 2 年 3 月31日（利払日及び決算日）

（社 債 利 息）※1　1,000　（現 金 預 金）　1,000

（社 債 利 息）※2　1,832　（社　　　債）　1,832

※1　100,000×1％＝1,000

※2　$(100,000-90,840) \times \dfrac{12月}{60月} = 1,832$

3 x 3 年 3 月31日（利払日及び決算日）

（社 債 利 息）※1　1,000　（現 金 預 金）　1,000

（社 債 利 息）※2　1,832　（社　　　債）　1,832

※1　100,000×1％＝1,000

※2　$(100,000-90,840) \times \dfrac{12月}{60月} = 1,832$

4 x 4 年 3 月31日（利払日及び決算日）

（社 債 利 息）※1　1,000　（現 金 預 金）　1,000

（社 債 利 息）※2　1,832　（社　　　債）　1,832

※1　100,000×1％＝1,000

※2　$(100,000-90,840) \times \dfrac{12月}{60月} = 1,832$

問題11-2 普通社債(2)

解答

問1

決算整理後残高試算表（一部）（単位：千円）

| 社債利息 | (1,709) | 社　債 | (48,294) |

問2

決算整理後残高試算表（一部）（単位：千円）

| 社債利息 | (1,710) | 社　債 | (48,380) |

解答への道 （単位：千円）

問1　利息法

1　x1年4月1日（発行日）

（現金預金）　45,950　（社　債）※　45,950

※　@91.9円×500,000口＝45,950

2　x2年3月31日（利払日）

（社債利息）※1　1,654　（現金預金）※2　900

（社　債）※3　754

※1　45,950×3.6%＝1,654（千円未満四捨五入）

※2　@100円×500,000口×1.8%＝900

※3　差額

3　x3年3月31日（利払日）

（社債利息）※1　1,681　（現金預金）※2　900

（社　債）※3　781

※1　(45,950＋754)×3.6%＝1,681（千円未満四捨五入）

※2　@100円×500,000口×1.8%＝900

※3　差額

4　x4年3月31日（利払日）

（社債利息）※1　1,709　（現金預金）※2　900

（社　債）※3　809

※1　(45,950＋754＋781)×3.6%＝1,709（千円未満四捨五入）

※2　@100円×500,000口×1.8%＝900

※3　差額

問2　定額法

1　x1年4月1日（発行日）

（現金預金）　45,950　（社　債）※　45,950

※　@91.9円×500,000口＝45,950

2　x2年3月31日（利払日及び決算日）

（社債利息）※1　900　（現金預金）　900

（社債利息）※2　810　（社　債）　810

※1　@100円×500,000口×1.8%＝900

※2　(@100円×500,000口－45,950)×$\frac{12月}{60月}$

＝810

3　x3年3月31日（利払日及び決算日）

（社債利息）※1　900　（現金預金）　900

（社債利息）※2　810　（社　債）　810

※1　@100円×500,000口×1.8%＝900

※2　(@100円×500,000口－45,950)×$\frac{12月}{60月}$

＝810

4　x4年3月31日（利払日及び決算日）

（社債利息）※1　900　（現金預金）　900

（社債利息）※2　810　（社　債）　810

※1　@100円×500,000口×1.8%＝900

※2　(@100円×500,000口－45,950)×$\frac{12月}{60月}$

＝810

問題11-3 普通社債(3)

解答

決算整理後残高試算表　（単位：千円）

| 社債利息 | 2,700 | 未払利息 | 500 |
| | | 社　債 | 45,600 |

解答への道 （単位：千円）

1　前期末の残高勘定

	残		高
		未払利息※1	500
		社　債※2	44,400

※1　50,000×3%×$\frac{4月}{12月}$＝500

※2　44,000＋(50,000－44,000)×$\frac{4月}{60月}$＝44,400

2　期中処理

(1) 再振替

（未払利息）　500　（社債利息）　500

(2) 利払い（まとめて示す。）

（社債利息）※　1,500　（現金預金）　1,500

※　50,000×3%＝1,500

3 決算整理

(1) 決算整理前残高試算表

決算整理前残高試算表

社 債 利 息	1,000	社　　　債	44,400

(2) 決算整理

① 期末評価

(社 債 利 息)	1,200	(社　　　債)※	1,200

※　$(50,000-44,000)\times\dfrac{12月}{60月}=1,200$

② 利息の見越

(社 債 利 息)※	500	(未 払 利 息)	500

※　$50,000\times3\%\times\dfrac{4月}{12月}=500$

問題11−4 普通社債(4)

解 答

問1

決算整理後残高試算表（一部）（単位：千円）

社 債 利 息	(3,405)	未 払 費 用	(1,350)
		社　　　債	(96,185)

問2

決算整理後残高試算表（一部）（単位：千円）

社 債 利 息	(3,420)	未 払 費 用	(1,350)
		社　　　債	(96,355)

解答への道　（単位：千円）

問1　利息法

1　x 4 年 7 月 1 日（発行日）

(現 金 預 金)	91,900	(社　　　債)	91,900

2　x 5 年 3 月 31 日（決算日）

(社 債 利 息)※1	2,481	(未 払 費 用)※2	1,350
		(社　　　債)※3	1,131

※1　$91,900\times3.6\%\times\dfrac{9月}{12月}=2,481$（千円未満四捨五入）

※2　$100,000\times1.8\%\times\dfrac{9月}{12月}=1,350$

※3　差額

3　x 5 年 6 月 30 日（利払日）

(社 債 利 息)※1	827	(現 金 預 金)※2	1,800
(未 払 費 用)	1,350	(社　　　債)※3	377

※1　$91,900\times3.6\%-2,481=827$（千円未満四捨五入）

※2　$100,000\times1.8\%=1,800$

※3　差額

4　x 6 年 3 月 31 日（決算日）

(社 債 利 息)※1	2,522	(未 払 費 用)※2	1,350
		(社　　　債)※3	1,172

※1　$(91,900+1,131+377)\times3.6\%\times\dfrac{9月}{12月}$

$=2,522$（千円未満四捨五入）

※2　$100,000\times1.8\%\times\dfrac{9月}{12月}=1,350$

※3　差額

5　x 6 年 6 月 30 日（利払日）

(社 債 利 息)※1	841	(現 金 預 金)※2	1,800
(未 払 費 用)	1,350	(社　　　債)※3	391

※1　$(91,900+1,131+377)\times3.6\%-2,522$

$=841$（千円未満四捨五入）

※2　$100,000\times1.8\%=1,800$

※3　差額

4　x 7 年 3 月 31 日（決算日）

(社 債 利 息)※1	2,564	(未 払 費 用)※2	1,350
		(社　　　債)※3	1,214

※1　$(91,900+1,131+377+1,172+391)\times3.6\%$

$\times\dfrac{9月}{12月}=2,564$（千円未満四捨五入）

※2　$100,000\times1.8\%\times\dfrac{9月}{12月}=1,350$

※3　差額

問2　定額法

1　x 4 年 7 月 1 日（発行日）

(現 金 預 金)	91,900	(社　　　債)	91,900

2　x 5 年 3 月 31 日（決算日）

(社 債 利 息)※1	1,350	(未 払 費 用)	1,350
(社 債 利 息)※2	1,215	(社　　　債)	1,215

※1　$100,000\times1.8\%\times\dfrac{9月}{12月}=1,350$

※2　$(100,000-91,900)\times\dfrac{9月}{60月}=1,215$

3　x 5 年 4 月 1 日（期首）

(未 払 費 用)	1,350	(社 債 利 息)	1,350

4　x5年6月30日（利払日）

(社債利息)※　　1,800　（現金預金）　　1,800

※　100,000×1.8%＝1,800

5　x6年3月31日（決算日）

(社債利息)※1　1,350　（未 払 費 用）　1,350

(社債利息)※2　1,620　（社　　　債）　1,620

※1　$100,000 \times 1.8\% \times \dfrac{9月}{12月} = 1,350$

※2　$(100,000 - 91,900) \times \dfrac{12月}{60月} = 1,620$

6　x6年4月1日（期首）

(未 払 費 用)　　1,350　（社 債 利 息）　1,350

7　x6年6月30日（利払日）

(社債利息)※　　1,800　（現金預金）　　1,800

※　100,000×1.8%＝1,800

8　x7年3月31日（決算日）

(社債利息)※1　1,350　（未 払 費 用）　1,350

(社債利息)※2　1,620　（社　　　債）　1,620

※1　$100,000 \times 1.8\% \times \dfrac{9月}{12月} = 1,350$

※2　$(100,000 - 91,900) \times \dfrac{12月}{60月} = 1,620$

問題11-5　買入消却(1)

解答

問1　利息法

(1)　x1年4月1日（発行時）

（単位：千円）

借 方 科 目	金 額	貸 方 科 目	金 額
現 金 預 金	93,290	社　　　債	93,290

(2)　x2年3月31日（利払時）

（単位：千円）

借 方 科 目	金 額	貸 方 科 目	金 額
社 債 利 息	3,358	現 金 預 金	1,200
		社　　　債	2,158

決算整理後残高試算表

x2年3月31日　（単位：千円）

社 債 利 息	3,358	社　　債	95,448

---

(3)　x2年10月31日（買入消却時）

（単位：千円）

借 方 科 目	金 額	貸 方 科 目	金 額
社　　　債	38,179	現 金 預 金	38,280
社 債 利 息	802	社債買入消却損益	701

(4)　x3年3月31日（利払時）

（単位：千円）

借 方 科 目	金 額	貸 方 科 目	金 額
社 債 利 息	2,062	現 金 預 金	720
		社　　　債	1,342

決算整理後残高試算表

x3年3月31日　（単位：千円）

社 債 利 息	2,864	社　　債	58,611
		社債買入消却損益	701

問2　定額法

(1)　x1年4月1日（発行時）

（単位：千円）

借 方 科 目	金 額	貸 方 科 目	金 額
現 金 預 金	93,290	社　　　債	93,290

(2)　x2年3月31日（利払時、決算時）

①　クーポン利息の支払い　（単位：千円）

借 方 科 目	金 額	貸 方 科 目	金 額
社 債 利 息	1,200	現 金 預 金	1,200

②　金利調整差額の償却　（単位：千円）

借 方 科 目	金 額	貸 方 科 目	金 額
社 債 利 息	2,237	社　　　債	2,237

決算整理後残高試算表

x2年3月31日　（単位：千円）

社 債 利 息	3,437	社　　債	95,527

(3)　x2年10月31日（買入消却時）

（単位：千円）

借 方 科 目	金 額	貸 方 科 目	金 額
社　　　債	38,211	現 金 預 金	38,280
社 債 利 息	802	社債買入消却損益	733

(4) x 3 年 3 月 31 日（利払時、決算時）

① クーポン利息の支払い　　　　　　　（単位：千円）

借方科目	金　額	貸方科目	金　額
社 債 利 息	720	現 金 預 金	720

② 金利調整差額の償却　　　　　　　　（単位：千円）

借方科目	金　額	貸方科目	金　額
社 債 利 息	1,342	社　　　　債	1,342

決算整理後残高試算表

x 3 年 3 月 31 日　　　　（単位：千円）

社 債 利 息	2,864	社　　　　債	58,658
		社債買入消却損益	733

解答への道　（単位：千円）

問 1　利息法

1　x 1 年 4 月 1 日（発行時）

（現 金 預 金）　93,290　（社　債）※　93,290

※　払込金額：$100,000 \times \dfrac{@93.29円}{@100円} = 93,290$

2　x 2 年 3 月 31 日（利払時、決算時）

（社 債 利 息）※1　3,358　（現 金 預 金）※2　1,200

　　　　　　　　　　　　　（社　債）※3　2,158

※1　93,290×実効利子率3.6%＝3,358（千円未満四捨五入）

※2　100,000×クーポン利子率1.2%＝1,200

※3　差額

3

決算整理後残高試算表

x 2 年 3 月 31 日

社 債 利 息	3,358	社　　　　債	95,448

4　x 2 年 10 月 31 日（買入消却時）

（社　債）※1　38,179　（現 金 預 金）※3　38,280

（社 債 利 息）※2　802　（社債買入消却損益）※4　701

※1　社債$95,448 \times \dfrac{40,000}{100,000} = 38,179$（千円未満四捨五入）

※2　$38,179 \times$実効利子率$3.6\% \times \dfrac{7月}{12月} = 802$（千円未満四捨五入）

※3　社債：$40,000 \times \dfrac{@95円}{@100円} = 38,000$

　　経過利息：$40,000 \times$クーポン利子率$1.2\% \times \dfrac{7月}{12月} = 280$ ｝合計38,280

※4　差額

5　x 3 年 3 月 31 日（利払時、決算時）

（社 債 利 息）※1　2,062　（現 金 預 金）※2　720

　　　　　　　　　　　　　（社　債）※3　1,342

※1　$(95,448 - 38,179) \times$実効利子率$3.6\% = 2,062$

　　（千円未満四捨五入）

※2　$60,000 \times$クーポン利子率$1.2\% = 720$

※3　差額

6

決算整理後残高試算表

x 3 年 3 月 31 日

社 債 利 息	2,864	社　　　　債	58,611
		社債買入消却損益	701

問 2　定額法

1　x 1 年 4 月 1 日（発行時）

（現 金 預 令）　93,290　（社　債）※　93,290

※　払込金額：$100,000 \times \dfrac{@93.29円}{@100円} = 93,290$

2　x 2 年 3 月 31 日（利払時、決算時）

(1) クーポン利息の支払い

（社 債 利 息）※　1,200　（現 金 預 金）　1,200

※　100,000×クーポン利子率1.2%＝1,200

(2) 金利調整差額の償却

（社 債 利 息）※　2,237　（社　債）　2,237

※　$(100,000 - 93,290) \times \dfrac{12月}{36月} = 2,237$（千円未満四捨五入）

3

決算整理後残高試算表

x 2 年 3 月 31 日

社 債 利 息	3,437	社　　　　債	95,527

4　x 2 年 10 月 31 日（買入消却時）

（社　債）※1　38,211　（現 金 預 金）※3　38,280

（社 債 利 息）※2　802　（社債買入消却損益）※4　733

※1　社債$95,527 \times \dfrac{40,000}{100,000} = 38,211$（千円未満四捨五入）

※2　$(40,000 - 38,211) \times \dfrac{7月}{36月 - 12月} = 522$（千円未満四捨五入）｝合計802

　　$40,000 \times$クーポン利子率$1.2\% \times \dfrac{7月}{12月} = 280$

※3　社債：$40,000 \times \dfrac{@95円}{@100円} = 38,000$

　　経過利息：$40,000 \times$クーポン利子率$1.2\% \times \dfrac{7月}{12月} = 280$ ｝合計38,280

※4　差額

5　x 3 年 3 月 31 日（利払時、決算時）

(1) クーポン利息の支払い

| （社 債 利 息）※ | 720 | （現 金 預 金） | 720 |

※　(100,000－40,000)×クーポン利子率1.2%＝720

(2) 金利調整差額の償却

| （社 債 利 息）※ | 1,342 | （社　　　　　債） | 1,342 |

※　$\{60,000-(95,527-38,211)\} \times \dfrac{12月}{36月-12月}$

$=1,342$

決算整理後残高試算表
x 3 年 3 月 31 日

| 社 債 利 息 | 2,864 | 社　　　債 | 58,658 |
| | | 社債買入消却損益 | 733 |

（参考）買入消却の仕訳の考え方

買入時における①社債利息の計上と②社債の買入れの処理を分けて考えるとわかりやすい。

(1) **利息法の場合**

① 買入時における買入分の社債利息の計上

| （社 債 利 息）※1 | 802 | （現 金 預 金）※2 | 280 |
| | | （社　　　債）※3 | 522 |

※1　社債95,448×$\dfrac{買入消却40,000}{債券金額100,000}$

$=38,179$（千円未満四捨五入）

38,179×実効利子率3.6%×$\dfrac{7月}{12月}$

$=802$（千円未満四捨五入）

※2　経過利息：40,000×クーポン利子率1.2%

$\times \dfrac{7月}{12月}=280$

※3　差額（金利調整差額の償却額）

② 社債の買入消却分

| （社　　　債）※1 | 38,701 | （現 金 預 金）※2 | 38,000 |
| | | （社債買入消却損益）※3 | 701 |

※1　買入消却の社債帳簿価額：38,179＋金利調整差額の償却額522＝38,701

※2　社債の買入価額：40,000×$\dfrac{@\ 95円}{@100円}$＝38,000

※3　差額

③ ①と②の仕訳をまとめると買入時の仕訳となる。

(2) **定額法の場合**

① 買入時における買入分の社債利息の計上

(a) 金利調整差額の償却

| （社 債 利 息）※ | 522 | （社　　　債） | 522 |

※　社債95,527×$\dfrac{買入消却\ 40,000}{債券金額100,000}$

$=38,211$（千円未満四捨五入）

$(40,000-38,211) \times \dfrac{7月}{36月-12月}$

$=522$（千円未満四捨五入）

(b) 経過利息

| （社 債 利 息）※ | 280 | （現 金 預 金） | 280 |

※　経過利息：40,000×クーポン利子率1.2%

$\times \dfrac{7月}{12月}=280$

② 社債の買入消却分

| （社　　　債）※1 | 38,733 | （現 金 預 金）※2 | 38,000 |
| | | （社債買入消却損益）※3 | 733 |

※1　買入消却の社債帳簿価額：38,211＋金利調整差額の償却額522＝38,733

※2　社債の買入価額：40,000×$\dfrac{@\ 95円}{@100円}$＝38,000

※3　差額

③ ①（a）、(b) と②をまとめると買入時の仕訳となる。

問題11－6　買入消却(2)

解　答

問1

（単位：千円）

借 方 科 目	金 額	貸 方 科 目	金 額
社　　　　　債	56,961	現 金 預 金	57,600
社 債 利 息	1,253	社債買入消却損益	614
社 債 利 息	4,386	現 金 預 金	2,100
		社　　　債	2,286

問2

（単位：千円）

借 方 科 目	金 額	貸 方 科 目	金 額
社　　　　　債	57,057	現 金 預 金	57,600
社 債 利 息	1,254	社債買入消却損益	711
社 債 利 息	2,100	現 金 預 金	2,100
社 債 利 息	2,289	社　　　債	2,289

解答への道　（単位：千円）

問1　利息法

1　X 1 年 4 月 1 日（発行日）

| （現 金 預 金） | 183,650 | （社　　　債）※ | 183,650 |

2　X2年3月31日（利払日）

| （社　債　利　息）※1 | 6,060 | （現　金　預　金）※2 | 3,000 |
| | | （社　　　　　債）※3 | 3,060 |

　※1　183,650×3.3%＝6,060（千円未満四捨五入）

　※2　200,000×1.5%＝3,000

　※3　差額

3　X3年3月31日（利払日）

| （社　債　利　息）※1 | 6,161 | （現　金　預　金）※2 | 3,000 |
| | | （社　　　　　債）※3 | 3,161 |

　※1　(183,650＋3,060)×3.3%＝6,161（千円未満

　　四捨五入）

　※2　200,000×1.5%＝3,000

　※3　差額

4　X3年11月30日（買入消却）

| （社　　　　　債）※1 | 56,961 | （現　金　預　金） | 57,600 |
| （社　債　利　息）※2 | 1,253 | （社債買入消却損益）※3 | 614 |

　※1　$(183,650＋3,060＋3,161)×\dfrac{60,000}{200,000}$

　　　＝56,961（千円未満四捨五入）

　※2　$56,961×3.3\%×\dfrac{8月}{12月}$

　　　＝1,253（千円未満四捨五入）

　※3　差額

5　X4年3月31日（利払日）

| （社　債　利　息）※1 | 4,386 | （現　金　預　金）※2 | 2,100 |
| | | （社　　　　　債）※3 | 2,286 |

　※1　(183,650＋3,060＋3,161－56,961)×3.3%

　　　＝4,386（千円未満四捨五入）

　※2　(200,000－60,000)×1.5%＝2,100

　※3　差額

問2　定額法

1　X1年4月1日（発行日）

| （現　金　預　金） | 183,650 | （社　　　　　債） | 183,650 |

2　X2年3月31日（利払日及び決算日）

| （社　債　利　息）※1 | 3,000 | （現　金　預　金） | 3,000 |
| （社　債　利　息）※2 | 3,270 | （社　　　　　債） | 3,270 |

　※1　200,000×1.5%＝3,000

　※2　$(200,000－183,650)×\dfrac{12月}{60月}＝3,270$

3　X3年3月31日（利払日及び決算日）

| （社　債　利　息）※1 | 3,000 | （現　金　預　金） | 3,000 |
| （社　債　利　息）※2 | 3,270 | （社　　　　　債） | 3,270 |

　※1　200,000×1.5%＝3,000

　※2　$(200,000－183,650)×\dfrac{12月}{60月}＝3,270$

4　X3年11月30日（買入消却）

| （社　　　　　債）※1 | 57,057 | （現　金　預　金） | 57,600 |
| （社　債　利　息）※2 | 1,254 | （社債買入消却損益）※3 | 711 |

　※1　$(183,650＋3,270＋3,270)×\dfrac{60,000}{200,000}$

　　　＝57,057

　※2　(1)　$(60,000－57,057)×\dfrac{8月}{36月}＝654$

　　　(2)　$60,000×1.5\%×\dfrac{8月}{12月}＝600$

　　　(3)　(1)＋(2)＝1,254

　※3　差額

5　X4年3月31日（利払日及び決算日）

| （社　債　利　息）※1 | 2,100 | （現　金　預　金） | 2,100 |
| （社　債　利　息）※2 | 2,289 | （社　　　　　債） | 2,289 |

　※1　(200,000－60,000)×1.5%＝2,100

　※2　$\{(200,000－60,000)－(183,650＋3,270$
　　　$＋3,270－57,057)\}×\dfrac{12月}{36月}＝2,289$

【問題11-7】　定時償還条項付社債

（解答）

決算整理後残高試算表　（単位：千円）

| 社 債 利 息 | 900 | 社　　　債 | 17,550 |

（解答への道）　（単位：千円）

1　各期の償却額

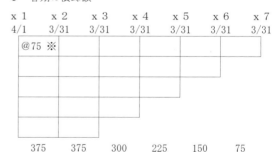

| x1 | x2 | x3 | x4 | x5 | x6 | x7 |
| 4/1 | 3/31 | 3/31 | 3/31 | 3/31 | 3/31 | 3/31 |

@75 ※

| 375 | 375 | 300 | 225 | 150 | 75 |

　※　$\dfrac{社債金額30,000－払込金額28,500}{総項数20}＝@75$

2　x1年4月1日

| （現　金　預　金） | 28,500 | （社　　　　　債） | 28,500 |

－280－

3　x 2年 3 月31日

| （社 債 利 息）※1 | 750 | （現 金 預 金） | 750 |
| （社 債 利 息）※2 | 375 | （社　　　債） | 375 |

　　※ 1 　社債金額30,000×2.5％＝750

　　※ 2 　上記 1 参照

4　x 3 年 3 月31日

| （社　　　債）※3 | 5,625 | （現 金 預 金）※1 | 6,750 |
| （社 債 利 息）※2 | 1,125 | | |

　　※ 1 　償還金額6,000＋クーポン（社債金額30,000×
　　　　　2.5％）＝6,750

　　※ 2 　クーポン（社債金額30,000×2.5％）＋償却額
　　　　　375（上記 1 参照）＝1,125

　　※ 3 　差額

5　当期の決算整理

| （社　　　債）※2 | 5,700 | （仮　払　金） | 6,600 |
| （社 債 利 息）※1 | 900 | | |

　　※ 1 　クーポン（社債金額24,000×2.5％）＋償却額
　　　　　300（上記 1 参照）＝900

　　※ 2 　差額

第 12 章　　　　有　価　証　券　　　　　重要度　A

<table>
<tr><td>問題12－1</td><td>有価証券(1)</td></tr>
</table>

解　答

問1　洗替処理

（単位：千円）

	借 方 科 目	金 額	貸 方 科 目	金 額
(1)	有 価 証 券	19,800	現 金 預 金	19,800
(2)	有 価 証 券	600	有価証券評価損益	600
(3)	有価証券評価損益	600	有 価 証 券	600
(4)	現 金 預 金	10,400	有 価 証 券	9,900
			有価証券売却損益	500
(5)	有 価 証 券	19,200	現 金 預 金	19,200
(6)	現 金 預 金	10,250	有 価 証 券	9,700
			有価証券売却損益	550
(7)	有価証券評価損益	200	有 価 証 券	200

決算整理後残高試算表　（単位：千円）

有 価 証 券	19,200	有価証券売却損益	1,050
有価証券評価損益	800		

問2　切放処理

（単位：千円）

	借 方 科 目	金 額	貸 方 科 目	金 額
(1)	有 価 証 券	19,800	現 金 預 金	19,800
(2)	有 価 証 券	600	有価証券評価損益	600
(3)	仕 訳 不 要			
(4)	現 金 預 金	10,400	有 価 証 券	10,200
			有価証券売却損益	200
(5)	有 価 証 券	19,200	現 金 預 金	19,200
(6)	現 金 預 金	10,250	有 価 証 券	9,800
			有価証券売却損益	450
(7)	有価証券評価損益	400	有 価 証 券	400

決算整理後残高試算表　（単位：千円）

有 価 証 券	19,200	有価証券売却損益	650
有価証券評価損益	400		

解答への道　（単位：千円）

仕訳は、決算整理後残高試算表に使用されている勘

定科目を用いること。

問1　洗替処理

(1) ｘ1年3月5日（取得時）

（有 価 証 券）※　19,800　（現 金 預 金）　19,800

　※　@990円×20,000株＝19,800

(2) ｘ1年3月31日（第1期末）

（有 価 証 券）※　600　（有価証券評価損益）　600

　※　帳簿価額：　　　　　　　19,800

　　期末時価：　　　　　　　　　　　＋600（評価益）

　　　@1,020円×20,000株＝20,400

(3) ｘ1年4月1日（第2期首）

（有価証券評価損益）　600　（有 価 証 券）※　600

　※　振戻処理

(4) ｘ1年7月9日（売却時）

（現 金 預 金）※2　10,400　（有 価 証 券）※1　9,900

　　　　　　　　　　　　　（有価証券売却損益）※3　500

　※1　@990円×10,000株＝9,900

　※2　@1,040円×10,000株＝10,400

　※3　差額

(5) ｘ1年10月15日（取得時）

（有 価 証 券）※　19,200　（現 金 預 金）　19,200

　※　@960円×20,000株＝19,200

　(注)　平均単価：$\dfrac{19,800-9,900+19,200}{20,000株-10,000株+20,000株}$＝@970円

(6) ｘ2年2月8日（売却時）

（現 金 預 金）※2　10,250　（有 価 証 券）※1　9,700

　　　　　　　　　　　　　（有価証券売却損益）※3　550

　※1　@970円×10,000株＝9,700

　※2　@1,025円×10,000株＝10,250

　※3　差額

(7) ｘ2年3月31日（第2期末）

（有価証券評価損益）　200　（有 価 証 券）※　200

　※　帳簿価額：

　　　@970円×20,000株＝19,400

　　期末時価：　　　　　　　　　　　△200（評価損）

　　　@960円×20,000株＝19,200

　∴　後T/B有価証券評価損益：期首振戻△600＋期末

　　評価△200＝△800（評価損）

問2　切放処理

(1)　x1年3月5日（取得時）

（有価証券）※　19,800　（現金預金）　19,800

　※　@990円×20,000株＝19,800

(2)　x1年3月31日（第1期末）

（有価証券）※　600　（有価証券評価損益）　600

　※　帳簿価額：　19,800

　　　期末時価：　　　　　　　　　　＋600（評価益）
　　　　@1,020円×20,000株＝20,400

(3)　x1年4月1日（第2期首）　⇨　仕訳不要

(4)　x1年7月9日（売却時）

（現金預金）※2　10,400　（有価証券）※1　10,200
　　　　　　　　　　　　（有価証券売却損益）※3　200

　※1　@1,020円×10,000株＝10,200

　※2　@1,040円×10,000株＝10,400

　※3　差額

(5)　x1年10月15日（取得時）

（有価証券）※　19,200　（現金預金）　19,200

　※　@960円×20,000株＝19,200

（注）平均単価：$\dfrac{20,400-10,200+19,200}{20,000株-10,000株+20,000株}=$@980円

(6)　x2年2月8日（売却時）

（現金預金）※2　10,250　（有価証券）※1　9,800
　　　　　　　　　　　　（有価証券売却損益）※3　450

　※1　@980円×10,000株＝9,800

　※2　@1,025円×10,000株＝10,250

　※3　差額

(7)　x2年3月31日（第2期末）

（有価証券評価損益）　400　（有価証券）※　400

　※　帳簿価額：
　　　　@980円×20,000株＝19,600
　　　　　　　　　　　　　　　　　△400（評価損）
　　　期末時価：
　　　　@960円×20,000株＝19,200

問題12-2　有価証券(2)

解答

（単位：円）

	借方科目	金額	貸方科目	金額
(1)	有 価 証 券	97,000	当 座 預 金	97,600
	有価証券利息	600		
(2)	現　　　金	3,600	有価証券利息	3,600
(3)	現　　　金	99,200	有 価 証 券	97,000
			有価証券売却損益	1,000
			有価証券利息	1,200

有価証券利息　　　（単位：円）

1/31	当座預金	600	6/30	現　金	3,600
12/31	損　益	4,200	8/31	現　金	1,200
		4,800			4,800

解答への道　（単位：円）

1　タイムテーブル

```
1/1      1/31          6/30    8/31    12/31
 ├────────┼─────────────┼───────┼────────┤
        取得          利払日  売却   利払日
                                    決算日
 ←─経過利息─→←──当社所有期間の利息──→
```

2　1月31日（取得）

（有価証券）※1　97,000　（当座預金）※3　97,600
（有価証券利息）※2　600

　※1　$100,000×\dfrac{@97}{@100}=97,000$

　※2　経過利息

　※3　小切手の振出しは当座預金の引出しとなる。

3　6月30日（利払日）

（現　金）※2　3,600　（有価証券利息）※1　3,600

　※1　$100,000×7.2\%×\dfrac{6月}{12月}=3,600$

　※2　社債のクーポン利息は通貨代用証券であるため、現金勘定で処理する。

4　8月31日（売却）

（現　金）　99,200　（有価証券）　97,000
　　　　　　　　　（有価証券売却損益）※1　1,000
　　　　　　　　　（有価証券利息）※2　1,200

第12章　有価証券

※1 帳簿価額： 97,000
売却価額：
$$100,000 \times \dfrac{@98}{@100} = 98,000$$
┐
+1,000（売却益）
┘

※2 経過利息

5 12月31日（決算日、決算振替仕訳）

（有価証券利息）　4,200　（損　　益）　4,200

<u>問題12−3</u>　有価証券(3)

解　答

問1

X 3 年 3 月31日

決算整理後残高試算表（一部）（単位：千円）

投資有価証券	（ 48,324 ）	有価証券利息	（ 1,721 ）

X 4 年 3 月31日

決算整理後残高試算表（一部）（単位：千円）

投資有価証券	（ 48,864 ）	有価証券利息	（ 1,740 ）

問2

X 3 年 3 月31日

決算整理後残高試算表（一部）（単位：千円）

投資有価証券	（ 48,380 ）	有価証券利息	（ 1,740 ）

X 4 年 3 月31日

決算整理後残高試算表（一部）（単位：千円）

投資有価証券	（ 48,920 ）	有価証券利息	（ 1,740 ）

解答への道　（単位：千円）

問1　償却原価法（利息法）により処理した場合
1　X 1 年 4 月 1 日（取得日）
（投資有価証券）　47,300　（現 金 預 金）　47,300
2　X 2 年 3 月31日（利払日）
（現 金 預 金）※2　1,200　（有価証券利息）※1　1,703
（投資有価証券）※3　503

※1　47,300×3.6％＝1,703（千円未満四捨五入）

※2　50,000×2.4％＝1,200

※3　差額

3　X 3 年 3 月31日（利払日）
（現 金 預 金）※2　1,200　（有価証券利息）※1　1,721
（投資有価証券）※3　521

※1　（47,300＋503）×3.6％＝1,721（千円未満四捨五入）

※2　50,000×2.4％＝1,200

※3　差額

4　X 4 年 3 月31日（利払日）
（現 金 預 金）※2　1,200　（有価証券利息）※1　1,740
（投資有価証券）※3　540

※1　（47,300＋503＋521）×3.6％＝1,740（千円未満四捨五入）

※2　50,000×2.4％＝1,200

※3　差額

問2　償却原価法（定額法）により処理した場合
1　X 1 年 4 月 1 日（取得日）
（投資有価証券）　47,300　（現 金 預 金）　47,300
2　X 2 年 3 月31日（利払日、決算日）
（現 金 預 金）　1,200　（有価証券利息）※1　1,200
（投資有価証券）　540　（有価証券利息）※2　540

※1　50,000×2.4％＝1,200

※2　$(50,000-47,300) \times \dfrac{1 \, 年}{5 \, 年} = 540$

3　X 3 年 3 月31日（利払日、決算日）
（現 金 預 金）　1,200　（有価証券利息）※1　1,200
（投資有価証券）　540　（有価証券利息）※2　540

※1　50,000×2.4％＝1,200

※2　$(50,000-47,300) \times \dfrac{1 \, 年}{5 \, 年} = 540$

4　X 4 年 3 月31日（利払日、決算日）
（現 金 預 金）　1,200　（有価証券利息）※1　1,200
（投資有価証券）　540　（有価証券利息）※2　540

※1　50,000×2.4％＝1,200

※2　$(50,000-47,300) \times \dfrac{1 \, 年}{5 \, 年} = 540$

問題12-4 有価証券(4)

解 答

問1

X2年3月31日

決算整理後残高試算表(一部)(単位:千円)

投資有価証券	(76,064)	有価証券利息	(1,884)

X3年3月31日

決算整理後残高試算表(一部)(単位:千円)

投資有価証券	(77,012)	有価証券利息	(1,908)

問2

X2年3月31日

決算整理後残高試算表(一部)(単位:千円)

投資有価証券	(76,112)	有価証券利息	(1,932)

X3年3月31日

決算整理後残高試算表(一部)(単位:千円)

投資有価証券	(77,084)	有価証券利息	(1,932)

解答への道 (単位:千円)

問1 償却原価法(利息法)により処理した場合

1 X1年4月1日(取得日)

(投資有価証券) 75,140 (現金預金) 75,140

2 X1年9月30日(利払日)

(現 金 預 金)※2 480 (有価証券利息)※1 939

(投資有価証券)※3 459

※1 $75{,}140 \times 2.5\% \times \dfrac{6月}{12月} = 939$(千円未満四捨五入)

※2 $80{,}000 \times 1.2\% \times \dfrac{6月}{12月} = 480$

※3 差額

3 X2年3月31日(利払日)

(現 金 預 金)※2 480 (有価証券利息)※1 945

(投資有価証券)※3 465

※1 $(75{,}140 + 459) \times 2.5\% \times \dfrac{6月}{12月} = 945$(千円未満四捨五入)

※2 $80{,}000 \times 1.2\% \times \dfrac{6月}{12月} = 480$

※3 差額

4 X2年9月30日(利払日)

(現 金 預 金)※2 480 (有価証券利息)※1 951

(投資有価証券)※3 471

※1 $(75{,}140 + 459 + 465) \times 2.5\% \times \dfrac{6月}{12月}$
　　$= 951$(千円未満四捨五入)

※2 $80{,}000 \times 1.2\% \times \dfrac{6月}{12月} = 480$

※3 差額

5 X3年3月31日(利払日)

(現 金 預 金)※2 480 (有価証券利息)※1 957

(投資有価証券)※3 477

※1 $(75{,}140 + 459 + 465 + 471) \times 2.5\% \times \dfrac{6月}{12月}$
　　$= 957$(千円未満四捨五入)

※2 $80{,}000 \times 1.2\% \times \dfrac{6月}{12月} = 480$

※3 差額

問2 償却原価法(定額法)により処理した場合

1 X1年4月1日(取得日)

(投資有価証券) 75,140 (現金預金) 75,140

2 X1年9月30日(利払日)

(現 金 預 金) 480 (有価証券利息)※ 480

※ $80{,}000 \times 1.2\% \times \dfrac{6月}{12月} = 480$

3 X2年3月31日(利払日、決算日)

(現 金 預 金) 480 (有価証券利息)※1 480

(投資有価証券) 972 (有価証券利息)※2 972

※1 $80{,}000 \times 1.2\% \times \dfrac{6月}{12月} = 480$

※2 $(80{,}000 - 75{,}140) \times \dfrac{1年}{5年} = 972$

4 X2年9月30日(利払日)

(現 金 預 金) 480 (有価証券利息)※ 480

※ $80{,}000 \times 1.2\% \times \dfrac{6月}{12月} = 480$

5 X3年3月31日(利払日、決算日)

(現 金 預 金) 480 (有価証券利息)※1 480

(投資有価証券) 972 (有価証券利息)※2 972

※1 $80{,}000 \times 1.2\% \times \dfrac{6月}{12月} = 480$

※2 $(80{,}000 - 75{,}140) \times \dfrac{1年}{5年} = 972$

解答

問1

決算整理後残高試算表（一部）　（単位：千円）

投資有価証券	(31,000)	繰延税金負債	(600)
繰延税金資産	(300)	その他有価証券評価差額金	(700)

問2

決算整理後残高試算表（一部）　（単位：千円）

投資有価証券	(31,000)	繰延税金負債	(600)
繰延税金資産	(300)	その他有価証券評価差額金	(1,400)
法人税等調整額	(300)	投資有価証券評価損益	(1,000)

解答への道　（単位：千円）

問1　全部純資産直入法により処理した場合

1　A社株式

(投資有価証券)※1	2,000	(繰延税金負債)※2	600
		(その他有価証券評価差額金)※3	1,400

※1　当期末時価12,000－取得価額10,000＝2,000

※2　2,000×30％＝600

※3　差額

2　B社株式

(繰延税金資産)※2	300	(投資有価証券)※1	1,000
(その他有価証券評価差額金)※3	700		

※1　当期末時価19,000－取得価額20,000
　　　＝△1,000

※2　1,000×30％＝300

※3　差額

問2　部分純資産直入法により処理した場合

1　A社株式

(投資有価証券)※1	2,000	(繰延税金負債)※2	600
		(その他有価証券評価差額金)※3	1,400

※1　当期末時価12,000－取得価額10,000＝2,000

※2　2,000×30％＝600

※3　差額

2　B社株式

(1) 期首振戻処理（税効果会計の処理は決算で行うものとする。）

(投資有価証券)※	2,000	(投資有価証券評価損益)	2,000

※　取得価額20,000－前期末時価18,000＝2,000

(2) 期末時価評価及び税効果会計

(投資有価証券評価損益)	1,000	(投資有価証券)※1	1,000
(法人税等調整額)	300	(繰延税金資産)※2	300

※1　当期末時価19,000－取得価額20,000
　　　＝△1,000

※2　当期末1,000×30％－前期末2,000×30％
　　　＝△300

解答

X2年3月31日

決算整理後残高試算表（一部）　（単位：千円）

投資有価証券	(36,250)	繰延税金負債	(159)
繰延税金資産	(240)	有価証券利息	(320)
その他有価証券評価差額金	(189)		

X3年3月31日

決算整理後残高試算表（一部）　（単位：千円）

投資有価証券	(36,950)	繰延税金負債	(213)
繰延税金資産	(120)	その他有価証券評価差額金	(217)
		有価証券利息	(320)

解答への道　（単位：千円）

1　X2年3月31日

(1) A社株式

(投資有価証券)※1	500	(繰延税金負債)※2	150
		(その他有価証券評価差額金)※3	350

※1　当期末時価12,500－取得価額12,000＝500

※2　500×30％＝150

※3　差額

(2) B社株式

(繰延税金資産)※2	240	(投資有価証券)※1	800
(その他有価証券評価差額金)※3	560		

※1　当期末時価14,200－取得価額15,000＝△800

※2　800×30％＝240

※3　差額

(3) C社社債

① クーポン利息の受取

(現　　金)	200	(有価証券利息)※	200

※　10,000× 2 ％＝200

② 償却原価法

(投資有価証券)	120	(有価証券利息)※	120

※　$(10,000-9,400)\times\dfrac{1年}{5年}=120$

③　時価評価

(投資有価証券)※1	30	(繰延税金負債)※2	9
		(その他有価証券評価差額金)※3	21

※1　当期末時価9,550－帳簿価額(9,400＋120)

　　　　＝30

※2　30×30％＝9

※3　差額

2　X2年4月1日

(1) A社株式

(繰延税金負債)	150	(投資有価証券)	500
(その他有価証券評価差額金)	350		

(2) B社株式

(投資有価証券)	800	(繰延税金資産)	240
		(その他有価証券評価差額金)	560

(3) C社社債

(繰延税金負債)	9	(投資有価証券)	30
(その他有価証券評価差額金)	21		

3　X3年3月31日

(1) A社株式

(投資有価証券)※1	700	(繰延税金負債)※2	210
		(その他有価証券評価差額金)※3	490

※1　当期末時価12,700－取得価額12,000＝700

※2　700×30％＝210

※3　差額

(2) B社株式

(繰延税金資産)※2	120	(投資有価証券)※1	400
(その他有価証券評価差額金)※3	280		

※1　当期末時価14,600－取得価額15,000＝△400

※2　400×30％＝120

※3　差額

(3) C社社債

① クーポン利息の受取

(現　　　金)	200	(有価証券利息)※	200

※　10,000×2％＝200

② 償却原価法

(投資有価証券)	120	(有価証券利息)※	120

※　$(10,000-9,400)\times\dfrac{1年}{5年}=120$

③　時価評価

(投資有価証券)※1	10	(繰延税金負債)※2	3
		(その他有価証券評価差額金)※3	7

※1　当期末時価9,650－帳簿価額(9,400＋120

　　　＋120)＝10

※2　10×30％＝3

※3　差額

問題12－7　有価証券(7)

解　答

問1

決算整理後残高試算表　（単位：千円）

投資有価証券	4,000
関係会社株式	22,000
投資有価証券評価損	6,000
関係会社株式評価損	28,000

問2

（単位：千円）

借 方 科 目	金 額	貸 方 科 目	金 額
投 資 有 価 証 券	1,000	繰 延 税 金 負 債	300
		その他有価証券評価差額金	700

解答への道　（単位：千円）

1　A社株式

(投資有価証券評価損)	6,000	(投資有価証券)※	6,000

※　4,000－10,000＝△6,000

2　B社株式

(関係会社株式評価損)	28,000	(関係会社株式)※	28,000

※　22,000－50,000＝△28,000

3　翌期（A社株式）

(投資有価証券)※1	1,000	(繰延税金負債)※2	300
		(その他有価証券評価差額金)※3	700

※1　5,000－4,000＝1,000

※2　1,000×30％＝300

※3　差額

解 答

決算整理後残高試算表（一部）　（単位：千円）

有 価 証 券	（ 880）	繰延税金負債	（ 66）
未 収 収 益	（ 78）	その他有価証券評価差額金	（ 84）
投資有価証券	（ 20,784）	有価証券評価損益	（ 30）
関係会社株式	（ 7,000）	有価証券利息	（ 238）
繰延税金資産	（ 30）		
関係会社株式評価損	（ 8,000）		

解答への道　　（単位：千円）

1　A社株式

(1) 取得

(有 価 証 券)	850	(現 金 預 金)	850

(2) 期末時価評価

(有 価 証 券)※	30	(有価証券評価損益)	30

※　当期末時価880−取得価額850＝30

2　B社社債

(1) X3年10月1日（取得）

(投資有価証券)	4,810	(現 金 預 金)	4,810

(2) X4年3月31日

① 償却原価法

(投資有価証券)※	19	(有価証券利息)	19

※　$(5,000-4,810)\times\dfrac{6月}{60月}=19$

② クーポン利息の見越計上

(未 収 収 益)※	30	(有価証券利息)	30

※　$5,000\times1.2\%\times\dfrac{6月}{12月}=30$

3　C社株式

(関係会社株式評価損)※	8,000	(関係会社株式)	8,000

※　当期末時価7,000−取得価額15,000＝△8,000

（50%以上下落しているため、減損処理を行う。）

4　D社社債

(1) X3年4月1日（期首）

(有価証券利息)※	48	(未 収 収 益)	48

※　$8,000\times1.8\%\times\dfrac{4月}{12月}=48$

(注) 前期末の時価評価に係る振戻処理については前
　　期末の時価が不明であるため、省略する。

期首償却原価（振戻処理後の帳簿価額）

$7,775+(8,000-7,775)\times\dfrac{4月}{60月}=7,790$

(2) X3年5月31日（利払日）

(現 金 預 金)	72	(有価証券利息)※	72

※　$8,000\times1.8\%\times\dfrac{6月}{12月}=72$

(3) X3年11月30日（利払日）

(現 金 預 金)	72	(有価証券利息)※	72

※　$8,000\times1.8\%\times\dfrac{6月}{12月}=72$

(4) X4年3月31日（決算日）

① 償却原価法

(投資有価証券)※	45	(有価証券利息)	45

※　$(8,000-7,775)\times\dfrac{12月}{60月}=45$

② 時価評価

(投資有価証券)※1	20	(繰延税金負債)※2	6
		(その他有価証券評価差額金)※3	14

※1　当期末時価7,855−帳簿価額(7,790+45)＝20

※2　20×30%＝6

※3　差額

③ クーポン利息の見越計上

(未 収 収 益)※	48	(有価証券利息)	48

※　$8,000\times1.8\%\times\dfrac{4月}{12月}=48$

5　E社株式

(投資有価証券)※1	200	(繰延税金負債)※2	60
		(その他有価証券評価差額金)※3	140

※1　当期末時価3,200−取得価額3,000＝200

※2　200×30%＝60

※3　差額

6　F社株式

(繰延税金資産)※2	30	(投資有価証券)※1	100
(その他有価証券評価差額金)※3	70		

※1　当期末時価4,900−取得価額5,000＝△100

※2　100×30%＝30

※3　差額

問題12−9 有価証券(9)

解 答

決算整理後残高試算表 （単位：千円）

有 価 証 券	7,110	繰延税金負債	45
関係会社株式	37,500	その他有価証券評価差額金	105
投資有価証券	9,450	有価証券運用損益	1,385
		有価証券利息	300
		関係会社株式売却損益	1,500
		投資有価証券評価損益	300

解答への道 （単位：千円）

1　A社株式

(1) 追加取得

（関係会社株式）※　　16,000　（仮　払　金）　16,000

※　@8,000円×2,000株＝16,000

(2) 保有目的区分の変更

（関係会社株式）※1　　4,000　（有 価 証 券）　3,800

　　　　　　　　　　　　　　　（有価証券運用損益）※2　200

※1　@8,000円×500株＝4,000

※2　差額

2　B社社債

(1) 金利調整差額の償却

（投資有価証券）※　　100　（有価証券利息）　100

※　$(5,000-4,400)\times\dfrac{12月}{72月}=100$

(2) 保有目的区分の変更

（投資有価証券）※　　4,800　（投資有価証券）　4,800

※　4,700＋100＝4,800（変更時の償却原価）

(3) 期末評価

（投資有価証券）※1　50　（繰延税金負債）※2　15

　　　　　　　　　　　　　（その他有価証券評価差額金）※3　35

※1　帳簿価額：4,800 ⎤
　　期末時価：4,850 ⎦ ＋50（評価差益）

※2　50×30％＝15

※3　差額

3　C社株式

(1) 売却

（仮　受　金）※1　6,000　（関係会社株式）　4,500

　　　　　　　　　　　　　（関係会社株式売却損益）※2　1,500

※1　@3,000円×2,000株＝6,000

※2　差額

(2) 保有目的区分の変更

（投資有価証券）　4,500　（関係会社株式）※　4,500

※　前T/B9,000−4,500＝4,500

(3) 期末評価

（投資有価証券）※1　100　（繰延税金負債）※2　30

　　　　　　　　　　　　　（その他有価証券評価差額金）※3　70

※1　帳簿価額：4,500 ⎤
　　期末時価：4,600 ⎦ ＋100（評価差益）

※2　100×30％＝30

※3　差額

4　D社株式

(1) 保有目的区分の変更

（有 価 証 券）※1　2,500　（投資有価証券）　2,200

　　　　　　　　　　　　　（投資有価証券評価損益）※2　300

※1　変更時の時価

※2　差額

(2) 取得（まとめて示す。）

（有 価 証 券）※　6,125　（仮　払　金）　6,125

※　4,500＋1,625＝6,125

(3) 売却

（仮　受　金）　2,400　（有 価 証 券）※1　2,100

　　　　　　　　　　　　　（有価証券運用損益）※2　300

※1　$\dfrac{2,500+4,500}{2,000株+3,000株}=$＠1,400円

　　@1,400円×1,500株＝2,100

※2　差額

(4) 期末評価

（有 価 証 券）※　585　（有価証券運用損益）　585

※　帳簿価額：
　　2,500＋6,125−2,100＝6,525 ⎤
　　期末時価：7,110 ⎦ ＋585（評価差益）

5　E社株式

(1) 取得

（関係会社株式）※　4,000　（仮　払　金）　4,000

※　@800円×5,000株＝4,000

(2) 保有目的区分の変更

（関係会社株式）※　13,500　（投資有価証券）　13,500

※　帳簿価額で振替

問題12-10 有価証券(10)

解答

問1

(1) x1年11月23日における購入代金の支払いに係る
仕訳　　　　　　　　　　　　　　　　（単位：円）

借方科目	金　額	貸方科目	金　額
未　払　金	34,200	現 金 預 金	34,200

(2) x2年1月10日における売却に係る仕訳

（単位：円）

借方科目	金　額	貸方科目	金　額
未　収　金	125,400	有 価 証 券	119,700
		有価証券売却益	5,700

(3) x2年3月30日における購入に係る仕訳

（単位：円）

借方科目	金　額	貸方科目	金　額
有 価 証 券	147,150	未　払　金	147,150

(4) x2年3月31日における決算整理仕訳

（単位：円）

借方科目	金　額	貸方科目	金　額
有 価 証 券	3,450	有価証券評価益	3,450

問2　　　　　　　　　　　　　　　（単位：円）

借方科目	金　額	貸方科目	金　額
投資有価証券	3,450	繰延税金負債	1,035
		その他有価証券評価差額金	2,415

解答への道　　（単位：円）

問1

1　x1年4月15日に係る購入

(1) 取得（4月15日）

(有 価 証 券)※ 342,000 （未　払　金） 342,000

※　@113.8×3,000株+600＝342,000

(2) 代金の決済（4月18日）

（未　払　金） 342,000 （現 金 預 金） 342,000

2　x1年11月20日に係る購入

(1) 取得（11月20日）

(有 価 証 券)※ 34,200 （未　払　金） 34,200

※　@113.0×300株+300＝34,200

(2) 代金の支払い（11月23日）

（未　払　金） 34,200 （現 金 預 金） 34,200

3　x2年1月10日に係る売却

(1) 売却（1月10日）

（未　収　金）※1 125,400 （有 価 証 券）※2 119,700

(有価証券売却益)※3 5,700

※1　@120.0×1,050株−600＝125,400

※2　$\dfrac{342,000+34,200}{3,000株+300株}$ ＝@114.0

@114.0×1,050株＝119,700

※3　差額　なお、有価証券売却損益、有価証券運
用損益勘定などでもよい。

(2) 代金の受取り（1月13日）

（現 金 預 金） 125,400 （未　収　金） 125,400

4　x2年3月30日に係る購入

(1) 取得（3月30日）

（有 価 証 券）※ 147,150 （未　払　金） 147,150

※　@122.0×1,200株+750＝147,150

(2) 期末評価

（有 価 証 券)※1 3,450 （有価証券評価益)※2 3,450

※1　帳簿価額：
342,000+34,200−119,700
+147,150＝403,650

　　　期末時価：
@118×(3,000株+300株−1,050株
+1,200株)＝407,100
　　　　　　　　　　　　　　　　+3,450

※2　有価証券評価損益、有価証券運用損益勘定な
どでもよい。

問2

1　x1年4月15日に係る購入

(1) 取得（4月15日）

(投資有価証券)※ 342,000 （未　払　金） 342,000

※　@113.8×3,000株+600＝342,000

(2) 代金の決済（4月18日）

（未　払　金） 342,000 （現 金 預 金） 342,000

2　x1年11月20日に係る購入

(1) 取得（11月20日）

(投資有価証券)※ 34,200 （未　払　金） 34,200

※　@113.0×300株+300＝34,200

(2) 代金の支払い（11月23日）

（未　払　金） 34,200 （現 金 預 金） 34,200

—290—

3　x 2 年 1 月10日に係る売却

(1) 売却（1 月10日）

(未 収 金)※1 125,400 （投資有価証券)※2 119,700

　　　　　　　　　（投資有価証券売却益)※3 　5,700

　※1　@120.0×1,050株−600＝125,400

　※2　$\dfrac{342,000+34,200}{3,000株+300株}$＝@114.0

　　　@114.0×1,050株＝119,700

　※3　差額

(2) 代金の受取り（1 月13日）

(現 金 預 金) 125,400 （未 収 金） 125,400

4　x 2 年 3 月30日に係る購入

(1) 取得（3 月30日）

(投資有価証券)※ 147,150 （未 払 金） 147,150

　※　@122.0×1,200株+750＝147,150

(2) 期末評価

(投資有価証券)※1 　3,450 （繰延税金負債)※2 　1,035

　　　　　　　　　（その他有価証券評価差額金)※3 　2,415

　※1　帳簿価額：
　　　 342,000+34,200−119,700
　　　　　　　　+147,150＝403,650 ┐
　　　　　　　　　　　　　　　　　├ +3,450
　　　 期末時価：
　　　　@118×(3,000株+300株−1,050株
　　　　　　　　+1,200株)＝407,100 ◄ ┘

　※2　3,450×30%＝1,035

　※3　差額

問題12−11 有価証券(11)

（解　答）

問 1

（単位：千円）

借 方 科 目	金 額	貸 方 科 目	金 額
現 金 預 金	50	受 取 配 当 金※	50

　※　有価証券運用損益でも可。

問 2

（単位：千円）

借 方 科 目	金 額	貸 方 科 目	金 額
現 金 預 金	50	関 係 会 社 株 式	20
		受 取 配 当 金	30

問題13－1　リース取引(1)

解 答

X 2 年 3 月31日

決算整理後残高試算表（一部）（単位：千円）

リース資産	（ 18,184）	リース債務	（ 18,617）
減価償却費	（ 4,546）		
支 払 利 息	（ 1,137）		

X 3 年 3 月31日

決算整理後残高試算表（一部）（単位：千円）

リース資産	（ 13,638）	リース債務	（ 14,298）
減価償却費	（ 4,546）		
支 払 利 息	（ 931）		

X 4 年 3 月31日

決算整理後残高試算表（一部）（単位：千円）

リース資産	（ 9,092）	リース債務	（ 9,763）
減価償却費	（ 4,546）		
支 払 利 息	（ 715）		

解答への道　（単位：千円）

1　X 1 年 4 月 1 日（リース取引開始日）

(1) 判定

① 解約不能及びフルペイアウトの要件を満たしているため、ファイナンス・リース取引となる。

② 所有権移転条項及び割安購入選択権が付されておらず、特別仕様にも該当しないため、所有権移転外ファイナンス・リース取引となる。

(2) 会計処理

（リース資産）※　22,730　（リース債務）　22,730

※　リース料総額の現在価値：$5,250 \div 1.05 + 5,250 \div 1.05^2 + 5,250 \div 1.05^3 + 5,250 \div 1.05^4 + 5,250 \div 1.05^5 = 22,730$（千円未満四捨五入）

現在価値22,730＜見積現金購入価額23,500

∴　22,730（いずれか低い方）

2　X 2 年 3 月31日（リース料支払日及び決算日）

(1) リース料の支払い

（支 払 利 息）※1　1,137　（現 金 預 金）　5,250

（リース債務）※2　4,113

※1　$22,730 \times 5\% = 1,137$（千円未満四捨五入）

※2　差額

(2) 減価償却

（減価償却費）※　4,546　（リース資産）　4,546

※　$22,730 \times \dfrac{1年}{5年} = 4,546$

3　X 3 年 3 月31日（リース料支払日及び決算日）

(1) リース料の支払い

（支 払 利 息）※1　931　（現 金 預 金）　5,250

（リース債務）※2　4,319

※1　$(22,730 - 4,113) \times 5\% = 931$（千円未満四捨五入）

※2　差額

(2) 減価償却

（減価償却費）　4,546　（リース資産）　4,546

※　$22,730 \times \dfrac{1年}{5年} = 4,546$

4　X 4 年 3 月31日（リース料支払日及び決算日）

(1) リース料の支払い

（支 払 利 息）※1　715　（現 金 預 金）　5,250

（リース債務）※2　4,535

※1　$(22,730 - 4,113 - 4,319) \times 5\% = 715$（千円未満四捨五入）

※2　差額

(2) 減価償却

（減価償却費）※　4,546　（リース資産）　4,546

※　$22,730 \times \dfrac{1年}{5年} = 4,546$

問題13-2 リース取引(2)

解　答

X2年3月31日

決算整理後残高試算表（一部）　（単位：千円）

リース資産	(22,520)	リース債務	(23,166)
減価償却費	(5,630)		
支払利息	(1,616)		

X3年3月31日

決算整理後残高試算表（一部）　（単位：千円）

リース資産	(16,890)	リース債務	(17,878)
減価償却費	(5,630)		
支払利息	(1,312)		

X4年3月31日

決算整理後残高試算表（一部）　（単位：千円）

リース資産	(11,260)	リース債務	(12,267)
減価償却費	(5,630)		
支払利息	(989)		

解答への道　（単位：千円）

1　X1年4月1日（リース取引開始日）

(1) 判定

① 解約不能及びフルペイアウトの要件を満たしているため、ファイナンス・リース取引となる。

② 所有権移転条項及び割安購入選択権が付されておらず、特別仕様にも該当しないため、所有権移転外ファイナンス・リース取引となる。

(2) 会計処理

(リース資産)※　28,150　(リース債務)　28,150

※　リース料総額の現在価値：

(注) リース料の支払いが年2回であるため、リース料及び割引率は半年で現在価値の算定を行う。

$3,300÷1.03＋3,300÷1.03^2＋3,300÷1.03^3$

$＋3,300÷1.03^4＋3,300÷1.03^5＋3,300÷1.03^6$

$＋3,300÷1.03^7＋3,300÷1.03^8＋3,300÷1.03^9$

$＋3,300÷1.03^{10}＝28,150$（千円未満四捨五入）

現在価値28,150＜見積現金購入価額28,800

∴　28,150（いずれか低い方）

2　X1年9月30日（リース料支払日）

(支払利息)※2　845　(現金預金)※1　3,300

(リース債務)※3　2,455

※1　$6,600×\dfrac{6月}{12月}＝3,300$

※2　$28,150×6％×\dfrac{6月}{12月}＝845$（千円未満四捨五入）

※3　差額

3　X2年3月31日（リース料支払日及び決算日）

(1) リース料の支払い

(支払利息)※2　771　(現金預金)※1　3,300

(リース債務)※3　2,529

※1　$6,600×\dfrac{6月}{12月}＝3,300$

※2　$(28,150-2,455)×6％×\dfrac{6月}{12月}＝771$（千円未満四捨五入）

※3　差額

(2) 減価償却

(減価償却費)※　5,630　(リース資産)　5,630

※　$28,150×\dfrac{1年}{5年}＝5,630$

4　X2年9月30日（リース料支払日）

(支払利息)※2　695　(現金預金)※1　3,300

(リース債務)※3　2,605

※1　$6,600×\dfrac{6月}{12月}＝3,300$

※2　$(28,150-2,455-2,529)×6％×\dfrac{6月}{12月}＝695$（千円未満四捨五入）

※3　差額

5　X3年3月31日（リース料支払日及び決算日）

(1) リース料の支払い

(支払利息)※2　617　(現金預金)※1　3,300

(リース債務)※3　2,683

※1　$6,600×\dfrac{6月}{12月}＝3,300$

※2　$(28,150-2,455-2,529-2,605)×6％$

$×\dfrac{6月}{12月}＝617$（千円未満四捨五入）

※3　差額

(2) 減価償却

(減価償却費)※　5,630　(リース資産)　5,630

※　$28,150×\dfrac{1年}{5年}＝5,630$

第13章　リース取引

6 X3年9月30日（リース料支払日）

(支払利息)※2 536 (現金預金)※1 3,300

(リース債務)※3 2,764

※1 $6,600 \times \dfrac{6月}{12月} = 3,300$

※2 $(28,150 - 2,455 - 2,529 - 2,605 - 2,683)$
$\times 6\% \times \dfrac{6月}{12月} = 536$（千円未満四捨五入）

※3 差額

7 X4年3月31日（リース料支払日及び決算日）

(1) リース料の支払い

(支払利息)※2 453 (現金預金)※1 3,300

(リース債務)※3 2,847

※1 $6,600 \times \dfrac{6月}{12月} = 3,300$

※2 $(28,150 - 2,455 - 2,529 - 2,605 - 2,683$
$- 2,764) \times 6\% \times \dfrac{6月}{12月} = 453$（千円未満四捨五入）

※3 差額

(2) 減価償却

(減価償却費)※ 5,630 (リース資産) 5,630

※ $28,150 \times \dfrac{1年}{5年} = 5,630$

問題13-3 リース取引(3)

解答

X2年3月31日

決算整理後残高試算表（一部）　（単位：円）

リース資産	(583,950)	未払費用	(15,458)
減価償却費	(103,050)	リース債務	(687,000)
支払利息	(15,458)		

X3年3月31日

決算整理後残高試算表（一部）　（単位：円）

リース資産	(446,550)	未払費用	(12,546)
減価償却費	(137,400)	リース債務	(557,610)
支払利息	(17,698)		

X4年3月31日

決算整理後残高試算表（一部）　（単位：円）

リース資産	(309,150)	未払費用	(9,548)
減価償却費	(137,400)	リース債務	(424,338)
支払利息	(13,730)		

解答への道 （単位：円）

1 X1年7月1日（リース取引開始日）

(1) 判定

① 解約不能及びフルペイアウトの要件を満たしているため、ファイナンス・リース取引となる。

② 所有権移転条項及び割安購入選択権が付されておらず、特別仕様にも該当しないため、所有権移転外ファイナンス・リース取引となる。

(2) 会計処理

(リース資産)※ 687,000 (リース債務) 687,000

※ リース料総額の現在価値：$150,000 \times 4.58$
$= 687,000$

現在価値687,000 ＜ 見積現金購入価額700,000
∴ 687,000 （いずれか低い方）

2 X2年3月31日（決算日）

(1) 減価償却

(減価償却費)※ 103,050 (リース資産) 103,050

※ $687,000 \times \dfrac{1年}{5年} \times \dfrac{9月}{12月} = 103,050$

(2) 支払利息の見越計上

(支払利息)※ 15,458 (未払費用) 15,458

※ $687,000 \times 3\% \times \dfrac{9月}{12月} = 15,458$（円未満四捨五入）

3 X2年4月1日（期首再振替）

(未払費用) 15,458 (支払利息) 15,458

4 X2年6月30日（リース料支払日）

(支払利息)※1 20,610 (現金預金) 150,000

(リース債務)※2 129,390

※1 $687,000 \times 3\% = 20,610$

※2 差額

5 X3年3月31日（決算日）

(1) 減価償却

(減価償却費)※ 137,400 (リース資産) 137,400

※ $687,000 \times \dfrac{1年}{5年} = 137,400$

(2) 支払利息の見越計上

(支払利息)※ 12,546 (未払費用) 12,546

※ $(687,000 - 129,390) \times 3\% \times \dfrac{9月}{12月} = 12,546$
（円未満四捨五入）

6　X3年4月1日（期首再振替）

（未払費用）　　12,546　（支払利息）　　12,546

7　X3年6月30日（リース料支払日）

（支払利息）※1　16,728　（現金預金）　　150,000

（リース債務）※2　133,272

　※1　（687,000－129,390）×3％＝16,728（円未満
　　　四捨五入）

　※2　差額

8　X4年3月31日（決算日）

(1)　減価償却

（減価償却費）※　137,400　（リース資産）　　137,400

　※　$687,000 \times \dfrac{1年}{5年} = 137,400$

(2)　支払利息の見越計上

（支払利息）※　　9,548　（未払費用）　　9,548

　※　$(687,000 - 129,390 - 133,272) \times 3\% \times \dfrac{9月}{12月}$
　　　$= 9,548$（円未満四捨五入）

問題13−4　リース取引(4)

解答

X2年3月31日

決算整理後残高試算表（一部）　　（単位：千円）

リース資産	（　6,604）	未払費用	（　195）
減価償却費	（　1,651）	リース債務	（　6,505）
支払利息	（　195）		

X3年3月31日

決算整理後残高試算表（一部）　　（単位：千円）

リース資産	（　4,953）	未払費用	（　149）
減価償却費	（　1,651）	リース債務	（　4,950）
支払利息	（　149）		

X4年3月31日

決算整理後残高試算表（一部）　　（単位：千円）

リース資産	（　3,302）	未払費用	（　100）
減価償却費	（　1,651）	リース債務	（　3,349）
支払利息	（　100）		

解答への道　（単位：千円）

1　X1年4月1日（リース取引開始日）

(1)　判定

①　解約不能及びフルペイアウトの要件を満たしているため、ファイナンス・リース取引となる。

②　所有権移転条項及び割安購入選択権が付されておらず、特別仕様にも該当しないため、所有権移転外ファイナンス・リース取引となる。

(2)　会計処理

①　リース取引開始時

（リース資産）※　　8,255　（リース債務）　　8,255

　※　リース料総額の現在価値：$1,750 + 1,750 \div 1.03$
　　　$+ 1,750 \div 1.03^2 + 1,750 \div 1.03^3 + 1,750 \div 1.03^4$
　　　$= 8,255$（千円未満四捨五入）

　　　現在価値8,255＜見積現金購入価額8,400

　　　　　　　∴　8,255（いずれか低い方）

②　リース料の支払い

（リース債務）　　1,750　（現金預金）　　1,750

2　X2年3月31日（決算日）

(1)　減価償却

（減価償却費）※　　1,651　（リース資産）　　1,651

　※　$8,255 \times \dfrac{1年}{5年} = 1,651$

(2)　支払利息の見越計上

（支払利息）※　　195　（未払費用）　　195

　※　$(8,255 - 1,750) \times 3\% = 195$（千円未満四捨五入）

3　X2年4月1日

(1)　再振替仕訳

（未払費用）　　195　（支払利息）　　195

(2)　リース料の支払い

（支払利息）※1　195　（現金預金）　　1,750

（リース債務）※2　1,555

　※1　$(8,255 - 1,750) \times 3\% = 195$（千円未満四捨五入）

　※2　差額

4　X3年3月31日（決算日）

(1)　減価償却

（減価償却費）※　　1,651　（リース資産）　　1,651

　※　$8,255 \times \dfrac{1年}{5年} = 1,651$

(2) 支払利息の見越計上

（支 払 利 息）※　　149　（未 払 費 用）　　　149

　　※　（8,255−1,750−1,555）× 3 ％＝149（千円未満

　　　　四捨五入）

5　X 3 年 4 月 1 日

(1) 再振替仕訳

（未 払 費 用）　　149　（支 払 利 息）　　　149

(2) リース料の支払い

（支 払 利 息）※1　149　（現 金 預 金）　　1,750

（リース債務）※2　1,601

　　※1　（8,255−1,750−1,555）× 3 ％＝149（千円未

　　　　満四捨五入）

　　※2　差額

6　X 4 年 3 月 31 日（決算日）

(1) 減価償却

（減価償却費）※　1,651　（リース資産）　1,651

　　※　$8,255 \times \dfrac{1 年}{5 年} = 1,651$

(2) 支払利息の見越計上

（支 払 利 息）※　　100　（未 払 費 用）　　　100

　　※　（8,255−1,750−1,555−1,601）× 3 ％＝100

　　　　（千円未満四捨五入）

問題13−5　リース取引(5)

解　答

1　X 1 年 4 月 1 日　　　　　　　　　　　　（単位：円）

借方科目	金　額	貸方科目	金　額
リース資産	2,727,600	リース債務	2,727,600
リース債務	600,000	現 金 預 金	600,000

2　X 2 年 3 月 31 日　　　　　　　　　　　（単位：円）

借方科目	金　額	貸方科目	金　額
減価償却費	545,520	リース資産	545,520
支 払 利 息	106,380	未 払 費 用	106,380

3　X 3 年 4 月 1 日　　　　　　　　　　　（単位：円）

借方科目	金　額	貸方科目	金　額
未 払 費 用	81,699	支 払 利 息	81,699
支 払 利 息	81,699	現 金 預 金	600,000
リース債務	518,301		

4　X 5 年 4 月 1 日　　　　　　　　　　　（単位：円）

借方科目	金　額	貸方科目	金　額
未 払 費 用	28,537	支 払 利 息	28,537
支 払 利 息	28,537	現 金 預 金	600,000
リース債務	571,463		

解答への道　　（単位：円）

1　X 1 年 4 月 1 日（リース取引開始日及びリース料

　支払日）

（リース資産）※ 2,727,600　（リース債務）　2,727,600

（リース債務）　　600,000　（現 金 預 金）　600,000

　　※(1) 現在価値：600,000＋600,000×（0.952＋0.907

　　　　＋0.864＋0.823）＝2,727,600

　　　(2) 見積現金購入価額：2,800,000

　　　(3) 現在価値2,727,600＜見積現金購入価額

　　　　2,800,000　∴　低い方 2,727,600

2　X 2 年 3 月 31 日（決算日）

（減価償却費）※1 545,520　（リース資産）　545,520

（支 払 利 息）※2 106,380　（未 払 費 用）　106,380

　　※1　$2,727,600 \times \dfrac{1 年}{5 年} = 545,520$

　　※2　（2,727,600−600,000）× 5 ％＝106,380

3　X 2 年 4 月 1 日（期首及びリース料支払日）

（未 払 費 用）※1 106,380　（支 払 利 息）　106,380

（支 払 利 息）※1 106,380　（現 金 預 金）　600,000

（リース債務）※2 493,620

　　※1　上記 2 より

　　※2　差額

4　X 3 年 3 月 31 日（決算日）

（減価償却費）※1 545,520　（リース資産）　545,520

（支 払 利 息）※2　81,699　（未 払 費 用）　81,699

　　※1　$2,727,600 \times \dfrac{1 年}{5 年} = 545,520$

　　※2　（2,727,600−600,000−493,620）× 5 ％

　　　　＝81,699

5　X 3 年 4 月 1 日（期首及びリース料支払日）

（未 払 費 用）※1　81,699　（支 払 利 息）　81,699

（支 払 利 息）※1　81,699　（現 金 預 金）　600,000

（リース債務）※2 518,301

※1　上記4より

※2　差額

6　X4年3月31日（決算日）

（減価償却費）※1　545,520　（リース資産）　545,520

（支　払　利　息）※2　55,784　（未　払　費　用）　55,784

　　※1　$2,727,600 \times \dfrac{1 年}{5 年} = 545,520$

　　※2　$(2,727,600 - 600,000 - 493,620 - 518,301)$
　　　　　　$\times 5\% = 55,784$（円未満四捨五入）

7　X4年4月1日（期首及びリース料支払日）

（未　払　費　用）※1　55,784　（支　払　利　息）　55,784

（支　払　利　息）※1　55,784　（現　金　預　金）　600,000

（リース債務）※2　544,216

　　※1　上記6より

　　※2　差額

8　X5年3月31日（決算日）

（減価償却費）※1　545,520　（リース資産）　545,520

（支　払　利　息）※2　28,537　（未　払　費　用）　28,537

　　※1　$2,727,600 \times \dfrac{1 年}{5 年} = 545,520$

　　※2　$600,000 - (2,727,600 - 600,000 - 493,620$
　　　　　　$- 518,301 - 544,216) = 28,537$

　　　　（注）X5年4月1日が最終支払回となるため、
　　　　　　利息は差額で算定する。

9　X5年4月1日（期首及びリース料支払日）

（未　払　費　用）※1　28,537　（支　払　利　息）　28,537

（支　払　利　息）※1　28,537　（現　金　預　金）　600,000

（リース債務）※2　571,463

　　※1　上記6より

　　※2　差額

問題13－6　リース取引(6)

解　答

（単位：千円）

(1)	12,425	(2)	6,000	(3)	4,627
(4)	83,000	(5)	74,444		

解答への道　（単位：千円）

1　機械甲

(1) ファイナンス・リースの判定

① 現在価値基準

$\dfrac{リース料 6,000 \times 2.67301}{見積現金購入価額 20,000} = \dfrac{16,038※}{20,000}$

$= 80.19\% < 90\%$

※　百円の位四捨五入

（注）現在価値の算定のために用いる利子率は、借
　　　手の追加借入利子率6％である。

② 経済的耐用年数基準

$\dfrac{リース期間 3 年}{経済的耐用年数 5 年} = 60\% < 75\%$

③ 上記①及び②より、当該リース取引はファイナン
ス・リース取引とは判定されず、「オペレーティング・
リース取引」と判定される。

(2) 会計処理

①

期首試算表		
	未　払　費　用※	1,500

※　$年額 6,000 \times \dfrac{3 月}{12 月} = 1,500$

② x21年4月1日（再振替仕訳）

（未　払　費　用）　1,500　（支払リース料）　1,500

③ x21年12月31日（リース料支払日）

（支払リース料）　6,000　（現　金　預　金）　6,000

④ x22年3月31日（決算整理）

（支払リース料）※　1,500　（未　払　費　用）　1,500

※　$年額 6,000 \times \dfrac{3 月}{12 月} = 1,500$

⑤

決算整理後残高試算表		（機械甲）
支払リース料　6,000	未　払　費　用	1,500

2　機械乙

(1) ファイナンス・リースの判定

① 現在価値基準

$\dfrac{リース料 12,000 \times 4.21236}{見積現金購入価額 49,200} = \dfrac{50,548※}{49,200}$

$= 102.7 \cdots \% \geqq 90\%$

※　百円の位四捨五入

（注）現在価値の算定のために用いる利子率は、借
　　　手の追加借入利子率6％である。

② 経済的耐用年数基準（参考）

$$\frac{リース期間5年}{経済的耐用年数6年}＝83.3\cdots\%≧75\%$$

③ 上記①より、当該リース取引は「ファイナンス・リース取引」と判定される。

④ 当該ファイナンス・リース取引は、「所有権移転条項」があるため、「所有権移転ファイナンス・リース取引」に該当する。

(2) 会計処理

① x21年4月1日（リース取引開始日）

（リース資産）※ 49,200 （リース債務） 49,200

※ 見積現金購入価額49,200＜リース料総額の現在価値50,548 ∴49,200

② x22年3月31日

(a) リース料支払日

（支払利息）※1 3,444 （現金預金） 12,000
（リース債務）※2 8,556

※1 リース債務49,200×利子率7％＝3,444

※2 差額

(b) 決算整理

（減価償却費）※ 8,200 （減価償却累計額） 8,200

※ $49,200×\frac{1年}{6年}＝8,200$

（注）リース資産及びリース債務の計上価額について見積現金購入価額を計上したため、支払利息の計算で用いる利子率は、リース料総額の現在価値が借手の見積現金購入価額と等しくなる利子率年7％である。減価償却については、所有権移転ファイナンス・リース取引であるため、経済的耐用年数6年を用いる。

③

決算整理後残高試算表 （機械乙）

リース資産	49,200	リース債務	40,644
減価償却費	8,200	減価償却累計額	8,200
支払利息	3,444		

3 機械丙

(1) ファイナンス・リースの判定

① 現在価値基準

$$\frac{リース料10,000×3.46511}{見積現金購入価額33,800}＝\frac{34,651※}{33,800}$$

$$＝102.5\cdots\%≧90\%$$

※百円の位四捨五入

（注）現在価値の算定のために用いる利子率は、借手の追加借入利子率6％である。

② 経済的耐用年数基準（参考）

$$\frac{リース期間4年}{経済的耐用年数5年}＝80\%≧75\%$$

③ 上記①より、当該リース取引は「ファイナンス・リース取引」と判定される。

④ 当該ファイナンス・リース取引は、所有権移転条項等がないため、「所有権移転外ファイナンス・リース取引」に該当する。

(2) 会計処理

① x21年10月1日（リース取引開始日）

（リース資産）※ 33,800 （リース債務） 33,800

※ 見積現金購入価額33,800＜リース料総額の現在価値34,651 ∴33,800

② x22年3月31日（決算整理）

（支払利息）※1 1,183 （未払費用） 1,183
（減価償却費）※2 4,225 （減価償却累計額） 4,225

※1 リース債務33,800×利子率7％×$\frac{6月}{12月}$
　　＝1,183

※2 $33,800×\frac{1年}{4年}×\frac{6月}{12月}＝4,225$

（注）リース資産及びリース債務の計上価額について見積現金購入価額を計上したため、支払利息の計算で用いる利子率は、リース料総額の現在価値が借手の見積現金購入価額と等しくなる利子率年7％である。減価償却については、所有権移転外ファイナンス・リース取引であるため、解約不能リース期間4年を用いる。

③

決算整理後残高試算表 （機械丙）

リース資産	33,800	未払費用	1,183
減価償却費	4,225	リース債務	33,800
支払利息	1,183	減価償却累計額	4,225

問題13－7 リース取引(7)

解答

x1年4月1日（リース契約締結時）　（単位：千円）

借方科目	金額	貸方科目	金額
リース資産	106,302	リース債務	106,302

x 2 年 3 月31日（リース料支払時、決算時） （単位：千円）

借 方 科 目	金 額	貸 方 科 目	金 額
支 払 利 息	6,378	現 金 預 金	36,000
リ ー ス 債 務	29,622		
減 価 償 却 費	31,434	減価償却累計額	31,434

x 4 年 4 月 1 日（リース物件返却時、処分価値が7,500千円と確定した。）

（単位：千円）

借 方 科 目	金 額	貸 方 科 目	金 額
減価償却累計額	94,302	リ ー ス 資 産	106,302
リ ー ス 債 務	12,000	未 払 金	4,500
リース資産売却損	4,500		

解答への道 （単位：千円）

1 x 1 年 4 月 1 日（リース契約締結時）

（リース資産）※ 106,302 （リース債務） 106,302

※ リース料総額の現在価値 リース料36,000×
2.6730＋残価保証12,000×0.8395＝106,302（千円
未満四捨五入）

リース料総額の現在価値106,302 ＜ 見積現金購
入価額108,000 ∴ 106,302

2 x 2 年 3 月31日（リース料支払時、決算時）

（支 払 利 息）※1 6,378 （現 金 預 金） 36,000

（リース債務） 29,622

（減価償却費）※2 31,434 （減価償却累計額） 31,434

※1 106,302×6％＝6,378（千円未満四捨五入）

※2 （106,302－残価保証12,000）×$\frac{1 年}{3 年}$＝31,434

3 x 3 年 3 月31日（リース料支払時、決算時）

（支 払 利 息）※1 4,601 （現 金 預 金） 36,000

（リース債務） 31,399

（減価償却費）※2 31,434 （減価償却累計額） 31,434

※1 （106,302－29,622）×6％＝4,601（千円未満
四捨五入）

※2 （106,302－残価保証12,000）×$\frac{1 年}{3 年}$＝31,434

4 x 4 年 3 月31日（リース料支払時、決算時）

（支 払 利 息）※1 2,719 （現 金 預 金） 36,000

（リース債務） 33,281

（減価償却費）※2 31,434 （減価償却累計額） 31,434

※1 リース料36,000－（106,302－29,622－31,399
－残価保証12,000）＝2,719

※2 （106,302－残価保証12,000）×$\frac{1 年}{3 年}$＝31,434

5 x 4 年 4 月 1 日（リース物件返却時、処分価値が
7,500千円と確定した。）

（減価償却累計額）※1 94,302 （リース資産） 106,302

（リース債務）※2 12,000 （未 払 金）※3 4,500

（リース資産売却損）※3 4,500

※1 減価償却累計額31,434×3 年＝94,302

※2 残価保証分

※3 残価保証12,000－処分価値7,500＝4,500

問題13－8 リース取引(8)

解 答

当社におけるリース取引開始日の仕訳 （単位：千円）

借 方 科 目	金 額	貸 方 科 目	金 額
リ ー ス 資 産	246,000	リ ー ス 債 務	246,000

最終回のリース料支払時の仕訳 （単位：千円）

借 方 科 目	金 額	貸 方 科 目	金 額
維 持 管 理 費	4,500	現 金 預 金	64,500
支 払 利 息	3,941		
リ ー ス 債 務	56,059		

解答への道 （単位：千円）

1 リース取引開始日（x 3 年 4 月 1 日）

（リース資産）※ 246,000 （リース債務） 246,000

※ 見積現金購入価額250,500 ＞ リース料総額の現
在価値246,000 ＊

＊ （年額リース料61,500 維持管理費用相当額
4,500）×4.100＝246,000

∴ 246,000

2 返済スケジュール

	支 払 額	維持管理費	利息相当額	元本相当額	元本残高
x 3 年 4 月 1 日	—	—	—	—	246,000
x 4 年 3 月 31 日	64,500	4,500	17,220	42,780	203,220
x 5 年 3 月 31 日	64,500	4,500	14,225	45,775	157,445
x 6 年 3 月 31 日	64,500	4,500	11,021	48,979	108,466
x 7 年 3 月 31 日	64,500	4,500	7,593	52,407	56,059
x 8 年 3 月 31 日	64,500	4,500	(差額)3,941	56,059	0
合 計	322,500	22,500	54,000	246,000	—

3 リース料支払時（x 4 年 3 月 31 日）

(維持管理費)※1	4,500	(現金預金)	64,500
(支 払 利 息)※2	17,220		
(リース債務)※3	42,780		

※1　維持管理費用相当額

※2　$246,000 \times 7\% = 17,220$

※3　差額

(注)　x 5 年 3 月 31 日～x 7 年 3 月 31 日までのリース料支払時の仕訳は省略する。

4 最終回のリース料支払時（x 8 年 3 月 31 日）

(維持管理費)※1	4,500	(現金預金)	64,500
(支 払 利 息)※2	3,941		
(リース債務)※3	56,059		

※1　維持管理費用相当額

※2　上記 2 返済スケジュールより

※3　差額

問題13-9 リース取引(9)

解　答

(1)

決算整理後残高試算表　（単位：千円）

器 具 備 品	(114,000)	未 払 利 息	(4,446)
減 価 償 却 費	(18,000)	リース債務	(88,923)
支 払 利 息	(4,446)	減価償却累計額	(20,400)
		長期前受収益	(9,600)

(2)　(20,400)千円

解答への道　（単位：千円）

1　x 2 年 4 月 1 日

(減価償却累計額)※	18,000	(器 具 備 品)	120,000
(現 金 預 金)	114,000	(長期前受収益)	12,000
(器 具 備 品)	114,000	(リース債務)	114,000
(リース債務)	25,077	(現 金 預 金)	25,077

※　$120,000 \times 0.9 \times \dfrac{1 年}{6 年} = 18,000$

2　x 3 年 3 月 31 日

(減価償却費)※1	20,400	(減価償却累計額)	20,400
(長期前受収益)※2	2,400	(減価償却費)	2,400
(支 払 利 息)※3	4,446	(未 払 費 用)	4,446

※1　$(114,000 - 120,000 \times 10\%) \times \dfrac{1 年}{5 年} = 20,400$

※2　$12,000 \times \dfrac{1 年}{5 年} = 2,400$

※3　$(114,000 - 25,077) \times 5\% = 4,446$（千円未満四捨五入）

3　所有権移転外ファイナンス・リース取引に該当した場合の減価償却費の金額

$$114,000 \times \dfrac{1 年}{5 年} - 12,000 \times \dfrac{1 年}{5 年} = 20,400$$

問題13-10 リース取引(10)

解　答

問1　（単位：千円）

	借方科目	金　額	貸方科目	金　額
(1)	リース債権	112,500	売　　上	112,500
	売 上 原 価	94,500	買　掛　金	94,500
(2)	現 金 預 金	22,500	リース債権	22,500
(3)	繰延リース利益繰入	12,330	繰延リース利益	12,330

問2　（単位：千円）

	借方科目	金　額	貸方科目	金　額
(1)	リース債権	94,500	買　掛　金	94,500
(2)	現 金 預 金	22,500	売　　上	22,500
	売 上 原 価	16,830	リース債権	16,830

問3 (単位：千円)

	借方科目	金 額	貸方科目	金 額
(1)	リース債権	94,500	買 掛 金	94,500
(2)	現 金 預 金	22,500	受 取 利 息	5,670
			リース債権	16,830

問4 (単位：千円)

	借方科目	金 額	貸方科目	金 額
(1)	現 金 預 金	22,500	リース投資資産	22,500
(2)	繰延リース利益	4,660	繰延リース利益戻入	4,660

解答への道 （単位：千円）

　所有権移転ファイナンス・リース契約の場合には、リース債権勘定で処理することに留意する。

問1

(1) リース債権及び売上：リース料総額（22,500× 5 年＝112,500）

　　売上原価：リース物件購入価額94,500

(3) 繰延リース利益：利息相当額の総額18,000（リース料総額112,500－94,500）－リース物件購入価額 94,500× 6 ％＝12,330

問2

(1) リース債権：リース物件購入価額94,500

(2) 売上原価：22,500－94,500× 6 ％＝16,830

問3

(1) リース債権：リース物件購入価額94,500

(2) 受取利息：94,500× 6 ％＝5,670

　　リース債権：差額

　所有権移転外ファイナンス・リース契約の場合には、リース投資資産勘定で処理することに留意する。

問4

(1) 期首試算表（ x 4 年 4 月 1 日）

期首試算表

元本相当額 77,670	リース投資資産 90,000	繰延リース利益	12,330

(注) 金額は**問1**参照

(2) 繰延リース利益戻入：元本相当額77,670（リース投資資産90,000－繰延リース利益12,330）× 6 ％＝4,660（千円未満四捨五入）

問題14-1　減損会計(1)

解答

決算整理後残高試算表（一部）（単位：千円）

建 物	(54,191)
備 品	(8,161)
土 地	(300,000)
減価償却費	(7,000)
減 損 損 失	(83,148)

解答への道　（単位：千円）

1　当期首の帳簿価額

(1) 建物：$200,000 - 200,000 \times 0.9 \times \dfrac{25年}{40年} = 87,500$

(2) 備品：$20,000 - 20,000 \times \dfrac{2年}{8年} = 15,000$

(3) 土地：350,000

2　減価償却費の計上

(1) 建物

（減価償却費）　　　4,500　（建　　　物）　　　4,500

※　$200,000 \times 0.9 \times \dfrac{1年}{40年} = 4,500$

(2) 備品

（減価償却費）※　　2,500　（備　　　品）　　　2,500

※　$20,000 \times \dfrac{1年}{8年} = 2,500$

2　減損損失の計上

（減 損 損 失）※1　83,148　（建　　　物）※2　28,809

　　　　　　　　　　　　　　（備　　　品）※2　 4,339

　　　　　　　　　　　　　　（土　　　地）※2　50,000

※1 (1) 減損損失の認識の判定

　① 帳簿価額

　　(a) 建物：期首87,500－減費4,500＝83,000

　　(b) 備品：期首15,000－減費2,500＝12,500

　　(c) 土地：350,000

　　(d) (a)＋(b)＋(c)＝445,500

　② 割引前将来キャッシュ・フロー

　　　26,000×5年＋処分300,000＝430,000

　③ ①＞②　∴　減損損失を認識

(2) 減損損失の測定

　① 回収可能価額

　　(a) 正味売却価額：建物48,000＋備品5,000＋土地300,000＝353,000

　　(b) 使用価値：$26,000 \times 4.452 + 300,000 \times 0.822 = 362,352$

　　(c) (a)＜(b)　∴　362,352

　② 減損損失：帳簿価額445,500－回収可能価額362,352＝83,148

※2 (1) 建物：$83,148 \times \dfrac{83,000}{445,500} = 15,491$（千円未満四捨五入）

　　∴　減損損失控除後の帳簿価額：83,000－15,491＝67,509

(2) 備品：$83,148 \times \dfrac{12,500}{445,500} = 2,333$（千円未満四捨五入）

　　∴　減損損失控除後の帳簿価額：12,500－2,333＝10,167

(3) 土地：$83,148 \times \dfrac{350,000}{445,500} = 65,324$（千円未満四捨五入）

　　∴　減損損失控除後の帳簿価額：350,000－65,324＝284,676

(4) 土地について減損損失控除後の帳簿価額が正味売却価額を下回るため再配分を行う。

　① 減損損失超過額（土地）：正味売却価額300,000－帳簿価額284,676＝15,324

　② 建物：$15,324 \times \dfrac{67,509}{67,509+10,167} = 13,318$（千円未満四捨五入）

　　∴　再配分後の帳簿価額：67,509－13,318＝54,191

　③ 備品：$15,324 \times \dfrac{10,167}{67,509+10,167} = 2,006$（千円未満四捨五入）

　　∴　再配分後の帳簿価額：10,167－2,006＝8,161

(5) 減損損失配分額

　① 建物：15,491＋13,318＝28,809

　② 備品：2,333＋2,006＝4,339

　③ 土地：65,324－15,324＝50,000

| 問題14-2 | 減損会計(2) |

(解答)

グループA   50,680   千円

グループB   58,130   千円

グループC   0   千円

(解答への道) (単位：千円)

1 グループA

(1) 減損損失の認識の判定

① 帳簿価額：200,000

② 割引前将来キャッシュ・フロー：20,000×5年＋80,000＝180,000

③ ①＞② ∴ 減損損失を認識

(2) 減損損失の測定

① 回収可能価額の算定

(a) 正味売却価額：145,000

(b) 使用価値：20,000×(0.952＋0.907＋0.864＋0.823＋0.784)＋80,000×0.784＝149,320

(c) (a)＜(b) ∴ 149,320

② 減損損失：帳簿価額200,000－回収可能価額149,320＝50,680

2 グループB

(1) 減損損失の認識の判定

① 帳簿価額：300,000

② 割引前将来キャッシュ・フロー：45,000×4年＋100,000＝280,000

③ ①＞② ∴ 減損損失を認識

(2) 減損損失の測定

① 回収可能価額の算定

(a) 正味売却価額：240,000

(b) 使用価値：45,000×(0.952＋0.907＋0.864＋0.823)＋100,000×0.823＝241,870

(c) (a)＜(b) ∴ 241,870

② 減損損失：帳簿価額300,000－回収可能価額241,870＝58,130

3 グループC

(1) 減損損失の認識の判定

① 帳簿価額：500,000

② 割引前将来キャッシュ・フロー：65,000×6年＋160,000＝550,000

③ ①＜② ∴ 減損損失を認識しない

(2) 減損損失：0

| 問題14-3 | 減損会計(3) |

(解答)

(1) 13,056 千円   (2) 75,600 千円   (3) 123,000 千円

(解答への道) (単位：千円)

1 各資産グループごとの減損の兆候、減損損失の認識の判定及び測定

(1) 減損の兆候

① 神奈川支店：減損の兆候なし ⇨ 減損損失は認識されない。

② 埼玉支店：減損の兆候あり ⇨ 減損損失の認識の判定を行う。

③ 千葉支店：減損の兆候あり ⇨ 減損損失の認識の判定を行う。

(2) 減損損失の認識の判定

① 埼玉支店：帳簿価額157,500 ≦ 割引前将来キャッシュ・フロー161,010

⇨ 減損損失は認識されない。

② 千葉支店：帳簿価額189,000 ＞ 割引前将来キャッシュ・フロー131,250 ⇨ 減損損失を認識する。

(3) 減損損失の測定（千葉支店）

帳簿価額189,000－回収可能価額113,400（※）

＝ (2) 75,600

※ 割引後将来キャッシュ・フロー113,400 ＞ 正味売却価額109,689

∴ いずれか高い方 113,400

2 各資産グループに共用資産を含めた、より大きな単位での減損の兆候、減損損失の認識の判定及び測定

(1) 減損の兆候

減損の兆候あり ⇨ 減損損失の認識の判定を行う。

(2) 減損損失の認識の判定

帳簿価額810,000（※）＞ 割引前将来キャッシュ・フロー795,000 ⇨ 減損損失を認識する。

※ 神奈川支店283,500＋埼玉支店157,500＋千葉支

第14章

減損会計

店189,000＋東京本社（共用資産）180,000＝
810,000

(3) 減損損失の測定

帳簿価額810,000－回収可能価額687,000

＝ │(3) 123,000│

3 共用資産への減損損失の配分

減損損失の増加額47,400（※1）＞共用資産の帳簿
価額と正味売却価額の差額27,000（※2）

※1 より大きな単位での減損損失123,000－千葉支
店の減損損失75,600＝47,400

※2 帳簿価額180,000－正味売却価額153,000
＝27,000

∴ 共用資産への減損損失の配分額は27,000となる。
さらに、減損損失の増加額が共用資産の帳簿価額
と正味売却価額との差額を20,400（47,400－
27,000）超過しているため、当該超過額を各資産
グループに配分する。

4 共用資産の減損損失超過額20,400の各資産グルー
プへの配分

(1) 各資産グループの帳簿価額と回収可能価額との差
額

① 神奈川支店：帳簿価額283,500－回収可能価額
254,700＝28,800

② 埼玉支店：帳簿価額157,500－回収可能価額
141,300＝16,200

③ 千葉支店：(帳簿価額189,000－減損損失75,600)
－回収可能価額113,400＝0 ⇨ 配分
は行わない。

(2) 各資産グループへの配分額

① 神奈川支店 $20,400 \times \dfrac{神奈川支店28,800}{神奈川支店28,800＋埼玉支店16,200}$

＝ │(1) 13,056│

② 埼玉支店 $20,400 \times \dfrac{埼玉支店16,200}{神奈川支店28,800＋埼玉支店16,200}$

＝7,344

第15章　資産除去債務　重要度　B

問題15−1　資産除去債務(1)

解答

（単位：千円）

	借方科目	金額	貸方科目	金額
X1年4月1日	機　　　械	54,075	当座預金	50,000
			資産除去債務	4,075
X2年3月31日	利息費用	81	資産除去債務	81
	減価償却費	10,815	機　　　械	10,815
X3年3月31日	利息費用	83	資産除去債務	83
	減価償却費	10,815	機　　　械	10,815
X4年3月31日	利息費用	84	資産除去債務	84
	減価償却費	10,815	機　　　械	10,815
X5年3月31日	利息費用	86	資産除去債務	86
	減価償却費	10,815	機　　　械	10,815
X6年3月31日	減価償却費	10,815	機　　　械	10,815
	資産除去債務	4,409	当座預金	4,550
	利息費用	91		
	履行差額	50		

解答への道　（単位：千円）

1　X1年4月1日（機械取得時）

（機　　　械）54,075　（当座預金）50,000
　　　　　　　　　　　　（資産除去債務）※　4,075

※　$4,500 \div (1.02)^{5年} = 4,075$（千円未満切捨）

2　X2年3月31日（決算時）

（利息費用）※1　81　（資産除去債務）81

（減価償却費）※2　10,815　（機　　　械）10,815

※1　$4,075 \times 2\% = 81$（千円未満切捨）

※2 (1)　$50,000 \times \dfrac{1年}{5年} = 10,000$

　　 (2)　$4,075 \times \dfrac{1年}{5年} = 815$

　　 (3)　(1) + (2) = 10,815

3　X3年3月31日（決算時）

（利息費用）※1　83　（資産除去債務）83

（減価償却費）※2　10,815　（機　　　械）10,815

※1　$(4,075 + 81) \times 2\% = 83$（千円未満切捨）

※2 (1)　$50,000 \times \dfrac{1年}{5年} = 10,000$

　　 (2)　$4,075 \times \dfrac{1年}{5年} = 815$

　　 (3)　(1) + (2) = 10,815

4　X4年3月31日（決算時）

（利息費用）※1　84　（資産除去債務）84

（減価償却費）※2　10,815　（機　　　械）10,815

※1　$(4,075 + 81 + 83) \times 2\% = 84$（千円未満切捨）

※2 (1)　$50,000 \times \dfrac{1年}{5年} = 10,000$

　　 (2)　$4,075 \times \dfrac{1年}{5年} = 815$

　　 (3)　(1) + (2) = 10,815

5　X5年3月31日（決算時）

（利息費用）※1　86　（資産除去債務）86

（減価償却費）※2　10,815　（機　　　械）10,815

※1　$(4,075 + 81 + 83 + 84) \times 2\% = 86$（千円未満切捨）

※2 (1)　$50,000 \times \dfrac{1年}{5年} = 10,000$

　　 (2)　$4,075 \times \dfrac{1年}{5年} = 815$

　　 (3)　(1) + (2) = 10,815

6　X6年3月31日（資産除去時）

（減価償却費）10,815　（機　　　械）10,815

（資産除去債務）※1　4,409　（当座預金）4,550

（利息費用）※2　91

（履行差額）※3　50

※1　$4,075 + 81 + 83 + 84 + 86 = 4,409$

※2　$4,500 - 4,409 = 91$

※3　$4,550 - 4,500 = 50$

問題15-2 資産除去債務(2)

解 答

(単位：千円)

	借方科目	金 額	貸方科目	金 額
X1年4月1日	機　　　械	85,350	当座預金	80,000
			資産除去債務	5,350
X2年3月31日	利 息 費 用	160	資産除去債務	160
	減価償却費	17,070	減価償却累計額	17,070
X3年3月31日	利 息 費 用	165	資産除去債務	165
	減価償却費	17,070	減価償却累計額	17,070
	機　　　械	360	資産除去債務	360
X4年3月31日	利 息 費 用	182	資産除去債務	182
	減価償却費	17,190	減価償却累計額	17,190
X5年3月31日	利 息 費 用	188	資産除去債務	188
	減価償却費	17,190	減価償却累計額	17,190
X6年3月31日	減価償却累計額	68,520	機　　　械	85,710
	減価償却費	17,190	当座預金	6,700
	資産除去債務	6,405		
	利 息 費 用	195		
	履 行 差 額	100		

解答への道 （単位：千円）

1 X1年4月1日（機械取得時）

（機　　械） 85,350 （当 座 預 金） 80,000
　　　　　　　　　　　（資産除去債務）※ 5,350

※ $6,200 \times 0.863 = 5,350$（千円未満切捨）

2 X2年3月31日（決算時）

（利 息 費 用）※1 160 （資産除去債務） 160
（減価償却費）※2 17,070 （減価償却累計額） 17,070

※1 $5,350 \times 3\% = 160$（千円未満切捨）

※2 (1) $80,000 \times \dfrac{1年}{5年} = 16,000$

　　(2) $5,350 \times \dfrac{1年}{5年} = 1,070$

　　(3) (1) + (2) = 17,070

3 X3年3月31日（決算時）

（利 息 費 用）※1 165 （資産除去債務） 165
（減価償却費）※2 17,070 （減価償却累計額） 17,070
（機　　械） 360 （資産除去債務）※3 360

※1 $(5,350 + 160) \times 3\% = 165$（千円未満切捨）

※2 (1) $80,000 \times \dfrac{1年}{5年} = 16,000$

　　(2) $5,350 \times \dfrac{1年}{5年} = 1,070$

　　(3) (1) + (2) = 17,070

※3 $(6,600 - 6,200) \times 0.902 = 360$（千円未満切捨）

4 X4年3月31日（決算時）

（利 息 費 用）※1 182 （資産除去債務） 182
（減価償却費）※2 17,190 （減価償却累計額） 17,190

※1 (1) $(5,350 + 160 + 165) \times 3\% = 170$（千円未満切捨）

　　(2) $360 \times 3.5\% = 12$（千円未満切捨）

　　(3) (1) + (2) = 182

※2 (1) $80,000 \times \dfrac{1年}{5年} = 16,000$

　　(2) $5,350 \times \dfrac{1年}{5年} = 1,070$

　　(3) $360 \times \dfrac{1年}{3年} = 120$

　　(4) (1) + (2) + (3) = 17,190

5 X5年3月31日（決算時）

（利 息 費 用）※1 188 （資産除去債務） 188
（減価償却費）※2 17,190 （減価償却累計額） 17,190

※1 (1) $(5,350 + 160 + 165 + 170) \times 3\% = 175$（千円未満切捨）

　　(2) $(360 + 12) \times 3.5\% = 13$（千円未満切捨）

　　(3) (1) + (2) = 188

※2 (1) $80,000 \times \dfrac{1年}{5年} = 16,000$

　　(2) $5,350 \times \dfrac{1年}{5年} = 1,070$

　　(3) $360 \times \dfrac{1年}{3年} = 120$

　　(4) (1) + (2) + (3) = 17,190

6 X6年3月31日（資産除去時）

（減価償却累計額） 68,520 （機　　械） 85,710
（減価償却費）※1 17,190 （当 座 預 金） 6,700
（資産除去債務）※2 6,405
（利 息 費 用）※3 195
（履 行 差 額）※4 100

※1 $85,710 - 68,520 = 17,190$

※2 $5,350 + 160 + 165 + 360 + 182 + 188 = 6,405$

※3 $6,600 - 6,405 = 195$

※4 $6,700 - 6,600 = 100$

問題15-3 資産除去債務(3)

解答

決算整理後残高試算表 （単位：千円）

機械装置	55,686	資産除去債務	6,223
減価償却費	11,315	減価償却累計額	22,630
利息費用	274		

解答への道 （単位：千円）

1 決算整理前残高試算表の金額

(1) x 1 年 4 月 1 日

| (機械装置)※2 | 56,575 | (現　　金) | 50,000 |
| | | (資産除去債務)※1 | 6,575 |

※1　8,000×0.82193＝6,575（千円未満四捨五入）

※2　貸方合計

（注）割引率4％の現価係数0.82193（期間5年）を使用して、割引計算を行う。

(2) x 2 年 3 月 31 日

① 時の経過による資産除去債務の増加

| (利息費用)※ | 263 | (資産除去債務) | 263 |

※　6,575×4％＝263

② 減価償却と資産計上した除去費用の費用配分

| (減価償却費)※ | 11,315 | (減価償却累計額) | 11,315 |

※　$50,000 \times \dfrac{1 \text{年}}{5 \text{年}} + 6,575 \times \dfrac{1 \text{年}}{5 \text{年}} = 11,315$

(3) 決算整理前残高試算表（x 3 年 3 月 31 日）

決算整理前残高試算表

| 機械装置 | (56,575) | 資産除去債務 | (6,838) |
| | | 減価償却累計額 | (11,315) |

2 決算整理

(1) 時の経過による資産除去債務の増加

| (利息費用)※ | 274 | (資産除去債務) | 274 |

※　6,838×4％＝274（千円未満四捨五入）

(2) 減価償却と資産計上した除去費用の費用配分

| (減価償却費)※ | 11,315 | (減価償却累計額) | 11,315 |

※　$50,000 \times \dfrac{1 \text{年}}{5 \text{年}} + 6,575 \times \dfrac{1 \text{年}}{5 \text{年}} = 11,315$

(3) 将来キャッシュ・フロー見積額の減少による資産除去債務の調整

| (資産除去債務) | 889 | (機械装置) | 889 |

※　7,000×0.88900－(6,838＋274)＝△889

（注）減少の場合には、負債計上日における割引率4％の現価係数0.88900（期間3年）を使用して、割引計算を行う。

(4) 決算整理後残高試算表

決算整理後残高試算表

機械装置	(55,686)	資産除去債務	(6,223)
減価償却費	(11,315)	減価償却累計額	(22,630)
利息費用	(274)		

問題15-4 資産除去債務(4)

解答

決算整理後残高試算表（一部） （単位：千円）

機械	(71,722)	資産除去債務	(2,451)
繰延税金資産	(735)	繰延税金負債	(516)
減価償却費	(10,186)	法人税等調整額	(74)

解答への道 （単位：千円）

1 決算整理前残高試算表（一部）の残高

(1) X 3 年 4 月 1 日（機械取得時）

| (機械) | 101,860 | (現金預金) | 100,000 |
| | | (資産除去債務)※ | 1,860 |

※　2,500×0.744＝1,860

(2) X 4 年 3 月 31 日（決算時）

(利息費用)※1	55	(資産除去債務)	55
(減価償却費)※2	10,186	(機械)	10,186
(法人税等調整額)	502	(繰延税金負債)※3	502
(繰延税金資産)※4	574	(法人税等調整額)	574

※1　1,860×3％＝55（千円未満切捨）

※2　① $100,000 \times \dfrac{1 \text{年}}{10 \text{年}} = 10,000$

　　 ② $1,860 \times \dfrac{1 \text{年}}{10 \text{年}} = 186$

　　 ③ ①＋②＝10,186

※3　(1,860－186)×30％＝502（千円未満切捨）

※4　(1,860＋55)×30％＝574（千円未満切捨）

(3) X 5 年 3 月 31 日（決算時）

(利息費用)※1	57	(資産除去債務)	57
(減価償却費)※2	10,186	(機械)	10,186
(繰延税金負債)※3	56	(法人税等調整額)	56
(繰延税金資産)※4	17	(法人税等調整額)	17

※1　(1,860＋55)×3％＝57（千円未満切捨）

$※2$ ① $100,000 \times \dfrac{1\text{年}}{10\text{年}} = 10,000$

② $1,860 \times \dfrac{1\text{年}}{10\text{年}} = 186$

③ ①＋②＝10,186

$※3$ ① $(1,860-186-186) \times 30\% = 446$（千円未満切捨）

② $446-502 = \triangle 56$

$※4$ ① $(1,860+55+57) \times 30\% = 591$（千円未満切捨）

② $591-574 = 17$

(4) 決算整理前残高試算表（一部）

決算整理前残高試算表（一部）

機　　　　械	（ 81,488）	資産除去債務	（ 1,972）
繰延税金資産	（ 591）	繰延税金負債	（ 446）

2　決算整理

(利 息 費 用)※1	59	(資産除去債務)	59
(減価償却費)※2	10,186	(機　　　　械)	10,186
(機　　　　械)※3	420	(資産除去債務)	420
(法人税等調整額)	70	(繰延税金負債)※4	70
(繰延税金資産)※5	144	(法人税等調整額)	144

$※1$　$(1,860+55+57) \times 3\% = 59$（千円未満切捨）

$※2$　① $100,000 \times \dfrac{1\text{年}}{10\text{年}} = 10,000$

② $1,860 \times \dfrac{1\text{年}}{10\text{年}} = 186$

③ ①＋②＝10,186

$※3$　$(3,000-2,500) \times 0.841 = 420$（千円未満切捨）

$※4$　① $(1,860-186-186-186+420) \times 30\% = 516$（千円未満切捨）

② $516-446 = 70$

$※5$　① $(1,860+55+57+59+420) \times 30\% = 735$（千円未満切捨）

② $735-591 = 144$

問題16－1　退職給付会計(1)

解答

問1

決算整理後残高試算表（一部）　（単位：千円）

退職給付費用	（　27,000）	退職給付引当金（121,000）

問2

決算整理後残高試算表（一部）　（単位：千円）

退職給付費用	（　27,200）	退職給付引当金（121,200）

解答への道　（単位：千円）

問1　数理計算上の差異について、発生年度の翌年度から費用処理

1　期首退職給付引当金：退職給付債務200,000－年金資産80,000＝120,000

2　退職給付費用の計上（期首）

（退職給付費用）※　27,000　（退職給付引当金）　27,000

※　(1)　勤務費用：24,200

　　(2)　利息費用：200,000×2％＝4,000

　　(3)　期待運用収益：80,000×1.5％＝1,200

　　(4)　(1)＋(2)－(3)＝27,000

3　掛金拠出額

（退職給付引当金）　6,000　（現 金 預 金）　6,000

4　年金支給額

（仕 訳 な し）

5　一時金支給

（退職給付引当金）　20,000　（現 金 預 金）　20,000

問2　数理計算上の差異について、発生年度から費用処理

1～5については上記問1と同様

6　決算整理

（退職給付費用）※　200　（退職給付引当金）　200

※　(1)　数理計算上の差異の当期発生額

①　総額法

実際		期末見込			実際	
		期首年資	80,000	期首債務 200,000		
		期待収益	1,200	勤務費用 24,200		
年金資産 83,000		掛金拠出	6,000	利息費用 4,000	退職給付債務	
		年金支給	△ 3,600	一時金支給 △20,000		206,000
当期発生600（損失）		期末見込	83,600	年金支給 △ 3,600		
				期末見込 204,600		
				当期発生額1,400（損失）		

当期発生額：退職給付債務1,400（損失）＋年金資産600（損失）＝2,000（損失）

②　純額法

期末年金資産（実際）	83,000	期末退職給付債務（実際）	206,000
退職給付引当金※1	121,000		
当 期 発 生 額※2	2,000		

※1　期首120,000＋退職給付費用27,000－掛金6,000－一時金20,000＝121,000

※2　差額

　　(2)　当期費用処理額：$2,000 \times \dfrac{1年}{10年} = 200$

問題16－2　退職給付会計(2)

解答

問1

決算整理後残高試算表（一部）　（単位：千円）

退職給付費用	（　37,060）	退職給付引当金（95,060）

問2

当期に発生した数理計算上の差異の金額（　不利　）差異　9,000　千円

解答への道　（単位：千円）

1　期首未認識数理計算上の差異

期首

年金資産　　200,000	退職給付債務　　300,000
退職給付引当金　　90,000	
未認識数理差異※　　10,000	

※　差額（不利）

2　退職給付費用の計上（期首）

（退職給付費用）※　37,060　（退職給付引当金）　37,060

※　(1)　勤務費用：30,000

(2)　利息費用：300,000×3％＝9,000

(3)　期待運用収益：200,000×2％＝4,000

(4)　数理差異償却額：10,000×0.206＝2,060

(5)　(1)＋(2)－(3)＋(4)＝37,060

3　掛金拠出額

（退職給付引当金）　12,000　（現金預金）　12,000

4　年金支給額

（仕訳なし）

5　一時金支給

（退職給付引当金）　20,000　（現金預金）　20,000

6　当期に発生した数理計算上の差異の金額

(1)　総額法

実際	期末見込		実際
	期首年資　200,000	期首債務　300,000	
	期待収益　4,000	勤務費用　30,000	
年金資産　208,000	掛金拠出　12,000	利息費用　9,000	退職給付債務 320,000
	年金支給　△8,400	一時金支給　△20,000	
	期末見込　207,600	年金支給　△8,400	
	当期発生額400（有利）	期末見込　310,600	
		当期発生額9,400（不利）	

当期発生額：退職給付債務9,400（不利）－年金資産400（有利）＝9,000（不利）

(2)　純額法

期末年金資産（実際）　208,000	期末退職給付債務（実際）　320,000
退職給付引当金※1　95,060	
期首分※2（不利）　7,940	
当期発生額※3（不利）　9,000	

※1　期首90,000＋退職給付費用37,060－掛金12,000－一時金20,000＝95,060

※2　期首10,000－償却2,060＝7,940

※3　差額

問題16－3　退職給付会計(3)

解答

問1

決算整理後残高試算表（一部）　（単位：千円）

退職給付費用	（60,750）	退職給付引当金	（125,750）

問2

当期に発生した数理計算上の差異の金額　△11,100　千円

解答への道　（単位：千円）

1　期首退職給付引当金

期首

年金資産　　370,000	退職給付債務　　500,000
退職給付引当金※3　119,000	
前々々期（損失）※1　3,000	
前期（損失）　12,000	前々期（利得）※2　4,000

※1　9,000× (3年－2年)/3年 ＝3,000

※2　6,000× (3年－1年)/3年 ＝4,000

※3　差額

2　退職給付費用の計上（期首）

（退職給付費用）※　60,750　（退職給付引当金）　60,750

※　(1)　勤務費用：50,000

(2)　利息費用：500,000×3％＝15,000

(3)　期待運用収益：370,000×2.5％＝9,250

(4) 数理差異費用処理額

① 前々々期分：$9,000 \times \dfrac{1 \text{年}}{3 \text{年}} = 3,000$

② 前々期分：$6,000 \times \dfrac{1 \text{年}}{3 \text{年}} = 2,000$

③ 前期分：$12,000 \times \dfrac{1 \text{年}}{3 \text{年}} = 4,000$

④ ①－②＋③＝5,000

(5) (1)＋(2)－(3)＋(4)＝60,750

3 掛金拠出額

(退職給付引当金)	24,000	(現 金 預 金)	24,000

4 年金支給額

(仕 訳 な し)

5 一時金支給

(退職給付引当金)	30,000	(現 金 預 金)	30,000

6 当期に発生した数理計算上の差異の金額

(1) 総額法

実際			期末見込		実際
		期首年資	370,000	期首債務 500,000	
		期待収益	9,250	勤務費用 50,000	
年金資産 389,150		掛金拠出	24,000	利息費用 15,000	退職給付債務
		年金支給	△12,000	一時金支給 △30,000	532,000
当期発生額2,100 (損失)		期末見込	391,250	年金支給 △12,000	
				期末見込 523,000	
				当期発生額9,000 (損失)	

当期発生額：退職給付債務9,000 (損失)＋年金資産2,100 (損失)＝11,100 (損失)

(2) 純額法

期末年金資産 (実際)	389,150		
退職給付引当金※1	125,750	期末退職給付債務 (実際)	532,000
前期分 (損失) ※3	8,000		
当期発生額 (損失) ※4	11,100	前々期分 (利得) ※2	2,000

※1 期首119,000＋退職給付費用60,750－掛金24,000－一時金30,000＝125,750

※2 期首4,000－費用処理2,000＝2,000

※3 期首12,000－費用処理4,000＝8,000

※4 差額

問題16－4 退職給付会計(4)

解 答

問1

決算整理後残高試算表 (一部)　(単位：千円)			
退職給付費用	(91,660)	退職給付引当金	(359,660)

問2

当期に発生した数理計算上の差異の金額　|△ 20,300| 千円

解答への道　(単位：千円)

1 期首退職給付引当金

期 首			
年 金 資 産	388,000	退職給付債務	750,000
退職給付引当金※	360,000		
数理差異 (不足)	50,000	過去費用 (超過)	48,000

※ 差額

2 退職給付費用の計上 (期首)

(退職給付費用)※	91,660	(退職給付引当金)	91,660

※ (1) 勤務費用：75,000

(2) 利息費用：$750,000 \times 4\% = 30,000$

(3) 期待運用収益：$388,000 \times 3\% = 11,640$

(4) 数理差異費用処理額：$50,000 \times 0.206$
$= 10,300$

(5) 過去費用費用処理額：$48,000 \times \dfrac{1 \text{年}}{5 \text{年} - 1 \text{年}}$
$= 12,000$

(6) (1)－(2)＋(3)＋(4)－(5)＝91,660

3 掛金拠出額

(退職給付引当金)	42,000	(現 金 預 金)	42,000

4 年金支給額

(仕 訳 な し)

5 一時金支給

(退職給付引当金)	50,000	(現 金 預 金)	50,000

第16章 退職給付会計

6　当期に発生した数理計算上の差異の金額

(1) 総額法

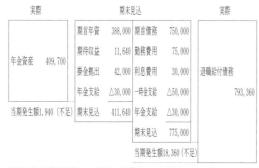

当期発生額：退職給付債務18,360（不足）＋年金資産1,940（不足）＝20,300（不足）

(2) 純額法

期末年金資産（実際）　409,700	
退職給付引当金※1　359,660	期末退職給付債務（実際）　793,360
数理差異（不足）※2　39,700	
当期発生額（不足）※4　20,300	過去費用（超過）※3　36,000

※1　期首360,000＋退職給付費用91,660－掛金
42,000－一時金50,000＝359,660

※2　期首50,000－費用処理10,300＝39,700

※3　期首48,000－費用処理12,000＝36,000

※4　差額

問題16－5　退職給付会計(5)

解　答

問1

決算整理後残高試算表　（単位：千円）

退職給付費用	4,880	退職給付引当金	15,485

問2　　250　千円

解答への道　（単位：千円）

(1) ワークシート

	期　首 x7.4.1	退職給付 費　用	給付／掛 金支払額	予　測 x8.3.31	数理計算 上の差異	実　際 x8.3.31
退 職 給 付 債 務	(38,000)	S (4,450) I (1,140)	P　1,050 P　1,200	(41,340)	(　150)	(41,490)
年 金 資 産	25,000	R　500	P (1,050) C　2,750	27,200	(　100)	27,100
未積立退職給付債務	(13,000)	———	———	(14,140)	———	(14,390)
未認識数理計算上の差異	845	A (　90)	———	755	イ　250	1,005
未認識過去勤務費用	(2,400)	A　300	———	(2,100)	———	(2,100)
（退職給付引当金）	(14,555)	(4,880)	3,950	(15,485)	0	(15,485)

(注)　期首未認識数理計算上の差異はカッコが付されていないため、不利差異、期末未認識過去勤務費用はカッコが
付されているため、有利差異となる。

① 利息費用（I）：38,000×3％＝1,140

② 期待運用収益（R）：25,000×2％＝500

③ 未認識差異の費用処理額（A）：

　(a) 数理計算上の差異

$$x6年3月決算分495×\frac{1年}{10年-経過1年}$$
$$=55$$

$$x7年3月決算分350×\frac{1年}{10年}＝35$$

　　　　合計 90

　(b) 過去勤務費用

$$2,400×\frac{1年}{10年-経過2年}＝300$$

(2) 会計処理

① 退職給付費用の計上

（退職給付費用）※　　4,880　（退職給付引当金）　　4,880

　※　上記(1)参照

② 一時金給付(現金預金で支払ったと仮定している。)

（退職給付引当金）　　1,200　（現 金 預 金）※　　1,200

　※　上記(1)参照

③ 掛金拠出（現金預金で支払ったと仮定している。）

（退職給付引当金）　　2,750　（現 金 預 金）※　　2,750

　※　上記(1)参照

<u>問題16－6</u>　退職給付会計(6)

（解　答）

問1

決算整理後残高試算表（一部）（単位：千円）

前払年金費用	5,947
退職給付費用	3,313

問2　数理計算上の差異の当期発生額　　544　千円

（解答への道）　（単位：千円）

1　期首試算表における前払年金費用

期首未積立退職給付債務

		退職給付債務	50,100
年 金 資 産	55,000		
		前払年金費用　※	1,260
		未認識数理差異	3,640

　※　差額

2　期首

（退職給付費用）※　　3,313　（退職給付引当金）　　3,313

　※　勤務費用 4,920
　　　利息費用 50,100×3％＝1,503
　　　期待運用収益 55,000×4％＝2,200（△）
　　　数理差異の費用処理額 3,640（利得）×0.250＝910（△）

　　　　　　　　合計 3,313

3　年金資産への拠出

（退職給付引当金）　　8,000　（現 金 預 金）　　8,000

4　退職給付（年金給付）　⇒　仕訳不要

5　前払年金費用への振替

（前払年金費用）※　　4,687　（退職給付引当金）　　4,687

　※　8,000（上記3）－3,313（上記2）＝4,687

6　当期発生数理計算上の差異の算定

(1) 総額法

未積立退職給付債務（見込）

期末年金資産		期首資産	55,000	期首債務	50,100	期末給付債務	
	63,955	期待収益	2,200	勤務費用	4,920		54,734
		掛金拠出	8,000	利息費用	1,503		
		年金給付	△2,000	年金給付	△2,000		
			63,200		54,523		

発生額（損失）211

発生額（利得）755

∴　年金資産から発生した数理計算上の差異（利得）

　755－退職給付債務から発生した数理計算上の差異（損失）211＝　544　（利得）

(2) 純額法

未積立退職給付債務（実際）

		期 末 債 務		54,734
期 末 資 産	63,955			
		前払年金費用	※1	5,947
		未認識数理差異	※2	2,730
		発生額（利得）	※3	544

　※1　期首1,260＋振替4,687＝5,947

　※2　3,640－910＝2,730

　※3　差額

問題16-7	退職給付会計(7)

解 答

決算整理後残高試算表 （単位：千円）

退職給付費用	6,675	退職給付引当金	64,170

解答への道 （単位：千円）

(1) 退職金及び企業年金拠出金の支給

① 適正な仕訳

（退職給付引当金)※　　16,590　（現 金 預 金)　　16,590

※　退職金5,790＋企業年金拠出金10,800＝16,590

② 当社が行った仕訳

（退職給付費用)　　16,590　（現 金 預 金)　　16,590

③ 修正仕訳 （①－②）

（退職給付引当金)　　16,590　（退職給付費用)　　16,590

(2) 退職給付費用の計上

（退職給付費用)　　6,675　（退職給付引当金)※　　6,675

※　前T/B残高74,085－16,590＝57,495

期末退職給付債務(要支給額62,200

＋数理債務49,280)－年資47,310＝64,170　⎤ +6,675

第 17 章　外貨建取引等

重要度　Ａ

※　換算レート等の略号は222ページを参照のこと。

問題17－1　外貨建取引等(1)

解答

（単位：円）

	借方科目	金　額	貸方科目	金　額
1	仕　　　入	270,000	買　掛　金	270,000
2	買　掛　金	270,000	現 金 預 金	276,000
	為替差損益	6,000		
3	売　掛　金	660,000	売　　　上	660,000
4	現 金 預 金	665,000	売　掛　金	660,000
			為替差損益	5,000
5	前　渡　金	42,000	現 金 預 金	42,000
6	仕　　　入	409,200	前　渡　金	42,000
			買　掛　金	367,200
7	現 金 預 金	1,040,000	借　入　金	1,040,000
8	借　入　金	1,040,000	現 金 預 金	1,079,440
	支 払 利 息	31,440		
	為替差損益	8,000		

解答への道　（単位：円）

1　掛仕入

（仕　　　入）※　270,000　（買　掛　金）　270,000

　※　2,000ドル×ＳＲ135＝270,000

2　買掛金の決済

（買　掛　金）　270,000　（現 金 預 金）※1　276,000

（為替差損益）※2　6,000

　※1　2,000ドル×ＳＲ138＝276,000

　※2　差額

3　掛売上

（売　掛　金）　660,000　（売　　　上）※　660,000

　※　5,000ドル×ＳＲ132＝660,000

4　売掛金の決済

（現 金 預 金）※1　665,000　（売　掛　金）　660,000

　　　　　　　　　　　　　（為替差損益）※2　5,000

　※1　5,000ドル×ＳＲ133＝665,000

　※2　差額

5　前渡金の支払い

（前　渡　金）※　42,000　（現 金 預 金）　42,000

　※　300ドル×ＳＲ140＝42,000

6　仕入

（仕　　　入）※2　409,200　（前　渡　金）　42,000

　　　　　　　　　　　　　（買　掛　金）※1　367,200

　※1　（3,000ドル－300ドル）×ＳＲ136＝367,200

　※2　貸方合計

7　借入金

（現 金 預 金）　1,040,000　（借　入　金）　1,040,000

　※　8,000ドル×ＳＲ130＝1,040,000

8　借入金の返済及び利息の支払い

（借　入　金）　1,040,000　（現 金 預 金）※1 1,079,440

（支 払 利 息）※2　31,440

（為替差損益）※3　8,000

　※1　（8,000ドル＋8,000ドル×3％）×ＳＲ131

　　　＝1,079,440

　※2　8,000ドル×3％×ＳＲ131＝31,440

　※3　差額

問題17－2　外貨建取引等(2)

解答

（単位：円）

	借方科目	金　額	貸方科目	金　額
(2)	前　受　金	125,000	売　　　上	1,340,000
	売　掛　金	1,215,000		
(4)	現 金 預 金	665,000	売　掛　金	660,000
			為替差損益	5,000

（注）(4)は「為替差損益」でもよい。

解答への道　（単位：円）

(1)　x 3年2月1日（手付金受取時）

（現 金 預 金）※　125,000　（前　受　金）　125,000

　※　1,000ドル×取引日ＳＲ125円＝125,000

(2)　x 3年3月10日（売上時）

（前　受　金）※1　125,000　（売　　　上）※3 1,340,000

（売　掛　金）※2 1,215,000

※1　上記(1)参照

※2　（10,000ドル－前受金1,000ドル）×売上時
　　　ＳＲ135円＝1,215,000

※3　前受金円換算額125,000＋売掛金円換算額
　　　1,215,000＝1,340,000

(3)　x3年3月31日

①　売掛金の一部回収

（現金預金）※2　528,000　（売　掛　金）※1　540,000

（為替差損益）※3　12,000

※1　$1,215,000 \times \dfrac{4,000ドル}{9,000ドル} = 540,000$

※2　4,000ドル×ＳＲ（ＣＲ）132円＝528,000

※3　差額（為替差損）

②　期末換算替（決算整理）

（為替差損益）　15,000　（売　掛　金）※　15,000

※　帳簿価額：$1,215,000 \times \dfrac{5,000ドル}{9,000ドル} = 675,000$

　　ＣＲ換算額：5,000ドル×ＣＲ132円＝660,000　　△15,000（為替差損）

(4)　x3年4月8日（決済時）

（現金預金）※2　665,000　（売　掛　金）※1　660,000

　　　　　　　　　　　　　（為替差損益）※3　5,000

※1　帳簿価額

※2　5,000ドル×決済時ＳＲ133円＝665,000

※3　差額（為替差益）

問題17－3　外貨建取引等(3)

解答

決算整理後残高試算表（一部）　（単位：千円）

現 金 預 金	225,340	買 掛 金	88,000
売 掛 金	135,600	未 払 費 用	1,965
支 払 利 息	4,095	借 入 金	131,000
		為 替 差 損 益	5,390

解答への道　（単位：千円）

1　現金の換算替

（為替差損益）　40　（現金預金）※　40

※　(1)　ＣＲ換算額：10千ドル×131円＝1,310

　　(2)　帳簿残高：10千ドル×135円＝1,350

　　(3)　(1)－(2)＝△40

2　売掛金の換算替

（売　掛　金）※　600　（為替差損益）　600

※　(1)　ＣＲ換算額：600千ドル×131円＝78,600

(2)　帳簿残高：600千ドル×130円＝78,000

(3)　(1)－(2)＝600

3　買掛金の換算替

（買　掛　金）※　500　（為替差損益）　500

※　(1)　ＣＲ換算額：500千ドル×131円＝65,500

(2)　帳簿残高：500千ドル×132円＝66,000

(3)　(1)－(2)＝△500

4　借入金

(1)　換算替

（借　入　金）※　3,000　（為替差損益）　3,000

※　(1)　ＣＲ換算額：1,000千ドル×131円＝131,000

(2)　帳簿残高：134,000

(3)　(1)－(2)＝△3,000

(2)　支払利息の見越計上

（支 払 利 息）※　1,965　（未 払 費 用）　1,965

※　$1,000千ドル \times 3\% \times \dfrac{6月}{12月} \times ＣＲ131円 = 1,965$

問題17－4　外貨建取引等(4)

解答

決算整理後残高試算表（一部）　（単位：千円）

売 掛 金	340,000	買 掛 金	251,500
繰 越 商 品	115,600	売 上	8,850,000
前 渡 金	6,550	為 替 差 損 益	3,450
仕 入	5,295,500		

解答への道　（単位：千円）

1　売掛金の換算替

（売　掛　金）※　2,000　（為替差損益）　2,000

※　(1)　ＣＲ換算額：500千ドル×132円＝66,000

(2)　帳簿残高：64,000

(3)　(1)－(2)＝2,000

2　買掛金の換算替

（為替差損益）　1,800　（買　掛　金）※　1,800

※　(1)　ＣＲ換算額：300千ドル×132円＝39,600

(2)　帳簿残高：37,800

(3)　(1)－(2)＝1,800

3　仕入の未処理

（仕　　　入）※2　26,100　（前　渡　金）　12,900

　　　　　　　　　　　　　（買　掛　金）※1　13,200

※1　(200千ドル－100千ドル)×132円＝13,200

※2　貸方合計

4　売上原価の算定

(仕　　　　入)　135,000　(繰越商品)　135,000

(繰 越 商 品)※　115,600　(仕　　　　入)　115,600

※　89,500＋26,100＝115,600

問題17−5　外貨建有価証券(1)

解　答

問1

決算整理後残高試算表（一部）　（単位：円）

投資有価証券	(266,560)	有価証券利息	(8,840)
		為替差損益	(18,920)

問2

決算整理後残高試算表（一部）　（単位：円）

投資有価証券	267,400	繰延税金負債	(5,928)
		その他有価証券評価差額金	(13,832)
		有価証券利息	(8,840)

解答への道　（単位：円）

問1　満期保有目的の債券に区分した場合

1　X1年4月1日（取得日）

(投資有価証券)※　244,400　(現 金 預 金)　244,400

※　1,880ドル×SR130＝244,400

2　X2年3月31日（利払日及び決算日）

(1)　クーポン利息

(現 金 預 金)　5,600　(有価証券利息)※　5,600

※　2,000ドル×2％×SR140＝5,600

(2)　償却原価法

(投資有価証券)※　3,240　(有価証券利息)　3,240

※　外貨償却額：$(2,000ドル－1,880ドル)×\dfrac{1年}{5年}$
＝24ドル

円貨償却額：24ドル×AR135＝3,240

(3)　換算替

(投資有価証券)※　18,920　(為替差損益)　18,920

※　(1,880ドル＋24ドル)×CR140－帳簿価額
(244,400＋3,240)＝18,920

問2　その他有価証券に区分した場合

1　X1年4月1日（取得日）

(投資有価証券)※　244,400　(現 金 預 金)　244,400

※　1,880ドル×SR130＝244,400

2　X2年3月31日（利払日及び決算日）

(1)　クーポン利息

(現 金 預 金)　5,600　(有価証券利息)※　5,600

※　2,000ドル×2％×SR140＝5,600

(2)　償却原価法

(投資有価証券)※　3,240　(有価証券利息)　3,240

※　外貨償却額：$(2,000ドル－1,880ドル)×\dfrac{1年}{5年}$
＝24ドル

円貨償却額：24ドル×AR135＝3,240

(3)　時価評価

(投資有価証券)※1　19,760　(繰延税金負債)※2　5,928
　　　　　　　　　　　　　　（その他有価証券評価差額金)※3　13,832

※1　時価1,910ドル×CR140－帳簿価額(244,400
＋3,240)＝19,760

※2　19,760×30％＝5,928

※3　差額

問題17−6　外貨建有価証券(2)

解　答

決算整理後残高試算表　（単位：円）

有 価 証 券	52,800	繰延税金負債	750
投資有価証券	135,900	その他有価証券評価差額金	700
関係会社株式	88,000	有価証券利息	895
繰延税金資産	450	為替差損益	2,405
有価証券評価損益	5,200		
投資有価証券評価損	9,950		

解答への道　（単位：円）

(1)　売買目的有価証券（A株式・B株式）

(有価証券評価損益)　5,200　(有 価 証 券)※　5,200

※　円貨取得原価：　　　　　　　　　　58,000 ─┐
　　　　　　　　　　　　　　　　　　　　　　　△5,200
円貨時価：(A株160ドル＋B株280ドル)×CR120＝52,800 ◄┘

(2)　満期保有目的の債券（C社債）

① 金利調整差額の償却

(投資有価証券)※　295　(有価証券利息)　295

※ 外貨償却額：$(500 ドル-480 ドル) \times \dfrac{6 月}{48 月}$

$=2.5$ ドル

円貨償却額：$2.5 ドル \times ＡＲ118＝295$

② 期末換算替

(投資有価証券)※ 2,405 （為替差損益） 2,405

※(a) 円貨取得原価：ＨＣ480ドル×ＨＲ115

$=55,200$

(b) 外貨償却原価：ＨＣ480ドル＋外貨償却額2.5

ドル＝482.5ドル

(c) 評価額：482.5ドル×ＣＲ120＝57,900

(d) 換算差額

円貨償却原価：円貨取得原価55,200＋円貨償却額295＝55,495 ──┐
評価額： 57,900 ←──┘ ＋2,405

(3) 子会社株式・関連会社株式（Ｄ株式）

仕訳なし

(4) その他有価証券

① Ｅ株式

(投資有価証券)※1 2,500 （繰延税金負債)※2 750

(その他有価証券評価差額金)※3 1,750

※1 円貨取得原価：260ドル×ＨＲ115＝29,900 ──┐
円貨時価：270ドル×ＣＲ120＝32,400 ←──┘ ＋2,500

※2 評価差額2,500×30％＝750

※3 差額

② Ｆ株式

(繰延税金資産)※2 450 （投資有価証券)※1 1,500

(その他有価証券評価差額金)※3 1,050

※1 円貨取得原価：300ドル×ＨＲ125＝37,500 ──┐
円貨時価：300ドル×ＣＲ120＝36,000 ←──┘ △1,500

※2 評価差額1,500×30％＝450

※3 差額

③ Ｇ株式（減損処理）

(投資有価証券評価損) 9,950 （投資有価証券)※ 9,950

※ 円貨取得原価：170ドル×ＨＲ115＝19,550 ──┐
円貨時価： 80ドル×ＣＲ120＝ 9,600 ←──┘ △9,950

| 問題17-7 | 為替予約(1) |

解 答

問1

（単位：円）

日　付	借方科目	金　額	貸方科目	金　額
Ｘ2年2月1日	仕　　　入	396,000	買　掛　金	396,000
Ｘ2年3月1日	仕　訳　なし			
Ｘ2年3月31日	為替差損益	6,000	買　掛　金	6,000
	為　替　予　約	3,000	為替差損益	3,000
Ｘ2年4月30日	買　掛　金	402,000	現　金　預　金	405,000
	為替差損益	3,000		
	現　金　預　金	15,000	為　替　予　約	3,000
			為替差損益	12,000

問2

（単位：円）

日　付	借方科目	金　額	貸方科目	金　額
Ｘ2年2月1日	仕　　　入	396,000	買　掛　金	396,000
Ｘ2年3月1日	為替差損益	3,000	買　掛　金	3,000
	買　掛　金	9,000	前　受　収　益	9,000
Ｘ2年3月31日	前　受　収　益	4,500	為替差損益	4,500
Ｘ2年4月30日	買　掛　金	390,000	現　金　預　金	390,000
	前　受　収　益	4,500	為替差損益	4,500

解答への道 （単位：円）

問1　独立処理

1　Ｘ2年2月1日（取引日）

(仕　　　入) 396,000 （買　掛　金)※ 396,000

※　3,000ドル×ＳＲ132＝396,000

2　Ｘ2年3月1日（取引日）

(仕 訳 なし)

3　Ｘ2年3月31日（決算日）

(1) 買掛金の換算替

(為 替 差 損 益) 6,000 （買　掛　金)※ 6,000

※　3,000ドル×ＣＲ134－帳簿価額396,000＝6,000

(2) 為替予約の時価評価

(為 替 予 約) 3,000 （為替差損益)※ 3,000

※　3,000ドル×（決算日ＦＲ131－予約日ＦＲ130）

$=3,000$

4 X2年4月30日（決算日）

(1) 買掛金の決済

（買　掛　金）　402,000　（現金預金）※1　405,000

（為替差損益）※2　　3,000

※1　3,000ドル×ＳＲ135＝405,000

※2　差額

(2) 為替予約の決済

（現金預金）※1　15,000　（為替予約）　　　3,000

（為替差損益）※2　12,000

※1　3,000ドル×（決済日ＳＲ135－予約日ＦＲ130）
　　＝15,000

※2　差額

問2　振当処理

1　X2年2月1日（取引日）

（仕　　　　入）　396,000　（買　掛　金）※　396,000

※　3,000ドル×ＳＲ132＝396,000

2　X2年3月1日（取引日）

(1) 直々差額

（為替差損益）　　3,000　（買　掛　金）※　　3,000

※　3,000ドル×ＳＲ133－帳簿価額396,000＝3,000

(2) 直先差額

（買　掛　金）※　9,000　（前受収益）　9,000

※　3,000ドル×（予約日ＦＲ130－予約日ＳＲ133）
　　＝△9,000

3　X2年3月31日（決算日）

（前受収益）　4,500　（為替差損益）※　4,500

※　$9,000×\dfrac{1月}{2月}=4,500$

4　X2年4月30日（決算日）

(1) 買掛金の決済

（買　掛　金）　390,000　（現金預金）※　390,000

※　3,000ドル×ＦＲ130＝390,000

(2) 直先差額の振替処理

（前受収益）※　4,500　（為替差損益）　4,500

※　9,000－4,500＝4,500

問題17-8　為替予約(2)

解答

問1

	決算整理後残高試算表（一部）	（単位：円）	
売　掛　金	(3,861,000)	為替差損益	(111,000)
為　替　予　約	(27,000)		

問2

	決算整理後残高試算表（一部）	（単位：円）	
売　掛　金	(3,819,000)	為替差損益	(97,000)
前　払　費　用	(58,000)		

解答への道　（単位：円）

問1　独立処理

1　売掛金の換算替

（売　掛　金）※　51,000　（為替差損益）　51,000

※　（12,000ドル＋15,000ドル）×ＣＲ143
　　－前T/B3,810,000＝51,000

2　為替予約の時価評価

(1) X3年4月30日決済分（12,000ドル）

（為替予約）※　12,000　（為替差損益）　12,000

※　12,000ドル×（予約日ＦＲ142－決算日ＦＲ141）
　　＝12,000

(2) X3年5月31日決済分（15,000ドル）

（為替予約）※　15,000　（為替差損益）　15,000

※　15,000ドル×（予約日ＦＲ141－決算日ＦＲ140）
　　＝15,000

問2　振当処理

1　X3年4月30日決済分（12,000ドル）

(1) 直々差額

（売　掛　金）※　60,000　（為替差損益）　60,000

※　12,000ドル×予約日ＳＲ145－前T/B12,000ドル
　　×取引日ＳＲ140＝60,000

(2) 直先差額

（前払費用）　36,000　（売　掛　金）※　36,000

※　12,000ドル×予約日ＦＲ142－12,000ドル
　　×予約日ＳＲ145＝△36,000

(3) 直先差額の期間按分

（為替差損益）※　18,000　（前払費用）　18,000

※　$36,000 \times \dfrac{1月}{2月} = 18,000$

2　X3年5月31日決済分（15,000ドル）

(1) 直々差額

（売　掛　金）※　45,000　（為替差損益）　45,000

※　15,000ドル×予約日SR145－前T/B15,000ドル
　　×取引日SR142＝45,000

(2) 直先差額

（前 払 費 用）　60,000　（売　掛　金）※　60,000

※　15,000ドル×予約日FR141－15,000ドル
　　×予約日SR145＝△60,000

(3) 直先差額の期間按分

（為替差損益）※　20,000　（前 払 費 用）　20,000

※　$60,000 \times \dfrac{1月}{3月} = 20,000$

問題17－9 為替予約(3)

解　答

問1

（単位：千円）

日　付	借方科目	金　額	貸方科目	金　額
X1年12月1日	現 金 預 金	135,000	借　入　金	135,000
X2年3月31日	為替差損益	1,000	借　入　金	1,000
	為 替 予 約	2,000	為替差損益	2,000
	支 払 利 息	1,360	未 払 費 用	1,360
X2年11月30日	借　入　金	136,000	現 金 預 金	142,140
	支 払 利 息	4,140		
	為替差損益	2,000		
	現 金 預 金	6,000	為 替 予 約	2,000
			為替差損益	4,000

問2

（単位：千円）

日　付	借方科目	金　額	貸方科目	金　額
X1年12月1日	現 金 預 金	135,000	借　入　金	132,000
			前 受 収 益	3,000
X2年3月31日	前 受 収 益	1,000	為替差損益	1,000
	支 払 利 息	1,360	未 払 費 用	1,360
X2年11月30日	借　入　金	132,000	現 金 預 金	136,140
	支 払 利 息	4,140		
	前 受 収 益	2,000	為替差損益	2,000

解答への道　（単位：千円）

問1　独立処理

1　X1年12月1日（取引日・予約日）

（現 金 預 金）　135,000　（借　入　金）※　135,000

※　1,000千ドル×SR135円＝135,000

2　X2年3月31日（決算日）

(1) 借入金の換算替

（為替差損益）　1,000　（借　入　金）※　1,000

※　1,000千ドル×CR136円－帳簿価額135,000
　　＝1,000

(2) 為替予約の時価評価

（為 替 予 約）　2,000　（為替差損益）※　2,000

※　1,000千ドル×（決算日FR134円
　　－予約日FR132円）＝2,000

(3) 支払利息の見越計上

（支 払 利 息）　1,360　（未 払 費 用）※　1,360

※　$1,000千ドル \times 3\% \times \dfrac{4月}{12月} \times CR136円 = 1,360$

3　X2年4月1日（期首再振替仕訳）

（未 払 費 用）　1,360　（支 払 利 息）　1,360

4　X2年11月30日（返済日・利払日）

(1) 借入金の返済及び利息の支払い

（借　入　金）　136,000　（現 金 預 金）※1　142,140

（支 払 利 息）※2　4,140

（為替差損益）※3　2,000

※1　（1,000千ドル＋1,000千ドル×3％）×SR138
　　円＝142,140

※2　1,000千ドル×3％×SR138円＝4,140

※3　差額

(2) 為替予約の決済

（現 金 預 金）※1　6,000　（為 替 予 約）　2,000

　　　　　　　　　　　　　　（為替差損益）※2　4,000

※1　1,000千ドル×（決済日SR138円
　　－予約日FR132円）＝6,000

※2　差額

問2　振当処理

1　X1年12月1日（取引日・予約日）

（現 金 預 金）※1　135,000　（借　入　金）※2　132,000

　　　　　　　　　　　　　　（前 受 収 益）※3　3,000

※1　1,000千ドル×SR135円＝135,000

※2　1,000千ドル×ＦＲ132円＝132,000

※3　差額

2　Ｘ2年3月31日（決算日）

(1) 直先差額の期間按分

（前 受 収 益）　　1,000　（為替差損益）※　　1,000

※　$3,000 \times \dfrac{4月}{12月} = 1,000$

(2) 支払利息の見越計上

（支 払 利 息）　　1,360　（未 払 費 用）※　　1,360

※　$1,000千ドル \times 3\% \times \dfrac{4月}{12月} \times ＣＲ136円 = 1,360$

3　Ｘ2年4月1日（期首再振替仕訳）

（未 払 費 用）　　1,360　（支 払 利 息）　　1,360

4　Ｘ2年11月30日（返済日・利払日）

(1) 借入金の返済及び利息の支払い

（借 入 金）　132,000　（現 金 預 金）※1　136,140

（支 払 利 息）※2　4,140

※1　1,000千ドル×ＦＲ132円＋1,000千ドル×3％
　　×ＳＲ138円＝136,140

※2　1,000千ドル×3％×ＳＲ138円＝4,140

(2) 直先差額の振替処理

（前 受 収 益）　　2,000　（為替差損益）※　　2,000

※　3,000－1,000＝2,000

問題17−10　為替予約(4)

解 答

決算整理後残高試算表（一部）　　（単位：円）

支 払 利 息	(65,250)	未 払 費 用	(65,250)
為 替 差 損 益	(55,000)	前 受 収 益	(15,000)
		借 入 金	(2,800,000)

解答への道　　（単位：円）

1　直々差額

（為替差損益）　　80,000　（借 入 金）※　　80,000

※　20,000ドル×予約日ＳＲ142
　　－帳簿価額2,760,000＝80,000

2　直先差額

（借 入 金）※　　40,000　（前 受 収 益）※　　40,000

※　20,000ドル×予約日ＦＲ140−20,000ドル
　　×予約日ＳＲ142＝△40,000

3　直先差額の期間按分

（前 受 収 益）　　25,000　（為替差損益）※　　25,000

※　$40,000 \times \dfrac{5月}{8月} = 25,000$

4　支払利息の見越計上

（支 払 利 息）　　65,250　（未 払 費 用）※　　65,250

※　$20,000ドル \times 3\% \times \dfrac{9月}{12月} \times ＣＲ145 = 65,250$

問題17−11　為替予約(5)

解 答

決算整理後残高試算表（一部）　　（単位：円）

売 掛 金	(32,900,000)	未 払 費 用	(111,000)
前 払 費 用	(20,000)	長期前受収益	(306,250)
支 払 利 息	(217,500)	長 期 借 入 金	(6,750,000)
為 替 差 損 益	(664,250)	売 上	(189,420,000)

解答への道　　（単位：円）

1　売掛金

(1) Ｘ3年1月15日計上分

① 直々差額

（売 掛 金）※　　120,000　（為替差損益）　　120,000

※　60,000ドル×予約日ＳＲ142−60,000ドル
　　×取引日ＳＲ140＝120,000

② 直先差額

（前 払 費 用）　　60,000　（売 掛 金）※　　60,000

※　60,000ドル×予約日ＦＲ141−60,000ドル
　　×予約日ＳＲ142＝△60,000

③ 直先差額の期間按分

（為替差損益）※　　40,000　（前 払 費 用）　　40,000

※　$60,000 \times \dfrac{2月}{3月} = 40,000$

(2) Ｘ3年2月10日計上分

① 適正な仕訳

（売 掛 金）　12,600,000　（売 上）※　12,600,000

※　90,000ドル×予約日ＦＲ140＝12,600,000

② 当社が行った仕訳

（売 掛 金）　12,780,000　（売 上）※　12,780,000

※　90,000ドル×取引日ＳＲ142＝12,780,000

③ 修正仕訳（①−②）

（売 上）　180,000　（売 掛 金）　180,000

(3) X3年3月20日計上分（期末換算替）

（売 掛 金）※ 240,000 （為替差損益） 240,000

※ 80,000ドル×ＣＲ148−80,000ドル
×取引日ＳＲ145＝240,000

2 長期借入金

(1) 為替予約

① 直々差額

（為替差損益） 200,000 （長期借入金）※ 200,000

※ 50,000ドル×予約日ＳＲ142−50,000ドル
×前期末ＣＲ138＝200,000

② 直先差額

（長期借入金）※ 350,000 （長期前受収益） 350,000

※ 50,000ドル×予約日ＦＲ135−50,000ドル
×予約日ＳＲ142＝△350,000

③ 直先差額の期間按分

（長期前受収益） 43,750 （為替差損益）※ 43,750

※ $350,000 \times \dfrac{6月}{48月} = 43,750$

(2) 支払利息の見越計上

（支 払 利 息） 111,000 （未 払 費 用）※ 111,000

※ $50,000ドル \times 3\% \times \dfrac{6月}{12月} \times ＣＲ148 = 111,000$

問題17−12 為替予約(6)

解 答

問1

決算整理後残高試算表（一部）　（単位：円）

為 替 予 約	（ 18,540）	未 払 費 用	（ 4,350）
支 払 利 息	（ 4,350）	短 期 借 入 金	（ 435,000）
		為 替 差 損 益	（ 3,540）

問2

決算整理後残高試算表（一部）　（単位：円）

支 払 利 息	（ 2,140）	未 払 費 用	（ 4,140）
		前 受 収 益	（ 4,000）
		短 期 借 入 金	（ 414,000）

解答への道　（単位：円）

問1　独立処理

1　X1年12月1日（取引日・予約日）

（現 金 預 金） 420,000 （短期借入金）※ 420,000

※ 3,000ドル×ＳＲ140＝420,000

2　X2年3月31日（決算日）

(1) 借入金の換算替

（為替差損益） 15,000 （短期借入金）※ 15,000

※ 3,000ドル×ＣＲ145−帳簿価額420,000
＝15,000

(2) 為替予約の時価評価

（為 替 予 約） 18,540 （為替差損益）※ 18,540

※ （3,000ドル＋3,000ドル×3％）
×（決算日ＦＲ144−予約日ＦＲ138）＝18,540

(3) 支払利息の見越計上

（支 払 利 息） 4,350 （未 払 費 用）※ 4,350

※ $3,000ドル \times 3\% \times \dfrac{4月}{12月} \times ＣＲ145 = 4,350$

問2　振当処理

1　X1年12月1日（取引日・予約日）の修正

(1) 適正な仕訳

（現 金 預 金）※1 420,000 （短期借入金）※2 414,000
　　　　　　　　　　　　　（前 受 収 益）※3 6,000

※1　3,000ドル×ＳＲ140＝420,000

※2　3,000ドル×ＦＲ138＝414,000

※3　差額

(2) 当社が行った仕訳

（現 金 預 金）※ 420,000 （短期借入金） 420,000

※ 3,000ドル×ＳＲ140＝420,000

(3) 修正仕訳（(1)−(2)）

（短期借入金） 6,000 （前 受 収 益） 6,000

2　X2年3月31日（決算日）

(1) 直先差額の期間按分

（前 受 収 益） 2,000 （支払利息）※ 2,000

※ $6,000 \times \dfrac{4月}{12月} = 2,000$

(2) 支払利息の見越計上

（支 払 利 息） 4,140 （未 払 費 用）※ 4,140

※ $3,000ドル \times 3\% \times \dfrac{4月}{12月} \times ＦＲ138 = 4,140$

問題17－13 為替予約(7)

解 答

（単位：千円）

日 付	借方科目	金 額	貸方科目	金 額
X1年4月1日	満期保有目的の債券	67,500	現 金 預 金	67,200
			長期前受収益	300
X2年3月31日	現 金 預 金	2,175	有価証券利息	2,175
	長期前受収益	100	為 替 差 損 益	100
X3年3月31日	現 金 預 金	2,190	有価証券利息	2,190
	長期前受収益	100	為 替 差 損 益	100
X4年3月31日	現 金 預 金	69,630	満期保有目的の債券	67,500
			有価証券利息	2,130
	長期前受収益	100	為 替 差 損 益	100

解答への道 （単位：千円）

1 X1年4月1日（取得日・予約日）

（満期保有目的の債券)※2 67,500 （現 金 預 金)※1 67,200

（長期前受収益)※3 300

※1 480千ドル×SR140円＝67,200

※2 500千ドル×FR135円＝67,500

※3 差額

2 X2年3月31日（利払日・決算日）

(1) クーポン利息

（現 金 預 金） 2,175 （有価証券利息)※ 2,175

※ 500千ドル×3％×SR145円＝2,175

(2) 直先差額の期間按分

（長期前受収益） 100 （為替差損益)※ 100

※ $300 \times \dfrac{12月}{36月} = 100$

3 X3年3月31日（利払日・決算日）

(1) クーポン利息

（現 金 預 金） 2,190 （有価証券利息)※ 2,190

※ 500千ドル×3％×SR146円＝2,190

(2) 直先差額の期間按分

（長期前受収益） 100 （為替差損益)※ 100

※ $300 \times \dfrac{12月}{36月} = 100$

4 X4年3月31日（利払日・償還期限）

(1) 利払日及び償還期限

（現 金 預 金)※2 69,630 （満期保有目的の債券) 67,500

（有価証券利息)※1 2,130

※1 500千ドル×3％×SR142円＝2,130

※2 貸方合計

(2) 直先差額の期間按分

（長期前受収益） 100 （為替差損益)※ 100

※ $300 \times \dfrac{12月}{36月} = 100$

問題17－14 為替予約(8)

解 答

1 X2年3月31日 （単位：千円）

借方科目	金 額	貸方科目	金 額
為 替 予 約	1,500	繰延税金負債	450
		繰延ヘッジ損益	1,050

2 X2年5月1日 （単位：千円）

借方科目	金 額	貸方科目	金 額
仕 入	56,500	買 掛 金	56,500
繰 延 税 金 負 債	150	為 替 予 約	500
繰延ヘッジ損益	350		
繰 延 税 金 負 債	300	仕 入	1,000
繰延ヘッジ損益	700		

3 X2年5月31日 （単位：千円）

借方科目	金 額	貸方科目	金 額
買 掛 金	56,500	現 金 預 金	58,000
為 替 差 損 益	1,500		
現 金 預 金	5,500	為 替 予 約	1,000
		為 替 差 損 益	4,500

解答への道 （単位：千円）

1 X2年2月1日（為替予約日）

（仕 訳 不 要）

2 X2年3月31日（決算日）

（為 替 予 約)※1 1,500 （繰延税金負債)※2 450

（繰延ヘッジ損益)※3 1,050

※1 500千ドル×（決算日FR108円－予約日FR

105円）＝1,500

※2　1,500×30％＝450

※3　差額

3　X2年5月1日（取引日）

(1) 取引の仕訳

(仕　　　入)※　56,500　(買　掛　金)　56,500

※　500千ドル×取引日ＳＲ113円＝56,500

(2) 為替予約の時価評価

(繰延税金負債)※2　150　(為　替　予　約)※1　500

(繰延ヘッジ損益)※3　350

※1　500千ドル×(取引日ＦＲ107円－決算日ＦＲ108円)＝△500

※2　500×30％＝150

※3　差額

(3) 予約差額の振替処理

(繰延税金負債)※1　300　(仕　　　入)※3　1,000

(繰延ヘッジ損益)※2　700

※1　決算日450－取引日150＝300

※2　決算日1,050－取引日350＝700

※3　借方合計

4　X2年5月31日（決済日）

(1) 買掛金の決済

(買　掛　金)　56,500　(現金預金)※1　58,000

(為替差損益)※2　1,500

※1　500千ドル×決済日ＳＲ116円＝58,000

※2　差額

(2) 為替予約の決済

(現　金　預　金)※1　5,500　(為　替　予　約)※2　1,000

(為替差損益)※3　4,500

※1　500千ドル×(決済日ＳＲ116円－予約日ＦＲ105円)＝5,500

※2　決算日1,500－取引日500＝1,000

※3　差額

問題17－15 為替予約(9)

解　答

決算整理後残高試算表（一部）　（単位：円）

売　掛　金	(18,130,000)	為　替　予　約	(80,000)
前　払　費　用	(10,000)	売　　　上	(246,238,000)
繰延税金資産	(24,000)	為　替　差　損　益	(375,000)
繰延ヘッジ損益	(56,000)		

解答への道　（単位：円）

1　X2年2月1日計上分

(1) 直々差額

(売　掛　金)※　15,000　(為替差損益)　15,000

※　15,000ドル×予約日ＳＲ141－15,000ドル×取引日ＳＲ140＝15,000

(2) 直先差額

(前　払　費　用)　30,000　(売　掛　金)※　30,000

※　15,000ドル×予約日ＦＲ139－15,000ドル×予約日ＳＲ141＝△30,000

(3) 直先差額の期間按分

(為替差損益)※　20,000　(前　払　費　用)　20,000

※　$30,000 \times \dfrac{2月}{3月} = 20,000$

2　X2年3月1日計上分

(1) 適正な仕訳

(売　掛　金)※　4,140,000　(売　　　上)　4,140,000

※　30,000ドル×ＦＲ138＝4,140,000

(2) 当社が行った仕訳

(売　掛　金)※　4,260,000　(売　　　上)　4,260,000

※　30,000ドル×ＳＲ142＝4,260,000

(3) 修正仕訳（(1)－(2)）

(売　　　上)　120,000　(売　掛　金)　120,000

3　X2年5月1日予定分

(繰延税金資産)※2　24,000　(為　替　予　約)※1　80,000

(繰延ヘッジ損益)※3　56,000

※1　20,000ドル×(決算日ＦＲ140－予約日ＦＲ136)＝80,000

※2　80,000×30％＝24,000

※3　差額

第 18 章	製 造 業 会 計	重 要 度	B

問題18－1 商的工業簿記(1)

解 答

問1

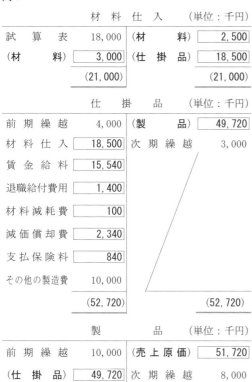

材 料 仕 入 （単位：千円）

試　算　表	18,000	（材　　料）	2,500
（材　　料）	3,000	（仕 掛 品）	18,500
	(21,000)		(21,000)

仕 掛 品 （単位：千円）

前 期 繰 越	4,000	（製　品）	49,720
材 料 仕 入	18,500	次 期 繰 越	3,000
賃 金 給 料	15,540		
退職給付費用	1,400		
材 料 減 耗 費	100		
減 価 償 却 費	2,340		
支 払 保 険 料	840		
その他の製造費	10,000		
	(52,720)		(52,720)

製 品 （単位：千円）

前 期 繰 越	10,000	（売 上 原 価）	51,720
（仕 掛 品）	49,720	次 期 繰 越	8,000
	(59,720)		(59,720)

問2

決算整理後残高試算表 （単位：千円）

製　　品	8,000	未 払 費 用	200
材　　料	2,000	退職給付引当金	13,000
仕 掛 品	3,000	減価償却累計額	27,360
前 払 費 用	300		
建　　物	30,000		
機　　械	12,000		
車　　両	5,000		
土　　地	50,000		
売 上 原 価	51,720		
材 料 減 耗 費	400		
賃 金 給 料	6,660		
退職給付費用	600		
減 価 償 却 費	810		
支 払 保 険 料	360		

解答への道 （単位：千円）

1　材料費

(1) 材料費

（材 料 仕 入）	3,000	（材　　料）	3,000
（材　　料）	2,500	（材 料 仕 入）	2,500
（仕 掛 品）	18,500	（材 料 仕 入）	18,500

(2) 材料減耗費

（仕 掛 品）※2	100	（材　　料）※1	500
（材料減耗費）	400		

　※1　帳簿2,500－実地2,000＝500

　※2　500×20％＝100

2　労務費

(1) 賃金給料

（賃 金 給 料）	200	（未 払 費 用）	200
（仕 掛 品）	15,540	（賃 金 給 料）※	15,540

　※　22,200×70％＝15,540

(2) 退職給付費用

（仕 掛 品）	1,400	（退職給付費用）※	1,400

第18章 製造業会計

※　2,000×70%＝1,400

3　製造経費

(1) 減価償却

（仕 掛 品）※1　　2,340　（減価償却累計額）　3,150

（減価償却費）※2　　810

※1　建物：$30,000×0.9×\dfrac{1年}{30年}×70%＝630$

機械：$12,000×0.9×\dfrac{1年}{8年}＝1,350$ ⎫ 2,340

車両：$5,000×0.9×\dfrac{1年}{5年}×40%＝360$ ⎭

※2　建物：$30,000×0.9×\dfrac{1年}{30年}×30%＝270$ ⎫ 810

車両：$5,000×0.9×\dfrac{1年}{5年}×60%＝540$ ⎭

(2) 支払保険料

（前 払 費 用）　　300　（支払保険料）　300

（仕 掛 品）　　840　（支払保険料）※　840

※　$1,200×70%＝840$

(3) その他の製造費

（仕 掛 品）　10,000　（その他の製造費）　10,000

4　仕掛品

（製 品）　49,720　（仕 掛 品）※　49,720

※　期首4,000＋当期総製造費用48,720－期末3,000
　　　＝49,720

5　製品

（売 上 原 価）　51,720　（製 品）※　51,720

※　期首10,000＋当期製品製造原価49,720－期末
　　8,000＝51,720

問題18-2　商的工業簿記(2)

解　答

問1

仕　掛　品			（単位：千円）
前 期 繰 越	22,470	製　　品	713,000
材 料 費	143,400	次 期 繰 越	32,000
労 務 費	358,600		
製 造 経 費	220,530		
	745,000		745,000

製　　品			（単位：千円）
前 期 繰 越	59,130	売 上 原 価	734,930
仕 掛 品	713,000	次 期 繰 越	37,200
	772,130		772,130

問2

仕　掛　品			（単位：千円）
前 期 繰 越	22,470	製　　品	713,080
材 料 費	143,400	次 期 繰 越	31,920
労 務 費	358,600		
製 造 経 費	220,530		
	745,000		745,000

製　　品			（単位：千円）
前 期 繰 越	59,130	売 上 原 価	734,845
仕 掛 品	713,080	次 期 繰 越	37,365
	772,210		772,210

解答への道　（単位：千円）

問1　期末仕掛品（平均法）、期末製品（先入先出法）

1　期末仕掛品の評価（平均法）

(1) 材料費

材　料　費

6,600	期首 500個		完成 11,500個	
143,400	投入 12,000個		期末 1,000個	12,000※
150,000	計 12,500個		計 12,500個	

※　$150,000×\dfrac{1,000個}{12,500個}＝12,000$

(2) 加工費

加　工　費

15,870	期首 300個		完成 11,500個	
579,130	投入(11,600個)		期末 400個	20,000※
595,000	計 11,900個		計 11,900個	

※　$595,000×\dfrac{400個}{11,900個}＝20,000$

(3) 期末仕掛品：材料費12,000＋加工費20,000
　　　　　　　　＝32,000

(4) 当期製品製造原価：期首仕掛品22,470＋当期総製
　　　　　　　　　造費用722,530－期末仕掛品
　　　　　　　　　32,000＝713,000

2 期末製品の評価（先入先出法）

製　　品

59,130	期首	900個	完成	11,800個	(734,930)
713,000	完成	11,500個	期末	600個	37,200※
772,130	計	12,400個	計	12,400個	

※　$713,000 \times \dfrac{600個}{11,500個} = 37,200$

問2　期末仕掛品（先入先出法）、期末製品（平均法）

1　期末仕掛品の評価（先入先出法）

(1) 材料費

材　料　費

6,600	期首	500個	完成	11,500個	
143,400	投入	12,000個	期末	1,000個	11,950※
150,000	計	12,500個	計	12,500個	

※　$143,400 \times \dfrac{1,000個}{12,000個} = 11,950$

(2) 加工費

加　工　費

15,870	期首	300個	完成	11,500個	
579,130	投入	(11,600)個	期末	400個	19,970※
595,000	計	11,900個	計	11,900個	

※　$579,130 \times \dfrac{400個}{11,600個} = 19,970$

(3) 期末仕掛品：材料費11,950＋加工費19,970
　　　　　　　＝31,920

(4) 当期製品製造原価：期首仕掛品22,470＋当期総製
　　　　　　　　　造費用722,530－期末仕掛品
　　　　　　　　　31,920＝713,080

2　期末製品の評価（平均法）

製　　品

59,130	期首	900個	完成	11,800個	(734,845)
713,080	完成	11,500個	期末	600個	37,365※
772,210	計	12,400個	計	12,400個	

※　$772,210 \times \dfrac{600個}{12,400個} = 37,365$

解答

問1	問2	問3
684,000　円	660,000　円	624,000　円

解答への道　（単位：円）

問1　減損の発生点＜期末仕掛品進捗度⇨両者負担
　　　（減損量は無視）

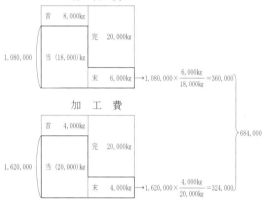

問2　減損の発生点＞期末仕掛品進捗度→完成品のみ
　　　負担（減損量を含める）

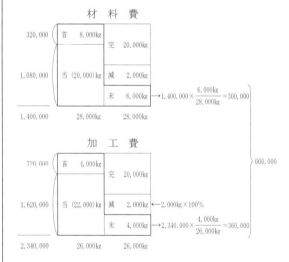

第18章　製造業会計

—327—

問3　減損の発生点＞期末仕掛品進捗度⇨完成品のみ
　　　負担（減損量を含める）

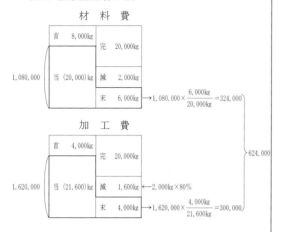

材　料　費

首　8,000kg	完　20,000kg	
1,080,000	当（20,000）kg	減　2,000kg
		末　6,000kg →1,080,000×$\frac{6,000kg}{20,000kg}$=324,000

加　工　費

首　4,000kg	完　20,000kg	
1,620,000	当（21,600）kg	減　1,600kg ←2,000kg×80%
		末　4,000kg →1,620,000×$\frac{4,000kg}{21,600kg}$=300,000

→624,000

問題18－4　商的工業簿記(4)

解　答

問1

決算整理後残高試算表（一部）　（単位：千円）

製　　　品	147,000	賞与引当金	30,000
材　　　料	4,800	退職給付引当金	125,200
仕　掛　品	53,120	売　　　上	2,520,000
建　　　物	206,400		
機　　　械	66,000		
車　　　両	40,000		
土　　　地	350,000		
売 上 原 価	1,359,760		
賞与引当金繰入額	12,000		
退職給付費用	11,680		
減 価 償 却 費	18,320		
材料棚卸減耗損	80		

問2

製造原価報告書　　　（単位：千円）

Ⅰ	材　　料　　費			
	材料期首たな卸高	（	3,000）	
	当期材料仕入高	（	492,000）	
	合　　　　計	（	495,000）	
	期末材料たな卸高	（	5,000）	（　490,000）
Ⅱ	労　　務　　費			
	賞与引当金繰入額	（	18,000）	
	退職給付費用	（	17,520）	
	その他労務費	（	522,810）	（　558,330）
Ⅲ	製　造　経　費			
	減 価 償 却 費	（	38,080）	
	材料棚卸減耗損	（	120）	
	その他製造経費	（	275,990）	（　314,190）
Ⅳ	当期総製造費用			（1,362,520）
Ⅴ	仕掛品期首たな卸高			（　33,200）
	合　　　　計			（1,395,720）
Ⅵ	仕掛品期末たな卸高			（　53,120）
Ⅶ	当期製品製造原価			（1,342,600）

解答への道　（単位：千円）

1　材料
(1) 当期材料費

（材料仕入）　3,000　（材　　　料）　3,000
（材　　　料）　5,000　（材料仕入）　5,000
（仕　掛　品）490,000　（材料仕入）※490,000
　※　期首3,000＋仕入492,000－期末帳簿5,000
　　　＝490,000

(2) 減耗

（仕　掛　品）※2　120　（材　　　料）※1　200
（材料棚卸減耗損）※3　80
　※1　期末帳簿5,000－期末実地4,800＝200
　※2　200×60％＝120
　※3　差額

2　賞与引当金

（仕　掛　品）※2　18,000　（賞与引当金）※1　30,000
（賞与引当金繰入額）※3　12,000
　※1　45,000×$\frac{4月}{6月}$＝30,000

※2　30,000×60％＝18,000

※3　差額

3　退職給付引当金

(1) 退職給付費用の計上

（仕　掛　品)※2　17,520　（退職給付引当金)※1　29,200

（退職給付費用)※3　11,680

　　※1　①　勤務費用：25,000

　　　　②　利息費用：300,000×2％＝6,000

　　　　③　期待運用収益：180,000×1％＝1,800

　　　　④　①＋②－③＝29,200

　　※2　29,200×60％＝17,520

　　※3　差額

(2) 掛金及び一時金の修正

（退職給付引当金)※　24,000　（仮　払　金）　24,000

　　※　掛金6,000＋一時金18,000＝24,000

4　固定資産

(1) 建物

（仕　掛　品)※2　10,080　（建　　　　物)※1　14,400

（減価償却費)※3　4,320

　　※1　$480,000×0.9×\dfrac{1年}{30年}=14,400$

　　※2　14,400×70％＝10,080

　　※3　差額

(2) 機械

（仕　掛　品）　22,000　（機　　　　械)※　22,000

※　$220,000×\dfrac{1年}{10年}=22,000$

(3) 車両

（仕　掛　品)※2　6,000　（車　　　　両)※1　20,000

（減価償却費)※3　14,000

　　※1　$100,000×\dfrac{1年}{5年}=20,000$

　　※2　20,000×30％＝6,000

　　※3　差額

5　当期製品製造原価

（製　　　　品)※　1,342,600　（仕　掛　品）　1,342,600

※　（1）　期末仕掛品の評価

仕掛品（材料費）

14,600	期　首　500個	当期完成＊1	
			13,700個
490,000	当期投入　14,000個	期　末　800個	27,840＊2

＊1　期首500個＋投入14,000個－期末800個

　　＝13,700個

＊2　$(14,600+490,000)×\dfrac{800個}{500個+14,000個}$

　　＝27,840

仕掛品（加工費）

18,600	期　首＊1　300個	当期完成　13,700個	
872,520＊4	当期投入＊3		
	13,800個	期　末＊2　400個	25,280＊5

＊1　期首500個×進捗度60％＝300個

＊2　期末800個×進捗度50％＝400個

＊3　完成13,700個＋期末400個－期首300個

　　＝投入13,800個

＊4　労務費（18,000＋17,520＋522,810）＋製造経

　　費（120＋10,080＋22,000＋6,000＋275,990）

　　＝872,520

＊5　$(18,600+872,520)×\dfrac{400個}{300個+13,800個}$

　　＝25,280

(2) 当期製品製造原価：期首33,200＋当期総製造費用

1,362,520（＊1）－期末53,120（＊2）＝1,342,600

　　＊1　材料費490,000＋加工費872,520＝1,362,520

　　＊2　材料費27,840＋加工費25,280＝53,120

6　売上原価

（売　上　原　価)※　1,359,760　（製　　　　品）　1,359,760

※

製　　品

164,160	期　首　1,800個	売上原価　14,000個	1,359,760＊2
1,342,600	当期完成　13,700個	期　末　1,500個	147,000＊1

＊1　$1,342,600×\dfrac{1,500個}{13,700個}=147,000$

＊2　差額

問題18-5 商的工業簿記(5)

解答

問1

決算整理後残高試算表（一部）（単位：千円）

製　　　　品	46,400	賞 与 引 当 金	24,000
材　　　　料	9,500	退職給付引当金	380,000
仕　掛　品	27,996	減価償却累計額	536,000
建　　　　物	800,000	売　　　　上	4,254,000
機　　　　械	80,000		
車　　　　両	50,000		
土　　　　地	350,000		
売 上 原 価	2,054,900		
人　件　費	458,670		
その他販売管理費	459,654		
賞与引当金繰入額	9,600		
退職給付費用	20,800		
減 価 償 却 費	11,600		
材料棚卸減耗損	350		

問2

製造原価報告書　　　（単位：千円）

I	材　　料　　費			
	材料期首たな卸高	(	12,000)	
	当 期 材 料 仕 入 高	(	720,000)	
	合　　　　計	(	732,000)	
	期末材料たな卸高	(	10,000)	(722,000)
II	労　　務　　費			
	賞与引当金繰入額	(	14,400)	
	退 職 給 付 費 用	(	31,200)	
	そ の 他 労 務 費	(	852,950)	(898,550)
III	製　造　経　費			
	減 価 償 却 費	(	24,400)	
	材料棚卸減耗損	(	150)	
	そ の 他 製 造 経 費	(	425,946)	(450,496)
IV	当期総製造費用			(2,071,046)
V	仕掛品期首たな卸高			(24,650)
	合　　　　計			(2,095,696)
VI	仕掛品期末たな卸高			(27,996)
VII	当期製品製造原価			(2,067,700)

解答への道　（単位：千円）

1　材料

(1) 当期材料費

（材料仕入）　12,000　（材　　　料）　12,000

（材　　　料）　10,000　（材料仕入）　10,000

（仕 掛 品）　722,000　（材料仕入）※　722,000

※　期首12,000＋仕入720,000－期末帳簿10,000
　　＝722,000

(2) 減耗

（仕 掛 品）※2　150　（材　　　料）※1　500

（材料棚卸減耗損）※3　350

※1　期末帳簿10,000－期末実地9,500＝500

※2　500×30%＝150

※3　差額

2　固定資産

(1) 建物

（仕 掛 品）※2　14,400　（減価償却累計額）※1　18,000

（減価償却費）※3　3,600

※1　$800{,}000 \times 0.9 \times \dfrac{1\,年}{40\,年} = 18{,}000$

※2　18,000×80%＝14,400

※3　差額

(2) 機械

（仕 掛 品）　8,000　（減価償却累計額）※　8,000

※　$80{,}000 \times \dfrac{1\,年}{10\,年} = 8{,}000$

(3) 車両

（仕 掛 品）※2　2,000　（減価償却累計額）※1　10,000

（減価償却費）※3　8,000

※1　$50{,}000 \times \dfrac{1\,年}{5\,年} = 10{,}000$

※2　10,000×20%＝2,000

※3　差額

3　賞与引当金

（賞与引当金）　20,000　（人 件 費）　20,000

（仕 掛 品）※2　14,400　（賞与引当金）※1　24,000

（賞与引当金繰入額）※3　9,600

※1　$36{,}000 \times \dfrac{4\,月}{6\,月} = 24{,}000$

※2　24,000×60%＝14,400

※3　差額

4　退職給付引当金

(1)　当期支出額の修正

(退職給付引当金)※　　22,000　（人　件　費）　　22,000

(2)　退職給付費用の計上

(仕　掛　品)※1　　31,200　（退職給付引当金)※1　52,000

(退職給付費用)※3　20,800

　※1　①　期末退引：数理債務120,000＋要支給

　　　　　　　350,000－年金資産90,000＝380,000

　　　　②　退職給付費用：期末380,000＋支出22,000

　　　　　　　－期首350,000＝52,000

　※2　52,000×60%＝31,200

　※3　差額

5　労務費及び製造経費の振替

（仕　掛　品）　425,946　（その他販売費）　425,946

（仕　掛　品）　852,950　（人　件　費）　852,950

6　当期製品製造原価

（製　　　品)※　2,067,700　（仕　掛　品）　2,067,700

　※(1)　当期完成品数量：期首1,000個＋投入72,000

　　　　個－減損500個－期末1,200個＝71,300個

　　　(2)　期末仕掛品の評価

仕掛品（材料費）

10,250	期　首 1,000個	当期完成 71,300個	
722,000	当期投入＊1		
	71,500個	期　末 1,200個	12,120＊2

　　　＊1　完成71,300個＋期末1,200個－期首1,000

　　　　　個＝投入71,500個

　　　＊2　$(10,250＋722,000)×\dfrac{1,200個}{1,000個＋71,500個}$

　　　　　＝12,120

仕掛品（加工費）

14,400	期　首＊1 800個	当期完成 71,300個	
1,349,046＊4	当期投入＊3		
	71,340個	期　末＊2 840個	15,876＊5

　　　＊1　期首1,000個×進捗度80%＝800個

　　　＊2　期末1,200個×進捗度70%＝840個

　　　＊3　完成71,300個＋期末840個－期首800個＝

　　　　　投入71,340個

　　　＊4　労務費（14,400＋31,200＋852,950）＋製

　　　　　造経費（150＋14,400＋8,000＋2,000＋

　　　　　425,946）＝1,349,046

　＊5　$(14,400＋1,349,046)×\dfrac{840個}{800個＋71,340個}$

　　　＝15,876

　(3)　当期製品製造原価：期首24,650＋当期総製造

　　　費用2,071,046（＊1）－期末27,996（＊2）

　　　＝2,067,700

　＊1　材料費722,000＋加工費1,349,046

　　　＝2,071,046

　＊2　材料費12,120＋加工費15,876＝27,996

7　売上原価

（売 上 原 価)※　2,054,900　（製　　　品）　2,054,900

※

製　品

| 33,600 | 期　首 1,200個 | 売上原価 70,900個 | 2,054,900＊2 |
| 2,067,700 | 当期完成 71,300個 | 期　末 1,600個 | 46,400＊1 |

　＊1　$2,067,700×\dfrac{1,600個}{71,300個}＝46,400$

　＊2　差額

問題19-1　研究開発費

解　答

決算整理後残高試算表（一部）　（単位：千円）

材　　　料	12,000	減価償却累計額	170,250
建　　　物	300,000	法人税等調整額	3,240
備　　　品	30,000		
繰延税金資産	3,240		
営　業　費	2,131,000		
減価償却費	8,125		
研究開発費	407,125		

解答への道　（単位：千円）

1　材料

（材料仕入）　15,000　（材　　料）　15,000

（材　　料）　12,000　（材料仕入）　12,000

（研究開発費）※　313,100　（材料仕入）　313,100

※　(1)　当期材料消費高：期首15,000＋仕入

3,128,000－期末12,000＝3,131,000

(2)　3,131,000×10％＝313,100

2　研究開発用の機械装置

(1)　仮払金からの振替処理

（研究開発費）　12,000　（仮　払　金）　12,000

(2)　税効果会計

（繰延税金資産）※　3,240　（法人税等調整額）　3,240

※　$(12,000-12,000×\dfrac{1 年}{10 年})×30％＝3,240$

3　固定資産

(1)　建物

①　研究開発用

（研究開発費）　1,125　（減価償却累計額）※　1,125

※　$50,000×0.9×\dfrac{1 年}{40 年}＝1,125$

②　研究開発用以外

（減価償却費）　5,625　（減価償却累計額）※　5,625

※　$(300,000-50,000)×0.9×\dfrac{1 年}{40 年}＝5,625$

(2)　器具備品

①　研究開発用

（研究開発費）　1,250　（減価償却累計額）※　1,250

※　$10,000×\dfrac{1 年}{8 年}＝1,250$

②　研究開発用以外

（減価償却費）　2,500　（減価償却累計額）※　2,500

※　$(30,000-10,000)×\dfrac{1 年}{8 年}＝2,500$

4　営業費からの振替処理

（研究開発費）　55,000　（営　業　費）　55,000

問題19-2　ソフトウェア(1)

解　答

（単位：千円）

	借方科目	金　額	貸方科目	金　額
1	ソフトウェア	23,200	現金預金	24,700
	販売費・一般管理費	1,500		
2	ソフトウェア償却	2,320	ソフトウェア	2,320
3	ソフトウェア償却	1,160	ソフトウェア	11,600
	ソフトウェア廃棄損	10,440		
	ソフトウェア	25,000	現金預金	27,100
	販売費・一般管理費	2,100		

解答への道　（単位：千円）

1　X 1 年10月 1 日

（ソフトウェア）※1　23,200　（現金預金）　24,700

（販売費・一般管理費）※2　1,500

※ 1　パッケージソフト20,000＋仕様変更2,000

＋設定作業1,200＝23,200

※ 2　トレーニング費用

2　X 2 年 3 月31日

（ソフトウェア償却）※　2,320　（ソフトウェア）　2,320

※　$23,200×\dfrac{1 年}{5 年}×\dfrac{6 月}{12 月}＝2,320$

3 X4年6月30日

(1) 旧ソフトウェアの廃棄

(ソフトウェア償却)※2　1,160　（ソフトウェア）※1　11,600

(ソフトウェア廃棄損)※3　10,440

※1　$23,200 - 23,200 \times \dfrac{30月}{60月} = 11,600$

※2　$23,200 \times \dfrac{1年}{5年} \times \dfrac{3月}{12月} = 1,160$

※3　差額

(2) 新ソフトウェアの取得

(ソフトウェア)※1　25,000　（現 金 預 金）　27,100

(販売費・一般管理費)※2　2,100

※1　パッケージソフト22,000＋仕様変更1,800
　　　＋設定作業1,200＝25,000

※2　データ移替600＋トレーニング1,500＝2,100

【問題19-3】 ソフトウェア(2)

解　答

問1
　X1年度　278,400 千円　X2年度　185,600 千円

問2
　X1年度　317,808 千円　X2年度　169,498 千円

解答への道　（単位：千円）

問1

1　X1年度

(1) 見込販売数量：$580,000 \times \dfrac{1,200個}{1,200個+800個+500個}$
　　　　　$= 278,400$

(2) 見込有効期間：$580,000 \times \dfrac{1年}{3年} = 193,333$（千円未満四捨五入）

(3) (1) > (2)　∴　278,400（いずれか大きい方）

2　X2年度

(1) 見込販売数量：$(580,000 - 278,400)$
　　　　　$\times \dfrac{800個}{800個+500個} = 185,600$

(2) 見込有効期間：$(580,000 - 278,400) \times \dfrac{1年}{2年}$
　　　　　$= 150,800$

(3) (1) > (2)　∴　185,600（いずれか大きい方）

問2

1　X1年度

(1) 見込販売収益：$580,000 \times \dfrac{600,000}{600,000+320,000+175,000}$
　　　　　$= 317,808$（千円未満四捨五入）

(2) 見込有効期間：$580,000 \times \dfrac{1年}{3年} = 193,333$（千円未満四捨五入）

(3) (1) > (2)　∴　317,808（いずれか大きい方）

2　X2年度

(1) 見込販売数量：$(580,000 - 317,808)$
　　　　　$\times \dfrac{320,000}{320,000+175,000} = 169,498$

　　　　　（千円未満四捨五入）

(2) 見込有効期間：$(580,000 - 317,808) \times \dfrac{1年}{2年}$
　　　　　$= 131,096$

(3) (1) > (2)　∴　169,498（いずれか大きい方）

【問題19-4】 ソフトウェア(3)

解　答

問1
　X1年度　240,000 千円　X2年度　180,000 千円

問2
　X1年度　270,000 千円　X2年度　165,000 千円

解答への道　（単位：千円）

問1

1　X1年度

(1) 見込販売数量：$600,000 \times \dfrac{1,800個}{2,000個+1,500個+1,000個}$
　　　　　$= 240,000$

(2) 見込有効期間：$600,000 \times \dfrac{1年}{3年} = 200,000$

(3) (1) > (2)　∴　240,000（いずれか大きい方）

2　X2年度

(1) 見込販売数量：$(600,000 - 240,000)$
　　　　　$\times \dfrac{1,000個}{1,200個+1,300個} = 144,000$

(2) 見込有効期間：$(600,000 - 240,000) \times \dfrac{1年}{2年}$
　　　　　$= 180,000$

(3) (1) < (2)　∴　180,000（いずれか大きい方）

問2

1　X1年度

(1)　見込販売収益：$600,000 \times \dfrac{1,260,000※}{1,400,000+900,000+500,000}$

　　　　　　　　　　$=270,000$

　　※　$1,800個 \times @700=1,260,000$

(2)　見込有効期間：$600,000 \times \dfrac{1年}{3年}=200,000$

(3)　(1)＞(2)　∴　$270,000$（いずれか大きい方）

2　X2年度

(1)　見込販売数量：$(600,000-270,000)$

　　　　　　　　　$\times \dfrac{550,000※1}{660,000※2+585,000※3}$

　　　　　　　　　$=145,783$（千円未満四捨五入）

　　※1　$1,000個 \times @550=550,000$

　　※2　$1,200個 \times @550=660,000$

　　※3　$1,300個 \times @450=585,000$

(2)　見込有効期間：$(600,000-270,000) \times \dfrac{1年}{2年}$

　　　　　　　　　$=165,000$

(3)　(1)＜(2)　∴　$165,000$（いずれか大きい方）

問題20－1　本支店会計(1)

解　答

（単位：円）

	本 店 の 仕 訳				支 店 の 仕 訳			
	借 方 科 目	金　　額	貸 方 科 目	金　　額	借 方 科 目	金　　額	貸 方 科 目	金　　額
(1)	支　　　　店	9,000	現　　　　金	9,000	現　　　　金	9,000	本　　　　店	9,000
(2)	現　　　　金	50,000	支　　　　店	50,000	本　　　　店	50,000	売　掛　金	50,000
(3)	販　売　費	4,000	支　　　　店	4,000	本　　　　店	4,000	現　　　　金	4,000
(4)	支　　　　店	14,400	支 店 売 上	14,400	本 店 仕 入	14,400	本　　　　店	14,400
(5)	買　掛　金	35,000	支　　　　店	35,000	本　　　　店	35,000	当 座 預 金	35,000
(6)	支　　　　店	60,000	支 店 売 上	60,000	本 店 仕 入	60,000	本　　　　店	60,000
					売　掛　金	90,000	売　　　　上	90,000
(7)	仕　　　　入	48,000	買　掛　金	48,000				
	支　　　　店	57,600	支 店 売 上	57,600	本 店 仕 入	57,600	本　　　　店	57,600
(8)	現　　　　金	5,500	支　　　　店	5,500	本　　　　店	5,500	受取手数料	5,500

（注）「本店仕入」は「本店より仕入」などでもよい。

　　　「支店売上」は「支店へ売上」などでもよい。

解答への道　（単位：円）

(6) 直接売上取引

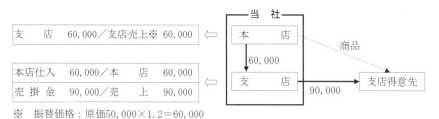

※　振替価格：原価50,000×1.2＝60,000

(7) 直接仕入取引

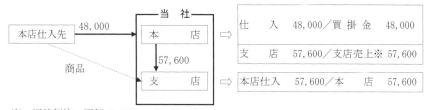

※　振替価格：原価48,000×1.2＝57,600

問題20−2 本支店会計(2)

解答

問1 （単位：千円）

		借方科目	金 額	貸方科目	金 額
1	（支店）	本店仕入	110	本 店	110
2	（本店）	現 金	300	支 店	300
3	（支店）	営 業 費	120	本 店	120
4	（本店）	支 店	1,500	売 掛 金	1,500
5	（本店）	仕 入	500	買 掛 金	500
		支 店	550	支店売上	550
6	（支店）	本店仕入	1,100	本 店	1,100
		売 掛 金	1,500	売 上	1,500

問2 （単位：千円）

支店勘定 　15,330　　　支店売上勘定 　89,210

解答への道 （単位：千円）

問2

問題20−3 本支店会計(3)

解答

（本 店） 損 益 （単位：千円）

売上原価	1,000,000	売 上	1,500,000
営 業 費	235,280	支店売上	132,000
貸倒引当金繰入	3,700	支 店	200,534
減価償却費	1,725	繰延内部利益戻入	100
繰延内部利益控除	170		
繰越利益剰余金	591,759		
	1,832,634		1,832,634

（支 店） 損 益 （単位：千円）

売上原価	514,730	売 上	860,000
営 業 費	142,420		
貸倒引当金繰入	1,516		
減価償却費	800		
本 店	200,534		
	860,000		860,000

解答への道 （単位：千円）

1 未達取引

(1) 本店から支店への商品送付高（支店）

（本 店 仕 入）※ 220 （本 店） 220

※ 200×1.1＝220

(2) 本店の支店売掛金回収高（支店）

（本 店） 1,200 （売 掛 金） 1,200

(3) 本店の支店営業費支払高（支店）

（営 業 費） 300 （本 店） 300

(4) 支店から本店への現金送付高（本店）

（現 金 預 金） 800 （支 店） 800

(5) 支店得意先から本店への直接返品高（支店）

（売 上） 1,000 （売 掛 金） 1,000

（本 店） 660 （本 店 仕 入）※ 660

※ 600×1.1＝660

2 決算整理

(1) 本店

① 売上原価

（売 上 原 価） 3,000 （繰 越 商 品） 3,000

（売 上 原 価） 1,002,000 （仕 入） 1,002,000

（繰 越 商 品） 5,000 （売 上 原 価） 5,000

② 貸倒引当金

（貸倒引当金繰入）※　　　3,700　（貸倒引当金）　　　3,700

　※　210,000×2％－前T/B貸引500＝3,700

③ 減価償却

（減価償却費）※　　　1,725　（減価償却累計額）　1,725

　※　建物：$50,000×0.9×\dfrac{1年}{40年}＝1,125$

　　　車両：$3,000×\dfrac{1年}{5年}＝600$

　　　$1,125＋600＝1,725$

④ 営業費の見越計上

（営　業　費）　　　280　（未 払 費 用）　　　280

(2) 支店

① 売上原価

（売 上 原 価）　　　3,100　（繰 越 商 品）　　　3,100

（売 上 原 価）　385,000　（仕　　　入）　385,000

（売 上 原 価）　132,000　（本 店 仕 入）※1　132,000

（繰 越 商 品）※2　5,370　（売 上 原 価）　　　5,370

　※1　前T/B132,440＋未達（220－660）＝132,000

　※2　5,150＋未達220＝5,370

② 貸倒引当金

（貸倒引当金繰入）※　　　1,516　（貸倒引当金）　　　1,516

　※　（前T/B88,000－未達1,200－未達1,000）×2％

　　　－前T/B貸引200＝1,516

③ 減価償却

（減価償却費）※　　　800　（減価償却累計額）　　　800

　※　建物：$20,000×\dfrac{1年}{40年}＝500$

　　　車両：$1,500×\dfrac{1年}{5年}＝300$

　　　$500＋300＝800$

④ 営業費の見越計上

（営　業　費）　　　120　（未 払 費 用）　　　120

3　決算振替（収益及び費用の振替仕訳は省略する。）

(1) 支店純利益の振替

① 支店

（損　　　益）※　200,534　（本　　　店）　200,534

　※　損益勘定の差額より

② 本店

（支　　　店）※　200,534　（損　　　益）　200,534

　※　上記①より

(2) 内部利益の整理

（繰延内部利益）　　　100　（繰延内部利益戻入）　　　100

（繰延内部利益控除）※　　170　（繰延内部利益）　　　170

（繰延内部利益戻入）　　　100　（損　　　益）　　　100

（損　　　益）　　　170　（繰延内部利益控除）　　　170

　※　$（1,650＋未達220）×\dfrac{0.1}{1.1}＝170$

(3) 当期純利益（会社全体利益）の振替

（損　　　益）　591,759　（繰越利益剰余金）※　591,759

　※　損益勘定の差額より

解 答

合 併 精 算 表　　　　　　　　（単位：千円）

勘定科目	決算整理前残高試算表 本店 借方	本店 貸方	支店 借方	支店 貸方	未達・決算整理・合併整理 借方	貸方	合併損益計算書 借方	貸方	合併貸借対照表 借方	貸方
現 金 預 金	1,800		650		450				2,900	
売 掛 金	4,000		3,000						7,000	
繰 越 商 品	1,800		917		3,281	2,717	—	—	3,281	
備 品	8,000		3,200						11,200	
支 店	5,628					450 / 5,178				
買 掛 金		2,800		900	125					3,575
貸 倒 引 当 金		50		35	85	70				70
減価償却累計額		3,500		1,400		1,575				6,475
繰 延 内 部 利 益		87			87	141				141
本 店				4,135	5,178	125 / 828 / 90				
資 本 金		8,000								8,000
利 益 準 備 金		1,000								1,000
任 意 積 立 金		1,400								1,400
繰越利益剰余金		2,563								2,563
売 上		30,500		30,000				60,500		
支 店 売 上		12,328			12,328					
仕 入	30,000		10,000		2,717	3,281	39,436			
本 店 仕 入			11,500		828	12,328				
営 業 費	11,000		7,203		90 / 50		18,343			
合 計	62,228	62,228	36,470	36,470						
貸倒引当金戻入						85		85		
貸倒引当金繰入					70		70			
減 価 償 却 費					1,575		1,575			
未 払 費 用						50				50
繰延内部利益戻入						87		87		
繰延内部利益控除					141		141			
当 期 純 利 益							1,107			1,107
合 計					27,005	27,005	60,672	60,672	24,381	24,381

解答への道　（単位：千円）

本問は、本支店会計における合併精算表を作成する問題である。答案用紙に繰延内部利益戻入勘定、繰延内部利益控除勘定があることから、内部利益を間接的に控除する方法で解答する。

1　未達取引の整理

(1) 買掛金の支払い

支店（買 掛 金）　125　（本　　　店）　　125

(2) 送金

本店（現 金 預 金）　450　（支　　　店）　　450

（3）商品発送

支店(本店仕入)※　828　（本　　　店）　　828

　※　期末商品に含める。

（4）誤処理の修正（③の仕訳）

① 適正な仕訳

支店(営　業　費)　210　（本　　　店）　　210

② 支店の仕訳

支店(営　業　費)　120　（本　　　店）　　120

③ 修正仕訳（①－②）

支店(営　業　費)　90　（本　　　店）　　90

（5）照合勘定

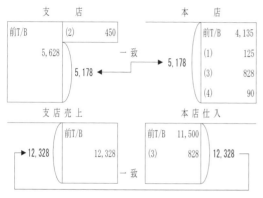

2　照合勘定の相殺消去

　　決算整理に先がけて、便宜上、照合勘定の相殺消去を行うこととする。なお、照合勘定の相殺消去の仕訳は、精算表上行うものであり、帳簿上では行わないことに注意すること。

（本　　　店）※　5,178　（支　　　店）※　5,178

　※　未達整理後の金額

（支店売上）※　12,328　（本店仕入）※　12,328

　※　未達整理後の金額

3　決算整理

（1）本店

① 売上原価の算定

（仕　　　入）　1,800　（繰越商品）　1,800

（繰越商品）　1,600　（仕　　　入）　1,600

② 貸倒引当金の計上（洗替法）

（貸倒引当金）　50　（貸倒引当金戻入）　50

（貸倒引当金繰入）　40　（貸倒引当金）※　40

　※　売掛金4,000×1％＝40

③ 減価償却費の計上

（減価償却費）※　1,125　（減価償却累計額）　1,125

　※　（備品8,000－減累3,500）×0.25＝1,125

④ 営業費の見越

（営　業　費）　30　（未払費用）　30

（2）支店

① 売上原価の算定

（仕　　　入）　917　（繰越商品）　917

（繰越商品）※　1,681　（仕　　　入）　1,681

　※　853＋未達828＝1,681

　（注）合併損益計算書では本店仕入は不要であり、
　　　　間接控除であるため内部利益含みで計上することとなる。

② 貸倒引当金の計上（洗替法）

（貸倒引当金）　35　（貸倒引当金戻入）　35

（貸倒引当金繰入）　30　（貸倒引当金）　30

　※　売掛金3,000×1％＝30

③ 減価償却費の計上

（減価償却費）※　450　（減価償却累計額）　450

　※　（備品3,200－減累1,400）×0.25＝450

④ 営業費の見越

（営　業　費）　20　（未払費用）　20

4　内部利益の整理

（繰延内部利益）　87　（繰延内部利益戻入）※1　87

（繰延内部利益控除）※2　141　（繰延内部利益）　141

　※1　前T/B繰延内部利益（支店期首商品の本店仕入商品に含まれる内部利益）

　　　　$667 \times \dfrac{0.15}{1.15} = 87$

　※2　支店期末商品の本店仕入商品に含まれる内部利益

　　　　（本店仕入商品253＋未達828）$\times \dfrac{0.15}{1.15} = 141$

問題20−5 本支店会計(5)

解答

問1

決算整理後残高試算表 （単位：千円）

借方科目	本店	支店	貸方科目	本店	支店
現 金 預 金	（ 1,410）	12,100	買 掛 金	5,680	3,175
売 掛 金	4,500	（ 1,800）	未 払 費 用	−	（ 175）
繰 越 商 品	（ 3,500）	（ 1,175）	貸 倒 引 当 金	（ 90）	（ 36）
前 払 費 用	（ 250）	−	建物減価償却累計額	（ 7,500）	（ 4,000）
建 物	15,000	20,000	内 部 利 益	（ 90）	−
支 店	（ 20,190）	−	本 店	−	（ 19,860）
売 上 原 価	（ 46,000）	（ 32,475）	資 本 金	25,000	−
営 業 費	（ 3,150）	（ 1,675）	繰越利益剰余金	200	−
減 価 償 却 費	（ 1,500）	（ 500）	売 上	35,000	42,500
貸倒引当金繰入	（ 60）	（ 21）	支 店 売 上	（ 22,000）	−
合 計	（ 95,560）	（ 69,746）	合 計	（ 95,560）	（ 69,746）

問2

本支店合併損益計算書

自 x 1 年 4 月 1 日　至 x 2 年 3 月 31 日　（単位：千円）

売 上 原 価	（ 56,500）	売 上 高	（ 77,500）
営 業 費	（ 4,925）		
減 価 償 却 費	（ 2,000）		
貸倒引当金繰入	（ 75）		
当 期 純 利 益	（ 14,000）		
	（ 77,500）		（ 77,500）

本支店合併貸借対照表

x 2 年 3 月 31 日　（単位：千円）

現 金 預 金	（ 13,600）	買 掛 金	（ 8,855）
売 掛 金	（ 6,000）	未 払 費 用	（ 175）
商 品	（ 5,000）	貸 倒 引 当 金	（ 120）
前 払 費 用	（ 250）	減価償却累計額	（ 11,500）
建 物	（ 35,000）	資 本 金	（ 25,000）
		繰越利益剰余金	（ 14,200）
	（ 59,850）		（ 59,850）

解答への道　（単位：千円）

　本問では【資料2】5において「未達事項は実際到着日に帳簿上の処理を行う。」との指示があるため、**問1**においては未達事項を処理せずに解答し、**問2**にお

問1

(1) 売上原価の算定

① 本店

（売 上 原 価）	2,500	（繰 越 商 品）	2,500
（売 上 原 価）	47,000	（仕 入）	47,000
（繰 越 商 品）	3,500	（売 上 原 価）	3,500

② 支店

（売 上 原 価）	2,090	（繰 越 商 品）	2,090
（売 上 原 価）	10,000	（仕 入）	10,000
（売 上 原 価）	21,560	（本 店 仕 入）	21,560
（繰 越 商 品）	1,175	（売 上 原 価）	1,175

(2) 減価償却

① 本店

（減 価 償 却 費）	1,500	（建物減価償却累計額）	1,500

② 支店

（減 価 償 却 費）	500	（建物減価償却累計額）	500

(3) 貸倒引当金

① 本店

（貸倒引当金繰入）※	60	（貸 倒 引 当 金）	60

　※　4,500×2％−前T/B30＝60

② 支店

（貸倒引当金繰入）※	21	（貸 倒 引 当 金）	21

　※　1,800×2％−前T/B15＝21

(4) 費用の見越・繰延

① 本店

（前 払 費 用）	250	（営 業 費）	250

② 支店

（営 業 費）	175	（未 払 費 用）	175

問2

1　未達取引

(1) 支店

（売 上 原 価）※1	440	（本 店）	440
（商 品）	440	（売 上 原 価）※2	440

　※1　個別P/L本店仕入

　※2　個別P/L期末商品

(2) 本店

（現 金 預 金）	90	（支 店）	90

(3) 支店

（本 店）	300	（売 掛 金）	300

(貸倒引当金)※	6	(貸倒引当金繰入)	6

※　300×2％＝6

(4) 本店

(営　業　費)	100	(支　　　店)	100

2　合併P/Lの作成

(1) 売上高（外部売上高のみ）：本店35,000＋支店 42,500＝77,500

(2) 売上原価

① 期首商品棚卸高：本店2,500＋支店2,090－内部利益90＝4,500

② 仕入高（外部仕入高のみ）：本店47,000＋支店 10,000＝57,000

③ 期末商品棚卸高：本店3,500＋支店1,175＋未達440 －内部利益115（※）＝5,000

※　（825＋未達440）× $\frac{0.1}{1.1}$ ＝115

④ ①＋②－③＝56,500

3　合併B/Sの作成

(1) 現金預金：本店1,410＋未達90＋支店12,100 ＝13,600

(2) 売掛金：本店4,500＋支店1,800－未達300＝6,000

(3) 商品：本店3,500＋支店1,175＋未達440－内部利益115＝5,000

(4) 貸倒引当金：本店90＋支店36－未達6＝120

(5) 繰越利益剰余金：本店200＋当期純利益14,000 ＝14,200

(6) その他の項目：本店分と支店分を合算して計上

(3) 営業費：本店3,150＋未達100＋支店1,675＝4,925

(4) 減価償却費：本店1,500＋支店500＝2,000

(5) 貸倒引当金繰入：本店60＋支店21－未達6＝75

(6) 当期純利益：差額

問題20−6　本支店会計(6)

（解　答）

問1

決算整理後残高試算表　　　　　　　　　　　（単位：千円）

借　方　科　目	本　　店	A 支 店	B 支 店	貸　方　科　目	本　　店	A 支 店	B 支 店
現　金　預　金	12,600	2,410	2,790	買　　掛　　金	1,500	300	200
売　　掛　　金	1,250	1,500	2,000	借　　入　　金	2,000	—	—
繰　越　商　品	1,200	575	375	未　払　費　用	100	120	150
前　払　費　用	20	—	—	貸　倒　引　当　金	25	30	40
車　　　　　両	8,000	—	—	減価償却累計額	3,330	—	—
A　　支　　店	3,250	—	—	繰　延　内　部　利　益	50	—	—
B　　支　　店	4,380	—	—	本　　　　　店	—	3,250	4,380
売　上　原　価	7,800	4,655	4,465	資　　本　　金	15,000	—	—
営　　業　　費	2,100	1,920	3,000	利　益　準　備　金	5,000	—	—
貸倒引当金繰入	15	10	10	繰越利益剰余金	3,000	—	—
減　価　償　却　費	360	450	630	売　　　　　上	5,500	6,500	8,500
支　払　利　息	30	—	—	A　支　店　売　上	3,300	—	—
				B　支　店　売　上	2,200	1,320	—
合　　　　　計	41,005	11,520	13,270	合　　　　　計	41,005	11,520	13,270

問2

本支店合併損益計算書 （単位：千円）

期首商品棚卸高	1,700	売 上 高	20,500
当期商品仕入高	10,500	期末商品棚卸高	2,100
営 業 費	7,020		
貸倒引当金繰入	35		
減価償却費	1,440		
支 払 利 息	30		
当期純利益	1,875		
	(22,600)		(22,600)

解答への道 （単位：千円）

1 未達取引

(1) 営業費の支払い

　B支店（営 業 費） 50 （本　　　店） 50

(2) 売掛金の回収

　本店（A 支 店） 100 （売 掛 金） 100

(3) 送金

　本店（現 金 預 金） 400 （B 支 店） 400

　A支店（現 金 預 金） 600 （本　　　店） 600

　本店（A 支 店） 600 （B 支 店） 600

(4) 商品の送付

　A支店（本 店 仕 入） 165 （本　　　店） 165

(5) 商品の送付

　B支店（A支店仕入） 110 （本　　　店） 110

　本店（B 支 店） 110 （A 支 店） 110

(6) 照合勘定

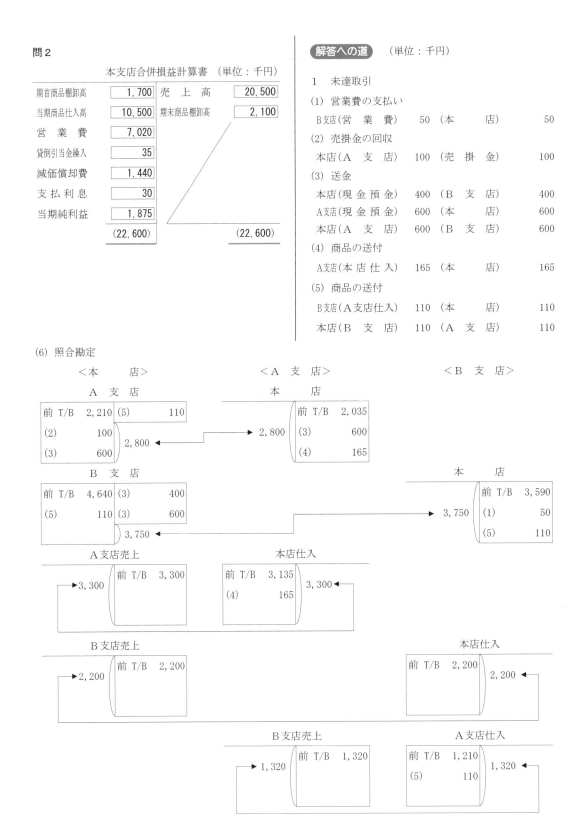

2 決算整理

(1) 本店

① 売上原価の算定

(売上原価) 1,000 (繰越商品) 1,000
(売上原価) 8,000 (仕入) 8,000
(繰越商品) 1,200 (売上原価) 1,200

② 貸倒引当金の設定

(貸倒引当金繰入)※ 15 (貸倒引当金) 15

※ (前T/B1,350−100)×2%−前T/B10＝15

③ 減価償却

(減価償却費)※1 360 (減価償却累計額) 1,440
(A 支 店)※2 450
(B 支 店)※3 630

※1 $(8,000-2,500-3,500)×0.9×\dfrac{1年}{5年}＝360$

※2 $2,500×0.9×\dfrac{1年}{5年}＝450$

※3 $3,500×0.9×\dfrac{1年}{5年}＝630$

④ 見越・繰延

(営 業 費) 100 (未払費用) 100
(前払費用) 20 (支払利息) 20

(2) A支店

① 売上原価の算定

(売上原価) 430 (繰越商品) 430
(売上原価) 1,500 (仕入) 1,500
(売上原価) 3,300 (本店仕入)※1 3,300
(繰越商品)※2 575 (売上原価) 575

※1 未達整理後の金額
※2 410＋未達165＝575

② 貸倒引当金の設定

(貸倒引当金繰入)※ 10 (貸倒引当金) 10

※ 1,500×2%−前T/B20＝10

③ 減価償却

(減価償却費)※ 450 (本 店) 450

※ $2,500×0.9×\dfrac{1年}{5年}＝450$

④ 見越

(営 業 費) 120 (未払費用) 120

(3) B支店

① 売上原価の算定

(売上原価) 320 (繰越商品) 320
(売上原価) 1,000 (仕入) 1,000
(売上原価) 2,200 (本店仕入) 2,200

(売 上 原 価) 1,320 (A支店仕入)※1 1,320
(繰 越 商 品)※2 375 (売上原価) 375

※1 未達整理後の金額
※2 265＋未達110＝375

② 貸倒引当金の設定

(貸倒引当金繰入)※ 10 (貸倒引当金) 10

※ 2,000×2%−前T/B30＝10

③ 減価償却

(減価償却費)※ 630 (本 店) 630

※ $3,500×0.9×\dfrac{1年}{5年}＝630$

④ 見越

(営 業 費) 150 (未払費用) 150

3 合併損益計算書

(1) 売上高 本店5,500＋A支店6,500＋B支店8,500＝20,500

(2) 期首商品棚卸高 本店1,000＋A支店430＋B支店320−内部利益50＝1,700

(3) 当期商品仕入高 本店8,000＋A支店1,500＋B支店1,000＝10,500

(4) 期末商品棚卸高 本店1,200＋A支店(410＋未達165)＋B支店(265＋未達110)−内部利益50※＝2,100

※ A支店$(410-300+未達165)×\dfrac{0.1}{1.1}$ ＋B支店$(265-100+110)×\dfrac{0.1}{1.1}＝50$

問題20−7 本支店会計(7)

解 答

問1

① 1,500 千円	② 160 千円	③ 22,412 千円
④ 18,450 千円	⑤ 206,250 千円	⑥ 1,500 千円
⑦ 1,450 千円	⑧ 7,322 千円	⑨ 48,968 千円

問2

支店勘定の金額　35,475 千円

支店へ売上勘定の金額　170,200 千円

問3

本支店合併損益計算書

自 x 5 年 4 月 1 日 至 x 6 年 3 月 31 日 （単位：千円）

期首商品棚卸高	（ 62,800）	売 上 高	（1,115,685）
当期商品仕入高	（ 836,200）	期末商品棚卸高	（ 59,500）
営 業 費	（ 176,418）	有価証券運用損益	（ 915）
減価償却費	（ 6,305）	仕 入 割 引	（ 3）
貸倒引当金繰入	（ 58）		
雑 損 失	（ 4）		
備品廃棄損	（ 1,585）		
当期純利益	（ 92,733）		
	（1,176,103）		（1,176,103）

解答への道 （単位：千円）

<決算手続>

1　未達取引

(1) 商品送付（支店）

（本店より仕入）※　　660　（本　　店）　　660

　　※　下記(6)参照

(2) 売掛金回収（本店）

（支　　店）　　250　（売　掛　金）　　250

(3) 営業費立替払い（本店）

（営　業　費）　　160　（支　　店）※　160

　　※　下記(6)参照

(4) 送金取引（支店）

（現　金　預　金）　　280　（本　　店）　　280

(5) 直接売上（支店）

（本店より仕入）　　330　（本　　店）　　330

（売　掛　金）　　440　（売　　上）　　440

(6) 照合勘定

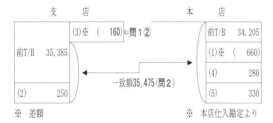

一致額35,475(問2)

※　差額　　　　　　　　　　　※　本店仕入勘定より

一致額170,200(問2)

2　決算整理（本店）

(1) 現金過不足（本店）

① 誤記帳

(a)　適正な仕訳

（営　業　費）　　20　（現　金　預　金）　　20

(b)　当社が行った仕訳

（営　業　費）※　　40　（現　金　預　金）　　40

　　※　営業費20×2＝40

(c)　修正仕訳（(a)－(b)）

（現　金　預　金）　　20　（営　業　費）　　20

② 買掛金決済

（買　掛　金）　　150　（仕　入　割　引）※1　　3

　　　　　　　　　　　　　（現　金　預　金）※2　147

　　※1　買掛金150×2％＝3

　　※2　差額

③ 売掛金回収

（現　金　預　金）　　100　（売　掛　金）　　100

④ 原因不明分

（雑　損　失）　　4　（現　金　預　金）※　4

　　※(a)　帳簿残高：前T/B22,443＋20－147＋100

　　　　　　　　　＝22,416

　　　(b)　実際有高：前T/B22,443－31＝22,412

　　　(c)　(b)－(a)＝△4

(2) 売上原価の算定

（売　上　原　価）　　45,000　（繰　越　商　品）　　45,000

（売　上　原　価）　　801,000　（仕　　入）　　801,000

（繰　越　商　品）　　42,500　（売　上　原　価）　　42,500

(3) 有価証券

（有　価　証　券）※　　15　（有価証券運用損益）　　15

　　※①　帳簿価額：株式C3,500＋株式D4,500＝8,000

　　　②　期末時価：株式C3,390＋株式D4,625＝8,015

　　　③　②－①＝15（評価差益）

(4) 固定資産

① 建物

(減 価 償 却 費)※　　2,000　(建　　　物)　2,000

※　80,000×0.025＝2,000

② 備品

(a) 廃棄

ⓐ 適正な仕訳

(減 価 償 却 費)※1　　225　(備　　　品)　1,800

(備 品 廃 棄 損)※3　1,585　(現 金 預 金)※2　10

※1　$1,800×0.250×\dfrac{6月}{12月}＝225$

※2　廃棄費用

※3　差額

ⓑ 当社が行った仕訳

(仮 払 金)　　10　(現 金 預 金)　10

ⓒ 修正仕訳 (ⓐ-ⓑ)

(減 価 償 却 費)　　225　(備　　　品)　1,800

(備 品 廃 棄 損)　1,585　(仮 払 金)　　10

(b) 減価償却

(減 価 償 却 費)※　2,440　(備　　　品)　2,440

※　(前T/B備品11,562-廃棄1,800)×0.250＝2,440

　(千円未満切捨)

(5) 貸倒引当金

(貸倒引当金繰入)※　　16　(貸倒引当金)　16

※　(前T/B売掛金74,000-250-100)×1%

　-前T/B720＝16 (千円未満切捨)

(6) 見越・繰延

(営　業　費)　　30　(未 払 費 用)　30

(前 払 費 用)　　12　(営　業　費)　12

3　決算整理(支店)

(1) 売上原価の算定

(売 上 原 価)　　19,300　(繰 越 商 品)　19,300

(売 上 原 価)　　35,200　(仕　　　入)　35,200

(売 上 原 価)　170,200　(本店より仕入)※1　170,200

(繰 越 商 品)※2　18,450　(売 上 原 価)　18,450

※1　未達整理後の一致金額

※2　A商品15,290＋未達商品660＋B商品2,500

　　＝18,450

(2) 固定資産

(減 価 償 却 費)※　1,640　(備　　　品)　1,640

※　6,562×0.250＝1,640（千円未満切捨）

(3) 貸倒引当金

(貸倒引当金繰入)※　　42　(貸倒引当金)　42

※　(前T/B売掛金21,800＋440)×1%-前T/B180

　　＝42（千円未満切捨）

(4) 見越

(営　業　費)　　10　(未 払 費 用)　10

4　決算整理後残高試算表

勘 定 科 目	本　店	支　店	勘 定 科 目	本　店	支　店
現 金 預 金	22,412	7,958	買 掛 金	71,850	4,370
売 掛 金	73,650	22,240	未 払 費 用	30	10
繰 越 商 品	42,500	18,450	繰 延 内 部 利 益 ※1	1,500	－
前 払 費 用	12	－	貸 倒 引 当 金	736	222
有 価 証 券	8,015	－	本 店	－	35,475
建 物	72,000	－	資 本 金	86,400	－
備 品	7,322	4,922	利 益 準 備 金	1,000	－
支 店	35,475	－	任 意 積 立 金	19,390	－
売 上 原 価	803,500	206,250	繰越利益剰余金 ※2	1,290	－
営 業 費	148,158	28,260	売 上	866,000	249,685
減 価 償 却 費	4,665	1,640	支 店 へ 売 上	170,200	－
貸倒引当金繰入	16	42	有価証券運用損益	915	－
雑 損 失	4	－	仕 入 割 引	3	－
備 品 廃 棄 損	1,585	－			
合 計	1,219,314	289,762	合 計	1,219,314	289,762

※1　支店期首A商品$16,500×\dfrac{0.1}{1.1}＝1,500$（期首商品に含まれる内部利益、前T/Bも同額⇨**問1**①）

※2　貸借差額

5　決算振替（本店）

(1)　収益・費用の振替

（売　　　上）	866,000	（損　　　益）	1,037,118
（支店へ売上）	170,200		
（有価証券運用損益）	915		
（仕 入 割 引）	3		
（損　　　益）	957,928	（売 上 原 価）	803,500
		（営 業 費）	148,158
		（減価償却費）	4,665
		（貸倒引当金繰入）	16
		（雑 損 失）	4
		（備品廃棄損）	1,585

(2)　支店純損益の振替

| （支　店）※ | 13,493 | （損　　　益） | 13,493 |

　※　下記6(2)参照

(3)　内部利益の整理

①　戻入及び控除

| （繰延内部利益）※1 | 1,500 | （繰延内部利益戻入） | 1,500 |
| （繰延内部利益控除） | 1,450 | （繰延内部利益）※2 | 1,450 |

　※1　後T/Bより（前T/Bも同額）

　※2　（支店期末A商品15,290＋未達660）$\times \dfrac{0.1}{1.1}$

　　　＝1,450（期末商品に含まれる内部利益の額）

②　振替

| （繰延内部利益戻入） | 1,500 | （損　　　益） | 1,500 |
| （損　　　益） | 1,450 | （繰延内部利益控除） | 1,450 |

(4)　全体純損益の振替

| （損　　　益）※ | 92,733 | （繰越利益剰余金） | 92,733 |

　※　本店純利益79,190（収益計1,037,118－費用計957,928）＋支店純利益13,493＋戻入1,500－控除1,450＝92,733

(5)　資産・負債・純資産の振替

（残　　　高）	274,879	（現 金 預 金）	22,412
		（売 掛 金）	73,650
		（繰 越 商 品）	42,500
		（前 払 費 用）	12
		（有 価 証 券）	8,015
		（建　　　物）	72,000
		（備　　　品）	7,322
		（支　　　店）※1	48,968
（買 掛 金）	71,850	（残　　　高）	274,879

（未 払 費 用）	30		
（繰延内部利益）	1,450		
（貸倒引当金）	736		
（資 本 金）	86,400		
（利益準備金）	1,000		
（任意積立金）	19,390		
（繰越利益剰余金）※2	94,023		

　※1　後T/B35,475＋支店純損益13,493＝48,968

　※2　後T/B1,290＋全体純損益92,733＝94,023

6　決算振替（支店）

(1)　収益・費用の振替

（売　　　上）	249,685	（損　　　益）	249,685
（損　　　益）	236,192	（売 上 原 価）	206,250
		（営 業 費）	28,260
		（減価償却費）	1,640
		（貸倒引当金繰入）	42

(2)　支店純損益の振替

| （損　　　益）※ | 13,493 | （本　　　店） | 13,493 |

　※　収益249,685－費用計236,192＝13,493

(3)　資産・負債の振替

（残　　　高）	53,570	（現 金 預 金）	7,958
		（売 掛 金）	22,240
		（繰 越 商 品）	18,450
		（備　　　品）	4,922
（買 掛 金）	4,370	（残　　　高）	53,570
（未 払 費 用）	10		
（貸倒引当金）	222		
（本　　　店）※	48,968		

※　後T/B35,475＋支店純損益13,493＝48,968

＜財務諸表の作成＞

1　売上高（外部売上高）
　本店866,000＋支店249,245＋未達440
　＝1,115,685

2　期首商品棚卸高
　本店45,000＋支店19,300－内部利益1,500
　＝62,800

3　当期商品仕入高（外部仕入高）
　本店801,000＋支店35,200＝836,200

4　期末商品棚卸高
　本店42,500＋支店A商品15,290＋未達660
　＋支店B商品2,500－内部利益1,450＝59,500

5 当期純利益
　差額
6 上記以外の表示科目
　後T/B参照

| 問題20－8 | 本支店会計(8) |

解 答

問1

決算整理後残高試算表　（単位：千円）

現 金 預 金	22,000	貸倒引当金	220
売 掛 金	11,000	減価償却累計額	10,125
繰 越 商 品	8,400	本　　　店	61,300
備 品	18,750	売　　　上	67,200
投資有価証券	10,560	有価証券利息	662
売 上 原 価	44,400	為替差損益	1,598
営 業 費	22,400		
減価償却費	3,375		
貸倒引当金繰入	220		
	(141,105)		(141,105)

問2

損 益 計 算 書　（単位：千円）

期首商品棚卸高	14,000	売 上 高	132,200
当期商品仕入高	70,500	期末商品棚卸高	15,500
営 業 費	46,100	有価証券利息	662
減価償却費	6,075	為替差損益	1,598
貸倒引当金繰入	320		
支 払 利 息	800		
法 人 税 等	5,000		
当期純利益	7,165		
	(149,960)		(149,960)

貸 借 対 照 表　（単位：千円）

現 金 預 金	35,700	買 掛 金	10,000
売 掛 金	36,000	未 払 費 用	2,000
商 品	15,500	未払法人税等	3,000
備 品	42,750	借 入 金	20,000
投資有価証券	10,560	貸倒引当金	720
		減価償却累計額	23,625
		資 本 金	50,000
		繰越利益剰余金	31,165
	(140,510)		(140,510)

解答への道

1　支店の取引（単位：千ドル）

(1) 未達取引

（本 店 仕 入）	24	（本　　　店）	24

(2) 決算整理

① 売上原価の算定

（売 上 原 価）	60	（繰 越 商 品）	60
（売 上 原 価）	384	（本店仕入）※1	384
（繰 越 商 品）※2	72	（売 上 原 価）	72

※1　未達整理後の金額

※2　48＋未達24＝72

② 減価償却

（減価償却費）	27	（減価償却累計額）	27

③ 貸倒引当金の設定

（貸倒引当金繰入）	2	（貸倒引当金）	2

④ 投資有価証券

（投資有価証券）※	1	（有価証券利息）	1

※ $(100-95) \times \dfrac{1年}{5年} = 1$

第20章　本支店会計

—347—

2　支店の決算整理後残高試算表（単位：千ドル、千円）

決算整理後残高試算表

借　方　科　目	外　　　貨	為替相場	円貨換算後	貸　方　金　額	外　　　貨	為替相場	円貨換算後
現　金　預　金	200	110円	22,000	貸　倒　引　当　金	2	110円	220
売　　掛　　金	100	110円	11,000	減価償却累計額	81	125円	10,125
繰　越　商　品	72	※1	8,400	本　　　　　店	530	※2	61,300
備　　　　　品	150	125円	18,750	売　　　　　上	600	112円	67,200
投　資　有　価　証　券	96	110円	10,560	有　価　証　券　利　息	6	※3	662
売　上　原　価	372	※1	44,400	為　替　差　損　益	—	※4	1,598
営　　業　　費	200	112円	22,400				
減　価　償　却　費	27	125円	3,375				
貸倒引当金繰入	2	110円	220				
合　　　　　計	1,219	—	141,105	合　　　　　計	1,219	—	141,105

※1　48千ドル×120円＋24千ドル×110円＝8,400
（繰越商品）

期首商品（60千ドル×116円）＋当期仕入（360
千ドル×120円＋24千ドル×110円）－期末商品
8,400＝44,400（売上原価）

（注）先入先出法により期末商品の評価を行ってい
るため、期末商品は当期仕入高のうち48千ドル
と未達商品24千ドルの合計額となる。

※2　期首47,560＋借方記載額45,840－貸方記載額
（29,350＋25千ドル×110円）＝61,300

（注）本店における支店勘定と支店における本店勘
定（換算後）は同額となる。したがって、本店に
おける支店勘定を算定することで支店における
本店勘定（換算後）を求めることができる。

※3　5千ドル×110円＋1千ドル×112円＝662

※4　差額

3　本支店合併財務諸表（単位：千円）

(1) 期末商品棚卸高(P/L)又は商品(B/S)

本店8,500＋支店8,400×$\frac{1}{1.2}$＝15,500

(2) 売上高　本店65,000＋支店67,200＝132,200

(3) 繰越利益剰余金(B/S)　当期純利益7,165(P/L)
＋本店24,000＝31,165

問題20-9　本支店会計(9)

解　答

問1　工場の元帳勘定（単位：千円）

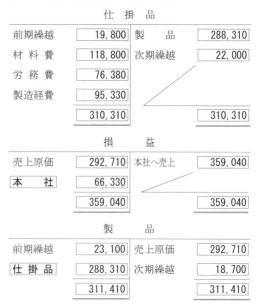

仕　掛　品

前期繰越	19,800	製　　品	288,310
材 料 費	118,800	次期繰越	22,000
労 務 費	76,380		
製造経費	95,330		
	310,310		310,310

損　　　益

売上原価	292,710	本社へ売上	359,040
本　　社	66,330		
	359,040		359,040

製　　　品

前期繰越	23,100	売上原価	292,710
仕 掛 品	288,310	次期繰越	18,700
	311,410		311,410

問2　本社の元帳勘定（単位：千円）

損　　益

売上原価	341,440	売　　上	502,680
営 業 費	78,440	貸倒引当金戻入	780
減価償却費	16,150	工　　場	66,330
貸倒引当金繰入	940	内部利益戻入	8,800
内部利益控除	13,200		
繰越利益剰余金	128,420		
	578,590		578,590

解答への道 （単位：千円）

1　未達取引

(1) 工場

（製 造 経 費）　　13,200　（本　　　　社）　　13,200

(2) 本社

（工場より仕入）※　15,400　（工　　　　場）　　15,400

　※　@40×385個＝15,400

(3) 本社

（工　　　　場）　　10,000　（売　掛　金）　　10,000

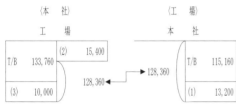

2　工場の決算整理

(1) 材料費

（材　料　費）　　25,300　（材　　　料）　　25,300

（材　料　費）　139,700　（材　料　仕　入）　139,700

（材　　　料）　　46,200　（材　料　費）　　46,200

(2) 労務費の見越

（労　務　費）　　3,180　（未　払　費　用）　　3,180

(3) 製造経費（減価償却費）

（製 造 経 費）　　12,330　（減価償却累計額）　　12,330

(4) 当期製品製造原価の算定

（仕　掛　品）　290,510　（材　料　費）　118,800

　　　　　　　　　　　　　　（労　務　費）　　76,380

（製 造 経 費）　　95,330

（製　　　品）※ 288,310　（仕 掛 品）　288,310

　※　期首仕掛19,800＋（材118,800＋労76,380＋経

　　　95,330）－期末仕掛22,000＝288,310

(5) 売上原価の算定

（売 上 原 価）※ 292,710　（製　　　品）　292,710

　※　期首製品23,100＋当期製品製造原価288,310

　　　－期末製品18,700＝292,710

3　本社の決算整理

(1) 製品売上原価の算定

（売 上 原 価）　　35,200　（製　　　品）　　35,200

（売 上 原 価）　359,040　（工場より仕入）※1 359,040

（製　　　品）※2 52,800　（売 上 原 価）　　52,800

　※1　前T/B343,640＋未達15,400＝359,040

　※2　@40×1,320個＝52,800

(2) 減価償却費

（減価償却費）　　16,150　（減価償却累計額）　　16,150

(3) 貸倒引当金（洗替法）

（貸倒引当金）　　　780　（貸倒引当金戻入）　　　780

（貸倒引当金繰入）　　940　（貸倒引当金）※　　940

　※　（前T/B57,000－未達10,000）×2％＝940

(4) 営業費の繰延

（前 払 費 用）　　1,360　（営　業　費）　　1,360

4　決算振替

(1) 工場

（損　　益）　292,710　（売 上 原 価）　292,710

（本社へ売上）　359,040　（損　　益）　359,040

（損　　益）※　66,330　（本　　社）　66,330

　※　工場収益合計359,040－工場費用合計292,710

　　　＝66,330

(2) 本社

① 費用・収益の振替

（損　　益）　436,970　（売 上 原 価）　341,440

　　　　　　　　　　　　　（営　業　費）　78,440

　　　　　　　　　　　　　（減価償却費）　16,150

　　　　　　　　　　　　　（貸倒引当金繰入）　940

（売　　上）　502,680　（損　　益）　503,460

（貸倒引当金戻入）　　780

② 工場純損益の振替

（工　　場）　66,330　（損　　益）　66,330

③ 内部利益の整理

(内 部 利 益)	8,800	(内部利益戻入)	8,800
(内部利益控除)	13,200	(内 部 利 益)	13,200
(内部利益戻入)	8,800	(損　　益)	8,800
(損　　益)	13,200	(内部利益控除)	13,200

④ 全体純損益の振替

(損　　益)	128,420	(繰越利益剰余金)	128,420

第 21 章　　推　定　簿　記　　　重 要 度　B

問題21－1　推定簿記(1)

解　答

売上高　| 955,000 千円　　仕入高　| 426,500 千円

解答への道　（単位：千円）

1　売上高

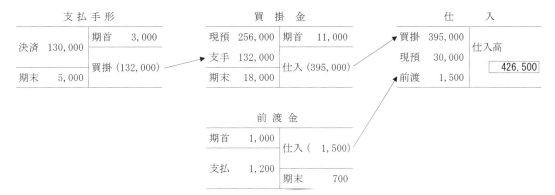

売　　　　上	
売上高	売掛　805,000
955,000	現預　150,000

売　掛　金	
期首　22,000	回収　500,000
	受手　301,700
売上（805,000）	貸倒　　　300
	期末　25,000

受　取　手　形	
期首　10,000	回収　296,700
売掛（301,700）	期末　15,000

貸　倒　引　当　金	
貸倒（　300）	期首　　640
期末　　800	繰入　　460

2　仕入高

支　払　手　形	
決済　130,000	期首　　3,000
期末　　5,000	買掛（132,000）

買　掛　金	
現預　256,000	期首　11,000
支手　132,000	仕入（395,000）
期末　18,000	

仕　　　　入	
買掛　395,000	仕入高
現預　30,000	**426,500**
前渡　1,500	

前　渡　金	
期首　1,000	仕入（　1,500）
支払　1,200	期末　　700

第21章　推定簿記

| 問題21-2 | 推定簿記(2)

解 答

営業収入額 | 1,186,500 | 千円　　仕入支出額 | 572,000 | 千円

解答への道　（単位：千円）

1 営業収入

(1) 勘定分析

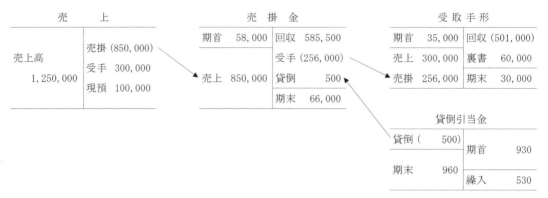

売　　　上
売上高 1,250,000	売掛（850,000） 受手　300,000 現預　100,000

売　掛　金	
期首　58,000	回収　585,500
	受手（256,000）
売上　850,000	貸倒　　　500
	期末　66,000

受　取　手　形	
期首　35,000	回収（501,000）
売上　300,000	裏書　60,000
売掛　256,000	期末　30,000

貸倒引当金	
貸倒（　500）	期首　930
期末　960	繰入　530

(2) 営業収入額：現金売上100,000＋売掛回収585,500＋受手回収501,000＝ | 1,186,500 |

2 仕入高

(1) 勘定分析

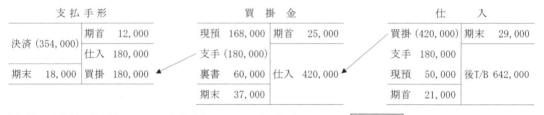

支　払　手　形	
決済（354,000）	期首　12,000
	仕入　180,000
期末　18,000	買掛　180,000

買　掛　金	
現預　168,000	期首　25,000
支手（180,000）	
裏書　60,000	仕入　420,000
期末　37,000	

仕　　　入	
買掛（420,000）	期末　29,000
支手　180,000	
現預　50,000	後T/B 642,000
期首　21,000	

(2) 仕入支出額：現金仕入50,000＋買掛支払168,000＋支手決済354,000＝ | 572,000 |

問題21-3 推定簿記(3)

解 答

(単位：千円)

①	101,250	②	80,000	③	500

解答への道 （単位：千円）

1 建物減価償却累計額

(1) 当期減価償却費

① 既存分：$150,000 \times 0.9 \times \dfrac{1年}{40年} = 3,375$

② 当期取得分：$(230,000 - 150,000) \times \dfrac{1年}{40年} \times \dfrac{6月}{12月}$
$= 1,000$

(2) 期首建物減価償却累計額：後T/B105,625 −(3,375
+1,000)＝ $\boxed{101,250}$

2 車両

(1) 当期車両減価償却費：後T/B減価償却費18,875
−建物減価償却費(3,375＋1,000)＝14,500

(2) 売却分の減価償却費

$14,500 - 50,000 \times \dfrac{1年}{5年} = 4,500$

(3) 売却した車両の取得価額

$\chi \times \dfrac{1年}{5年} \times \dfrac{9月}{12月} = 4,500$

$\chi = 30,000$

∴ 期首車両残高：後T/B50,000＋売却30,000

＝ $\boxed{80,000}$

(4) 売却時の仕訳

(車両減価償却累計額)※1	21,000	(車　　　両)	30,000
(減 価 償 却 費)	4,500	(車両売却益)※2	500
(現 金 預 金)	5,000		

※1 車両減価償却累計額の勘定分析

車両減価償却累計額

売却	(21,000)	期首	41,000
期末	30,000	減費	10,000

※2 差額

問題21－4	推定簿記（4）

解答

（単位：千円）

①	21,000	②	58,000	③	2,200,000

解答への道 （単位：千円）

1　支払手形

支 払 手 形

決済※2 731,000	期首　（ 21,000）
	仕入　280,000
期末　10,000	買掛　440,000

買 掛 金

支手　（440,000）	期首　21,000
為手　20,000	
裏書　50,000	仕入　519,000
期末　30,000	

仕 入

買掛　（519,000）	期末※1　64,000
支手　280,000	
現預　135,000	売原　925,000
期首　55,000	

※1　後T/B62,000＋減耗1,200＋評価損800＝64,000

※2　仕入支出866,000－現金仕入135,000＝731,000

2　備品

(1) 買換時の仕訳

（備品減価償却累計額）※1	9,400	（備　　　　品）※3	12,000
（備 品 売 却 損）	1,100	（現 金 預 金）	36,500
（備　　　　品）※2	38,000		

※1　備品減価償却累計額の勘定分析

備品減価償却累計額

下取　（ 9,400）	期首　16,800
期末　17,700	減費　10,300

※2　下取価額1,500＋追加支払額36,500＝38,000

※3　差額

(2) 後T/B残高：期首32,000－下取12,000＋取得38,000＝ 58,000

3　売上

売 上

売上高 2,200,000	売掛 1,480,000
	受手　500,000
	現預　220,000

売 掛 金

期首　60,000	受手 1,455,000
	貸倒　1,000
売上（1,480,000）	為手　20,000
為益　1,200	為損　200
	期末　65,000

受 取 手 形

期首　18,000	回収※
	1,901,000
売上　500,000	裏書　50,000
売掛（1,455,000）	期末　22,000

貸倒引当金

貸倒（ 1,000）	期首　1,560
期末　1,914	繰入　1,354

※　営業収入2,121,000－現金売上220,000＝1,901,000

問題22-1 特殊仕訳帳制 (1)

解 答

問1

164,000 千円

問2

決算整理前合計試算表 （単位：千円）

借方合計	勘定科目	貸方合計
4,000	現　　　金	1,900
314,500	当 座 預 金	182,700
226,000	受 取 手 形	181,000
268,000	売 　掛　 金	238,100
500	繰 越 商 品	
113,000	支 払 手 形	123,500
121,000	買 　掛　 金	134,200
10	未 払 営 業 費	10
100	貸 倒 引 当 金	290
	資 　本　 金	31,000
	売 　　　 上	349,800
192,200	仕 　　　 入	
3,200	営 　業　 費	10
1,242,510	合 　　　 計	1,242,510

解答への道 （単位：千円）

1　開始仕訳

（現　　　金）	1,000	（支 払 手 形）	3,500
（当 座 預 金）	13,500	（買 　掛　 金）	9,200
（受 取 手 形）	11,000	（未 払 営 業 費）	10
（売 　掛　 金）	18,000	（貸 倒 引 当 金）	290
（繰 越 商 品）	500	（資 　本　 金）	31,000

2　再振替仕訳

（未 払 営 業 費）	10	（営 　業　 費）	10

3　当座預金出納帳（二重仕訳には✔を付す。）

(1) 預入

（当 座 預 金）	301,000	（売　　　上）✔	3,000
		（売 掛 金）	118,000
		（受 取 手 形）	180,000

(2) 引出

（仕　　　入）✔	1,000	（当 座 預 金）	182,700
（買 　掛　 金）	65,000		
（支 払 手 形）	113,000		
（現　　　金）	1,200		
（営 業 費）	2,500		

4　売上帳（二重仕訳には✔を付す。）

（売 掛 金）	250,000	（売　　　上）	349,800
（受 取 手 形）✔	95,000		
（当 座 預 金）✔	3,000		
（現　　　金）	1,800		

5　仕入帳（二重仕訳には✔を付す。）

（仕　　　入）	192,200	（買 　掛　 金）	125,000
		（支 払 手 形）✔	65,000
		（当 座 預 金）✔	1,000
		（現　　　金）	1,200

6　受取手形記入帳（二重仕訳には✔を付す。）

（受 取 手 形）	215,000	（売 掛 金）	120,000
		（売　　　上）✔	95,000

7　支払手形記入帳（二重仕訳には✔を付す。）

（買 　掛　 金）	55,000	（支 払 手 形）	120,000
（仕　　　入）✔	65,000		

8　普通仕訳帳

(1) 営業費の支払い

（営 業 費）	700	（現　　　金）	700

(2) 期首売掛金の貸倒れ

（貸倒引当金）	100	（売 掛 金）	100

(3) 買掛金の支払いのための受取手形の裏書譲渡

（買 掛 金）	1,000	（受 取 手 形）	1,000

9　二重仕訳金額（**問1**）

当座売上3,000＋手形売上95,000＋当座仕入1,000
＋手形仕入65,000＝ | 164,000 |

問題22－2 特殊仕訳帳制(2)

解　答

問1

当座預金出納帳（預入）の合計仕訳　　（単位：千円）

借方科目	金　額	貸方科目	金　額
当 座 預 金	〔134,720〕	売　　掛　　金	〔85,000〕
		受　取　手　形	〔40,000〕
		受　取　手　形	〔2,920〕
		諸　　　　　口	〔6,800〕

当座預金出納帳（引出）の合計仕訳　　（単位：千円）

借方科目	金　額	貸方科目	金　額
買　　掛　　金	〔50,000〕	当 座 預 金	〔106,400〕
支　払　手　形	〔48,000〕		
諸　　　　　口	〔8,400〕		

売上帳の合計仕訳　　　　　　　　　　（単位：千円）

借方科目	金　額	貸方科目	金　額
売　　掛　　金	〔150,000〕	売　　　　　上	〔202,500〕
受　取　手　形	〔50,000〕		
諸　　　　　口	〔2,500〕		

仕入帳の合計仕訳　　　　　　　　　　（単位：千円）

借方科目	金　額	貸方科目	金　額
仕　　　　　入	〔125,100〕	買　　掛　　金	〔88,000〕
		支　払　手　形	〔30,000〕
		諸　　　　　口	〔7,100〕

受取手形記入帳の合計仕訳　　　　　　（単位：千円）

借方科目	金　額	貸方科目	金　額
受　取　手　形	〔120,000〕	売　　　　　上	〔50,000〕
		売　　掛　　金	〔70,000〕

支払手形記入帳の合計仕訳　　　　　　（単位：千円）

借方科目	金　額	貸方科目	金　額
仕　　　　　入	〔30,000〕	支　払　手　形	〔55,000〕
買　　掛　　金	〔25,000〕		

問2

決算整理前合計試算表　（単位：千円）

借方合計	勘定科目	貸方合計
7,290	現　　　　　　金	1,800
146,720	当　座　預　金	106,400
128,000	受　取　手　形	48,000
165,000	売　　掛　　金	155,800
800	繰　越　商　品	
20,000	土　　　　　　地	5,000
48,000	支　払　手　形	58,000
75,700	買　　掛　　金	95,500
30	未 払 営 業 費	30
200	貸 倒 引 当 金	460
	資　　本　　金	46,000
	売　　　　　　上	202,500
125,100	仕　　　　　　入	
2,400	営　　業　　費	30
80	手 形 売 却 損	
200	土 地 売 却 損	
719,520	合　　　　　計	719,520

問3　一次締切金額　719,520　千円

解答への道　（単位：千円）

1　開始仕訳（普通仕訳帳）

（現　　　金）	1,190	（支 払 手 形）	3,000
（当 座 預 金）	12,000	（買　　掛　　金）	7,500
（受 取 手 形）	8,000	（未 払 営 業 費）	30
（売　　掛　　金）	15,000	（貸 倒 引 当 金）	460
（繰 越 商 品）	800	（資　　本　　金）	46,000
（土　　　　地）	20,000		

2　再振替仕訳（普通仕訳帳）

（未 払 営 業 費）	30	（営　　業　　費）	30

3　営業仕訳（二重仕訳には✓を付す。）

(1)　売上

① 売上帳

（現金(諸口欄)）	500	（売　　　　上）	202,500
（当座預金(諸口欄)）✓	2,000		
（売　　掛　　金）	150,000		
（受　取　手　形）✓	50,000		

② 当座預金出納帳（預入）

（当 座 預 金）　2,000　（売上(諸口欄)）✓　2,000

③ 受取手形記入帳

（受 取 手 形）　50,000　（売　　上）✓　50,000

(2) 売掛金の回収

① 普通仕訳帳

（現　　　金）　600　（売 掛 金）　600

② 当座預金出納帳

（当 座 預 金）　85,000　（売 掛 金）　85,000

③ 受取手形記入帳

（受 取 手 形）　70,000　（売 掛 金）　70,000

(3) 受取手形の回収（当座預金出納帳）

（当 座 預 金）　40,000　（受 取 手 形）　40,000

(4) 手形の割引

① 普通仕訳帳

（当 座 預 金）※✓　2,920　（受 取 手 形）　3,000

（手形売却損）　80

　※　差額

② 当座預金出納帳

（当 座 預 金）　2,920　（受 取 手 形）✓　2,920

(5) 期首売掛金の貸倒れ（普通仕訳帳）

（貸倒引当金）　200　（売 掛 金）　200

(6) 仕入

① 仕入帳

（仕　　　入）　125,100　（現金(諸口欄)）　300

（当座預金(諸口欄)）✓　1,800

（買 掛 金）　88,000

（支 払 手 形)✓　30,000

（受取手形(諸口欄)）　5,000

② 当座預金出納帳（引出）

（仕入(諸口欄)）✓　1,800　（当 座 預 金）　1,800

③ 支払手形記入帳

（仕　　　入）✓　30,000　（支 払 手 形）　30,000

(7) 買掛金の決済

① 普通仕訳帳

（買 掛 金）　700　（現　　　金）　700

② 当座預金出納帳

（買 掛 金）　50,000　（当 座 預 金）　50,000

③ 支払手形記入帳

（買 掛 金）　25,000　（支 払 手 形）　25,000

(8) 支払手形の決済（当座預金出納帳）

（支 払 手 形）　48,000　（当 座 預 金）　48,000

(9) 営業費の支払い

① 普通仕訳帳

（営 業 費）　800　（現　　　金）　800

② 当座預金出納帳

（営業費(諸口欄)）　1,600　（当 座 預 金）　1,600

(10) 当座預金からの現金引出（当座預金出納帳（引出））

（現金(諸口欄)）　5,000　（当 座 預 金）　5,000

(11) 土地の売却

① 普通仕訳帳

（当 座 預 金）✓　4,800　（土　　　地）　5,000

（土地売却損）※　200

　※　差額

② 当座預金出納帳

（当 座 預 金）　4,800　（土地(諸口欄)）✓　4,800

4　一次締切金額：決算整理前合計試算表合計より719,520

問題22−3　伝票会計(1)

解答

問1　振替伝票に記入される仕訳の合計額　66,000　円

問2　振替伝票に記入される仕訳の合計額　35,000　円

仕訳日計表の合計額　122,000　円

解答への道　（単位：円）

問1

仕訳日計表は、各伝票に記入された仕訳を基に作成されるため、その合計額は各伝票に仕訳された金額の合計額となる。さらに3伝票制の場合は、借方現金となる仕訳は入金伝票、貸方現金となる仕訳は出金伝票に記入されるため、仕訳日計表における現金の借方金額は入金伝票に記入された仕訳の合計額、現金の貸方金額は出金伝票に記入された仕訳の合計額となる。よって、振替伝票に記入された仕訳の合計額は次のように求まる。

日計表の合計額80,000−（日計表の現金の借方金額4,000＋貸方金額10,000）＝66,000

問2

問2は、3伝票制と5伝票制の売上取引及び仕入取引の記入方法の違いを基に解答の金額を考えるとよい。そこで、売上取引を基に、仮に現金売上、当座売上、手形売上及び掛売上のすべてが100である場合の3伝票制と5伝票制の違いを示すと次のとおりとなる。

	3 伝 票 制	5 伝 票 制
現 金 売 上	現　　　金100／売　　　　　上100 ⇨入金	売　掛　金100／売　　　　　　上100 ⇨ 売上 現　　　　金100／売　掛　金100 ⇨ 入金
当 座 売 上	当座預金100／売　　　　　上100 ⇨振替	売　掛　金100／売　　　　　　上100 ⇨ 売上 当 座 預 金100／売　掛　金100 ⇨ 振替
手 形 売 上	受取手形100／売　　　　　上100 ⇨振替	売　掛　金100／売　　　　　　上100 ⇨ 売上 受 取 手 形100／売　掛　金100 ⇨ 振替
掛　　売　　上	売　掛　金100／売　　　　　上100 ⇨振替	売　掛　金100／売　　　　　　上100 ⇨ 売上
日 計 表 合 計	400	700
振 替 伝 票 合 計	300	200

上記の表から3伝票制と5伝票制を比較すると、5伝票制の仕訳日計表の合計額は3伝票制より300増加しており、これは掛売上以外の取引が2つの伝票に記入されているためである。つまり、掛売上以外の金額分増加している。さらに振替伝票に記入された金額の合計額は、3伝票制より100減少しており、これは掛売上が3伝票制の場合には振替伝票に記入されるが、5伝票制の場合は売上伝票のみに記入されるためである。つまり、掛売上分減少している。したがって、仕入取引についても同じことが言えるため、**問2**の解答の金額は次のように求めることができる。

(1) 振替伝票に記入された仕訳の合計額

　　3伝票制の合計額66,000－掛仕入13,000－掛売上18,000＝35,000

(2) 仕訳日計表の合計額

　　3伝票制の合計額80,000＋掛仕入以外(現金3,000＋当座6,000＋手形10,000)＋掛売上以外(現金4,000＋当座5,000＋手形14,000)＝122,000

問題22－4 伝票会計(2)

解　答

1,730,000	円

解答への道　　(単位：円)

3伝票制と5伝票制で起票方法が相違する取引は、掛以外の仕入・売上取引である。したがって、3伝票制の場合の日計表から当該取引を推定し、5伝票制による処理に変更すれば、解答は導き出せる。

(1) 掛以外の売上取引は、総売上580,000と売掛金の増加額450,000の差額130,000である。当該取引は、5伝票制において掛売上として擬制されることから、売掛金勘定の貸借に130,000ずつ金額が増加することとなる。

(2) 掛以外の仕入取引は、総仕入215,000と買掛金の増加額135,000の差額80,000である。当該取引は、5伝票制において掛仕入として擬制されることから、買掛金勘定の貸借に80,000ずつ金額が増加することとなる。

(3) その他の取引については、起票方法が同じであるため、5伝票制の場合の日計表の合計額は、次に示すとおりとなる。

∴　3伝票制の場合の日計表の合計額1,520,000
＋130,000＋80,000＝**1,730,000**

(4) 5伝票制の場合の日計表は、次に示すとおりである。

5伝票制　　　日　計　表

借　　　　方		勘定科目	貸　　　　方	
	500,000	現　　金	195,000	
	180,000	受取手形		
＋130,000 ⇨	580,000	売　掛　金	700,000	⇦ ＋130,000
		前　渡　金	20,000	
＋ 80,000 ⇨	185,000	買　掛　金	215,000	⇦ ＋ 80,000
		前　受　金	20,000	
	40,000	売　　上	580,000	
	215,000	仕　　入		
	8,000	消耗品費		
	22,000	広　告　費		
	1,730,000	合　　計	1,730,000	（解答）

問題23-1 新株予約権(1)

解　答

（単位：千円）

	借 方 科 目	金 額	貸 方 科 目	金 額
(1)	現 金 預 金	6,000	新株予約権	6,000
(2)	現 金 預 金	36,000	資 本 金	39,600
	新株予約権	3,600		
(3)	現 金 預 金	15,000	自 己 株 式	15,900
	新株予約権	1,500	その他資本剰余金	600
(4)	新株予約権	900	新株予約権戻入益	900

解答への道 （単位：千円）

(1) 新株予約権の発行時

　　新株予約権は、その発行に伴う払込金額を純資産の部に新株予約権として計上する。

(2) 新株予約権の権利行使時（新株を発行する場合）

　　新株予約権が行使され、新株を発行する場合の会計処理は、当該新株予約権の発行に伴う払込金額と新株予約権の行使に伴う払込金額都の合計額を、資本金または資本金及び資本準備金に振り替える。

　　交付株式数：5株×72個＝360株

　　払込金額：@100×360株＝36,000　または

　　　　　　　@500×72個＝36,000

　　新株予約権の発行に伴う払込金額：$6,000 \times \dfrac{72個}{120個}$ ＝3,600

(3) 新株予約権の権利行使時（自己株式を処分する場合）

　　新株予約権が行使され、自己株式を処分する場合の自己株式処分差額の会計処理は、自己株式を募集株式の発行等の手続により処分する場合に準じて取り扱う。

　　なお、自己株式処分差額を計算する際の自己株式の処分の対価は、当該新株予約権の発行に伴う払込金額と新株予約権の行使に伴う払込金額との合計額とする。

　　交付株式数：5株×30個＝150株

　　払込金額：@100×150株＝15,000　または

　　　　　　　@500×30個＝15,000

新株予約権の発行に伴う払込金額：$6,000 \times \dfrac{30個}{120個}$

　　　　　　　　　　　　　　　　＝1,500

(4) 権利行使期間満了時

　　新株予約権が行使されずに権利行使期間が満了し、当該新株予約権が失効したときは、当該失効に対応する額を失効が確定した事業年度の利益（原則として特別利益）として処理する。

　　新株予約権戻入益：$6,000 \times \dfrac{18個}{120個}$ ＝900

問題23-2 新株予約権(2)

解　答

貸借対照表（一部）

X 2 年 3 月31日　　　　（単位：千円）

自 己 株 式	（　57,000）	資 本 金	（1,006,125）
		資本準備金	（　106,125）
		その他資本剰余金	（　11,900）
		利益準備金	（　39,220）
		繰越利益剰余金	（　818,580）
		新株予約権	（　　600）

解答への道 （単位：千円）

1　新株予約権の発行（X 1 年 4 月 1 日）

（現 金 預 金）　　2,000　（新株予約権）※　　2,000

　※　@20×100個＝2,000

2　配当（X 1 年 6 月）

（繰越利益剰余金）　96,000　（現 金 預 金）※1　96,000

（繰越利益剰余金）　9,600　（利益準備金）※2　9,600

　※1　@2×（発行済50,000株－自己株式2,000株）

　　　＝96,000

　※2　(1) 資本金1,000,000×$\dfrac{1}{4}$ －（資準100,000

　　　　　＋利準20,000）＝130,000

　　　(2) 96,000×$\dfrac{1}{10}$ ＝9,600

　　　(3) (1)＞(2)　∴　9,600（いずれか小さい方）

3　新株予約権の権利行使（Ｘ１年８月）

(現 金 預 金)※1　　4,500　　(自 己 株 式)※3　　3,000

(新株予約権)※2　　　400　　(その他資本剰余金)※4　　1,900

※1　20個×5株×@45＝4,500

※2　@20×20個＝400

※3　(1)　交付株式数：20個×5株＝100株

(2)　$60,000 \times \dfrac{100株}{2,000株} = 3,000$

※4　差額

4　配当（Ｘ１年11月）

(繰越利益剰余金)　　96,200　　(現 金 預 金)※1　　96,200

(繰越利益剰余金)　　9,620　　(利 益 準 備 金)※2　　9,620

※1　@2×{発行済50,000株−自己株式(2,000株
　　　−100株)}＝96,200

※2　(1)　$資本金1,000,000 \times \dfrac{1}{4} − \{資準100,000$
　　　　$+利準(20,000＋9,600)\} = 120,400$

(2)　$96,200 \times \dfrac{1}{10} = 9,620$

(3)　(1)＞(2)　∴　9,620（いずれか小さい
　　　方）

5　新株予約権の権利行使（Ｘ２年２月）

(現 金 預 金)※1　　11,250　　(資 本 金)※3　　6,125

(新株予約権)※2　　1,000　　(資本準備金)※3　　6,125

※1　50個×5株×@45＝11,250

※2　@20×50個＝1,000

※3　$(11,250＋1,000) \times \dfrac{1}{2} = 6,125$

6　当期純利益の計上（Ｘ２年３月31日）

(損 　　 益)　　150,000　　(繰越利益剰余金)　　150,000

問題23−3 新株予約権(3)

解 答

問1　　　　　　　　　　　　　　　　　　（単位：千円）

	借 方 科 目	金 額	貸 方 科 目	金 額
1	有 価 証 券	2,000	現 金 預 金	2,000
2	有 価 証 券	24,480	現 金 預 金	22,500
			有 価 証 券	1,800
			有価証券運用損益	180
3	新株予約権失効損	200	有 価 証 券	200

問2　　　　　　　　　　　　　　　　　　（単位：千円）

	借 方 科 目	金 額	貸 方 科 目	金 額
1	投資有価証券	2,000	現 金 預 金	2,000
2	投資有価証券	24,300	現 金 預 金	22,500
			投資有価証券	1,800
3	新株予約権失効損	200	投資有価証券	200

解答への道　（単位：千円）

問1

1　新株予約権取得時

(有 価 証 券)※　　2,000　　(現 金 預 金)　　2,000

※　@20×100個＝2,000

2　新株予約権の権利行使時

(有 価 証 券)※3　　24,480　　(現 金 預 金)※1　　22,500

　　　　　　　　　　　　　(有 価 証 券)※2　　1,800

　　　　　　　　　　　　　(有価証券運用損益)※4　　180

※1　90個×10株×@25＝22,500

※2　@20×90個＝1,800

※3　22,500＋@22×90個＝24,480

※4　差額

3　権利行使期間満了時

(新株予約権失効損)　　200　　(有 価 証 券)※　　200

※　@20×10個＝200

問2

1　新株予約権取得時

(投資有価証券)※　　2,000　　(現 金 預 金)　　2,000

※　@20×100個＝2,000

2　新株予約権の権利行使時

(投資有価証券)※3　　24,300　　(現 金 預 金)※1　　22,500

　　　　　　　　　　　　　(投資有価証券)※2　　1,800

※1　90個×10株×@25＝22,500

※2　@20×90個＝1,800

※3　22,500＋1,800＝24,300

3　権利行使期間満了時

(新株予約権失効損)　　200　　(投資有価証券)※　　200

※　@20×10個＝200

解　答

1　x12年3月期（人件費の計上）　（単位：千円）

借　方　科　目	金　　額	貸　方　科　目	金　　額
株式報酬費用	71,040	新株予約権	71,040

2　x13年3月期（人件費の計上）　（単位：千円）

借　方　科　目	金　　額	貸　方　科　目	金　　額
株式報酬費用	90,240	新株予約権	90,240

3　x14年3月期（人件費の計上）　（単位：千円）

借　方　科　目	金　　額	貸　方　科　目	金　　額
株式報酬費用	17,920	新株予約権	17,920

（ストック・オプションの行使）（単位：千円）

借　方　科　目	金　　額	貸　方　科　目	金　　額
現　金　預　金	480,000	自　己　株　式	448,000
新　株　予約権	51,200	その他資本剰余金	83,200

4　x15年3月期（ストック・オプションの行使）

（単位：千円）

借　方　科　目	金　　額	貸　方　科　目	金　　額
現　金　預　金	1,152,000	資　　本　　金	637,440
新　株　予約権	122,880	資　本　準　備　金	637,440

5　x16年3月期（権利行使期間満了による新株予約
　権の失効）　（単位：千円）

借　方　科　目	金　　額	貸　方　科　目	金　　額
新　株　予　約　権	5,120	新株予約権戻入益	5,120

解答への道　（単位：千円）

1　x12年3月期

　　ストック・オプションの公正な評価額：@16,000
円×160個／名×（75名－**1名**※）＝189,440

**※　退職による失効の見込がゼロまたは不明の場合
には、実際退職者数を基に、ストック・オプショ
ンの公正な評価額を算定する。**

　　　対象勤務期間：24月（x11年7月1日～x13年6
月30日）

　　　対象勤務期間のうちx12年3月31日までの期間：
9月（x11年7月1日～x12年3月31日）

　　　費用計上額：$189,440 × \dfrac{9月}{24月} = 71,040$

2　x13年3月期

　　ストック・オプションの公正な評価額：@16,000
円×160個／名×｛75名－（1名＋2名）｝＝184,320

　　　対象勤務期間：24月（x11年7月1日～x13年6
月30日）

　　　対象勤務期間のうちx13年3月31日までの期間：
21月（x11年7月1日～x13年3月31日）

　　　費用計上額：$184,320 × \dfrac{21月}{24月} - 71,040 = 90,240$

3　x14年3月期

(1)　人件費の計上（権利確定日）

　　ストック・オプションの公正な評価額：@16,000
円×160個／名×｛75名－（1名＋2名＋2名）｝
＝179,200

　　　対象勤務期間：24月（x11年7月1日～x13年
6月30日）

　　　対象勤務期間のうちx13年6月30日までの期
間：24月（x11年7月1日～x13年6月30日）

　　　費用計上額：$179,200 × \dfrac{24月}{24月} - (71,040 + 90,240) = 17,920$

(2)　ストック・オプションの行使（権利行使日）

　　交付株式数：1株／個×160個／名×20名
＝3,200株

　　払込金額：@150,000円×3,200株＝480,000

　　行使されたストック・オプションの金額：
@16,000円×160個／名×20名＝51,200

　　自己株式の帳簿価額：@140,000円×3,200株
＝448,000

　　その他資本剰余金：差額

4　x15年3月期

　　交付株式数：1株／個×160個／名×48名
＝7,680株

　　払込金額：@150,000円×7,680株＝1,152,000

　　行使されたストック・オプションの金額：@16,000
円×160個／名×48名＝122,880

　　資本金・資本準備金：$(1,152,000 + 122,880) × \dfrac{1}{2} = 637,440$

5　x16年3月期

　　@16,000円×160個／名×2名＝5,120

問題23-5 新株予約権付社債(1)

解答

(1) x1年4月1日　　　　　　　　　　（単位：千円）

借方科目	金　額	貸方科目	金　額
現 金 預 金	112,800	社　　　　債	112,800

(2) x2年6月30日　　　　　　　　　　（単位：千円）

借方科目	金　額	貸方科目	金　額
社　　　　債	11,400	資　本　金	5,715
社 債 利 息	30	資本準備金	5,715

(3) x3年8月31日　　　　　　　　　　（単位：千円）

借方科目	金　額	貸方科目	金　額
社　　　　債	23,040	自 己 株 式	18,000
社 債 利 息	100	その他資本剰余金	5,140

解答への道　（単位：千円）

1　x1年4月1日（発行時）

（現 金 預 金）　112,800　（社　　　債）　112,800

2　x2年3月31日（決算時）

(1) 発行差額の償却

（社 債 利 息）※　1,200　（社　　　債）　1,200

※　$(120,000 - 112,800) \times \dfrac{12月}{72月} = 1,200$

(2) 　　　　　　　　　繰越試算表

	社　　　債	114,000

3　x2年6月30日（権利行使時）

（社　　　債）※1　11,400　（資　本　金）※3　5,715

（社 債 利 息）※2　30　（資本準備金）※3　5,715

※1　$114,000 \times \dfrac{12,000}{120,000} = 11,400$

※2　$(12,000 - 11,400) \times \dfrac{3月}{72月 - 12月} = 30$

※3　$(11,400 + 30) \times \dfrac{1}{2} = 5,715$

4　x3年3月31日

(1) 発行差額の償却

（社 債 利 息）※　1,080　（社　　　債）　1,080

※　｛社債金額$(120,000 - 12,000)$ − 帳簿価額

$(114,000 - 11,400)$｝$\times \dfrac{12月}{72月 - 12月} = 1,080$

(2) 　　　　　　　　　繰越試算表

	社　　　債	103,680

5　x3年8月31日（権利行使時）

（社　　　債）※1　23,040　（自 己 株 式）※3　18,000

（社 債 利 息）※2　100　（その他資本剰余金）※4　5,140

※1　$103,680 \times \dfrac{24,000}{120,000 - 12,000} = 23,040$

※2　$(24,000 - 23,040) \times \dfrac{5月}{72月 - 24月} = 100$

※3　帳簿価額

※4　差額

問題23-6 新株予約権付社債(2)

解答

(1) x1年4月1日　　　　　　　　　　（単位：千円）

借方科目	金　額	貸方科目	金　額
現 金 預 金	120,000	社　　　　債	112,800
		新 株 予 約 権	7,200

(2) x2年6月30日　　　　　　　　　　（単位：千円）

借方科目	金　額	貸方科目	金　額
社　　　　債	11,400	資　本　金	6,075
社 債 利 息	30	資本準備金	6,075
新 株 予 約 権	720		

(3) x3年8月31日　　　　　　　　　　（単位：千円）

借方科目	金　額	貸方科目	金　額
社　　　　債	23,040	自 己 株 式	18,000
社 債 利 息	100	その他資本剰余金	6,580
新 株 予 約 権	1,440		

解答への道　（単位：千円）

1　x1年4月1日（発行時）　　⇨　**解答要求**

（現 金 預 金）　120,000　（社　　　債）　112,800

　　　　　　　　　　　　　　（新株予約権）　7,200

2　x2年3月31日（決算時）

(1) 発行差額の償却

（社 債 利 息）※　1,200　（社　　　債）　1,200

※　$(120,000 - 112,800) \times \dfrac{12月}{72月} = 1,200$

(2)   繰越試算表

	社　　債	114,000
	新株予約権	7,200

3   x 2 年 6 月 30 日（権利行使時）　⇨　**解答要求**

（社　　債）※1	11,400	（資　本　金）※4	6,075
（社 債 利 息）※2	30	（資本準備金）※4	6,075
（新株予約権）※3	720		

  ※1   114,000×10%＝11,400

  ※2 $(120,000 \times 10\% - 11,400) \times \dfrac{3月}{72月 - 12月}$

       $= 30$

  ※3   7,200×10%＝720

  ※4 $(11,400 + 30 + 720) \times \dfrac{1}{2} = 6,075$

4   x 3 年 3 月 31 日

(1) 発行差額の償却

（社 債 利 息）※	1,080	（社　　債）	1,080

  ※ {社債金額(120,000−12,000)−帳簿価額

    $(114,000 - 11,400)\} \times \dfrac{12月}{72月 - 12月} = 1,080$

(2)   繰越試算表

	社　　債	103,680
	新株予約権	6,480

5   x 3 年 8 月 31 日（権利行使時）　⇨　**解答要求**

（社　　債）※1	23,040	（自 己 株 式）	18,000
（社 債 利 息）※2	100	（その他資本剰余金）※4	6,580
（新株予約権）※3	1,440		

  ※1 $103,680 \times \dfrac{20\%}{100\% - 10\%} = 23,040$

  ※2 $(120,000 \times 20\% - 23,040) \times \dfrac{5月}{72月 - 24月}$

       $= 100$

  ※3   7,200×20%＝1,440

  ※4   差額

問題24-1 繰延資産(1)

解答

（単位：千円）

	借方科目	金　額	貸方科目	金　額
1	創　立　費	2,000	現金預金	2,000
2	開　業　費	1,500	現金預金	1,500
3	創立費償却	400	創　立　費	400
	開業費償却	250	開　業　費	250

解答への道　（単位：千円）

3　決算時の仕訳

(1) 創立費の償却

（創立費償却）　　　400　（創　立　費）※　　　400

※　$2,000 \times \dfrac{12月}{60月} = 400$

(2) 開業費の償却

（開業費償却）　　　250　（開　業　費）※　　　250

※　$1,500 \times \dfrac{10月}{60月} = 250$

問題24-2 繰延資産(2)

解答

決算整理後残高試算表（一部）（単位：千円）

株式交付費	（150）	社　　　債	（30,000）
社債発行費	（280）		
株式交付費償却	（120）		
社債発行費償却	（20）		

解答への道　（単位：千円）

1　株式交付費

（株式交付費償却）　　　120　（株式交付費）※　　　120

※　前T/B270 $\times \dfrac{12月}{36月 - 9月} = 120$

2　社債発行費

(1) 発行時の修正

（社債発行費）※　　　300　（社　　　債）　　　300

※　債券金額30,000 - 前T/B社債29,700 = 300

(2) 償却

（社債発行費償却）　　　20　（社債発行費）※　　　20

※　$300 \times \dfrac{4月}{60月} = 20$

| 第 25 章 | 会計上の変更及び誤謬の訂正 | 重 要 度 | B |

問題25－1　会計上の変更及び誤謬の訂正(1)

解　答

問 1

（単位：千円）

借 方 科 目	金　額	貸 方 科 目	金　額
繰 越 商 品	1,000	繰越利益剰余金	1,000

問 2

決算整理後残高試算表　（単位：千円）

繰 越 商 品	(27,000)	繰越利益剰余金	(156,000)
仕　　　入	(289,000)		

解答への道　（単位：千円）

1　遡及適用に関する修正仕訳

（繰 越 商 品）※　　1,000　（繰越利益剰余金）　　1,000

※　総平均法の期首残高：20,000 ┐
　　　　　　　　　　　　　　　　　├ +1,000
　　先入先出法の期首残高：21,000 ◀ ┘

2　決算整理仕訳（売上原価の算定）

（仕　　　入）　21,000　（繰 越 商 品）※1　21,000

（繰 越 商 品）※2　27,000　（仕　　　入）　27,000

※1　先入先出法の期首残高

※2　先入先出法の期末残高

問題25－2　会計上の変更及び誤謬の訂正(2)

解　答

決算整理後残高試算表　（単位：千円）

車　　　両	150,000	減価償却累計額	(174,000)
備　　　品	120,000		
減価償却費	(48,000)		

解答への道　（単位：千円）

1　車両

（減価償却費）※　18,000　（減価償却累計額）　18,000

※　(1)　前T/B減価償却累計額：150,000－150,000

　　　　　　×（1－0.400）^{2年}＝96,000

(2)　減価償却費：(150,000－96,000)×

$$\frac{1 年}{5 年－2 年}＝18,000$$

2　備品

（減価償却費）※　30,000　（減価償却累計額）　30,000

※　(1)　前T/B減価償却累計額：120,000×$\frac{2 年}{8 年}$

　　　　＝30,000

(2)　減価償却費：(120,000－30,000)×

$$\frac{1 年}{5 年－2 年}＝30,000$$

問題25－3　会計上の変更及び誤謬の訂正(3)

解　答

決算整理後残高試算表（一部）　（単位：千円）

繰 越 商 品	(27,500)	未払営業費	(160)
土　　　地	(37,200)	繰越利益剰余金	(127,709)
繰延税金資産	(1,440)		
仕　　　入	(514,500)		
営　業　費	(86,030)		
土地売却損	(300)		
法人税等調整額	(399)		

解答への道　（単位：千円）

1　商品

(1)　総平均法から先入先出法への変更

① 変更に関する遡及処理

（繰 越 商 品）※1　2,000　（繰延税金負債）※2　　600

　　　　　　　　　　　　　　（繰越利益剰余金）※3　1,400

※1　Ｘ2年3月31日先入先出法22,000

　　　－Ｘ2年3月31日総平均法20,000＝2,000

※2　2,000×30％＝600

※3　差額

② 税効果会計

（繰延税金負債）　　600　（法人税等調整額）　　600

(2)　売上原価

（仕　　　入）　22,000　（繰 越 商 品）　22,000

（繰 越 商 品）　27,500　（仕　　　入）　27,500

－366－

2　土地

(1) 減損損失の未処理

(繰延税金資産)※2　2,400　(土　　　地)※1　8,000

(繰越利益剰余金)※3　5,600

　※1　取得価額20,000－回収可能価額12,000
　　　　＝8,000

　※2　8,000×30%＝2,400

　※3　差額

(2) 土地の売却

(仮　受　金)　4,500　(土　　　地)※1　4,800

(土地売却損)※2　300

　※1　帳簿価額12,000×40%＝4,800

　※2　差額

(3) 税効果会計

(法人税等調整額)　960　(繰延税金資産)※　960

　※　2,400×40%＝960

3　営業費

(1) 現金主義から発生主義への変更

① 変更に関する遡及処理

(繰延税金資産)※1　39　(営　業　費)　130

(繰越利益剰余金)※2　91

　※1　130×30%＝39

　※2　差額

② 税効果会計

(法人税等調整額)　39　(繰延税金資産)　39

(2) 当期末の見越計上

(営　業　費)　160　(未払営業費)　160

問題25－4　会計上の変更及び誤謬の訂正(4)

解　答

決算整理後残高試算表（一部）（単位：千円）

繰越商品	(108,000)	繰越利益剰余金	(843,600)
仕　　入	(924,000)	売　　上	(1,540,000)
法人税等調整額	(3,600)		

解答への道　（単位：千円）

1　出荷基準から検収基準への変更

(1) 前期末未検収品の修正

① 売上に係る修正

(繰延税金資産)※1　9,000　(売　　　上)※2　30,000

(繰越利益剰余金)※2　21,000

　※1　30,000×30%＝9,000

　※2　差額

② 税効果会計

(法人税等調整額)　9,000　(繰延税金資産)　9,000

③ 売上原価に係る修正

(繰越商品)※1　18,000　(繰延税金負債)※2　5,400

　　　　　　　　　　　　(繰越利益剰余金)※3　12,600

　※1　30,000×原価率60%＝18,000

　※2　18,000×30%＝5,400

　※3　差額

④ 税効果会計

(繰延税金負債)　5,400　(法人税等調整額)　5,400

(2) 当期末未検収品の修正

(売　　　上)　50,000　(売　掛　金)　50,000

2　売上原価

(仕　　　入)　72,000　(繰越商品)　72,000

(繰越商品)※　108,000　(仕　　　入)　108,000

　※　78,000＋50,000×原価率60%＝108,000

第26章　組織再編　重要度 A

問題26－1 事業譲渡・事業譲受

解答

（単位：千円）

	借方科目	金額	貸方科目	金額
A社	諸 負 債	115,000	諸 資 産	200,000
	現 金 預 金	120,000	移 転 損 益	35,000
B社	諸 資 産	220,000	諸 負 債	115,000
	の れ ん	15,000	現 金 預 金	120,000

解答への道　（単位：千円）

1　A社（事業譲渡）

（諸　負　債）　115,000　（諸　資　産）　200,000

（現 金 預 金）　120,000　（移 転 損 益）※　35,000

※　差額

2　B社（事業譲受）

（諸　資　産）　220,000　（諸　負　債）　115,000

（の　れ　ん）※　15,000　（現 金 預 金）　120,000

※　差額

問題26－2 吸収合併(1)

解答

（単位：千円）

借 方 科 目	金 額	貸 方 科 目	金 額
諸 資 産	110,000	諸 負 債	60,000
の れ ん	1,200	資 本 金	20,000
		資 本 準 備 金	20,000
		その他資本剰余金	11,200

解答への道　（単位：千円）

（諸　資　産）　110,000　（諸　負　債）　60,000

（の　れ　ん）※2　1,200　（資　本　金）　20,000

（資本準備金）　20,000

（その他資本剰余金）※1　11,200

※1　交付株式数：8,000株×0.8＝6,400株

取得原価：@8×6,400株＝51,200

その他資本剰余金：51,200－資本金20,000

－資準20,000＝11,200

※2　差額

問題26－3 吸収合併(2)

解答

（単位：千円）

借 方 科 目	金 額	貸 方 科 目	金 額
諸 資 産	400,000	諸 負 債	180,000
の れ ん	32,000	自 己 株 式	50,000
		資 本 金	100,000
		資 本 準 備 金	80,000
		その他資本剰余金	22,000

解答への道　（単位：千円）

（諸　資　産）　400,000　（諸　負　債）　180,000

（の　れ　ん）※3　32,000　（自 己 株 式）※1　50,000

（資　本　金）　100,000

（資本準備金）　80,000

（その他資本剰余金）※2　22,000

※1　@25×2,000株＝50,000

※2　交付株式数：12,000株×0.6＝7,200株

取得原価：@35×7,200株＝252,000

その他資本剰余金：252,000－自己株式50,000

－資本金100,000－資準

80,000＝22,000

※3　差額

問題26－4 吸収合併(3)

解答

乙社株式の取得原価への振戻　（単位：百万円）

借 方 科 目	金 額	貸 方 科 目	金 額
諸 負 債	80	投資有価証券	200
その他有価証券評価差額金	120		

吸収合併　　　　　　　　　　（単位：百万円）

借方科目	金額	貸方科目	金額
諸　資　産	14,700	諸　負　債	4,900
の　れ　ん	5,600	投資有価証券	1,400
		資　本　金	8,800
		資本剰余金	5,200

解答への道　　（単位：百万円）

1　繰延税金負債：その他有価証券評価差額金120
　÷（1－40%）×40%＝80
2　交付株式数：(乙社発行済株式数110,000株－既取得10,000株)×株式交換比率0.8＝80,000株
3　取得原価：@175,000円×80,000株＝14,000
4　資本剰余金：取得原価14,000－増加資本金8,800＝5,200
5　のれん：取得原価(1,400＋14,000)－(諸資産14,700－諸負債4,900)＝5,600

問題26－5　株式交換(1)

解答　　（単位：百万円）

借方科目	金額	貸方科目	金額
関係会社株式	15,400	資　本　金	8,800
		資本剰余金	6,600

株式交換直後の甲社貸借対照表　（単位：百万円）

諸　資　産	28,000	諸　負　債	10,500
関係会社株式	15,400	資　本　金	21,400
		資本剰余金	8,000
		利益剰余金	3,500
	43,400		43,400

解答への道　　（単位：百万円）

　パーチェス法とは、被取得企業から受け入れる資産及び負債の取得原価を、対価として交付する現金及び株式等の時価とする方法である。
　株式交換の対価として株式交換完全親会社が新株を発行した場合、払込資本（資本金または資本剰余金）の増加額は、企業結合日における株価に交付株式数を乗じた額となる。

1　交付株式数：乙社発行済株式数110,000株×株式交換比率0.8＝88,000株
2　取得原価（関係会社株式）：@175,000円×88,000株＝15,400
3　資本剰余金：取得原価15,400－増加資本金8,800＝6,600

問題26－6　株式交換(2)

解答　　（単位：百万円）

借方科目	金額	貸方科目	金額
関係会社株式	15,400	自　己　株　式	1,200
		資　本　金	8,800
		資本剰余金	5,400

株式交換直後の甲社貸借対照表　（単位：百万円）

諸　資　産	26,800	諸　負　債	10,500
関係会社株式	15,400	資　本　金	21,400
		資本剰余金	6,800
		利益剰余金	3,500
	42,200		42,200

解答への道　　（単位：百万円）

1　交付株式数：乙社発行済株式数110,000株×株式交換比率0.8＝88,000株
2　取得原価（関係会社株式）：@175,000円×88,000株＝15,400
3　資本剰余金：取得原価15,400－自己株式帳簿価額1,200－増加資本金8,800＝5,400

問題26－7　株式交換(3)

解答

乙社株式の取得原価への振戻　　（単位：百万円）

借方科目	金額	貸方科目	金額
諸　負　債	80	投資有価証券	200
その他有価証券評価差額金	120		

乙社株式の保有目的区分の変更　　（単位：百万円）

借方科目	金額	貸方科目	金額
関係会社株式	1,400	投資有価証券	1,400

株式交換　　　　　　　　　　（単位：百万円）

借方科目	金額	貸方科目	金額
関係会社株式	14,000	資 本 金	8,800
		資 本 剰 余 金	5,200

解答への道　（単位：百万円）

1　繰延税金負債：その他有価証券評価差額金120÷
　（1−40%）×40%＝80

2　交付株式数：（乙社発行済株式数110,000株−既取
　得10,000株）×株式交換比率0.8＝80,000株

3　取得原価：@175,000円×80,000株＝14,000

4　資本剰余金：取得原価14,000−増加資本金8,800
　＝5,200

問題26−8　企業評価額の算定

解答

問1

合併比率　A社1：B社　　　0.54

合併仕訳　　　　　　　　　　（単位：千円）

借方科目	金額	貸方科目	金額
諸　資　産	228,000	諸　負　債	80,000
の　れ　ん	24,800	資　本　金	100,000
		資 本 準 備 金	72,800

問2

合併比率　A社1：B社　　　0.55

合併仕訳　　　　　　　　　　（単位：千円）

借方科目	金額	貸方科目	金額
諸　資　産	228,000	諸　負　債	80,000
の　れ　ん	28,000	資　本　金	100,000
		資 本 準 備 金	76,000

問3

合併比率　A社1：B社　　　0.5

合併仕訳　　　　　　　　　　（単位：千円）

借方科目	金額	貸方科目	金額
諸　資　産	228,000	諸　負　債	80,000
の　れ　ん	12,000	資　本　金	100,000
		資 本 準 備 金	60,000

解答への道　（単位：千円）

問1

1　企業評価額

(1)　A社

①　簿価純資産額：諸資産500,000−諸負債100,000
　＝400,000

②　収益還元価値額：純資産400,000×利益率3%
　÷還元率2%＝600,000

③　企業評価額：（①＋②）÷2＝500,000

(2)　B社

①　簿価純資産額：諸資産200,000−諸負債80,000
　＝120,000

②　収益還元価値額：純資産120,000×利益率2.5%
　÷還元率2%＝150,000

③　企業評価額：（①＋②）÷2＝135,000

2　合併比率：$\dfrac{135,000÷1,000株}{500,000÷2,000株}$＝0.54

3　合併仕訳

（諸 資 産）	228,000	（諸 負 債）	80,000
（の れ ん）※2	24,800	（資 本 金）	100,000
		（資本準備金）※1	72,800

※1　交付株式数：1,000株×0.54＝540株
　　　取得原価：@320×540株＝172,800
　　　資本準備金：172,800−資本金100,000
　　　＝72,800

※2　差額

問2

1　企業評価額

(1)　A社

①　時価純資産額：諸資産580,000−諸負債100,000
　＝480,000

②　株価：@320×2,000株＝640,000

③　企業評価額：（①＋②）÷2＝560,000

(2)　B社

①　時価純資産額：諸資産228,000−諸負債80,000
　＝148,000

②　株価：@160×1,000株＝160,000

③　企業評価額：（①＋②）÷2＝154,000

2　合併比率：$\dfrac{154,000÷1,000株}{560,000÷2,000株}$＝0.55

3 合併仕訳

(諸　資　産)	228,000	(諸　負　債)	80,000
(の　れ　ん)※2	28,000	(資　本　金)	100,000
		(資本準備金)※1	76,000

※1　交付株式数：1,000株×0.55＝550株

　　　取得原価：@320×550株＝176,000

　　　資本準備金：176,000－資本金100,000

　　　　　　　　　　＝76,000

※2　差額

問3

1　企業評価額

(1)　A社

①　収益還元価値額：純資産400,000×利益率3％

　　　　　　　　　　÷還元率2％＝600,000

②　株価：@320×2,000株＝640,000

③　企業評価額：(①+②)÷2＝620,000

(2)　B社

①　収益還元価値額：純資産120,000×利益率2.5％

　　÷還元率2％＝150,000

②　株価：@160×1,000株＝160,000

③　企業評価額：(①+②)÷2＝155,000

2　合併比率：$\dfrac{155,000÷1,000株}{620,000÷2,000株}＝0.5$

3　合併仕訳

(諸　資　産)	228,000	(諸　負　債)	80,000
(の　れ　ん)※2	12,000	(資　本　金)	100,000
		(資本準備金)※1	60,000

※1　交付株式数：1,000株×0.5＝500株

　　　取得原価：@320×500株＝160,000

　　　資本準備金：160,000－資本金100,000

　　　　　　　　　　＝60,000

※2　差額

問題26－9　吸収合併(4)

解答

合併後貸借対照表　　（単位：千円）

資　　産	金　　額	負債・純資産	金　　額
諸　資　産	1,210,000	諸　負　債	370,000
の　れ　ん	3,800	資　本　金	450,000
		資本準備金	100,000
		その他資本剰余金	13,800
		利益準備金	20,000
		繰越利益剰余金	260,000
合　　　計	1,213,800	合　　　計	1,213,800

解答への道　（単位：千円）

1　企業評価額

(1)　甲社

①　純資産額：諸資産880,000－諸負債200,000

　　　　　　　＝680,000

②　収益還元価値額：純資産680,000×利益率6％

　　　　　　　　　　÷還元率4％＝1,020,000

③　企業評価額：(①+②)÷2＝850,000

(2)　乙社

①　純資産額：諸資産350,000－諸負債170,000

　　　　　　　＝180,000

②　収益還元価値額：純資産180,000×利益率3％

　　　　　　　　　　÷還元率4％＝135,000

③　企業評価額：(①+②)÷2＝157,500

2　合併比率：$\dfrac{157,500÷5,000株}{850,000÷17,000株}＝0.63$

3　合併仕訳

(諸　資　産)	330,000	(諸　負　債)	170,000
(の　れ　ん)※2	3,800	(資　本　金)	100,000
		(資本準備金)	50,000
		(その他資本剰余金)※1	13,800

※1　交付株式数：5,000株×0.63＝3,150株

　　　取得原価：@52×3,150株＝163,800

　　　その他資本剰余金：163,800－資本金100,000

　　　　　　　　　　　　　－資準50,000＝13,800

※2　差額

解　答

問1

(単位：千円)

借　方　科　目	金　　額	貸　方　科　目	金　　額
諸　　負　　債	60,000	諸　　資　　産	100,000
投資有価証券	52,000	移　転　損　益	12,000

問2

(単位：千円)

借　方　科　目	金　　額	貸　方　科　目	金　　額
諸　　負　　債	60,000	諸　　資　　産	100,000
関係会社株式	40,000		

解答への道　(単位：千円)

問1

(諸　負　債)	60,000	(諸　資　産)	100,000
(投資有価証券)※1	52,000	(移転損益)※2	12,000

※1　@26×2,000株＝52,000

※2　差額

問2

(諸　負　債)	60,000	(諸　資　産)	100,000
(関係会社株式)※	40,000		

※　差額

問題27-1　株主資本等変動計算書

解　答

	株主資本											評価・換算差額等	新株予約権	純資産合計
		資本剰余金			利益剰余金									
						その他利益剰余金								
	資本金	資本準備金	その他資本剰余金	資本剰余金合計	利益準備金	新築積立金	別途積立金	繰越利益剰余金	利益剰余金合計	自己株式	株主資本合計	その他有価証券評価差額金	新株予約権	純資産合計
当期首残高	80,000	10,000	2,000	12,000	9,000	2,000	1,000	30,000	42,000	—	134,000	△120	1,000	134,880
当期変動額														
新株の発行	6,600	5,000		5,000							6,600			6,600
資本金の減少	△5,000										—			—
剰余金の配当					1,000			△11,000	△10,000		△10,000			△10,000
別途積立金の積立							1,000	△1,000	—		—			—
新築積立金の取崩						△2,000		2,000	—		—			—
当期純利益								15,000	15,000		15,000			15,000
自己株式の取得										△1,600	△1,600			△1,600
自己株式の処分			△50	△50						1,000	950			950
株主資本以外の項目の当期変動額（純額）												150	△600	△450
当期変動額合計	1,600	5,000	△50	4,950	1,000	△2,000	1,000	5,000	5,000	△600	10,950	150	△600	10,500
当期末残高	81,600	15,000	1,950	16,950	10,000	—	2,000	35,000	47,000	△600	144,950	30	400	145,380

第27章　財務諸表

解答への道 （単位：千円）

1　x1年6月

(1) 剰余金の配当

（繰越利益剰余金）	10,000	（現 金 預 金）	10,000
（繰越利益剰余金）	1,000	（利 益 準 備 金）	1,000

(2) 別途積立金の積立

（繰越利益剰余金）	1,000	（別 途 積 立 金）	1,000

2　資本金から資本準備金への振替処理（債権者保護
　手続完了時）

（資　　本　　金）	5,000	（資 本 準 備 金）	5,000

3　自己株式の取得

（自 己 株 式）	1,600	（現 金 預 金）	1,600

4　自己株式の処分

（現 金 預 金）	950	（自 己 株 式）※1	1,000
（その他資本剰余金）※2	50		

※1　$1,600 \times \dfrac{500株}{800株} = 1,000$

※2　差額

5　新株予約権の権利行使

（現 金 預 金）	6,000	（資　　本　　金）	6,600
（新 株 予 約 権）	600		

6　新築積立金の取崩し

（新 築 積 立 金）	2,000	（繰越利益剰余金）	2,000

7　その他有価証券

(1) 前期末時価評価

① A社株式

（投資有価証券）※1	100	（繰延税金負債）※2	40
		（その他有価証券評価差額金）※3	60

※1　前期末時価1,300－取得原価1,200＝100

※2　100×40％＝40

※3　差額

② B社株式

（繰延税金資産）※2	120	（投資有価証券）※1	300
（その他有価証券評価差額金）※3	180		

※1　前期末時価1,500－取得原価1,800＝△300

※2　300×40％＝120

※3　差額

(2) 期首振戻

① A社株式

（繰延税金負債）	40	（投資有価証券）	100
（その他有価証券評価差額金）	60		

② B社株式

（投資有価証券）	300	（繰延税金資産）	120
		（その他有価証券評価差額金）	180

(3) 期末評価

① A社株式

（投資有価証券）※1	250	（繰延税金負債）※2	100
		（その他有価証券評価差額金）※3	150

※1　当期末時価1,450－取得原価1,200＝250

※2　250×40％＝100

※3　差額

② B社株式

（繰延税金資産）※2	80	（投資有価証券）※1	200
（その他有価証券評価差額金）※3	120		

※1　当期末時価1,600－取得原価1,800＝△200

※2　200×40％＝80

※3　差額

8　決算振替

（損　　　　益）	15,000	（繰越利益剰余金）	15,000

問題27－2 キャッシュ・フロー計算書(1)

解答への道 （単位：千円）

解　答

問1

キャッシュ・フロー計算書（直接法）（単位：千円）

Ⅰ　営業活動によるキャッシュ・フロー
営業収入 （ 1,257,700）
商品の仕入れによる支出 （△ 747,000）
人件費の支出 （△ 267,780）
その他営業支出 （△ 162,820）
　小計 （ 80,100）
利息の支払額 （△ 6,000）
法人税等の支払額 （△ 16,500）
営業活動によるキャッシュ・フロー（ 57,600）
Ⅱ　投資活動によるキャッシュ・フロー
固定資産の売却による収入額 （ 1,200）
投資活動によるキャッシュ・フロー（ 1,200）
Ⅲ　財務活動によるキャッシュ・フロー
借入による収入額 （ 20,000）
株式の発行による収入額 （ 50,000）
配当金の支払額 （△ 20,000）
財務活動によるキャッシュ・フロー（ 50,000）
Ⅳ　現金及び現金同等物の当期増減額 （ 108,800）
Ⅴ　現金及び現金同等物の期首残高 （ 126,830）
Ⅵ　現金及び現金同等物の期末残高 （ 235,630）

問2

キャッシュ・フロー計算書（間接法）（単位：千円）

Ⅰ　営業活動によるキャッシュ・フロー
税引前当期純利益 （ 60,000）
減価償却費 （ 3,250）
貸倒引当金の増減額 （△ 80）
車両売却益 （△ 200）
支払利息 （ 6,160）
売上債権の増減額 （ 8,000）
たな卸資産の増減額 （ 8,000）
仕入債務の増減額 （△ 5,000）
未払費用の増減額 （△ 30）
　小計 （ 80,100）

問1　直接法

1　営業収入

売上債権		
期首 100,000	営業収入	
	（ 1,257,700）	
売上 1,250,000	貸倒 300	
	期末 92,000	

貸倒引当金		
貸倒 （ 300）	期首 1,000	
期末 920	繰入 220	

2　商品の仕入支出

仕入債務		
仕入支出	期首 60,000	
（ 747,000）	仕入 742,000	
期末 55,000		

仕　入		
仕入 （742,000）	期末 44,000	
	売原 750,000	
期首 52,000		

3　人件費の支出：P/L給料より267,780

4　その他の営業支出

営業費		
支出	期首未払 280	
（ 162,820）	P/L 162,790	
期末未払 250		

5　利息の支払額

支払利息		
支出	期首未払 3,000	
（ 6,000）	P/L 6,160	
期末未払 3,160		

6　法人税等の支払額

(1) 前期分確定納付：10,500（前期末未払法人税等）
(2) 当期分中間納付：P/L法人税等18,000－B/S未払法人税等（当期末）12,000＝6,000
(3) 支払額：(1)＋(2)＝16,500

7　固定資産の売却による収入

（減価償却累計額）※3 4,000 （車　　両）※1 5,000
（現 金 預 金）※4 1,200 （車両売却益）※2 200
　※1　前期末20,000－当期末15,000＝5,000
　※2　P/Lより

※3 減価償却累計額の勘定分析

減価償却累計額

売却	(4,000)	期首	9,050
期末	8,300	減費	3,250

※4 差額

8 借入による収入：当期末借入金220,000－前期末借入金200,000＝20,000

9 株式の発行による収入：当期末資本金350,000－前期末資本金300,000＝50,000

10 配当の支払額

繰越利益剰余金

利準※	2,000		
配当	(20,000)	期首	185,000
期末	205,000	純利益	42,000

※ 当期末32,000－前期末30,000＝2,000

問2 間接法

1 税引前当期純利益：当期純利益42,000＋法人税等18,000＝60,000

2 貸倒引当金の増減額：前期末1,000－当期末920＝80（減少） ∴ 減算調整

3 売上債権の増減額：前期末100,000－当期末92,000＝8,000（減少）
　　　　　　　　　　∴ 加算調整

4 たな卸資産の増減額：前期末52,000－当期末44,000＝8,000（減少）
　　　　　　　　　　∴ 加算調整

5 仕入債務の増減額：前期末60,000－当期末55,000＝5,000（減少）
　　　　　　　　　　∴ 減算調整

6 未払費用の増減額：前期末280－当期末250＝30（減少） ∴ 減算調整

解 答

問1

キャッシュ・フロー計算書（直接法）（単位：千円）

I 営業活動によるキャッシュ・フロー

営業収入	(2,448,500)
商品の仕入れによる支出	(△ 1,522,300)
人件費の支出	(△ 356,080)
その他営業支出	(△ 98,000)
小計	(472,120)

問2

キャッシュ・フロー計算書（間接法）（単位：千円）

I 営業活動によるキャッシュ・フロー

税引前当期純利益	(500,000)
減価償却費	(23,500)
貸倒引当金の増減額	(1,000)
賞与引当金の増減額	(2,000)
退職給付引当金の増減額	(14,000)
支払利息	(2,150)
売上債権の増減額	(△ 50,000)
たな卸資産の増減額	(△ 7,500)
仕入債務の増減額	(△ 13,000)
前払費用の増減額	(△ 150)
未払費用の増減額	(120)
小計	(472,120)

解答への道 （単位：千円）

問1 直接法

1 営業収入

受取手形＋売掛金

期首	110,000	営業収入	
			(2,448,500)
売上	2,500,000	貸倒	1,500
		期末	160,000

貸倒引当金

貸倒	(1,500)		
		期首※1	2,200
期末※2	3,200		
		繰入	2,500

※1 （受手30,000＋売掛80,000）×2％＝2,200

※2 （受手45,000＋売掛115,000）×2％＝3,200

－376－

2　商品の仕入支出

支払手形＋買掛金

仕入支出	期首　47,000
（1,522,300）	仕入　1,509,300
期末　34,000	

仕　入

仕入	期末※1　33,300
（1,509,300）	売原※2
	期首　24,000
	1,500,000

※1　B/S31,500＋減耗1,200＋評価損600＝33,300

※2　P/L1,501,800－減耗1,200－評価損600
　　＝1,500,000

3　人件費の支出

(1) 給料

給　料

支出	期首未払　700
（222,080）	
	P/L　222,200
期末未払　820	

(2) 賞与

(賞与引当金)※1　24,000　(現金預金)※3　72,000

(賞与手当)※2　48,000

　※1　前期末B/Sより

　※2　P/Lより

　※3　借方合計

(3) 退職給付

退職給付引当金

支出　（62,000）	期首　125,000
期末　139,000	退費　76,000

(4) 人件費の支出：(1)＋(2)＋(3)＝**356,080**

4　その他の営業支出

営業費

期首前払　200	期末前払　350
支出　（98,000）	P/L　97,850

問2　間接法

1　税引前当期純利益：当期純利益350,000
　＋法人税等150,000＝500,000

2　貸倒引当金の増減額：当期末3,200
　－前期末2,200＝1,000（増加）　∴　加算調整

3　賞与引当金の増減額：当期末26,000
　－前期末24,000＝2,000（増加）　∴　加算調整

4　退職給付引当金の増減額：当期末139,000
　－前期末125,000＝14,000（増加）　∴　加算調整

5　売上債権の増減額：当期末160,000
　－前期末110,000＝50,000（増加）　∴　減算調整

6　たな卸資産の増減額：当期末31,500
　－前期末24,000＝7,500（増加）　∴　減算調整

7　仕入債務の増減額：前期末47,000－当期末34,000
　＝13,000（減少）　∴　減算調整

8　前払費用の増減額：当期末350－前期末200
　＝150（増加）　∴　減算調整

9　未払費用の増減額：当期末820－前期末700
　＝120（増加）　∴　加算調整

解 答

(1) | 160 | 千円　(2) | △30 | 千円　(3) | △8,000 | 千円

(4) | △700 | 千円　(5) | 270 | 千円　(6) | 120 | 千円

(7) | 32,510 | 千円　(8) | 80 | 千円

解答への道　（単位：千円）

I　営業活動によるキャッシュ・フロー			
税引前当期純利益	（	33,620）	⇐ 利益19,620＋法人税等14,000
減価償却費	（	3,000）	⇐ P/Lより
貸倒引当金の(増加)額	（(1)	160）	⇐ 当期末1,180－前期末1,020
受取利息及び受取配当金	（　△	600）	⇐ P/Lより
支払利息	（	420）	⇐ P/Lより
社債利息	（	270）	⇐ P/Lより
為替差益	（(2)　△	30）	⇐ 現預80(益)＋長期借入50(損)
備品売却損	（	400）	⇐ P/Lより
社債償還益	（　△	20）	⇐ P/Lより
売上債権の(増加)額	（(3)　△	8,000）	⇐ 当期末59,000－前期末51,000
たな卸資産の(増加)額	（(4)　△	700）	⇐ 当期末29,100－前期末28,400
前払費用の(減少)額	（(5)	270）	⇐ 当期末1,000－前期末1,270
仕入債務の(増加)額	（	3,600）	⇐ 当期末34,600－前期末31,000
未払費用の(増加)額	（(6)	120）	⇐ (当期末800－前期末500)
小　　　　　計	（(7)	32,510）	－支払利息増加分180
⋮			
IV　現金及び現金同等物に係る換算差額	（(8)	80）	⇐ 現金預金80(益)
⋮			

問題28−1 連結財務諸表(1)

解 答

連結貸借対照表 （単位：千円）

資　　　産	金　額	負債・純資産	金　額
諸　資　産	88,200	諸　負　債	17,000
の　れ　ん	60	資　本　金	50,000
		利益剰余金	20,300
		非支配株主持分	960
合　　計	88,260	合　　計	88,260

解答への道 （単位：千円）

1　子会社の資産・負債の時価評価

（諸　資　産）※　　　200　（評 価 差 額）　　　200

　※　時価1,000−簿価800＝200

2　連結修正仕訳

（資　本　金）　　2,000　（S 社 株 式）　　2,300

（利益剰余金）　　1,000　（非支配株主持分）※1　960

（評 価 差 額）　　200

（の　れ　ん）※2　　60

　※1　（資本金2,000＋利剰1,000＋評差200）
　　　　×（1−70%）＝960

　※2　差額

問題28−2 連結財務諸表(2)

解 答

連結貸借対照表 （単位：千円）

資　　　産	金　額	負債・純資産	金　額
諸　資　産	111,100	諸　負　債	37,500
の　れ　ん	368	資　本　金	30,000
		利益剰余金	42,348
		非支配株主持分	1,620
合　　計	111,468	合　　計	111,468

連結損益計算書 （単位：千円）

借 方 科 目	金　額	貸 方 科 目	金　額
諸　費　用	398,000	諸　収　益	429,840
のれん償却額	92		
非支配株主に帰属する当期純利益	400		
親会社株主に帰属する当期純利益	31,348		
合　　計	429,840	合　　計	429,840

連結株主資本等変動計算書 （単位：千円）

	資本金	利益剰余金	非支配株主持分
当 期 首 残 高	30,000	16,000	1,260
剰 余 金 の 配 当		△ 5,000	
親会社株主に帰属する当期純利益		31,348	
株主資本以外の当期変動額			360
当 期 末 残 高	30,000	42,348	1,620

解答への道 （単位：千円）

1　子会社の資産・負債の時価評価

（諸　資　産）※1　　100　（諸　負　債）※2　　30

　　　　　　　　　　　　　（評 価 差 額）※3　　70

　※1　時価1,100−簿価1,000＝100

　※2　100×30%＝30

　※3　差額

2　連結修正仕訳

(1) 開始仕訳

（資本金当期首残高）　5,000　（S 社 株 式）　5,500

（利益剰余金当期首残高）1,230　（非支配株主持分当期首残高）※1　1,260

（評 価 差 額）　　70

（の　れ　ん）※2　　460

　※1　（資本金5,000＋利剰1,230＋評差70）×（1
　　　　−80%）＝1,260

　※2　差額

(2) のれんの償却

（のれん償却額）※　　92　（の　れ　ん）　　92

　※　$460 \times \dfrac{1 \, 年}{5 \, 年} = 92$

(3) 子会社純利益の按分

(非支配株主に帰属する当期純利益)※	400	(非支配株主持分当期変動額)	400

　　※　子会社純利益2,000×（1－80%）＝400

(4) 子会社配当金の調整

(非支配株主持分当期変動額)※1	40	(剰余金の配当)	200
(諸　　収　　益)※2	160		

　　※1　子会社配当金200×（1－80%）＝40

　　※2　子会社配当金200×80%＝160

問題28－3 連結財務諸表(3)

解　答

連結貸借対照表　　（単位：千円）

資　　　　産	金　額	負債・純資産	金　　額
諸　資　産	130,500	諸　負　債	37,190
の　れ　ん	432	資　本　金	30,000
		資本剰余金	995
		利益剰余金	56,642
		非支配株主持分	6,105
合　　計	130,932	合　　計	130,932

連結損益計算書　　（単位：千円）

借　方　科　目	金　額	貸　方　科　目	金　　額
諸　費　用	564,000	諸　収　益	597,300
のれん償却額	108		
非支配株主に帰属する当期純利益	2,400		
親会社株主に帰属する当期純利益	30,792		
合　　計	597,300	合　　計	597,300

連結株主資本等変動計算書　　（単位：千円）

	資本金	資本剰余金	利益剰余金	非支配株主持分
当　期　首　残　高	30,000	1,000	35,850	7,540
剰　余　金　の　配　当			△10,000	
親会社の持分変動による資本剰余金の増減額		△　5		
親会社株主に帰属する当期純利益			30,792	
株主資本以外の当期変動額				△　1,435
当　期　末　残　高	30,000	995	56,642	6,105

解答への道　　（単位：千円）

1　子会社の資産・負債の時価評価

(諸　資　産)※1	500	(諸　負　債)※2	150
		(評　価　差　額)※3	350

　　※1　時価5,500－簿価5,000＝500

　　※2　500×30%＝150

　　※3　差額

2　連結修正仕訳

(1) 開始仕訳

(資本金当期首残高)	8,000	(S　社　株　式)	11,850
(資本剰余金当期首残高)	500	(非支配株主持分当期首残高)※1	7,540
(利益剰余金当期首残高)	10,000		
(評　価　差　額)	350		
(の　れ　ん)※2	540		

　　※1　(資本金8,000＋資剰500＋利剰10,000
　　　　　＋評差350)×（1－60%）＝7,540

　　※2　差額

(2) のれんの償却

(のれん償却額)※	108	(の　れ　ん)	108

　　※　$540 \times \dfrac{1 \text{年}}{5 \text{年}} = 108$

(3) 子会社純利益の按分

(非支配株主に帰属する当期純利益)※	2,400	(非支配株主持分当期変動額)	2,400

　　※　子会社純利益6,000×（1－60%）＝2,400

(4) 子会社配当金の調整

(非支配株主持分当期変動額)※1	1,800	(剰余金の配当)	4,500
(諸　収　益)※2	2,700		

　　※1　子会社配当金4,500×（1－60%）＝1,800

　　※2　子会社配当金4,500×60%＝2,700

(5) 子会社株式の追加取得に係る調整

(非支配株主持分当期変動額)※1	2,035	(S　社　株　式)	2,040
(親会社の持分変動による資本剰余金の増減額)※2	5		

　　※1　$(7,540+2,400-1,800) \times \dfrac{10\%}{40\%} = 2,035$

　　※2　差額

| 問題28-4 | 連結財務諸表(4) |

解答

連結損益計算書

自 x 1年4月1日 至 x 2年3月31日（単位：千円）

借方科目	金額	貸方科目	金額
売上原価	35,455	売上高	43,750
貸倒引当金繰入額	53		
のれん償却額	7		
その他の費用	5,268		
非支配株主に帰属する当期純利益	105		
親会社株主に帰属する当期純利益	2,862		
合　　計	43,750	合　　計	43,750

連結株主資本等変動計算書

自 x 1年4月1日 至 x 2年3月31日（単位：千円）

	株　主　資　本			非支配株主持分
	資本金	利益剰余金	株主資本合計	
当期首残高	19,250	7,525	26,775	700
当期変動額				
剰余金の配当		△1,225	△1,225	
当期純利益		2,862	2,862	
株主資本以外の項目の当期変動額				70
当期末残高	19,250	9,162	28,412	770

連結貸借対照表

x 2年3月31日　　　（単位：千円）

借方科目	金額	貸方科目	金額
売　掛　金	9,300	買　掛　金	7,750
貸倒引当金	△93	その他の負債	2,325
商　　品	4,900	資　本　金	19,250
の　れ　ん	133	利益剰余金	9,162
その他の資産	25,017	非支配株主持分	770
合　　計	39,257	合　　計	39,257

解答への道　（単位：千円）

1　子会社の資産・負債の時価評価

（その他の資産）※　　350　（評価差額）　　350

※　x 1年3月31日における時価1,750－帳簿価額1,400＝350

2　開始仕訳

（資本金当期首残高）※2　1,750　（関係会社株式）※1　2,940
（利益剰余金当期首残高）※2　1,400　（非支配株主持分当期首残高）※3　700
（評　価　差　額）　　350
（の　れ　ん）※4　　140

※1　P社B/Sより

※2　S社S/Sより

※3　（資本1,750＋利剰1,400＋評差350）×（1－80%）＝700

※4　差額　または関株2,940－（資本1,750＋利剰1,400＋評差350）×80%＝140

3　のれんの償却

（のれん償却額）※　　7　（の　れ　ん）　　7

※　$140 \times \dfrac{1年}{20年} = 7$

4　子会社の当期純利益の按分

（非支配株主に帰属する当期純利益）※　　105　（非支配株主持分当期変動額）　　105

※　S社当期純利益525×（1－80%）＝105

5　子会社の配当の調整

（受取配当金）※2　　140　（剰余金の配当）※1　175
（非支配株主持分当期変動額）※3　　35

※1　S社S/Sより

※2　175×80%＝140

※3　175×（1－80%）＝35

6　売上高と仕入高の相殺消去

（売　上　高）　3,500　（売上原価）　3,500

7　未実現利益の除去

（売上原価）　105　（商　　品）※　105

※　525×20%＝105

8　売掛金と買掛金の相殺消去

（買　掛　金）　1,700　（売　掛　金）　1,700

9　貸倒引当金の調整

（貸倒引当金）※　　17　（貸倒引当金繰入額）　17

※　売掛金1,700×1%＝17

10　貸付金と借入金の相殺消去

（借　入　金）　5,200　（貸　付　金）　5,200

－381－

11　貸倒引当金の調整

（貸倒引当金）※　　　　52　（貸倒引当金繰入額）　　　52

　　※　貸付金5,200×1％＝52

12　受取利息と支払利息の相殺消去

（受取利息）※　　　　78　（支払利息）　　　　78

　　※　5,200×3％×$\frac{6月}{12月}$＝78

問題28－5　連結財務諸表(5)

解　答

①	6,363	百万円
②	145	百万円
③	6,472	百万円
④	165	百万円

解答への道　（単位：百万円）

1　A社株式取得時（x1年3月31日）

（A　社　株　式）※　　6,270　（現　金　預　金）　　6,270

　　※　個別財務諸表上は「関係会社株式」で処理する。

2　連結財務諸表上の処理（x1年3月31日、のれん相当額の算定）

　　　土地の評価差額：（時価15,600－簿価15,000）×P社持分20％＝120

　　　のれん相当額：6,270－｛（資本金20,000＋利益剰余金10,000）×P社持分20％＋評価差額120｝＝150

3　連結財務諸表上の処理（x2年3月31日）

(1)　のれん相当額の償却

（持分法による投資損益）※　　　　15　（A　社　株　式）　　　　15

　　※　150÷10年＝15

(2)　当期純利益の認識

（A　社　株　式）　　　160　（持分法による投資損益）※　　　160

　　※　800×20％＝160

(3)　配当金の認識

（受取配当金）　　　　52　（A　社　株　式）　　　　52

　　※　260×20％＝52

(4)　連結貸借対照表に計上されるA社株式の額

　　　6,270－15＋160－52＝6,363

　　なお、A社株式は連結貸借対照表上、「投資有価証券」で表示することに留意する。

(5)　連結損益計算書に計上される持分法による投資損益の額

　　　160－15＝145

4　連結財務諸表上の処理（x3年3月31日）

(1)　開始仕訳

（A　社　株　式）※　　　93　（利益剰余金）　　　93

　　※　上記3(1)～(3)より、160－15－52＝93

(2)　のれん相当額の償却

（持分法による投資損益）※　　　　15　（A　社　株　式）　　　　15

　　※　150÷10年＝15

(3)　当期純利益の認識

（A　社　株　式）　　　180　（持分法による投資損益）※　　　180

　　※　900×20％＝180

(4)　配当金の認識

（受取配当金）　　　　56　（A　社　株　式）　　　　56

　　※　280×20％＝56

(5)　連結貸借対照表に計上されるA社株式の額

　　　6,270＋93－15＋180－56＝6,472

　　なお、A社株式は連結貸借対照表上、「投資有価証券」で表示することに留意する。

(6)　連結損益計算書に計上される持分法による投資損益の額

　　　180－15＝165

| 第 29 章 | **特殊商品売買** | 重要度 | B |

問題29－1　割賦販売(1)

解　答

問1

（単位：円）

	借方科目	金　額	貸方科目	金　額
1	割賦売掛金	200,000	割 賦 売 上	200,000
2	現　　　金	20,276	割賦売掛金	20,000
			受 取 利 息	276
3	現　　　金	20,276	割賦売掛金	20,000
			受 取 利 息	276

問2

（単位：円）

	借方科目	金　額	貸方科目	金　額
1	割賦売掛金	200,000	割 賦 売 上	200,000
2	現　　　金	20,276	割賦売掛金	19,776
			受 取 利 息	500
3	現　　　金	20,276	割賦売掛金	19,825
			受 取 利 息	451

解答への道　（単位：円）

問1　定額法

1　X 2 年 4 月 1 日

（割賦売掛金）　200,000　（割 賦 売 上）※　200,000

※　現金販売価格

2　X 2 年 5 月 1 日

（現　　　金）　20,276　（割賦売掛金）※2　20,000

（受 取 利 息）※1　276

※1　$(202,760-200,000) \times \dfrac{1回}{10回} = 276$

※2　差額

3　X 2 年 6 月 1 日

（現　　　金）　20,276　（割賦売掛金）※2　20,000

（受 取 利 息）※1　276

※1　$(202,760-200,000) \times \dfrac{1回}{10回} = 276$

※2　差額

問2　利息法

1　X 2 年 4 月 1 日

（割賦売掛金）　200,000　（割 賦 売 上）※　200,000

※　現金販売価格

2　X 2 年 5 月 1 日

（現　　　金）　20,276　（割賦売掛金）※2　19,776

（受 取 利 息）※1　500

※1　$200,000 \times 3\% \times \dfrac{1月}{12月} = 500$

※2　差額

3　X 2 年 6 月 1 日

（現　　　金）　20,276　（割賦売掛金）※2　19,825

（受 取 利 息）※1　451

※1　$(200,000-19,776) \times 3\% \times \dfrac{1月}{12月}$
　　　$= 451$（円未満四捨五入）

※2　差額

問題29－2　割賦販売(2)

解　答

（単位：円）

	借方科目	金　額	貸方科目	金　額
(1)	割賦売掛金	707,153	割 賦 売 上	707,153
(2)	現　　　金	250,000	割賦売掛金	228,785
			受 取 利 息	21,215
(3)	現　　　金	250,000	割賦売掛金	235,649
			受 取 利 息	14,351

解答への道　（単位：円）

1　X 1 年 4 月 1 日

（割賦売掛金）　707,153　（割 賦 売 上）※　707,153

※　$250,000 \div 1.03 + 250,000 \div 1.03^2 + 250,000$
　　　$\div 1.03^3 = 707,153$（円未満四捨五入）

2　X2年3月31日

（現　　　金）　250,000　（割賦売掛金）※2　228,785

　　　　　　　　　　　　　　　（受 取 利 息）※1　 21,215

※1　707,153×3％＝21,215（円未満四捨五入）

※2　差額

3　X3年3月31日

（現　　　金）　250,000　（割賦売掛金）※2　235,649

　　　　　　　　　　　　　　　（受 取 利 息）※1　 14,351

※1　（707,153－228,785）×3％

　　　＝14,351（円未満四捨五入）

※2　差額

問題29－3　割賦販売(3)

解　答

1　X1年4月1日　　　　　　　　　　　　（単位：千円）

借 方 科 目	金 額	貸 方 科 目	金 額
割 賦 売 掛 金	22,900	割 賦 売 上	22,900

2　X2年3月31日　　　　　　　　　　　　（単位：千円）

借 方 科 目	金 額	貸 方 科 目	金 額
現　　　　金	5,000	割 賦 売 掛 金	4,313
		受 取 利 息	687

3　X3年3月31日　　　　　　　　　　　　（単位：千円）

借 方 科 目	金 額	貸 方 科 目	金 額
現　　　　金	5,000	割 賦 売 掛 金	4,442
		受 取 利 息	558

4　X4年3月31日　　　　　　　　　　　　（単位：千円）

借 方 科 目	金 額	貸 方 科 目	金 額
現　　　　金	5,000	割 賦 売 掛 金	4,576
		受 取 利 息	424

5　X5年3月31日　　　　　　　　　　　　（単位：千円）

借 方 科 目	金 額	貸 方 科 目	金 額
現　　　　金	5,000	割 賦 売 掛 金	4,713
		受 取 利 息	287

6　X6年3月31日　　　　　　　　　　　　（単位：千円）

借 方 科 目	金 額	貸 方 科 目	金 額
現　　　　金	5,000	割 賦 売 掛 金	4,856
		受 取 利 息	144

解答への道　　（単位：千円）

1　X1年4月1日

（割賦売掛金）　22,900　（割 賦 売 上）※　22,900

※　5,000×4.58＝22,900

2　X2年3月31日

（現　　　金）　5,000　（割賦売掛金）※2　4,313

　　　　　　　　　　　　　　（受 取 利 息）※1　687

※1　22,900×3％＝687

※2　差額

3　X3年3月31日

（現　　　金）　5,000　（割賦売掛金）※2　4,442

　　　　　　　　　　　　　　（受 取 利 息）※1　558

※1　（22,900－4,313）×3％

　　　＝558（千円未満四捨五入）

※2　差額

4　X4年3月31日

（現　　　金）　5,000　（割賦売掛金）※2　4,576

　　　　　　　　　　　　　　（受 取 利 息）※1　424

※1　（22,900－4,313－4,442）×3％

　　　＝424（千円未満四捨五入）

※2　差額

5　X5年3月31日

（現　　　金）　5,000　（割賦売掛金）※2　4,713

　　　　　　　　　　　　　　（受 取 利 息）※1　287

※1　（22,900－4,313－4,442－4,576）×3％

　　　＝287（千円未満四捨五入）

※2　差額

6　X6年3月31日

（現　　　金）　5,000　（割賦売掛金）※1　4,856

　　　　　　　　　　　　　　（受 取 利 息）※2　144

※1　22,900－4,313－4,442－4,576－4,713

　　　＝4,856

※2　差額

問題29-4 未着品売買(1)

解 答

決算整理後残高試算表 （単位：千円）

繰越商品	23,500	一般売上	295,000
未 着 品	2,200	未着品売上	10,000
仕 入	185,000		

解答への道 （単位：千円）

1 現品引取

（仕 入） 12,000 （未 着 品） 12,000

2 期末商品の算定

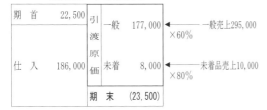

一般販売＋未着品販売

期首	22,500	引渡原価	一般	177,000	← 一般売上295,000 ×60%
仕入	186,000		未着	8,000	← 未着品売上10,000 ×80%
		期 末	（23,500）		

3 引渡原価の算定

（仕 入） 22,500 （繰越商品） 22,500

（繰越商品）※ 23,500 （仕 入） 23,500

※ 上記2参照

問題29-5 未着品売買(2)

解 答

問1

決算整理前残高試算表 （一部） （単位：千円）

繰越商品	（ 2,700）	一般売上	（ 470,925）
未 着 品	（ 1,080）	未着品売上	（ 90,000）
仕 入	（ 449,820）		

決算整理後残高試算表 （一部） （単位：千円）

繰越商品	（ 3,780）	一般売上	（ 470,925）
未 着 品	（ 1,080）	未着品売上	（ 90,000）
仕 入	（ 448,740）		

問2

決算整理前残高試算表 （一部） （単位：千円）

繰越商品	（ 2,700）	一般売上	（ 470,925）
未 着 品	（ 73,080）	未着品売上	（ 90,000）
仕 入	（ 377,820）		

決算整理後残高試算表 （一部） （単位：千円）

繰越商品	（ 3,780）	一般売上	（ 470,925）
未 着 品	（ 1,080）	未着品売上	（ 90,000）
仕 入	（ 448,740）		

解答への道 （単位：千円）

問1

1 期首残高

期首試算表

繰越商品	2,700	
未 着 品	900	

2 仕入（貨物代表証券を除く）

（仕 入） 270,000 （買 掛 金） 270,000

3 貨物代表証券の購入

（未 着 品） 180,000 （買 掛 金） 180,000

4 現品引取

（仕 入） 107,820 （未 着 品） 107,820

5 貨物代表証券の販売

（売 掛 金） 90,000 （未着品売上） 90,000

（仕 入） 72,000 （未 着 品）※ 72,000

※ 期首900＋購入180,000－引取107,820

 －期末1,080＝72,000

6 一般販売

（売 掛 金） 470,925 （一 般 売 上） 470,925

7 決算整理

（仕 入） 2,700 （繰越商品） 2,700

（繰越商品） 3,780 （仕 入） 3,780

問2

1 期首残高

期首試算表

繰越商品	2,700	
未 着 品	900	

2 仕入（貨物代表証券を除く）

（仕 入） 270,000 （買 掛 金） 270,000

3　貨物代表証券の購入

（未　着　品）　180,000　（買　掛　金）　180,000

4　現品引取

（仕　　　　入）　107,820　（未　着　品）　107,820

5　貨物代表証券の販売

（売　掛　金）　90,000　（未着品売上）　90,000

6　一般販売

（売　掛　金）　470,925　（一 般 売 上）　470,925

7　決算整理

(1)　手許商品

（仕　　　　入）　2,700　（繰 越 商 品）　2,700

（繰 越 商 品）　3,780　（仕　　　　入）　3,780

(2)　未着品

（仕　　　　入）　72,000　（未　着　品）※　72,000

　　※　期首900＋購入180,000－引取107,820

　　　　－期末1,080＝72,000

問題29－6　未着品売買(3)

解　答

（単位：千円）

借 方 科 目	金　額	貸 方 科 目	金　額
未　着　品	36,000	支 払 手 形	28,800
		買　掛　金	7,200
仕　　　入	18,000	未　着　品	18,000
仕　　　入	98,400	繰 越 商 品	98,400
繰 越 商 品	111,000	仕　　　入	111,000
仕　　　入	280,800	未　着　品	280,800

解答への道　（単位：千円）

(1)　未処理の修正

①　貨物代表証券の購入

（未　着　品）　36,000　（支 払 手 形）※1　28,800

　　　　　　　　　　　　（買　掛　金）※2　7,200

　　※1　36,000×80％＝28,800

　　※2　差額

②　現品引取

（仕　　　　入）　18,000　（未　着　品）　18,000

(2)　決算整理

①　手許商品

（仕　　　　入）　98,400　（繰 越 商 品）　98,400

（繰 越 商 品）　111,000　（仕　　　　入）　111,000

②　未着品

（仕　　　　入）　280,800　（未　着　品）※　280,800

　　※　312,000×90％＝280,800

問題29－7　委託販売(1)

解　答

決算整理後残高試算表　（単位：千円）

委 託 販 売	（ 25,600）	一 般 売 上	245,000
繰 越 商 品	（ 18,000）	積送品売上	（ 46,800）
積 送 品	（ 5,500）		
仕　　　入	（234,500）		

解答への道　（単位：千円）

(1)　積送売上（委託者手取額基準）

（委 託 販 売）　2,600　（積送品売上）　2,600

（仕　　　　入）　2,100　（積 送 品）　2,100

　　※　3,000×70％＝2,100

(2)　売上原価

①　手許商品

（仕　　　　入）　16,400　（繰 越 商 品）　16,400

（繰 越 商 品）　18,000　（仕　　　　入）　18,000

②　積送品 ⇨ 仕訳不要

　　その都度法によるため、決算時の処理は不要である。

問題29－8　委託販売(2)

解　答

問1	問2	問3
1,306,000 千円	234,000 千円	19,200 千円

期中取引 （単位：千円）

		借方科目	金額	貸方科目	金額
(1)		仕　入	1,306,000	買　掛　金	1,306,000
(2)	①	積　送　品	200,000	仕　入	200,000
		積送諸掛費	20,000	現金預金	20,000
	②	積送売掛金	234,000	積送品売上	234,000
		仕　入	180,000	積　送　品	180,000
	③	現　金　預　金	284,000	積送売掛金	284,000

決算整理 （単位：千円）

	借方科目	金額	貸方科目	金額
一　般	仕　入	143,000	繰越商品	143,000
	繰越商品	159,000	仕　入	159,000
委　託	積送諸掛費	2,200	繰延積送諸掛	2,200
	繰延積送諸掛	3,000	積送諸掛費	3,000

《総勘定元帳》 （単位：千円）

仕　　入

(1)	買　掛　金	(1,306,000)	(2)①	(積　送　品)	(200,000)
(2)②	(積　送　品)	(180,000)	3/31	(繰越商品)	(159,000)
3/31	(繰越商品)	(143,000)	〃	損　益	(1,270,000)
		(1,629,000)			(1,629,000)

積　送　売　掛　金

4/1	前期繰越	(64,000)	(2)③	(現金預金)	(284,000)
(2)②	(積送品売上)	(234,000)	3/31	次期繰越	(14,000)
		(298,000)			(298,000)

積　送　諸　掛　費

(2)①	(現金預金)	(20,000)	3/31	(繰延積送諸掛)	(3,000)
3/31	(繰延積送諸掛)	(2,200)	〃	損　益	(19,200)
		(22,200)			(22,200)

解答への道 （単位：千円）

(1) 当期仕入

（仕　　入)※ 1,306,000　（買　掛　金）1,306,000

※　下記(4)仕入a/c参照。

(2) 委託販売

① 積送時

（積　送　品）200,000　（仕　　　入）200,000

（積送諸掛費）20,000　（現　金　預　金）20,000

② 積送品売上計上時

（積送売掛金）234,000　（積送品売上)※ 234,000

（仕　　　入）180,000　（積　送　品）180,000

※　下記(4)積送売掛金a/c参照。

③ 回収時

（現　金　預　金）284,000　（積送売掛金）284,000

(3) 決算時

① 一般販売

（仕　　　入）143,000　（繰　越　商　品）143,000

（繰　越　商　品）159,000　（仕　　　入）159,000

② 発送諸掛

（積送諸掛費）2,200　（繰延積送諸掛）2,200

（繰延積送諸掛）3,000　（積送諸掛費）3,000

(4) 勘定記入

仕　　　入

問1 ⇨ 買掛金	(1,306,000)	積　送　品	200,000
	差　額	繰越商品	159,000
積送品	180,000	損益 1,270,000	
繰越商品	143,000	（当期末損益a/cより）	

積送売掛金

前期繰越 64,000 （前期末残高a/cより）	現金預金	284,000
問2 ⇨ 積送品売上 (234,000) 差　額	次期繰越 14,000 （当期末残高a/cより）	

積送諸掛費

現金預金 20,000	繰延諸掛 3,000 （当期末残高a/cより）	
繰延諸掛 2,200 （前期末残高a/cより）	損益 19,200 ⇦問3 差　額	

問題29-9 試用販売(1)

解答

決算整理後残高試算表 （単位：千円）

繰越商品	4,100	一　般　売　上	54,000
繰越試用品	2,560	試　用　売　上	35,600
試用未収金	4,000	試用仮売上	4,000
仕　　　入	65,840		

解答への道　（単位：千円）

1　決算整理前残高試算表の試用売上勘定

試用売上勘定の金額は、買取意思表示分であるため、試用未収金勘定を分析して買取意思表示分を求める。

試　用　未　収　金

期首	3,600※	買取意思表示	
			（ 35,000 ）←差額
当期試送高			
	36,000	前T/B4,600	

※　期首繰越試用品2,160÷前期原価率60％＝3,600

2　買取意思表示の未処理分

（売　掛　金）	600	（試 用 売 上）	600
（試用仮売上）	600	（試用未収金）	600

3　決算整理

（仕　　　　入）	3,000	（繰 越 商 品）	3,000
（繰 越 商 品）	4,100	（仕　　　　入）	4,100
（仕　　　　入）	2,160	（繰越試用品）	2,160
（繰越試用品）※	2,560	（仕　　　　入）	2,560

※　（前T/B試用未収金4,600−買取意思表示分600）
　　×当期原価率64％＝2,560

問題29−10　**試用販売(2)**

解　答

決算整理後残高試算表　（単位：千円）

繰 越 商 品	4,100	一 般 売 上	54,000
繰 越 試 用 品	2,560	試 用 売 上	35,600
試 用 未 収 金	4,000	試 用 仮 売 上	4,000
仕　　　　入	65,840		

解答への道　（単位：千円）

1　買取意思表示の未処理分

（売　掛　金）	600	（試 用 売 上）	600
（試用仮売上）	600	（試用未収金）	600

2　決算整理

（仕　　　　入）	3,000	（繰 越 商 品）	3,000
（繰 越 商 品）	4,100	（仕　　　　入）	4,100
（仕　　　　入）	2,160	（繰越試用品）	2,160
（繰越試用品）※	2,560	（仕　　　　入）	2,560

※　（前T/B試用未収金4,600−買取意思表示分600）
　　×当期原価率 $\dfrac{0.8}{1.25}$（下記3参照）＝2,560

3　当期の試用販売原価率の算定

一般販売の引渡分と**試用販売の試送高**（当期引渡分）より当期の原価率を求める。

一般＋試用　　　　　　　　一般売価ベース

一般販売原価率：0.8

試用販売原価率：$\dfrac{0.8}{1.25}$

4　試用売上勘定の分析（参考）

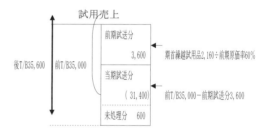

5　仕入勘定の分析（参考）

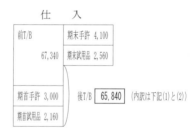

(1)　一般販売売上原価：一般売上54,000×原価率0.8
　　　　　　　　　　　＝43,200

(2)　試用販売売上原価：前期試送分2,160
　　　　　　　　当期試送分（31,400＋600）×
　　　　　　　　$\dfrac{0.8}{1.25}$＝20,480

問題29−11　**試用販売(3)**

解　答

決算整理後残高試算表　（単位：千円）

繰 越 商 品	（ 7,700）	一 般 売 上	104,300
試 用 品	（ 6,300）	試用品売上	37,800
仕　　　　入	（95,060）		

解答への道 （単位：千円）

1 手許商品

（仕　　　　　入）	4,900	（繰 越 商 品）	4,900
（繰 越 商 品）	7,700	（仕　　　　　入）	7,700

2 試用品

(1) 試用販売原価率の算定

一 般 販 売

（注）試用販売に関して手許商品区分法（期末一括法）
を採用しているため、前T/Bの仕入勘定の金額は、
一般販売仕入高となる。

(2) 会計処理

（仕　　　　　入）	22,050	（試 用 品）	22,050

※　$37,800 \times \dfrac{0.7}{1.2} = 22,050$

問題29－12 複合問題

解答

決算整理後残高試算表（一部）　（単位：千円）

繰 越 商 品	（ 90,000）	一 般 売 上	1,780,000
繰 越 試 用 品	（ 4,500）	積 送 品 売 上	858,000
積 送 品	（ 18,750）	試 用 品 売 上	147,500
仕　　　　　入	（1,959,750）	試 用 仮 売 上	7,500
試 用 未 収 金	7,500		

解答への道 （単位：千円）

1 原価率の算定

(1) 一般販売原価率の算定

委託販売は期末一括法により処理しているため、
一般販売＋試用販売で算定する。また、試用販売に
ついては期首試用品売価と当期試送売価の内訳が不
明であるが、原価率は毎期一定であるため、まとめ
て算定する。

① 引渡原価（一般＋試用）：期首手許75,000＋前T/B
仕入1,440,000－期末手許90,000＝1,425,000

② 一般販売原価率：

$$\dfrac{\text{引渡}1,425,000 + \text{期首試用品}3,000}{\text{一般売上}1,780,000 + \text{試用売価}(147,500+7,500) \div 1.25}$$

$$= 0.75$$

(2) 委託販売原価率：$\dfrac{0.75}{1.2} = 0.625$

(3) 試用販売原価率：$\dfrac{0.75}{1.25} = 0.6$

2 手許商品

（仕　　　　　入）	75,000	（繰 越 商 品）	75,000
（繰 越 商 品）	90,000	（仕　　　　　入）	90,000

3 積送品

（仕　　　　　入）	536,250	（積 送 品）※	536,250

※　積送品売上858,000×原価率0.625＝536,250

4 試用品

（仕　　　　　入）	3,000	（繰越試用品）	3,000
（繰越試用品）※	4,500	（仕　　　　　入）	4,500

※　試用未収金7,500×原価率0.6＝4,500

問題30－1 収益認識(1)

解 答

問1

(単位：円)

	借 方 科 目	金 額	貸 方 科 目	金 額
2	売 掛 金	800,000	売 上	800,000
3	売 掛 金	200,000	売 上	200,000
4	売 掛 金	270,000	売 上	270,000

問2

(単位：円)

	借 方 科 目	金 額	貸 方 科 目	金 額
2	売 掛 金	800,000	売 上	800,000
3	売 掛 金	188,000	売 上	188,000
4	売 掛 金	282,000	売 上	282,000

解答への道 (単位：円)

問1 追加販売分について、別個の独立した契約として処理した場合

1 ×1年4月1日 (当初契約時)

(仕 訳 な し)

2 ×1年4月15日 (800個販売時)

(売 掛 金) 800,000 (売 上)※ 800,000

※ @1,000×800個＝800,000

3 ×1年4月30日 (200個販売時)

(売 掛 金) 200,000 (売 上)※ 200,000

※ @1,000×200個＝200,000

4 ×1年5月10日 (300個販売時)

(売 掛 金) 270,000 (売 上)※ 270,000

※ @900×300個＝270,000

問2 追加販売分について、既存の契約を解約して新しい契約を締結したものと仮定して処理した場合

1 ×1年4月1日 (当初契約時)

(仕 訳 な し)

2 ×1年4月15日 (800個販売時)

(売 掛 金) 800,000 (売 上)※ 800,000

※ @1,000×800個＝800,000

3 ×1年4月30日 (200個販売時)

(売 掛 金) 188,000 (売 上)※ 188,000

$$※(1) \quad \frac{@1,000×200個＋@900×300個}{200個＋300個}＝@940$$

(2) @940×200個＝188,000

4 ×1年5月10日 (300個販売時)

(売 掛 金) 282,000 (売 上)※ 282,000

※ @940×300個＝282,000

問題30－2 収益認識(2)

解 答

問1 取引価格について期待値を採用した場合

118,000	円

問2 取引価格について最頻値を採用した場合

120,000	円

解答への道 (単位：円)

問1 取引価格について期待値を採用した場合

100,000×30％＋120,000×50％＋140,000×20％＝118,000

問題30－3 収益認識(3)

解 答

問1

(単位：円)

	借 方 科 目	金 額	貸 方 科 目	金 額
1	売 掛 金	20,000	売 上	20,000
2	売 掛 金	50,000	売 上	43,000
			返 金 負 債	7,000

問2

（単位：円）

借方科目	金額	貸方科目	金額
売　掛　金	10,000	売　　　上	9,700
		返　金　負　債	300

解答への道 （単位：円）

問1

1　200個販売時

（売　掛　金）　　20,000　（売　　　上）※　20,000

　※　@100×200個＝20,000

2　500個販売時

（売　掛　金）※1　50,000　（売　　　上）※2　43,000

　　　　　　　　　　　　　　（返　金　負　債）※3　7,000

　※1　@100×500個＝50,000

　※2　@90×500個－（@100－@90）×200個

　　　　＝43,000

　※3　差額

問題30－4 収益認識(4)

解　答

（単位：円）

	借方科目	金額	貸方科目	金額
1	現　　　金	500,000	売　　　上	495,000
			返　金　負　債	5,000
	売　上　原　価	297,000	商　　　品	300,000
	返　品　資　産	3,000		
2	返　金　負　債	5,000	現　　　金	5,000
	商　　　品	3,000	返　品　資　産	3,000

解答への道 （単位：円）

1　商品販売時

(1) 売価

（現　　　金）※1　500,000　（売　　　上）※2　495,000

　　　　　　　　　　　　　　（返　金　負　債）※3　5,000

　※1　@500×1,000個＝500,000

　※2　@500×(1,000個－返品見込10個)＝495,000

　※3　@500×返品見込10個＝5,000

(2) 原価

（売上原価）※2　297,000　（商　　　品）※1　300,000

（返品資産）※3　3,000

　※1　@300×1,000個＝300,000

　※2　@300×(1,000個－返品見込10個)＝297,000

　※3　@300×返品見込10個＝3,000

2　返品時

(1) 売価

（返　金　負　債）※　5,000　（現　　　金）　5,000

　※　@500×返品10個＝5,000

(2) 原価

（商　　　品）　3,000　（返品資産）※　3,000

　※　@300×返品10個＝3,000

問題30－5 収益認識(5)

解　答

（単位：円）

		借方科目	金額	貸方科目	金額
1	(1)	現　　　金	25,000	売　　　上	24,752
				契　約　負　債	248
	(2)	契　約　負　債	248	売　　　上	248
2	(1)	現　　　金	30,000	売　　　上	29,762
				契　約　負　債	238
	(2)	契　約　負　債	198	売　　　上	198
3	(1)	現　　　金	20,000	売　　　上	19,802
				契　約　負　債	198
	(2)	現　　　金	29,800	売　　　上	29,505
				契　約　負　債	295
		契　約　負　債	198	売　　　上	198

解答への道 （単位：円）

1 (1) 商品販売時

（現　　　金）　25,000　（売　　　上）※1　24,752

　　　　　　　　　　　　　（契　約　負　債）※2　248

　※1　25,000×1％＝250

　　　$25,000×\dfrac{25,000}{25,000+250}$

　　　＝24,752（円未満四捨五入）

　※2　$25,000×\dfrac{250}{25,000+250}$

　　　＝248（円未満四捨五入）

(2) ポイント使用時

| (契 約 負 債)※ | 248 | (売 上) | 248 |

※　$248 \times \dfrac{250}{250} = 248$

2 (1) 商品販売時

| (現 金) | 30,000 | (売 上)※1 | 29,762 |
| | | (契 約 負 債)※2 | 238 |

※1　$30,000 \times 1\% = 300$

$300 \times 80\% = 240$

$30,000 \times \dfrac{30,000}{30,000+240}$

　　$= 29,762$（円未満四捨五入）

※2　$30,000 \times \dfrac{240}{30,000+240}$

　　$= 238$（円未満四捨五入）

(2) ポイント使用時

| (契 約 負 債) | 198 | (売 上)※ | 198 |

※　$238 \times \dfrac{200}{240} = 198$（円未満四捨五入）

3 (1) 商品販売時

| (現 金) | 20,000 | (売 上)※1 | 19,802 |
| | | (契 約 負 債)※2 | 198 |

※1　$20,000 \times 1\% = 200$

$20,000 \times \dfrac{20,000}{20,000+200}$

　　$= 19,802$（円未満四捨五入）

※2　$20,000 \times \dfrac{200}{20,000+200}$

　　$= 198$（円未満四捨五入）

(2) 商品販売時

① 商品の販売

| (現 金)※1 | 29,800 | (売 上)※2 | 29,505 |
| | | (契 約 負 債)※3 | 295 |

※1　$30,000 -$ ポイント$200 = 29,800$

※2　$29,800 \times 1\% = 298$

$29,800 \times \dfrac{29,800}{29,800+298}$

　　$= 29,505$（円未満四捨五入）

※3　$29,800 \times \dfrac{298}{29,800+298}$

　　$= 295$（円未満四捨五入）

② ポイント使用

| (契 約 負 債)※ | 198 | (売 上) | 198 |

※　$198 \times \dfrac{200}{200} = 198$

問題30-6　収益認識(6)

解　答

（単位：円）

	借 方 科 目	金 額	貸 方 科 目	金 額
1	現 金	10,000	売 上	9,800
			未 払 金	200
2	未 払 金	200	現 金	200

解答への道　（単位：円）

1　商品販売時

| (現 金) | 10,000 | (売 上)※2 | 9,800 |
| | | (未 払 金)※1 | 200 |

※1　$10,000 \times \dfrac{2}{100} = 200$

※2　$10,000 - 200 = 9,800$

2　ポイント相当額の支払時

| (未 払 金) | 200 | (現 金) | 200 |

問題30-7　収益認識(7)

解　答

決算整理後残高試算表(一部)　（単位：千円）

売 掛 金	(358,800)	返 金 負 債	(600)
商 品	(13,500)	売 上	(3,815,400)
返 品 資 産	(450)		
売 上 原 価	(2,861,550)		

解答への道　（単位：千円）

1　返品に係る修正

(1) 売上高

| (返 金 負 債) | 1,200 | (売 掛 金) | 1,200 |

(2) 原価

| (商 品) | 900 | (返 品 資 産) | 900 |

2　返品見込分の修正

(1) 売上高

| (売 上) | 600 | (返 金 負 債)※ | 600 |

※　@120×5個$= 600$

(2) 原価

| (返 品 資 産)※ | 450 | (売 上 原 価) | 450 |

※　@90×5個$= 450$

問題30−8 収益認識(8)

解答

決算整理後残高試算表(一部) (単位:円)

契 約 負 債	(430,622)
売 上	(49,569,378)

解答への道 (単位:円)

1 商品販売時の修正

(売　　　上) 2,153,110 (契 約 負 債)※ 2,153,110

※ $50,000,000 \times \dfrac{2,250,000}{50,000,000+2,250,000}$
　 $=2,153,110$(円未満四捨五入)

2 ポイント使用分の処理

(契 約 負 債)※ 1,722,488 (売　　　上) 1,722,488

※ $2,153,110 \times \dfrac{1,800,000}{2,250,000} = 1,722,488$

問題30−9 収益認識(9)

解答

(単位:千円)

	借 方 科 目	金 額	貸 方 科 目	金 額
1	現　　　金	100,000	売　　　上	94,000
			返 金 負 債	6,000
2	現　　　金	90,000	売　　　上	94,000
	返 金 負 債	4,000		
3	現　　　金	45,000	売　　　上	47,000
	返 金 負 債	2,000		

解答への道 (単位:千円)

1 取引価格の算定
　$\dfrac{@100 \times 1,000個 + @90 \times 1,500個}{2,500個} \rightarrow @94$

2 商品1,000個の販売

(現　　　金)※1 100,000 (売　　　上)※2 94,000

　　　　　　　　　　　　 (返 金 負 債)※3 6,000

　※1 @100×1,000個=100,000

　※2 @94×1,000個=94,000

　※3 差額

3 商品1,000個の販売

(現　　　金)※1 90,000 (売　　　上)※2 94,000

(返 金 負 債)※3 4,000

　※1 @90×1,000個=90,000

　※2 @94×1,000個=94,000

　※3 差額

4 商品500個の販売

(現　　　金)※1 45,000 (売　　　上)※2 47,000

(返 金 負 債)※3 2,000

　※1 @90×500個=45,000

　※2 @94×500個=47,000

　※3 差額

問題30−10 建設業(1)

解答

問1

x 1 年度:	62,500	千円
x 2 年度:	125,000	千円
x 3 年度:	62,500	千円

問2

x 1 年度:	45,000	千円
x 2 年度:	90,000	千円
x 3 年度:	115,000	千円

問3

	工事原価	工事収益
x 4 年度	87,000千円	90,000千円
x 5 年度	158,000千円	150,000千円
x 6 年度	64,000千円	60,000千円

解答への道 (単位:千円)

問1

1 x 1 年度工事収益
　$250,000 \times \dfrac{45,000}{180,000} = 62,500$

2 x 2 年度工事収益
　$250,000 \times \dfrac{90,000}{180,000} = 125,000$

3 x 3 年度工事収益
　$250,000 - (x 1 年度62,500 + x 2 年度125,000)$
　$= 62,500$

問2 原価回収基準

1 x 1 年度収益:45,000(= x 1 年度工事原価)

2 x 2 年度収益:90,000(= x 2 年度工事原価)

3 x 3 年度収益：250,000－（x 1 年度45,000
＋x 2 年度90,000）＝115,000

問3

1 x 4 年度
(1) 工事収益：$300,000 \times \dfrac{87,000}{290,000} = 90,000$
(2) 工事原価：87,000
(3) 工事損益：90,000－87,000＝3,000（利益）

2 x 5 年度
(1) 工事収益：$300,000 \times \dfrac{87,000+157,000}{305,000}$
－90,000＝150,000
(2) 工事損失引当金繰入額
① 工事損失引当金計上額前の工事損益：収益
150,000－原価157,000＝△7,000（損失）
② 工事損失引当金
(a) 損失総額：収益300,000　変更後見積工事原価総
額305,000＝△5,000
(b) 工事損失引当金：損失総額5,000－（x 5 年度損
失7,000－x 4 年度利益3,000）＝1,000
(3) 工事原価：発生額157,000＋工事損失引当金繰入額
1,000＝158,000

3 x 6 年度
(1) 工事収益：300,000－（x 4 年度90,000＋x 5 年度
150,000）＝60,000
(2) 工事原価：発生額65,000－工事損失引当金戻入額
1,000＝64,000

問題30-11 建設業(2)

解答

(1) 工事収益	40,000	千円
(2) 工事原価（売上原価）	28,800	千円
(3) 完成工事未収入金	5,000	千円
(4) 契約資産	12,000	千円
(5) 契約負債	3,000	千円

解答への道 （単位：千円）

1 A工事
(1) 工事収益：$30,000 - 30,000 \times \dfrac{12,600}{21,000} = 12,000$
(2) 工事原価（売上原価）：当期発生原価9,000
(3) 完成工事未収入金：請負30,000－入金25,000

＝5,000
(4) 契約資産：ゼロ
(5) 契約負債：ゼロ

2 B工事
(1) 工事収益：$50,000 \times \dfrac{3,000+16,800}{33,000} - 50,000$
$\times \dfrac{3,000}{30,000} = 25,000$
(2) 工事原価（売上原価）：当期発生原価16,800
(3) 完成工事未収入金：ゼロ
(4) 契約資産：$50,000 \times \dfrac{3,000+16,800}{33,000} - 18,000$
＝12,000
(5) 契約負債：ゼロ

3 C工事
(1) 工事収益：3,000（当期発生原価と同額）
(2) 工事原価（売上原価）：当期発生原価3,000
(3) 完成工事未収入金：ゼロ
(4) 契約資産：ゼロ
(5) 契約負債：入金5,000－収益3,000＝2,000

4 D工事
(1) 工事収益：ゼロ
(2) 工事原価（売上原価）：ゼロ
(3) 完成工事未収入金：ゼロ
(4) 契約資産：ゼロ
(5) 契約負債：入金1,000

5 集計

	A工事	B工事	C工事	D工事	合計
(1) 工事収益	12,000	25,000	3,000	－	40,000
(2) 工事原価	9,000	16,800	3,000	－	28,800
(3) 完成工事未収入金	5,000	－	－	－	5,000
(4) 契約資産	－	12,000	－	－	12,000
(5) 契約負債	－	－	2,000	1,000	3,000

問題30-12 建設業(3)

解答

(1) 工事収益	69,200	千円
(2) 工事原価（売上原価）	44,700	千円
(3) 完成工事未収入金	17,000	千円
(4) 契約資産	0	千円

(5) 契約負債 　　　　　　　　　16,000 千円

解答への道 （単位：千円）

1　甲工事

(1) 工事収益：$80,000 \times \dfrac{9,600 + 17,900}{50,000} - 80,000$

$\times \dfrac{9,600}{48,000} = 28,000$

(2) 工事原価（売上原価）：当期発生原価17,900

(3) 完成工事未収入金：ゼロ

(4) 契約資産：ゼロ

(5) 契約負債：入金60,000 − 収益80,000

$\times \dfrac{9,600 + 17,900}{50,000} = 16,000$

2　乙工事

(1) 工事収益：$60,000 - 60,000 \times \dfrac{24,000}{40,000} = 24,000$

(2) 工事原価（売上原価）：当期発生原価18,000

(3) 完成工事未収入金：請負60,000 − 入金50,000

$= 10,000$

(4) 契約資産：ゼロ

(5) 契約負債：ゼロ

3　丙工事

(1) 工事収益：請負価額22,000 − 前期収益8,800

$= 13,200$

(2) 工事原価（売上原価）：当期発生原価6,000

(3) 完成工事未収入金：請負価額22,000 − 入金15,000

$= 7,000$

(4) 契約資産：ゼロ

(5) 契約負債：ゼロ

4　丁工事

(1) 工事収益：請負価額4,000

(2) 工事原価（売上原価）：前期1,000 + 当期1,800

$= 2,800$

(3) 完成工事未収入金：請負価額4,000 − 入金4,000 = 0

(4) 契約資産：ゼロ

(5) 契約負債：ゼロ

5　集計

	甲工事	乙工事	丙工事	丁工事	合計
(1) 工事収益	28,000	24,000	13,200	4,000	69,200
(2) 工事原価	17,900	18,000	6,000	2,800	44,700
(3) 完成工事未収入金	−	10,000	7,000	−	17,000
(4) 契約資産	−	−	−	−	0
(5) 契約負債	16,000	−	−	−	16,000

問題30−13 建設業(4)

解 答

(1) 工事収益 　　　　　　　　89,300 千円

(2) 工事原価（売上原価）　　70,900 千円

(3) 完成工事未収入金 　　　　25,800 千円

(4) 契約資産 　　　　　　　　21,500 千円

(5) 契約負債 　　　　　　　　 3,000 千円

(6) 工事損失引当金 　　　　　　 500 千円

解答への道 （単位：千円）

1　A工事

(1) 工事収益：$76,800 - 76,800 \times \dfrac{40,000}{51,200} = 16,800$

(2) 工事原価（売上原価）：当期発生原価12,800

(3) 完成工事未収入金：請負76,800 − 入金62,000

$= 14,800$

(4) 契約資産：ゼロ

(5) 契約負債：ゼロ

(6) 工事損失引当金：ゼロ

2　B工事

(1) 工事収益：$60,000 \times \dfrac{18,000}{45,000} = 24,000$

(2) 工事原価（売上原価）：当期発生原価18,000

(3) 完成工事未収入金：ゼロ

(4) 契約資産：$60,000 \times \dfrac{13,500 + 18,000}{45,000}$

$-$ 入金28,000 = 14,000

(5) 契約負債：ゼロ

(6) 工事損失引当金：ゼロ

3　C工事

(1) 工事収益：請負価額36,000 − 前期収益10,000

$= 26,000$

(2) 工事原価（売上原価）：当期発生原価15,000

(3) 完成工事未収入金：請負価額36,000－入金25,000

　＝11,000

(4) 契約資産：ゼロ

(5) 契約負債：ゼロ

(6) 工事損失引当金：ゼロ

4　D工事

(1) 工事収益：ゼロ

(2) 工事原価（売上原価）：ゼロ

(3) 完成工事未収入金：ゼロ

(4) 契約資産：ゼロ

(5) 契約負債：入金3,000

(6) 工事損失引当金：ゼロ

5　E工事

(1) 工事収益：$50,000 \times \dfrac{14,400+24,600}{52,000} - 50,000$

　$\times \dfrac{14,400}{48,000} = 22,500$

(2) 工事原価（売上原価）

　① 当期発生原価：24,600

　② 工事損失引当金：$(52,000-50,000) - \{(14,400$

　$+24,600) - 50,000 \times \dfrac{14,400+24,600}{52,000}\} = 500$

　③ ①＋②＝25,100

(3) 完成工事未収入金：ゼロ

(4) 契約資産：$50,000 \times \dfrac{14,400+24,600}{52,000}$

　$-$入金30,000＝7,500

(5) 契約負債：ゼロ

(6) 工事損失引当金：500

6　集計

	A工事	B工事	C工事	D工事	E工事	合計
(1) 工事収益	16,800	24,000	26,000	－	22,500	89,300
(2) 工事原価	12,800	18,000	15,000	－	25,100	70,900
(3) 完成工事未収入金	14,800	－	11,000	－	－	25,800
(4) 契約資産	－	14,000	－	－	7,500	21,500
(5) 契約負債	－	－	－	3,000	－	3,000
(6) 工事損失引当金	－	－	－	－	500	500

第30章 収益認識

税理士受験シリーズ

2025年度版 1 簿記論 個別計算問題集

（昭和61年度版 1985年9月10日 初版 第1刷発行）

2024年8月22日 初 版 第1刷発行

編 著 者	Ｔ Ａ Ｃ 株 式 会 社	
	（税理士講座）	
発 行 者	多 田 敏 男	
発 行 所	ＴＡＣ株式会社 出版事業部	
	（ＴＡＣ出版）	

〒101-8383
東京都千代田区神田三崎町3-2-18
電話 03 (5276) 9492 (営業)
ＦＡＸ 03 (5276) 0671
https://shuppan.tac-school.co.jp

印 刷	株式会社 ワ コ ー	
製 本	株式会社 常 川 製 本	

© TAC 2024　　Printed in Japan　　ISBN 978-4-300-11301-1
N.D.C. 336

乱丁・落丁による交換、および正誤のお問合せ対応は、該当書籍の改訂版刊行月末日までといたします。なお、交換につきましては、書籍の在庫状況等により、お受けできない場合もございます。

また、各種本試験の実施の延期、中止を理由とした本書の返品はお受けいたしません。返金もいたしかねますので、あらかじめご了承くださいますようお願い申し上げます。

税理士講座のご案内

「税理士」の扉を開くカギ
それは、合格できる教育機関を決めること!

あなたが教育機関を決める最大の決め手は何ですか?
通いやすさ、受講料、評判、規模、いろいろと検討事項はありますが、一番の決め手となること、それは「合格できるか」です。
TACは、税理士講座開講以来今日までの40年以上、「受講生を合格に導く」ことを常に考え続けてきました。そして、「最小の努力で最大の効果を発揮する、良質なコンテンツの提供」をもって多数の合格者を輩出し、今も厚い信頼と支持をいただいております。

令和5年度 税理士試験
TAC 合格祝賀パーティー

東京会場　ホテルニューオータニ

合格者から「喜びの声」を多数お寄せいただいています。

https://www.tac-school.co.jp/kouza_zeiri/zeiri_jisseki.html

ズバリ的中！ 的中

高い的中実績を誇る TACの本試験対策

TACが提供する演習問題などの本試験対策は、毎年高い的中実績を誇ります。
これは、合格カリキュラムをはじめ、講義・教材など、明確な科目戦略に基づいた合格コンテンツの結果でもあります。

簿記論

TAC実力完成答練 第2回

●実力完成答練 第2回〔第三問〕【資料2】1
【資料2】決算整理事項等
1 現金に関する事項
　決算整理前残高試算表の現金はすべて少額経費の支払いのために使用している小口現金である。小口現金については設定額を100,000円とする定額資金前渡制度（インプレスト・システム）を採用しており、毎月末日に使用額の報告を受けて、翌月1日に使用額と同額の小切手を振り出して補給している。
　2023年3月のその他の営業費として使用した額が97,460円（税込み）であった旨の報告を受けたが処理は行っていない。なお、現金の実際有高は2,700円であったため、差額については現金過不足として雑収入または雑損失に計上することとする。

2023年度 本試験問題 的中

〔第三問〕【資料2】1
【資料2】決算整理事項等
1 小口現金
　甲社は、定額資金前渡法による小口現金制度を採用し、担当部署に100,000円を渡して月末に小切手を振り出して補給することとしている。決算整理前残高試算表の金額は3月末の補給前の金額であり、3月末の補給が既になされているが会計処理は未処理である。
　なお、3月末の補給前の小口現金の実際残高では63,000円であり、帳簿残高との差額を調査した。3月31日の午前と午後に3月分の新聞代（その他の費用勘定）4,320円（税込み、軽減税率8%）を誤って二重に支払い、午前と午後にそれぞれ会計処理が行われていた。この二重払いについては4月中に4,320円の返金を受けることになっている。調査では、他に原因が明らかになるものは見つからなかった。

財務諸表論

TAC実力完成答練 第2回

●実力完成答練 第2回〔第三問〕2 (3)
(3)　前期末においてC社に対する売掛金15,000千円を貸倒懸念債権に分類していたが、同社は当期に二度目の不渡りを発生させ、銀行取引停止処分を受けた。当該債権について今後1年以内に回収ができないと判断し、破産更生債権等に分類する。なお、当期において同社との取引はなく、取引開始時より有価証券（取引開始時の時価2,500千円、期末時価3,000千円）を担保として入手している。

2023年度 本試験問題 的中

〔第三問〕2 (2)
(2)　得意先D社に対する営業債権は、前期において経営状況が悪化していたため貸倒懸念債権に分類していたが、同社はX5年2月に二度目の不渡りを発生させ銀行取引停止処分になった。D社に対する営業債権の期末残高は受取手形6,340千円及び売掛金3,750千円である。なお、D社からは2,000千円相当のゴルフ会員権を担保として受け入れている。

所得税法

TAC実力完成答練 第4回

●実力完成答練 第4回〔第一問〕問2
問2　所得税法第72条（雑損控除）の規定において除かれている資産について損失が生じた場合の、その損失が生じた年分の各種所得の金額の計算における取扱いを説明しなさい。
　なお、租税特別措置法に規定する取扱いについては、説明を要しない。

2023年度 本試験問題 的中

〔第二問〕問2
問2　地震等の災害により、居住者が所有している次の(1)〜(3)の不動産に被害を受けた場合、その被害による損失は所得税法上のような取扱いとなるか、簡潔に説明しなさい。
　なお、説明に当たっては、損失金額の計算方法の概要についても併せて説明しなさい。
　(注)「災害被害者に対する租税の減免、徴収猶予等に関する法律」に規定されている事項については、説明する必要はない。

　(1) 居住している不動産
　(2) 事業の用に供している賃貸用不動産
　(3) 主として保養の目的で所有している不動産

消費税法

TAC理論ドクター

●理論ドクター　P203
10. 食品卸売業の食材の販売
　当社は、食品卸売業を営んでいます。当社の取引先であるレストランに対して、そのレストラン内で提供する食事の食材を販売していますが、この場合は軽減税率の適用対象となりますか。

2023年度 本試験問題 的中

〔第一問〕問2 (2)
(2)　食品卸売業を営む内国法人E社は、飲食店業を営む内国法人F社に対して、F社が経営するレストランで提供する食事の食材（肉類）を販売した。
　E社がF社に対し行う食材（肉類）の販売に係る消費税の税率について、消費税法令上の適用関係を述べなさい。

2025年合格目標コース

反復学習でインプット強化！ & 豊富な演習量で実践力強化！

対象者：初学者／次の科目の学習に進む方

2024年				2025年							
9月	10月	11月	12月	1月	2月	3月	4月	5月	6月	7月	8月

9月入学 基礎マスター＋上級コース（簿記・財表・相続・消費・酒税・固定・事業・国徴）
3回転学習！年内はインプットを強化、年明けは演習機会を増やして実践力を鍛える！
※簿記・財表は5月・7月・8月・10月入学コースもご用意しています。

9月入学 ベーシックコース（法人・所得）
2回転学習！週2ペース、8ヵ月かけてインプットを鍛える！

9月入学 年内完結＋上級コース（法人・所得）
3回転学習！年内はインプットを強化、年明けは演習機会を増やして実践力を鍛える！

12月・1月入学 速修コース（全11科目）
7ヵ月〜8ヵ月間で合格レベルまで仕上げる！

3月入学 速修コース
（消費・酒税・固定・国徴）
短期集中で税法合格を目指す！

税理士試験

対象者：受験経験者（受験した科目を再度学習する場合）

2024年				2025年							
9月	10月	11月	12月	1月	2月	3月	4月	5月	6月	7月	8月

9月入学 年内上級講義＋上級コース（簿記・財表）
年内に基礎・応用項目の再確認を行い、実力を引き上げる！

9月入学 年内上級演習＋上級コース（法人・所得・相続・消費）
年内から問題演習に取り組み、本試験時の実力維持・向上を図る！

12月入学 上級コース（全10科目）
※住民税の開講はございません
講義と演習を交互に実施し、答案作成力を養成！

税理士試験

※2024年7月12日時点の情報です。最新の情報は、TAC税理士講座ホームページをご確認ください。

"入学前サポート"を活用しよう！

無料セミナー & 個別受講相談

無料セミナーでは、税理士の魅力、試験制度、科目選択の方法や合格のポイントをお伝えしていきます。セミナー終了後は、個別受講相談でみなさんの疑問や不安を解消します。

TAC 税理士 セミナー

https://www.tac-school.co.jp/kouza_zeiri/zeiri_gd_gd.htm

無料Webセミナー

TAC動画チャンネルでは、校舎で開催しているセミナーのほか、Web限定のセミナーも多数配信しています。受講前にご活用ください。

TAC 税理士 動画

https://www.tac-school.co.jp/kouza_zeiri/tacchannel.html

体 験 入 学

教室講座開講日（初回講義）は、お申込み前でも無料で講義を体験できます。講師の熱意や校舎の雰囲気を是非体感してください。

TAC 税理士 体験

https://www.tac-school.co.jp/kouza_zeiri/zeiri_gd_gd.htm

税理士11科目 Web体験

「税理士11科目Web体験」では、TAC税理士講座で開講する各科目・コースの初回講義をWeb視聴いただけるサービスです。講義の分かりやすさを確認いただき、学習のイメージを膨らませてください。

TAC 税理士

https://www.tac-school.co.jp/kouza_zeiri/taiken_form.html

チャレンジコース

受験経験者・独学生待望のコース!

4月上旬開講!

開講科目	簿記・財表・法人 所得・相続・消費

基礎知識の底上げ **徹底した本試験対策**

チャレンジ講義 ＋ チャレンジ演習 ＋ 直前対策講座 ＋ 全国公開模試

受験経験者・独学生向けカリキュラムが一つのコースに!

※チャレンジコースには直前対策講座（全国公開模試含む）が含まれています。

直前対策講座

5月上旬開講!

本試験突破の最終仕上げ!

直前期に必要な対策が
すべて揃っています!

学習 メディア	教室講座・ビデオブース講座 Web通信講座・DVD通信講座・資料通信講座

＼ 全11科目対応 ／

開講科目	簿記・財表・法人・所得・相続・消費 酒税・固定・事業・住民・国徴

徹底分析!「試験委員対策」

即時対応!「税制改正」

毎年的中!「予想答練」

※直前対策講座には全国公開模試が含まれています。

チャレンジコース・直前対策講座ともに詳しくは2月下旬発刊予定の
「チャレンジコース・直前対策講座パンフレット」をご覧ください。

全国公開模試

6月中旬実施!

全11科目実施

TACの模試はここがスゴイ!

① 信頼の母集団

2023年の受験者数は、会場受験・自宅受験合わせて10,316名!この大きな母集団を分母とした正確な成績（順位）を把握できます。

信頼できる実力判定

10,316名が受験!
※11科目延べ人数

② 本試験を擬似体験

全国の会場で緊迫した雰囲気の中「真の実力」が発揮できるかチャレンジ!

③ 個人成績表

現時点での全国順位を確認するとともに「講評」等を通じて本試験までの学習の方向性が定まります。

④ 充実のアフターフォロー

解説Web講義を無料配信。また、質問電話による疑問点の解消も可能です。

※TACの受講生はカリキュラム内に全国公開模試の受験料が含まれています（一部期別申込を除く）。

直前オプション講座

最後まで油断しない! ここからのプラス5点!

6月中旬～ 8月上旬実施!

【重要理論確認ゼミ】
~理論問題の解答作成力UP!~

【ファイナルチェック】
~確実な5点UPを目指す!~

【最終アシストゼミ】
~本試験直前の総仕上げ!~

全国公開模試および直前オプション講座の詳細は4月中旬発刊予定の
「全国公開模試パンフレット」「直前オプション講座パンフレット」をご覧ください。

会計業界への就職・転職支援サービス

TPB

TACの100%出資子会社であるTACプロフェッションバンク（TPB）は、会計・税務分野に特化した転職エージェントです。勉強された知識とご希望に合ったお仕事を一緒に探しませんか? 相談だけでも大歓迎です! どうぞお気軽にご利用ください。

人材コンサルタントが無料でサポート

Step1 相談受付
完全予約制です。HPからご登録いただくか、各オフィスまでお電話ください。

Step2 面談
ご経験やご希望をお聞かせください。あなたの将来について一緒に考えましょう。

Step3 情報提供
ご希望に適うお仕事があれば、その場でご紹介します。強制はいたしませんのでご安心ください。

正社員で働く

- 安定した収入を得たい
- キャリアプランについて相談したい
- 面接日程や入社時期などの調整をしてほしい
- 今就職すべきか、勉強を優先すべきか迷っている
- 職場の雰囲気など、求人票でわからない情報がほしい

キャリアUP 資格有

TACキャリアエージェント

https://tacnavi.com/

派遣で働く（関東のみ）

- 勉強を優先して働きたい
- 将来のために実務経験を積んでおきたい
- まずは色々な職場や職種を経験したい
- 家庭との両立を第一に考えたい
- 就業環境を確認してから正社員で働きたい

 子育中

 勉強中

TACの経理・会計派遣

https://tacnavi.com/haken/

※ご経験やご希望内容によってはご支援が難しい場合がございます。予めご了承ください。　※面談時間は原則お一人様30分とさせていただきます。

自分のペースでじっくりチョイス

正社員・アルバイトで働く

- 自分の好きなタイミングで就職活動をしたい
- どんな求人案件があるのか見たい
- 企業からのスカウトを待ちたい
- WEB上で応募管理をしたい

Webで

TACキャリアナビ

https://tacnavi.com/kyujin/

 TACプロフェッションバンク

■有料職業紹介事業　許可番号13-ユ-010678　■一般労働者派遣事業　許可番号（派）13-010932
■特定募集情報等提供事業　届出受理番号51-募-000541

東京オフィス
〒101-0051
東京都千代田区神田神保町 1-103
東京パークタワー 2F
TEL.03-3518-6775

大阪オフィス
〒530-0013
大阪府大阪市北区茶屋町 6-20
吉田茶屋町ビル 5F
TEL.06-6371-5851

名古屋 登録会場
〒453-0014
愛知県名古屋市中村区則武 1-1-7
NEWNO 名古屋駅西 8F
TEL.0120-757-655

10860572

TAC出版 書籍のご案内

TAC出版では、資格の学校TAC各講座の定評ある執筆陣による資格試験の参考書をはじめ、資格取得者の開業法や仕事術、実務書、ビジネス書、一般書などを発行しています！

TAC出版の書籍

*一部書籍は、早稲田経営出版のブランドにて刊行しております。

資格・検定試験の受験対策書籍

- ❂日商簿記検定
- ❂建設業経理士
- ❂全経簿記上級
- ❂税 理 士
- ❂公認会計士
- ❂社会保険労務士
- ❂中小企業診断士
- ❂証券アナリスト

- ❂ファイナンシャルプランナー(FP)
- ❂証券外務員
- ❂貸金業務取扱主任者
- ❂不動産鑑定士
- ❂宅地建物取引士
- ❂賃貸不動産経営管理士
- ❂マンション管理士
- ❂管理業務主任者

- ❂司法書士
- ❂行政書士
- ❂司法試験
- ❂弁理士
- ❂公務員試験(大卒程度・高卒者)
- ❂情報処理試験
- ❂介護福祉士
- ❂ケアマネジャー
- ❂電験三種　ほか

実務書・ビジネス書

- ❂会計実務、税法、税務、経理
- ❂総務、労務、人事
- ❂ビジネススキル、マナー、就職、自己啓発
- ❂資格取得者の開業法、仕事術、営業術

一般書・エンタメ書

- ❂ファッション
- ❂エッセイ、レシピ
- ❂スポーツ
- ❂旅行ガイド (おとな旅プレミアム/旅コン)

2025年度版 税理士試験対策書籍のご案内

TAC出版では、独学用、およびスクール学習の副教材として、各種対策書籍を取り揃えています。学習の各段階に対応していますので、あなたのステップに応じて、合格に向けてご活用ください!

（刊行内容、発行月、装丁等は変更することがあります）

● 2025年度版 税理士受験シリーズ

税理士試験において長い実績を誇るTAC。このTACが長年培ってきた合格ノウハウを"TAC方式"としてまとめたのがこの「税理士受験シリーズ」です。近年の豊富なデータをもとに傾向を分析、科目ごとに最適な内容としているので、トレーニング演習に欠かせないアイテムです。

簿記論

01	簿 記 論	個別計算問題集	（8月）
02	簿 記 論	総合計算問題集 基礎編	（9月）
03	簿 記 論	総合計算問題集 応用編	（11月）
04	簿 記 論	過去問題集	（12月）
	簿 記 論	完全無欠の総まとめ	（11月）

財務諸表論

05	財務諸表論	個別計算問題集	（8月）
06	財務諸表論	総合計算問題集 基礎編	（9月）
07	財務諸表論	総合計算問題集 応用編	（12月）
08	財務諸表論	理論問題集 基礎編	（9月）
09	財務諸表論	理論問題集 応用編	（12月）
10	財務諸表論	過去問題集	（12月）
33	財務諸表論	重要会計基準	（8月）
※	財務諸表論	重要会計基準 暗記音声	（8月）
	財務諸表論	完全無欠の総まとめ	（11月）

法人税法

11	法 人 税 法	個別計算問題集	（11月）
12	法 人 税 法	総合計算問題集 基礎編	（10月）
13	法 人 税 法	総合計算問題集 応用編	（12月）
14	法 人 税 法	過去問題集	（12月）
34	法 人 税 法	理論マスター	（8月）
※	法 人 税 法	理論マスター 暗記音声	（9月）
35	法 人 税 法	理論ドクター	（12月）
	法 人 税 法	完全無欠の総まとめ	（12月）

所得税法

15	所 得 税 法	個別計算問題集	（9月）
16	所 得 税 法	総合計算問題集 基礎編	（10月）
17	所 得 税 法	総合計算問題集 応用編	（12月）
18	所 得 税 法	過去問題集	（12月）
36	所 得 税 法	理論マスター	（8月）
※	所 得 税 法	理論マスター 暗記音声	（9月）
37	所 得 税 法	理論ドクター	（12月）

相続税法

19	相 続 税 法	個別計算問題集	（9月）
20	相 続 税 法	財産評価問題集	（9月）
21	相 続 税 法	総合計算問題集 基礎編	（9月）
22	相 続 税 法	総合計算問題集 応用編	（12月）
23	相 続 税 法	過去問題集	（12月）
38	相 続 税 法	理論マスター	（8月）
※	相 続 税 法	理論マスター 暗記音声	（9月）
39	相 続 税 法	理論ドクター	（12月）

酒税法

| 24 | 酒 税 法 | 計算問題+過去問題集 | （2月） |
| 40 | 酒 税 法 | 理論マスター | （8月） |

TAC出版
TAC PUBLISHING Group

※暗記音声はダウンロード商品です。TAC出版書籍販売サイト「サイバーブックストア」にてご購入いただけます。

●2025年度版 みんなが欲しかった！税理士 教科書＆問題集シリーズ

効率的に税理士試験対策の学習ができないか？ これを突き詰めてできあがったのが、「みんなが欲しかった！税理士 教科書＆問題集シリーズ」です。必要十分な内容をわかりやすくまとめたテキスト（教科書）と内容確認のためのトレーニング（問題集）が1冊になっているので、効率的な学習に最適です。

●解き方学習用問題集

現役講師の解答手順、思考過程、実際の書込みなど、㊙テクニックを完全公開した書籍です。

●その他関連書籍

好評発売中！

TACの書籍はこちらの方法でご購入いただけます

1 全国の書店・大学生協　　**2** TAC各校 書籍コーナー

3 CYBER TAC出版書籍販売サイト BOOK STORE アドレス https://bookstore.tac-school.co.jp/

・2024年7月現在　・年度版各巻の価格は、決定しだい上記**3**のサイバーブックストアに掲載されますのでご参照ください

書籍の正誤に関するご確認とお問合せについて

書籍の記載内容に誤りではないかと思われる箇所がございましたら、以下の手順にてご確認とお問合せをしてくださいますよう、お願い申し上げます。

なお、正誤のお問合せ以外の書籍内容に関する解説および受験指導などは、一切行っておりません。
そのようなお問合せにつきましては、お答えいたしかねますので、あらかじめご了承ください。

1 「Cyber Book Store」にて正誤表を確認する

TAC出版書籍販売サイト「Cyber Book Store」の
トップページ内「正誤表」コーナーにて、正誤表をご確認ください。

CYBER TAC出版書籍販売サイト
BOOK STORE

URL:https://bookstore.tac-school.co.jp/

2 1の正誤表がない、あるいは正誤表に該当箇所の記載がない ⇒ 下記①、②のどちらかの方法で文書にて問合せをする

★ご注意ください★

お電話でのお問合せは、お受けいたしません。

①、②のどちらの方法でも、お問合せの際には、「お名前」とともに、
「対象の書籍名(○級・第○回対策も含む)およびその版数(第○版・○○年度版など)」
「お問合せ該当箇所の頁数と行数」
「誤りと思われる記載」
「正しいとお考えになる記載とその根拠」
を明記してください。

なお、回答までに1週間前後を要する場合もございます。あらかじめご了承ください。

① ウェブページ「Cyber Book Store」内の「お問合せフォーム」より問合せをする

【お問合せフォームアドレス】

https://bookstore.tac-school.co.jp/inquiry/

② メールにより問合せをする

【メール宛先 TAC出版】

syuppan-h@tac-school.co.jp

※土日祝日はお問合せ対応をおこなっておりません。
※正誤のお問合せ対応は、該当書籍の改訂版刊行月末日までといたします。

乱丁・落丁による交換は、該当書籍の改訂版刊行月末日までといたします。なお、書籍の在庫状況等により、お受けできない場合もございます。
また、各種本試験の実施の延期、中止を理由とした本書の返品はお受けいたしません。返金もいたしかねますので、あらかじめご了承くださいますようお願い申し上げます。

(2022年7月現在)

答案用紙の使い方

　この冊子には、答案用紙がとじ込まれています。下記を参照にご利用ください。

　一番外側の色紙（本紙）を残して、答案用紙の冊子を取り外してください。

冊子を取り外す

STEP2

　取り外した冊子の真ん中にあるホチキスの針は取り外さず、冊子のままご利用ください。

● 作業中のケガには十分お気をつけください。
● 取り外しの際の損傷についてのお取り替えはご遠慮願います。

答案用紙はダウンロードもご利用いただけます。
TAC出版書籍販売サイト、サイバーブックストアにアクセスしてください。

| TAC出版 | 検索 |

税理士受験シリーズ❶
簿記論　個別計算問題集

別 冊 答 案 用 紙

目　　次

第1章　　簿　記　一　巡

問題1－1　　簿記一巡の手続　　　　　　　　（解答時間：　　　／10分）

残　　　　　高　　　　　　　（単位：千円）

現 金 預 金	買 掛 金
売 掛 金	未 払 営 業 費
繰 越 商 品	未 払 利 息
	貸 倒 引 当 金
	借 入 金
	資 本 金
	繰 越 利 益 剰 余 金

損　　　　　益　　　　　　　（単位：千円）

仕 入	売 上
営 業 費	
貸倒引当金繰入額	
支 払 利 息	
繰 越 利 益 剰 余 金	

問題1－2　　見越・繰延(1)　　　　　　　　（解答時間：　　　／5分）

決算整理仕訳　　　　　　　　　　　　　　　（単位：千円）

借　方　科　目	金　　額	貸　方　科　目	金　　額

決算整理後残高試算表（一部）　　　　　（単位：千円）

前 払 費 用	（　　　）	未 払 費 用	（　　　）
未 収 収 益	（　　　）	前 受 収 益	（　　　）
営 業 費	（　　　）	受 取 地 代	（　　　）
支 払 利 息	（　　　）	受 取 利 息	（　　　）

問題1－3 見越・繰延(2)　　　　　　　　　　　　　　（解答時間：　　／3分）

決算整理後残高試算表（一部）　　　　（単位：千円）

前 払 費 用	（　　　　　）	未 払 費 用	（　　　　　）
支 払 保 険 料	（　　　　　）	借 入 金	30,000
支 払 利 息	（　　　　　）		

問題1－4 見越・繰延(3)　　　　　　　　　　　　　　（解答時間：　　／5分）

決算整理後残高試算表（一部）　　　　（単位：千円）

支 払 利 息	（　　　　　）	未 払 費 用	（　　　　　）
		借 入 金	（　　　　　）

第2章　一般商品売買

問題2−1　商品売買(1)　　　　　　　　　　（解答時間：　　　／10分）

問1　決算整理前残高試算表における残高　　　　　　　（単位：円）

処　理　方　法	勘　定　科　目	残　高 借／貸	残　高 金　　額
(1) 分記法			
(2) 総記法			
(3) 売上原価対立法			
(4) 二分法			
(5) 三分法			

問2　≪仕訳≫　　　　　　　　　　　　　　　　　（単位：円）

処理方法	借　方 勘定科目	借　方 金　額	貸　方 勘定科目	貸　方 金　額
(1) 分記法				
(2) 総記法				
(3) 売上原価対立法				
(4) 二分法				
(5) 三分法				

問1

(1) 分記法　　　　　　　　決算整理前残高試算表　　　　　　　（単位：千円）

借　方　科　目	金　　額	貸　方　科　目	金　　額

(2) 総記法　　　　　　　　決算整理前残高試算表　　　　　　　（単位：千円）

借　方　科　目	金　　額	貸　方　科　目	金　　額

(3) 売上原価対立法　　　　決算整理前残高試算表　　　　　　　（単位：千円）

借　方　科　目	金　　額	貸　方　科　目	金　　額

(4) 二分法　　　　　　　　決算整理前残高試算表　　　　　　　（単位：千円）

借　方　科　目	金　　額	貸　方　科　目	金　　額

(5) 三分法　　　　　　　　決算整理前残高試算表　　　　　　　（単位：千円）

借　方　科　目	金　　額	貸　方　科　目	金　　額

問2

(1) 分記法　　　　　　　　　　　　　　　　　　　　　　　　　（単位：千円）

借　方　科　目	金　　額	貸　方　科　目	金　　額

(2) 総記法　　　　　　　　　　　　　　　　　　　　　　　　　（単位：千円）

借　方　科　目	金　　額	貸　方　科　目	金　　額

(3) 売上原価対立法　　　　　　　　　　　　　　　　　　　　　（単位：千円）

借　方　科　目	金　　額	貸　方　科　目	金　　額

(4) 二分法 （単位：千円）

借　方　科　目	金　額	貸　方　科　目	金　額

(5) 三分法 （単位：千円）

借　方　科　目	金　額	貸　方　科　目	金　額

問題2－3　商品売買(3)　　　（解答時間：　　／6分）

（単位：千円）

①		②		③		④	
⑤							

問題2－4　商品売買(4)　　　（解答時間：　　／5分）

(1) 総記法

商　　品 （単位：千円）

（	）	（	）	（	）	（	）
（	）	（	）	（	）	（	）
（	）	（	）				

商 品 販 売 益 （単位：千円）

（	）	（	）	（	）	（	）

(2) 売上原価対立法

商　　品 （単位：千円）

（	）	（	）	（	）	（	）
（	）	（	）	（	）	（	）

売 上 原 価 （単位：千円）

（	）	（	）	（	）	（	）

売　　上 （単位：千円）

（	）	（	）	（	）	（	）

商品の期末評価(1)　　　　　　　　　　　　　　　　　（解答時間：　　　／７分）

決算整理後残高試算表（一部）　　　　　　　　　　（単位：千円）

繰 越 商 品		売　　　　　上	
仕　　　　入			
見 本 品 費			
棚 卸 減 耗 損			

損 益 計 算 書　　　　　　　　　　　（単位：千円）

Ⅰ　売　　上　　高		（　　　　　　）
Ⅱ　売　上　原　価		
商 品 期 首 た な 卸 高	（　　　　　　）	
当 期 商 品 仕 入 高	（　　　　　　）	
合　　　　計	（　　　　　　）	
見 本 品 費 振 替 高	（　　　　　　）	
商 品 期 末 た な 卸 高	（　　　　　　）	
差　　　引	（　　　　　　）	
棚 卸 減 耗 損	（　　　　　　）	
商 品 評 価 損	（　　　　　　）	（　　　　　　）
売上総利益		（　　　　　　）

商品の期末評価(2)　　　　　　　　　　　　　　　　　（解答時間：　　　／５分）

決算整理後残高試算表（一部）　　　　　　　　　　（単位：千円）

繰 越 商 品	（　　　　　　）	売　　　　　上	（　　　　　　）
仕　　　　入	（　　　　　　）		
棚 卸 減 耗 費	（　　　　　　）		

問題2-7　商品の期末評価(3)　　　　　　　　　　（解答時間：　　　　／10分）

問1

決算整理後残高試算表（一部）　　　　　　（単位：円）

繰 越 商 品	（　　　）	売　　　　上	（　　　）
仕　　　　　入	（　　　）		
棚 卸 減 耗 損	（　　　）		

問2

決算整理後残高試算表（一部）　　　　　　（単位：円）

繰 越 商 品	（　　　）	売　　　　上	（　　　）
仕　　　　　入	（　　　）		
棚 卸 減 耗 損	（　　　）		

問題2-8　商品の期末評価(4)　　　　　　　　　　（解答時間：　　　　／6分）

決算整理後残高試算表　　　　　　（単位：千円）

繰 越 商 品		売　　　　上	
仕　　　　　入			
商 品 評 価 損 益			
棚 卸 減 耗 費			
見 本 品 費			

問題2-9　商品の期末評価(5)　　　　　　　　　　（解答時間：　　　　／5分）

決算整理後残高試算表　　　　　　（単位：千円）

繰 越 商 品		売　　　　上	100,425
仕　　　　　入			

商品の期末評価(6)　　　　　　　　　　　　（解答時間：　　　／10分）

決算整理後残高試算表　　　　　　　（単位：千円）

繰 越 商 品		売　　　　　　上	
仕　　　　入			
商 品 評 価 損			
棚 卸 減 耗 費			

問題2-11　　仕入諸掛　　　　　　　　　　　　　　（解答時間：　　　／4分）

問1

決算整理後残高試算表（一部）　　　　（単位：千円）

繰 越 商 品	（　　　　）	売　　　　　　上	600,000
仕　　　　入	（　　　　）		

問2

決算整理後残高試算表（一部）　　　　（単位：千円）

繰 越 商 品	（　　　　）	売　　　　　　上	600,000
仕　　　　入	（　　　　）		

第3章　　　　債　権　・　債　務

問題3−1　債権・債務(1)　　　　　　　　　（解答時間：　　　　／10分）

（単位：円）

	借　方　科　目	金　　額	貸　方　科　目	金　　額
1				
2				
3				
4				
5				
6				
7				
8				
9				
10				
11				

（単位：円）

	借　方　科　目	金　　額	貸　方　科　目	金　　額
1				
2				
3				
4				
5				
6				
7				
8				

問題３−３　　債権・債務(3)　　　　　　　　（解答時間：　　　　／５分）

問１　　　　　　　　　　　　　　　　　　　　　　　　　　（単位：千円）

		借　方　科　目	金　額	貸　方　科　目	金　額
(1)	①				
	②				
(2)					

問２ （単位：千円）

買　掛　金

		前　期　繰　越	4,050
次　期　繰　越	3,700		

問３ 　　　　　　　　千円

—10—

問題3−4　債権・債務(4)　　　　　　　　（解答時間：　　　／8分）

問1　　　　　　　　　　　　　　　　　　　　　　　　　　（単位：千円）

		借　方　科　目	金　額	貸　方　科　目	金　額
(1)					
(2)	①				
	②				
	③				
(3)					
(4)					

問2　　　　　　　　　　　　　　　　　　　　　　　　　　（単位：千円）

受　取　手　形

前　期　繰　越			
		次　期　繰　越	

売　掛　金

前　期　繰　越			
		次　期　繰　越	

前　受　金

問3　　　　　　　　　　千円

第4章　　　　　　　現 金・預 金

問題4−1　現金・預金(1)　　　　　　　　　　　（解答時間：　　　／8分）

決算整理後残高試算表　　　　　　　（単位：千円）

現　　　　　金	（　　　　）	買　　掛　　金	（　　　　）
当　座　預　金	（　　　　）	未　　払　　金	（　　　　）
売　　掛　　金	（　　　　）	雑　　収　　入	（　　　　）
貯　　蔵　　品	（　　　　）		
営　　業　　費	（　　　　）		
雑　　損　　失	（　　　　）		

問題4−2　現金・預金(2)　　　　　　　　　　　（解答時間：　　　／8分）

【資料1】①の金額 [　　　　　　　] 円

決算整理後残高試算表（一部）　　　　　　（単位：円）

現　　　　　金	（　　　　）	買　　掛　　金	（　　　　）
当　座　預　金	（　　　　）	未　　払　　金	（　　　　）
売　　掛　　金	（　　　　）		
不　渡　小　切　手	（　　　　）		
営　　業　　費	（　　　　）		

問題4−3　現金・預金(3)　　　　　　　　　　　（解答時間：　　　／7分）

（単位：円）

借　方　科　目	金　　額	貸　方　科　目	金　　額

決算整理後の当座預金の金額 [　　　　　　　] 円

問題4-4　現金・預金(4)　　　　　　　　　　　　　（解答時間：　　　／10分）

決算整理後残高試算表　　　　　　　　（単位：千円）

現　金　預　金		支　払　手　形	
支　払　利　息		買　　掛　　金	
		未　　払　　金	
		短　期　借　入　金	

問題4-5　現金・預金(5)　　　　　　　　　　　　　（解答時間：　　　／8分）

決算整理後残高試算表（一部）　　　　　（単位：千円）

現　金　預　金	（　　　　　）	買　　掛　　金	（　　　　　）
売　　掛　　金	（　　　　　）	（　　　　　　）	（　　　　　）
営　　業　　費	（　　　　　）		
雑　　損　　失	（　　　　　）		

問題4-6　現金・預金(6)　　　　　　　　　　　　　（解答時間：　　　／12分）

決算整理後残高試算表　　　　　　　　（単位：円）

現　　　　　金	（　　　　　）	支　払　手　形	（　　　　　）
当　座　預　金	（　　　　　）	買　　掛　　金	（　　　　　）
受　取　手　形	（　　　　　）		
売　　掛　　金	（　　　　　）		
通　　信　　費	（　　　　　）		
支　払　手　数　料	（　　　　　）		

問題4-7　現金・預金(7)　　　　　　　　　　　　　（解答時間：　　　／7分）

決算整理後残高試算表　　　　　　　　（単位：円）

現　金　預　金	（　　　　　）		
受　取　手　形	（　　　　　）		
売　　掛　　金	（　　　　　）		
貯　　蔵　　品	（　　　　　）		
営　　業　　費	（　　　　　）		
雑　　損　　失	（　　　　　）		

第 5 章　　　　手　　　形

問題5-1　　手　形(1)　　　　　　　　　　　（解答時間：　　　／10分）

（単位：円）

		借　方　科　目	金　　額	貸　方　科　目	金　　額
(1)	①				
	②				
(2)	①				
	②				
	③				
(3)	①				
	②				
(4)					
(5)	①				
	②				

問題5-2　　手　形(2)　　　　　　　　　　　（解答時間：　　　／10分）

（単位：千円）

	借　方　科　目	金　　額	貸　方　科　目	金　　額
(1)				
(2)				
(3)				
(4)				
(5)				
(6)				
(7)				
(8)				
(9)				
(10)				

第6章　貸倒引当金

問題6−1　貸倒引当金(1)　　　　　　　　　　　　（解答時間：　　　／8分）

決算整理後残高試算表（一部）　　　　　　　　　　（単位：千円）

受 取 手 形	（　　　）	貸 倒 引 当 金	（　　　）
売 掛 金	（　　　）		
破 産 更 生 債 権 等	（　　　）		
貸 倒 引 当 金 繰 入	（　　　）		

問題6−2　貸倒引当金(2)　　　　　　　　　　　　（解答時間：　　　／8分）

決算整理後残高試算表（一部）　　　　　　　　　　（単位：千円）

借 方 科 目	金 額	貸 方 科 目	金 額
受 取 手 形		貸 倒 引 当 金	
売 掛 金			
破 産 更 生 債 権 等			
貸 倒 引 当 金 繰 入 額			
貸 倒 損 失			

問題6−3　不渡手形　　　　　　　　　　　　　　（解答時間：　　　／10分）

問1

（単位：千円）

	借 方 科 目	金 額	貸 方 科 目	金 額
(1)				
(2)				

問2

決算整理後残高試算表　　　　　　　　（単位：千円）

受 取 手 形		支 払 手 形	
売 掛 金	315,000	貸 倒 引 当 金	
破 産 更 生 債 権 等			
貸 倒 引 当 金 繰 入			

問題6－4	保証債務	（解答時間：　　　／10分）

決算整理前残高試算表　　　　　　　　　　（単位：千円）

受　取　手　形		貸　倒　引　当　金	
売　　掛　　金		売　　　　　　上	
貸　倒　損　失		保証債務取崩益	
手　形　売　却　損		貸倒引当金戻入	
保　証　債　務　費　用			

問題6－5	貸倒引当金(3)	（解答時間：　　　／12分）

決算整理後残高試算表　　　　　　　　　　（単位：千円）

受　取　手　形		貸　倒　引　当　金	
売　　掛　　金		預り営業保証金	2,500
破　産　更　生　債　権　等			
貸　倒　損　失			
貸　倒　引　当　金　繰　入			

問題6－6	貸倒引当金(4)	（解答時間：　　　／10分）

乙社の残高試算表（一部）　　　　　　　　（単位：千円）

借　　　　方		貸　　　　方	
科　　　　　　目	金　　額	科　　　　　　目	金　　額
売　　掛　　金		貸　倒　引　当　金	
繰　延　税　金　資　産		売　　　　　　上	
貸倒引当金繰入額		法　人　税　等　調　整　額	

問題6－7	貸倒引当金(5)	（解答時間：　　　／6分）

決算整理後残高試算表（一部）　　　　　　（単位：円）

借　方　科　目	金　　額	貸　方　科　目	金　　額
受　　取　　手　　形		貸　倒　引　当　金	
売　　　掛　　　金			
破　産　更　生　債　権　等			
貸　倒　引　当　金　繰　入　額			

－16－

問題6-8 キャッシュ・フロー見積法(1) （解答時間： ／6分）

問1

① x4年3月31日の仕訳 （単位：千円）

借 方 科 目	金 額	貸 方 科 目	金 額

② x5年3月31日の仕訳 （単位：千円）

借 方 科 目	金 額	貸 方 科 目	金 額

問2

① x4年3月31日の仕訳 （単位：千円）

借 方 科 目	金 額	貸 方 科 目	金 額

② x5年3月31日の仕訳 （単位：千円）

借 方 科 目	金 額	貸 方 科 目	金 額

キャッシュ・フロー見積法(2)　　　　　　　（解答時間：　　　／10分）

1　代案1の場合　　　　　　　　　　　　　　　　　　　　　　　　　　（単位：円）

x3年3月31日

| (借) | 現 金 預 金 | 5,000,000 | (貸) | 受 取 利 息 | 5,000,000 |
| (借) | 貸倒引当金繰入 | | (貸) | 貸 倒 引 当 金 | |

x4年3月31日

| (借) | 現 金 預 金 | | (貸) | | |
| | | | | |

x5年3月31日

| (借) | 現 金 預 金 | | (貸) | | |
| | | | | |

x6年3月31日

(借)	現 金 預 金		(貸)		
(借)	現 金 預 金	100,000,000	(貸)	貸 付 金	100,000,000

2　代案2の場合　　　　　　　　　　　　　　　　　　　　　　　　　　（単位：円）

x3年3月31日

| (借) | 現 金 預 金 | 5,000,000 | (貸) | 受 取 利 息 | 5,000,000 |
| (借) | 貸倒引当金繰入 | | (貸) | 貸 倒 引 当 金 | |

x4年3月31日

(借)	現 金 預 金		(貸)		
		3,718,821			
(借)	現 金 預 金	50,000,000	(貸)	貸 付 金	50,000,000

x5年3月31日

(借)	現 金 預 金		(貸)		
(借)	現 金 預 金	50,000,000	(貸)	貸 付 金	50,000,000

第 7 章　　　人　件　費

問題7-1　　人件費(1)　　　　　　　　　　　　　（解答時間：　　　／4分）

決算整理後残高試算表（一部）　　　　　　（単位：千円）

給　与　手　当	（　　　　　）	預　　　り　　　金	（　　　　　）
法　定　福　利　費	（　　　　　）	未　払　費　用	（　　　　　）

問題7-2　　人件費(2)　　　　　　　　　　　　　（解答時間：　　　／4分）

決算整理後残高試算表（一部）　　　　　　（単位：千円）

給　与　手　当	（　　　　　）	預　　　り　　　金	（　　　　　）
法　定　福　利　費	（　　　　　）	未　払　費　用	（　　　　　）

問題7-3　　人件費(3)　　　　　　　　　　　　　（解答時間：　　　／3分）

（単位：千円）

借　方　科　目	金　　　額	貸　方　科　目	金　　　額

問題7-4　　人件費(4)　　　　　　　　　　　　　（解答時間：　　　／8分）

決算整理後残高試算表（一部）　　　　　　（単位：千円）

人　　件　　費	（　　　　　）	預　　　り　　　金	（　　　　　）
法　定　福　利　費	（　　　　　）	未　払　費　用	（　　　　　）
		賞　与　引　当　金	（　　　　　）

第8章　有形固定資産・無形固定資産

問題8－1　有形固定資産(1)　　　　　　　　　　　　（解答時間：　　　／5分）

決算整理後残高試算表　　　　　　　　（単位：千円）

建　　　　　物	300,000	建物減価償却累計額	（	）
車　　　　　両	25,000	車両減価償却累計額	（	）
備　　　　　品	18,900	備品減価償却累計額	（	）
減 価 償 却 費	（　　　　　　）			

問題8－2　有形固定資産(2)　　　　　　　　　　　　（解答時間：　　　／10分）

決算整理後残高試算表（一部）　　　　（単位：千円）

建　　　　　物	（　　　　　　）
土　　　　　地	（　　　　　　）
減 価 償 却 費	（　　　　　　）
建 物 取 壊 損	（　　　　　　）

問題8－3　有形固定資産(3)　　　　　　　　　　　　（解答時間：　　　／5分）

決算整理後残高試算表（一部）　　　　（単位：千円）

建　　　　　物	（　　　　　　）	建物減価償却累計額	（	）
車　　　　　両	（　　　　　　）	車両減価償却累計額	（	）
備　　　　　品	（　　　　　　）	備品減価償却累計額	（	）
減 価 償 却 費	（　　　　　　）			

問題8－4　有形固定資産(4)　　　　　　　　　　　　（解答時間：　　　／8分）

決算整理後残高試算表（一部）　　　　（単位：千円）

建　　　　　物	（　　　　　　）	建物減価償却累計額	（	）
車　　　　　両	（　　　　　　）	車両減価償却累計額	（	）
備　　　　　品	（　　　　　　）	備品減価償却累計額	（	）
減 価 償 却 費	（　　　　　　）			

問題8−5 有形固定資産(5)　　　　　　　　（解答時間：　　　／8分）

決算整理後残高試算表　　　　　（単位：千円）

建　　　　物	200,000	建物減価償却累計額	（　　　）
車　　　　両	（　　　）	車両減価償却累計額	（　　　）
備　　　　品	20,000	備品減価償却累計額	（　　　）
減 価 償 却 費	（　　　）		
車 両 売 却 損	（　　　）		

問題8−6 有形固定資産(6)　　　　　　　　（解答時間：　　　／15分）

決算整理後残高試算表　　　　　（単位：千円）

未　　収　　金	30,000	減 価 償 却 累 計 額	☐
建　　　　物	☐	車両運搬具売却益	☐
構　　築　　物	8,000		
車 両 運 搬 具	☐		
修　　繕　　費	☐		
減 価 償 却 費	☐		
火 災 損 失	☐		

問題8−7 有形固定資産(7)　　　　　　　　（解答時間：　　　／7分）

決算整理後残高試算表　　　　　（単位：千円）

建　　　　物	（　　　）
備　　　　品	（　　　）
減 価 償 却 費	（　　　）
修　　繕　　費	（　　　）

問題8−8　有形固定資産(8)

（解答時間：　　　／10分）

決算整理後残高試算表　　　　　（単位：千円）

借	方	貸	方
科　　　　　　目	金　　額	科　　　　　　目	金　　額
建　　　　　　物		車 両 運 搬 具 売 却 益	
構　　　築　　　物			
車　両　運　搬　具			
器　具　備　品			
土　　　　　　地			
減　価　償　却　費			
火　災　損　失			

問題8−9　有形固定資産(9)

（解答時間：　　　／3分）

☐　　千円

問題8−10　法人税法における減価償却

（解答時間：　　　／7分）

決算整理後残高試算表　　　　　（単位：円）

建　　　　　　物	（　　　　　）		
車　　　　　　両	（　　　　　）		
備　　　　　　品	（　　　　　）		
減　価　償　却　費	（　　　　　）		

問題8−11　無形固定資産

（解答時間：　　　／4分）

決算整理後残高試算表　　　　　（単位：千円）

特　　許　　権	☐		
商　　標　　権	☐		
特　許　権　償　却	☐		
商　標　権　償　却	☐		

第 9 章　　　株 主 資 本

問題9−1　株主資本(1)　　　　　　　　　　　　（解答時間：　　　／5分）

残高（一部）　　　　　　　　　　（単位：千円）

資　本　金	150,000
資　本　準　備　金	20,000
利　益　準　備　金	
別　途　積　立　金	
繰　越　利　益　剰　余　金	

問題9−2　株主資本(2)　　　　　　　　　　　　（解答時間：　　　／8分）

残高（一部）　　　　　　　　　　（単位：千円）

資　本　金	
資　本　準　備　金	
そ　の　他　資　本　剰　余　金	
利　益　準　備　金	
別　途　積　立　金	
繰　越　利　益　剰　余　金	

問題9−3　株主資本(3)　　　　　　　　　　　　（解答時間：　　　／10分）

残高（一部）　　　　　　　　　　（単位：千円）

資　本　金	2,500,000
資　本　準　備　金	
そ　の　他　資　本　剰　余　金	
利　益　準　備　金	
繰　越　利　益　剰　余　金	

残　　高 （単位：千円）

資　本　金	2,000,000
資 本 準 備 金	
その他資本剰余金	
利 益 準 備 金	
別 途 積 立 金	150,000
繰 越 利 益 剰 余 金	

問題9－5 株主資本(5) （解答時間： ／6分）

問1 （単位：千円）

借　方　科　目	金　額	貸　方　科　目	金　額

問2 （単位：千円）

借　方　科　目	金　額	貸　方　科　目	金　額

問題9-6 株主資本(6)　　　　　　　　　　　　　（解答時間：　　／12分）

（単位：千円）

	借　方　科　目	金　　額	貸　方　科　目	金　　額
1				
2				
3				
4				
5				
6				
7				

問題9-7 株主資本(7)　　　　　　　　　　　　　（解答時間：　　／8分）

決算整理後残高試算表　　　　　　（単位：千円）

自　己　株　式	（　　　　）	資　　本　　金	（　　　　）
		資　本　準　備　金	（　　　　）
		その他資本剰余金	（　　　　）
		利　益　準　備　金	（　　　　）
		別　途　積　立　金	95,000
		繰　越　利　益　剰　余　金	（　　　　）

第 10 章　　　　　税　　　　　金

問題10－1　　消費税等(1)　　　　　　　　　　　　　（解答時間：　　　／10分）

決算整理後残高試算表　　　　　　　　　　（単位：千円）

売　　掛　　金		買　　掛　　金	
繰　越　商　品		未 払 消 費 税 等	
車　両　運　搬　具		貸　倒　引　当　金	
仕　　　　　入		減 価 償 却 累 計 額	
営　　業　　費		売　　　　　上	
貸 倒 引 当 金 繰 入		車 両 運 搬 具 売 却 益	
減　価　償　却　費			
貸　倒　損　失			

問題10－2　　消費税等(2)　　　　　　　　　　　　　（解答時間：　　　／12分）

決算整理後残高試算表　　　　　　　　　　（単位：千円）

現　金　預　金		買　　掛　　金	
受　取　手　形	10,000	未 払 消 費 税 等	
売　　掛　　金		貸　倒　引　当　金	
車　　　　　両		減 価 償 却 累 計 額	
備　　　　　品	2,800	車　両　売　却　益	
営　　業　　費			
減　価　償　却　費			
貸 倒 引 当 金 繰 入			

問題10－3 消費税等(3)　　　　　　　　　　　　（解答時間：　　　／10分）

決算整理後残高試算表（一部）　　　　　（単位：千円）

借　方　科　目	金　　額	貸　方　科　目	金　　額
現　金　預　金		支　払　手　形	
受　取　手　形		買　　掛　　金	131,967
売　　掛　　金		未　払　消　費　税　等	
繰　越　商　品		貸　倒　引　当　金	
車　両　運　搬　具		売　　　　　上	886,200
仕　　　　　入			
営　　業　　費			
貸　倒　引　当　金　繰　入			
貸　倒　損　失			
減　価　償　却　費			
車　両　運　搬　具　売　却　損			

問題10－4 税効果会計(1)　　　　　　　　　　　　（解答時間：　　　／8分）

決算整理後残高試算表（一部）　　　　　（単位：千円）

売　　掛　　金	88,000	貸　倒　引　当　金	
繰　越　商　品		法　人　税　等　調　整　額	
器　具　備　品			
繰　延　税　金　資　産			
仕　　　　　入			
棚　卸　減　耗　損			
商　品　評　価　損			
減　価　償　却　費			
貸　倒　引　当　金　繰　入　額			

問題10−5　税効果会計(2)　　　　　　　　　　　（解答時間：　　　／8分）

(1)　X1年度末の決算整理後残高試算表（一部）

決算整理後残高試算表（一部）　　　　　　（単位：千円）

繰 延 税 金 資 産 （　　　　　　　　）	法 人 税 等 調 整 額 （　　　　　　　　　）

(2)　X2年度末の決算整理後残高試算表（一部）

決算整理後残高試算表（一部）　　　　　　（単位：千円）

繰 延 税 金 資 産 （　　　　　　　　）	法 人 税 等 調 整 額 （　　　　　　　　　）

(3)　X3年度末の決算整理後残高試算表（一部）

決算整理後残高試算表（一部）　　　　　　（単位：千円）

繰 延 税 金 資 産 （　　　　　　　　）	
法 人 税 等 調 整 額 （　　　　　　　　）	

問題10−6　税効果会計(3)　　　　　　　　　　　（解答時間：　　　／8分）

決算整理後残高試算表（一部）　　　　　　（単位：千円）

受　取　手　形		貸 倒 引 当 金	
売　　掛　　金		賞 与 引 当 金	
破 産 更 生 債 権 等		退 職 給 付 引 当 金	
繰 延 税 金 資 産		法 人 税 等 調 整 額	
退 職 給 付 費 用			
賞 与 引 当 金 繰 入 額			
貸 倒 引 当 金 繰 入 額			

問題10−7　税効果会計(4)　　　　　　　　　　　（解答時間：　　　／8分）

問1

決算整理後残高試算表　　　　　　　　　　（単位：千円）

土　　　　　地		繰 越 利 益 剰 余 金	

問2

決算整理後残高試算表　　　　（単位：千円）

土　　　地					
		繰 越 利 益 剰 余 金	

問3

決算整理後残高試算表　　　　（単位：千円）

土　　　地					
		繰 越 利 益 剰 余 金	

問題10-8　税効果会計(5)　　　（解答時間：　　／15分）

問1

残　　高　　　　（単位：千円）

建　　　物		繰 延 税 金 負 債	
繰 延 税 金 資 産		貸 倒 引 当 金	
		建物減価償却累計額	
		圧 縮 積 立 金	

損　　益　　　　（単位：千円）

貸倒引当金繰入額		保 険 差 益	
減 価 償 却 費		法 人 税 等 調 整 額	

問2

残　　高　　　　（単位：千円）

建　　　物		繰 延 税 金 負 債	
繰 延 税 金 資 産		貸 倒 引 当 金	
		建物減価償却累計額	
		圧 縮 積 立 金	

損　　益　　　　（単位：千円）

貸倒引当金繰入額	
減 価 償 却 費	
法 人 税 等 調 整 額	

第 11 章　　　　社　　　　債

問題11-1　普通社債(1)　　　　　　　　　　　　（解答時間：　　／5分）

問1

① ｘ2年3月31日

	決算整理後残高試算表（一部）		（単位：千円）
社　債　利　息	（　　　　　）	社　　　　　債	（　　　　　）

② ｘ3年3月31日

	決算整理後残高試算表（一部）		（単位：千円）
社　債　利　息	（　　　　　）	社　　　　　債	（　　　　　）

③ ｘ4年3月31日

	決算整理後残高試算表（一部）		（単位：千円）
社　債　利　息	（　　　　　）	社　　　　　債	（　　　　　）

問2

① ｘ2年3月31日

	決算整理後残高試算表（一部）		（単位：千円）
社　債　利　息	（　　　　　）	社　　　　　債	（　　　　　）

② ｘ3年3月31日

	決算整理後残高試算表（一部）		（単位：千円）
社　債　利　息	（　　　　　）	社　　　　　債	（　　　　　）

③ ｘ4年3月31日

	決算整理後残高試算表（一部）		（単位：千円）
社　債　利　息	（　　　　　）	社　　　　　債	（　　　　　）

問題11－2　普通社債(2)　　　　　　　　　　　　　　（解答時間：　　／5分）

問1

決算整理後残高試算表（一部）　　　　（単位：千円）

社　債　利　息	（　　　　　）	社　　　　　債	（　　　　　）

問2

決算整理後残高試算表（一部）　　　　（単位：千円）

社　債　利　息	（　　　　　）	社　　　　　債	（　　　　　）

問題11－3　普通社債(3)　　　　　　　　　　　　　　（解答時間：　　／4分）

決算整理後残高試算表　　　　　　　（単位：千円）

社　債　利　息	[　　　　　]	未　払　利　息	[　　　　　]
		社　　　　　債	[　　　　　]

問題11－4　普通社債(4)　　　　　　　　　　　　　　（解答時間：　　／10分）

問1

決算整理後残高試算表（一部）　　　　（単位：千円）

社　債　利　息	（　　　　　）	未　払　費　用	（　　　　　）
		社　　　　　債	（　　　　　）

問2

決算整理後残高試算表（一部）　　　　（単位：千円）

社　債　利　息	（　　　　　）	未　払　費　用	（　　　　　）
		社　　　　　債	（　　　　　）

問1 利息法

(1) x1年4月1日 （発行時） （単位：千円）

借　方　科　目	金　　額	貸　方　科　目	金　　額

(2) x2年3月31日 （利払時） （単位：千円）

借　方　科　目	金　　額	貸　方　科　目	金　　額

決算整理後残高試算表

x2年3月31日 （単位：千円）

社　債　利　息		社　　　　　債	

(3) x2年10月31日 （買入消却時） （単位：千円）

借　方　科　目	金　　額	貸　方　科　目	金　　額

(4) x3年3月31日 （利払時） （単位：千円）

借　方　科　目	金　　額	貸　方　科　目	金　　額

決算整理後残高試算表

x3年3月31日 （単位：千円）

社　債　利　息		社　　　　　債	
		社 債 買 入 消 却 損 益	

問2 定額法

(1) x1年4月1日（発行時） （単位：千円）

借　方　科　目	金　　額	貸　方　科　目	金　　額

(2) x2年3月31日（利払時、決算時）

① クーポン利息の支払い （単位：千円）

借　方　科　目	金　　額	貸　方　科　目	金　　額

② 金利調整差額の償却 （単位：千円）

借　方　科　目	金　　額	貸　方　科　目	金　　額

決算整理後残高試算表

x2年3月31日 （単位：千円）

社　債　利　息		社　　　　　債	

(3) x2年10月31日（買入消却時） （単位：千円）

借　方　科　目	金　　額	貸　方　科　目	金　　額

(4) x3年3月31日（利払時、決算時）

① クーポン利息の支払い （単位：千円）

借　方　科　目	金　　額	貸　方　科　目	金　　額

② 金利調整差額の償却 （単位：千円）

借　方　科　目	金　　額	貸　方　科　目	金　　額

決算整理後残高試算表

x3年3月31日 （単位：千円）

社　債　利　息		社　　　　　債	
		社債買入消却損益	

問題11-6　　買入消却(2)　　　　　　　　　　　　　　　（解答時間：　　　／6分）

問1　　　　　　　　　　　　　　　　　　　　　　　　　　　　　（単位：千円）

借　方　科　目	金　　額	貸　方　科　目	金　　額

問2　　　　　　　　　　　　　　　　　　　　　　　　　　　　　（単位：千円）

借　方　科　目	金　　額	貸　方　科　目	金　　額

問題11-7　　定時償還条項付社債　　　　　　　　　　　（解答時間：　　　／7分）

決算整理後残高試算表　　　　　　　　（単位：千円）

社　債　利　息		社　　　　債	

第 12 章	有 価 証 券

問題12－1 有価証券(1)　　　　　　　　　　　　　　（解答時間：　　　／20分）

問1　洗替処理　　　　　　　　　　　　　　　　　　　　（単位：千円）

	借　方　科　目	金　　額	貸　方　科　目	金　　額
(1)				
(2)				
(3)				
(4)				
(5)				
(6)				
(7)				

決算整理後残高試算表　　　　　　　（単位：千円）

有　価　証　券		有価証券売却損益	
有価証券評価損益			

問2　切放処理　　　　　　　　　　　　　　　　　　　　（単位：千円）

	借　方　科　目	金　　額	貸　方　科　目	金　　額
(1)				
(2)				
(3)				
(4)				
(5)				
(6)				
(7)				

決算整理後残高試算表　　　　　　　（単位：千円）

有　価　証　券		有価証券売却損益	
有価証券評価損益			

（単位：円）

	借　方　科　目	金　　額	貸　方　科　目	金　　額
(1)				
(2)				
(3)				

有価証券利息　　　　　　　　　　　（単位：円）

問1

X3年3月31日

決算整理後残高試算表（一部）　　　　（単位：千円）

投　資　有　価　証　券	（　　　　　）	有　価　証　券　利　息	（　　　　　）

X4年3月31日

決算整理後残高試算表（一部）　　　　（単位：千円）

投　資　有　価　証　券	（　　　　　）	有　価　証　券　利　息	（　　　　　）

問2

X3年3月31日

決算整理後残高試算表（一部）　　　　（単位：千円）

投　資　有　価　証　券	（　　　　　）	有　価　証　券　利　息	（　　　　　）

X4年3月31日

決算整理後残高試算表（一部）　　　　（単位：千円）

投　資　有　価　証　券	（　　　　　）	有　価　証　券　利　息	（　　　　　）

問題12－4 有価証券(4)　　　　　　　　　　　　　（解答時間：　　　／8分）

問1

X2年3月31日

決算整理後残高試算表（一部）　　　　　　　（単位：千円）

投 資 有 価 証 券	（　　　　　）	有 価 証 券 利 息	（　　　　　）

X3年3月31日

決算整理後残高試算表（一部）　　　　　　　（単位：千円）

投 資 有 価 証 券	（　　　　　）	有 価 証 券 利 息	（　　　　　）

問2

X2年3月31日

決算整理後残高試算表（一部）　　　　　　　（単位：千円）

投 資 有 価 証 券	（　　　　　）	有 価 証 券 利 息	（　　　　　）

X3年3月31日

決算整理後残高試算表（一部）　　　　　　　（単位：千円）

投 資 有 価 証 券	（　　　　　）	有 価 証 券 利 息	（　　　　　）

有価証券(5)　　　　　　　　　　　　　　　　（解答時間：　　　／5分）

問1

決算整理後残高試算表（一部）　　　　　（単位：千円）

投 資 有 価 証 券	（　　　　　）	繰 延 税 金 負 債	（　　　　　）
繰 延 税 金 資 産	（　　　　　）	その他有価証券評価差額金	（　　　　　）

問2

決算整理後残高試算表（一部）　　　　　（単位：千円）

投 資 有 価 証 券	（　　　　　）	繰 延 税 金 負 債	（　　　　　）
繰 延 税 金 資 産	（　　　　　）	その他有価証券評価差額金	（　　　　　）
法 人 税 等 調 整 額	（　　　　　）	投資有価証券評価損益	（　　　　　）

問題12－6　有価証券(6)　　　　　　　　　　　　　　　　（解答時間：　　　／5分）

X2年3月31日

決算整理後残高試算表（一部）　　　　　（単位：千円）

投 資 有 価 証 券	（　　　　　）	繰 延 税 金 負 債	（　　　　　）
繰 延 税 金 資 産	（　　　　　）	有 価 証 券 利 息	（　　　　　）
その他有価証券評価差額金	（　　　　　）		

X3年3月31日

決算整理後残高試算表（一部）　　　　　（単位：千円）

投 資 有 価 証 券	（　　　　　）	繰 延 税 金 負 債	（　　　　　）
繰 延 税 金 資 産	（　　　　　）	その他有価証券評価差額金	（　　　　　）
		有 価 証 券 利 息	（　　　　　）

| 問題12−7 | 有価証券(7) | (解答時間：　　　　／8分) |

問1

決算整理後残高試算表　　　　　　　　　　（単位：千円）

投 資 有 価 証 券		
関 係 会 社 株 式		
投資有価証券評価損		
関係会社株式評価損		

問2　　　　　　　　　　　　　　　　　　　　　　　　　　（単位：千円）

借 方 科 目	金 額	貸 方 科 目	金 額

| 問題12−8 | 有価証券(8) | (解答時間：　　　　／10分) |

決算整理後残高試算表（一部）　　　　　　（単位：千円）

有 価 証 券	（　　　）	繰 延 税 金 負 債	（　　　）
未 収 収 益	（　　　）	その他有価証券評価差額金	（　　　）
投 資 有 価 証 券	（　　　）	有 価 証 券 評 価 損 益	（　　　）
関 係 会 社 株 式	（　　　）	有 価 証 券 利 息	（　　　）
繰 延 税 金 資 産	（　　　）		
関係会社株式評価損	（　　　）		

| 問題12−9 | 有価証券(9) | (解答時間：　　　　／15分) |

決算整理後残高試算表　　　　　　　　　　（単位：千円）

有 価 証 券		繰 延 税 金 負 債	
関 係 会 社 株 式		その他有価証券評価差額金	
投 資 有 価 証 券		有 価 証 券 運 用 損 益	
		有 価 証 券 利 息	
		関係会社株式売却損益	
		投資有価証券評価損益	

問題12-10 有価証券(10) （解答時間： ／8分）

問1

(1) ｘ１年11月23日における購入代金の支払いに係る仕訳 （単位：円）

借　方　科　目	金　　額	貸　方　科　目	金　　額

(2) ｘ２年１月10日における売却に係る仕訳 （単位：円）

借　方　科　目	金　　額	貸　方　科　目	金　　額

(3) ｘ２年３月30日における購入に係る仕訳 （単位：円）

借　方　科　目	金　　額	貸　方　科　目	金　　額

(4) ｘ２年３月31日における決算整理仕訳 （単位：円）

借　方　科　目	金　　額	貸　方　科　目	金　　額

問2 （単位：円）

借　方　科　目	金　　額	貸　方　科　目	金　　額

問題12-11 有価証券(11) （解答時間： ／3分）

問1 （単位：千円）

借　方　科　目	金　　額	貸　方　科　目	金　　額

問2 （単位：千円）

借　方　科　目	金　　額	貸　方　科　目	金　　額

第 13 章　　リ ー ス 取 引

問題13－1　　リース取引(1)　　　　　　　　　　　　（解答時間：　　　／6分）

X 2 年 3 月31日

決算整理後残高試算表（一部）　　　　　（単位：千円）

リ ー ス 資 産	（　　　　）	リ ー ス 債 務	（　　　　）
減 価 償 却 費	（　　　　）		
支 払 利 息	（　　　　）		

X 3 年 3 月31日

決算整理後残高試算表（一部）　　　　　（単位：千円）

リ ー ス 資 産	（　　　　）	リ ー ス 債 務	（　　　　）
減 価 償 却 費	（　　　　）		
支 払 利 息	（　　　　）		

X 4 年 3 月31日

決算整理後残高試算表（一部）　　　　　（単位：千円）

リ ー ス 資 産	（　　　　）	リ ー ス 債 務	（　　　　）
減 価 償 却 費	（　　　　）		
支 払 利 息	（　　　　）		

問題13−2　リース取引(2)　　　　　　　　　　　　（解答時間：　　　／10分）

Ｘ2年3月31日

決算整理後残高試算表（一部）　　　　　（単位：千円）

リ ー ス 資 産	（　　　　　）	リ ー ス 債 務	（　　　　　）
減 価 償 却 費	（　　　　　）		
支 払 利 息	（　　　　　）		

Ｘ3年3月31日

決算整理後残高試算表（一部）　　　　　（単位：千円）

リ ー ス 資 産	（　　　　　）	リ ー ス 債 務	（　　　　　）
減 価 償 却 費	（　　　　　）		
支 払 利 息	（　　　　　）		

Ｘ4年3月31日

決算整理後残高試算表（一部）　　　　　（単位：千円）

リ ー ス 資 産	（　　　　　）	リ ー ス 債 務	（　　　　　）
減 価 償 却 費	（　　　　　）		
支 払 利 息	（　　　　　）		

問題13－3 リース取引(3)　　　　　　　　　　（解答時間：　　／8分）

X2年3月31日

決算整理後残高試算表（一部）　　　　　（単位：円）

リ ー ス 資 産	（　　　）	未 払 費 用	（　　　）
減 価 償 却 費	（　　　）	リ ー ス 債 務	（　　　）
支 払 利 息	（　　　）		

X3年3月31日

決算整理後残高試算表（一部）　　　　　（単位：円）

リ ー ス 資 産	（　　　）	未 払 費 用	（　　　）
減 価 償 却 費	（　　　）	リ ー ス 債 務	（　　　）
支 払 利 息	（　　　）		

X4年3月31日

決算整理後残高試算表（一部）　　　　　（単位：円）

リ ー ス 資 産	（　　　）	未 払 費 用	（　　　）
減 価 償 却 費	（　　　）	リ ー ス 債 務	（　　　）
支 払 利 息	（　　　）		

問題13－4 リース取引(4)　　　　　　　　　　（解答時間：　　／5分）

X2年3月31日

決算整理後残高試算表（一部）　　　　　（単位：千円）

リ ー ス 資 産	（　　　）	未 払 費 用	（　　　）
減 価 償 却 費	（　　　）	リ ー ス 債 務	（　　　）
支 払 利 息	（　　　）		

X3年3月31日

決算整理後残高試算表（一部）　　　　　（単位：千円）

リ ー ス 資 産	（　　　）	未 払 費 用	（　　　）
減 価 償 却 費	（　　　）	リ ー ス 債 務	（　　　）
支 払 利 息	（　　　）		

X4年3月31日

決算整理後残高試算表（一部）　　　　　（単位：千円）

リ ー ス 資 産	（　　　）	未 払 費 用	（　　　）
減 価 償 却 費	（　　　）	リ ー ス 債 務	（　　　）
支 払 利 息	（　　　）		

リース取引(5) 　　　　　　　　　　　　（解答時間：　　　／10分）

1　X1年4月1日 　　　　　　　　　　　　　　　　　　　　　（単位：円）

借　方　科　目	金　額	貸　方　科　目	金　額

2　X2年3月31日 　　　　　　　　　　　　　　　　　　　　（単位：円）

借　方　科　目	金　額	貸　方　科　目	金　額

3　X3年4月1日 　　　　　　　　　　　　　　　　　　　　　（単位：円）

借　方　科　目	金　額	貸　方　科　目	金　額

4　X5年4月1日 　　　　　　　　　　　　　　　　　　　　　（単位：円）

借　方　科　目	金　額	貸　方　科　目	金　額

リース取引(6) 　　　　　　　　　　　　（解答時間：　　　／10分）

（単位：千円）

(1)		(2)		(3)	
(4)		(5)			

問題13-7 リース取引(7)　　　　　　　　　　　　　　（解答時間：　　　／7分）

ｘ1年4月1日（リース契約締結時）　　　　　　　　　　　　　（単位：千円）

借　方　科　目	金　　額	貸　方　科　目	金　　額

ｘ2年3月31日（リース料支払時、決算時）　　　　　　　　　　（単位：千円）

借　方　科　目	金　　額	貸　方　科　目	金　　額

ｘ4年4月1日（リース物件返却時、処分価値が7,500千円と確定した。）　（単位：千円）

借　方　科　目	金　　額	貸　方　科　目	金　　額
		未　　払　　金	

問題13-8 リース取引(8)　　　　　　　　　　　　　　（解答時間：　　　／5分）

当社におけるリース取引開始日の仕訳　　　　　　　　　　　（単位：千円）

借　方　科　目	金　　額	貸　方　科　目	金　　額

最終回のリース料支払時の仕訳　　　　　　　　　　　　　　（単位：千円）

借　方　科　目	金　　額	貸　方　科　目	金　　額

リース取引(9)　　　　　　　　　　（解答時間：　　　／7分）

(1)

決算整理後残高試算表　　　　　　　　　　　　（単位：千円）

器 具 備 品	(　　　　　)	未 払 利 息	(　　　　　)
減 価 償 却 費	(　　　　　)	リ ー ス 債 務	(　　　　　)
支 払 利 息	(　　　　　)	減 価 償 却 累 計 額	(　　　　　)
		長 期 前 受 収 益	(　　　　　)

(2)　(　　　　　　　)千円

リース取引(10)　　　　　　　　　　（解答時間：　　　／9分）

問1　　　　　　　　　　　　　　　　　　　　　　　　　（単位：千円）

	借 方 科 目	金 額	貸 方 科 目	金 額
(1)				
(2)				
(3)				

問2　　　　　　　　　　　　　　　　　　　　　　　　　（単位：千円）

	借 方 科 目	金 額	貸 方 科 目	金 額
(1)				
(2)				

問3　　　　　　　　　　　　　　　　　　　　　　　　　（単位：千円）

	借 方 科 目	金 額	貸 方 科 目	金 額
(1)				
(2)				

問4　　　　　　　　　　　　　　　　　　　　　　　　　（単位：千円）

	借 方 科 目	金 額	貸 方 科 目	金 額
(1)				
(2)				

第 14 章　　減 損 会 計

問題14－1　　**減損会計(1)**　　　　　　　　　　（解答時間：　　／6分）

決算整理後残高試算表（一部）　　　　（単位：千円）

建　　　　　物	（　　　　　）
備　　　　　品	（　　　　　）
土　　　　　地	（　　　　　）
減 価 償 却 費	（　　　　　）
減 損 損 失	（　　　　　）

問題14－2　　**減損会計(2)**　　　　　　　　　　（解答時間：　　／5分）

グループA　　　　　　[　　　　　　　]　千円

グループB　　　　　　[　　　　　　　]　千円

グループC　　　　　　[　　　　　　　]　千円

問題14－3　　**減損会計(3)**　　　　　　　　　　（解答時間：　　／5分）

(1)　[　　　　]　千円　　(2)　[　　　　]　千円　　(3)　[　　　　]　千円

第 15 章　　資産除去債務

問題15－1　資産除去債務(1)　　　　　　　　（解答時間：　　／8分）

（単位：千円）

	借 方 科 目	金　　額	貸 方 科 目	金　　額
X 1 年 4 月 1 日				
X 2 年 3 月31日				
X 3 年 3 月31日				
X 4 年 3 月31日				
X 5 年 3 月31日				
X 6 年 3 月31日				

問題15－2　　資産除去債務(2)　　　　　　　　　　　　　（解答時間：　　　　／8分）

（単位：千円）

	借　方　科　目	金　　額	貸　方　科　目	金　　額
X 1年4月1日				
X 2年3月31日				
X 3年3月31日				
X 4年3月31日				
X 5年3月31日				
X 6年3月31日				

問題15－3　　資産除去債務(3)　　　　　　　　　　　　　（解答時間：　　　　／10分）

決算整理後残高試算表　　　　　　　（単位：千円）

機　械　装　置		資 産 除 去 債 務	
減 価 償 却 費		減 価 償 却 累 計 額	
利　息　費　用			

問題15－4　　資産除去債務(4)　　　　　　　　　　　　　（解答時間：　　　　／8分）

決算整理後残高試算表（一部）　　　　　（単位：千円）

機　　　　　械	（　　　　）	資 産 除 去 債 務	（　　　　）
繰 延 税 金 資 産	（　　　　）	繰 延 税 金 負 債	（　　　　）
減 価 償 却 費	（　　　　）	法 人 税 等 調 整 額	（　　　　）

問題16－1　退職給付会計(1)　　　　　　　　　　（解答時間：　　／5分）

問1

決算整理後残高試算表（一部）　　　　　（単位：千円）

退 職 給 付 費 用	（　　　　　）	退 職 給 付 引 当 金	（　　　　　）

問2

決算整理後残高試算表（一部）　　　　　（単位：千円）

退 職 給 付 費 用	（　　　　　）	退 職 給 付 引 当 金	（　　　　　）

問題16－2　退職給付会計(2)　　　　　　　　　　（解答時間：　　／5分）

問1

決算整理後残高試算表（一部）　　　　　（単位：千円）

退 職 給 付 費 用	（　　　　　）	退 職 給 付 引 当 金	（　　　　　）

問2

当期に発生した数理計算上の差異の金額　（　　　　）差異 ［　　　　　　　］千円

問題16－3　退職給付会計(3)　　　　　　　　　　（解答時間：　　／7分）

問1

決算整理後残高試算表（一部）　　　　　（単位：千円）

退 職 給 付 費 用	（　　　　　）	退 職 給 付 引 当 金	（　　　　　）

問2

当期に発生した数理計算上の差異の金額 ［　　　　　　　］千円

問題16-4 退職給付会計(4)　　　　　　　　　　（解答時間：　　　／7分）

問1

決算整理後残高試算表（一部）　　　　　（単位：千円）

退 職 給 付 費 用	(　　　　　　)	退 職 給 付 引 当 金	(　　　　　　)

問2

当期に発生した数理計算上の差異の金額　[　　　　　　] 千円

問題16-5 退職給付会計(5)　　　　　　　　　　（解答時間：　　　／5分）

問1

決算整理後残高試算表　　　　　　　　（単位：千円）

退 職 給 付 費 用	[　　　　　　]	退 職 給 付 引 当 金	[　　　　　　]

問2　[　　　　　　] 千円

問題16-6 退職給付会計(6)　　　　　　　　　　（解答時間：　　　／7分）

問1

決算整理後残高試算表（一部）　　　　　（単位：千円）

前 払 年 金 費 用	[　　　　　　]		
退 職 給 付 費 用	[　　　　　　]		

問2　数理計算上の差異の当期発生額　[　　　　　　] 千円

問題16-7 退職給付会計(7)　　　　　　　　　　（解答時間：　　　／4分）

決算整理後残高試算表　　　　　　　　（単位：千円）

退 職 給 付 費 用	[　　　　　　]	退 職 給 付 引 当 金	[　　　　　　]

第 17 章

外貨建取引等

問題17－1 外貨建取引等(1)　　　　　　　　　　　(解答時間：　　　／10分)

(単位：円)

	借　方　科　目	金　　額	貸　方　科　目	金　　額
1				
2				
3				
4				
5				
6				
7				
8				

問題17－2 外貨建取引等(2)　　　　　　　　　　　(解答時間：　　　／5分)

(単位：円)

	借　方　科　目	金　　額	貸　方　科　目	金　　額
(2)				
(4)				

問題17－3　外貨建取引等(3)　　　　　　　　　　（解答時間：　　／6分）

決算整理後残高試算表（一部）　　　　（単位：千円）

現 金 預 金		買 掛 金	
売 掛 金		未 払 費 用	
支 払 利 息		借 入 金	
		為 替 差 損 益	

問題17－4　外貨建取引等(4)　　　　　　　　　　（解答時間：　　／6分）

決算整理後残高試算表（一部）　　　　（単位：千円）

売 掛 金		買 掛 金	
繰 越 商 品		売 上	8,850,000
前 渡 金		為 替 差 損 益	
仕 入			

問題17－5　外貨建有価証券(1)　　　　　　　　　（解答時間：　　／5分）

問1

決算整理後残高試算表（一部）　　　　（単位：円）

投 資 有 価 証 券	（　　　　　）	有 価 証 券 利 息	（　　　　　）
		為 替 差 損 益	（　　　　　）

問2

決算整理後残高試算表（一部）　　　　（単位：円）

投 資 有 価 証 券	（　　　　　）	繰 延 税 金 負 債	（　　　　　）
		その他有価証券評価差額金	（　　　　　）
		有 価 証 券 利 息	（　　　　　）

決算整理後残高試算表　　　　　　　　（単位：円）

有　価　証　券		繰　延　税　金　負　債	
投　資　有　価　証　券		その他有価証券評価差額金	
関　係　会　社　株　式		有　価　証　券　利　息	
繰　延　税　金　資　産		為　替　差　損　益	
有　価　証　券　評　価　損　益			
投資有価証券評価損			

問題17－7　為替予約(1)　　　　　　　　（解答時間：　　／10分）

問1

（単位：円）

日　　　付	借　方　科　目	金　　　額	貸　方　科　目	金　　　額
Ｘ２年２月１日				
Ｘ２年３月１日				
Ｘ２年３月31日				
Ｘ２年４月30日				

問2

（単位：円）

日　　　付	借　方　科　目	金　　　額	貸　方　科　目	金　　　額
Ｘ２年２月１日				
Ｘ２年３月１日				
Ｘ２年３月31日				
Ｘ２年４月30日				

問題17−8　　為替予約(2)　　　　　　　　　　　（解答時間：　　　／10分）

問1

決算整理後残高試算表（一部）　　　　　　（単位：円）

売　　掛　　金	（　　　　　）	為　替　差　損　益	（　　　　　）
為　替　予　約	（　　　　　）		

問2

決算整理後残高試算表（一部）　　　　　　（単位：円）

売　　掛　　金	（　　　　　）	為　替　差　損　益	（　　　　　）
前　払　費　用	（　　　　　）		

問題17−9　　為替予約(3)　　　　　　　　　　　（解答時間：　　　／10分）

問1

（単位：千円）

日　　付	借　方　科　目	金　　額	貸　方　科　目	金　　額
Ｘ１年12月１日				
Ｘ２年３月31日				
Ｘ２年11月30日				

問2

(単位：千円)

日　　付	借 方 科 目	金　　額	貸 方 科 目	金　　額
Ｘ１年12月１日				
Ｘ２年３月31日				
Ｘ２年11月30日				

問題17－10 　為替予約(4) 　　　　　　　　　　（解答時間：　　　／5分）

決算整理後残高試算表（一部） 　　　　　　（単位：円）

支 払 利 息	（　　　　）	未 払 費 用	（　　　　）
為 替 差 損 益	（　　　　）	前 受 収 益	（　　　　）
		借 入 金	（　　　　）

問題17－11 　為替予約(5) 　　　　　　　　　　（解答時間：　　　／10分）

決算整理後残高試算表（一部） 　　　　　　（単位：円）

売 掛 金	（　　　　）	未 払 費 用	（　　　　）
前 払 費 用	（　　　　）	長 期 前 受 収 益	（　　　　）
支 払 利 息	（　　　　）	長 期 借 入 金	（　　　　）
為 替 差 損 益	（　　　　）	売　　　　　上	（　　　　）

問題17－12　為替予約(6)　　　　　　　　　　　　　　　（解答時間：　　　／6分）

問1

決算整理後残高試算表（一部）　　　　　（単位：円）

為 替 予 約	（　　　　）	未 払 費 用	（　　　　）
支 払 利 息	（　　　　）	短 期 借 入 金	（　　　　）
		為 替 差 損 益	（　　　　）

問2

決算整理後残高試算表（一部）　　　　　（単位：円）

支 払 利 息	（　　　　）	未 払 費 用	（　　　　）
		前 受 収 益	（　　　　）
		短 期 借 入 金	（　　　　）

問題17－13　為替予約(7)　　　　　　　　　　　　　　　（解答時間：　　　／8分）

（単位：千円）

日　付	借 方 科 目	金　額	貸 方 科 目	金　額
Ｘ1年4月1日				
Ｘ2年3月31日				
Ｘ3年3月31日				
Ｘ4年3月31日				

為替予約(8)　　　　　　　　　　　　　　　（解答時間：　　　／8分）

1　Ｘ2年3月31日　　　　　　　　　　　　　　　　　　　　　　　（単位：千円）

借　方　科　目	金　　額	貸　方　科　目	金　　額

2　Ｘ2年5月1日　　　　　　　　　　　　　　　　　　　　　　　（単位：千円）

借　方　科　目	金　　額	貸　方　科　目	金　　額

3　Ｘ2年5月31日　　　　　　　　　　　　　　　　　　　　　　　（単位：千円）

借　方　科　目	金　　額	貸　方　科　目	金　　額

問題17−15　為替予約(9)　　　　　　　　　　　　　　　（解答時間：　　　／10分）

決算整理後残高試算表（一部）　　　　　　　　（単位：円）

売　　掛　　金	（　　　　）	為　替　予　約	（　　　　）
前　払　費　用	（　　　　）	売　　　　　上	（　　　　）
繰 延 税 金 資 産	（　　　　）	為　替　差　損　益	（　　　　）
繰 延 ヘ ッ ジ 損 益	（　　　　）		

第 18 章　　　　製 造 業 会 計

問題18－1　商的工業簿記(1)　　　　　　　　（解答時間：　　／10分）

問1

材 料 仕 入　　　　　　（単位：千円）

試　算　表	18,000	(　　　　　)	
(　　　　　)		(　　　　　)	
	(　　　)		(　　　)

仕 掛 品　　　　　　（単位：千円）

前 期 繰 越	4,000	(　　　　　)	
材 料 仕 入		次 期 繰 越	3,000
賃 金 給 料			
退 職 給 付 費 用			
材 料 減 耗 費			
減 価 償 却 費			
支 払 保 険 料			
その他の製造費	10,000		
	(　　　)		(　　　)

製 品　　　　　　（単位：千円）

前 期 繰 越	10,000	(　　　　　)	
(　　　　　)		次 期 繰 越	8,000
	(　　　)		(　　　)

問2

決算整理後残高試算表 （単位：千円）

製 品	8,000	未 払 費 用	200
材 料	2,000	退 職 給 付 引 当 金	13,000
仕 掛 品	3,000	減 価 償 却 累 計 額	
前 払 費 用	300		
建 物	30,000		
機 械	12,000		
車 両	5,000		
土 地	50,000		
売 上 原 価			
材 料 減 耗 費			
賃 金 給 料			
退 職 給 付 費 用			
減 価 償 却 費			
支 払 保 険 料			

問題18−2　商的工業簿記(2)　　　　　　　　（解答時間：　　　／10分）

問1

仕 掛 品 （単位：千円）

前 期 繰 越		製 品	
材 料 費		次 期 繰 越	
労 務 費			
製 造 経 費			

製 品 （単位：千円）

前 期 繰 越		売 上 原 価	
仕 掛 品		次 期 繰 越	

問2

仕　掛　品　　　　　　（単位：千円）

前 期 繰 越		製　　　　品	
材　料　費		次 期 繰 越	
労　務　費			
製 造 経 費			

製　　　品　　　　　　（単位：千円）

| 前 期 繰 越 | | 売 上 原 価 | |
| 仕　掛　品 | | 次 期 繰 越 | |

問題18−3　商的工業簿記(3)　　（解答時間：　／12分）

問1	問2	問3
円	円	円

問題18−4　商的工業簿記(4)　　（解答時間：　／15分）

問1

決算整理後残高試算表（一部）　　（単位：千円）

製　　品		賞 与 引 当 金	
材　　料		退 職 給 付 引 当 金	
仕　掛　品		売　　上	2,520,000
建　　物			
機　　械			
車　　両			
土　　地	350,000		
売 上 原 価			
賞 与 引 当 金 繰 入 額			
退 職 給 付 費 用			
減 価 償 却 費			
材 料 棚 卸 減 耗 損			

問2

製造原価報告書　　　　　　　　　　（単位：千円）

Ⅰ	材　　料　　費			
	材料期首たな卸高	（　　　　）		
	当期材料仕入高	（　　　　）		
	合　　　　計	（　　　　）		
	期末材料たな卸高	（　　　　）	（　　　　）	
Ⅱ	労　　務　　費			
	賞与引当金繰入額	（　　　　）		
	退職給付費用	（　　　　）		
	その他労務費	（　　　　）	（　　　　）	
Ⅲ	製　造　経　費			
	減価償却費	（　　　　）		
	材料棚卸減耗損	（　　　　）		
	その他製造経費	（　　　　）	（　　　　）	
Ⅳ	当期総製造費用		（　　　　）	
Ⅴ	仕掛品期首たな卸高		（　　　　）	
	合　　　　計		（　　　　）	
Ⅵ	仕掛品期末たな卸高		（　　　　）	
Ⅶ	当期製品製造原価		（　　　　）	

問題18－5 商的工業簿記(5) （解答時間：　　　　／15分）

問1

決算整理後残高試算表（一部）　（単位：千円）

製 品		賞 与 引 当 金	
材 料		退 職 給 付 引 当 金	
仕 掛 品		減 価 償 却 累 計 額	
建 物	800,000	売 上	4,254,000
機 械	80,000		
車 両	50,000		
土 地	350,000		
売 上 原 価			
人 件 費			
その他販売管理費			
賞与引当金繰入額			
退 職 給 付 費 用			
減 価 償 却 費			
材 料 棚 卸 減 耗 損			

問2

製造原価報告書　　　　　　　　　　　　（単位：千円）

Ⅰ　材　　　料　　　費
　　材料期首たな卸高　　　（　　　　　　）
　　当 期 材 料 仕 入 高　　（　　　　　　）
　　合　　　　　　計　　　（　　　　　　）
　　期末材料たな卸高　　　（　　　　　　）　　（　　　　　　　　）
Ⅱ　労　　　務　　　費
　　賞 与 引 当 金 繰 入 額　（　　　　　　）
　　退 職 給 付 費 用　　　（　　　　　　）
　　そ の 他 労 務 費　　　（　　　　　　）　　（　　　　　　　　）
Ⅲ　製　　造　　経　　費
　　減 価 償 却 費　　　　（　　　　　　）
　　材 料 棚 卸 減 耗 損　　（　　　　　　）
　　そ の 他 製 造 経 費　　（　　　　　　）　　（　　　　　　　　）
Ⅳ　当 期 総 製 造 費 用　　　　　　　　　　（　　　　　　　　）
Ⅴ　仕掛品期首たな卸高　　　　　　　　　　（　　　　　　　　）
　　合　　　　　　計　　　　　　　　　　　（　　　　　　　　）
Ⅵ　仕掛品期末たな卸高　　　　　　　　　　（　　　　　　　　）
Ⅶ　当 期 製 品 製 造 原 価　　　　　　　　　（　　　　　　　　）

第 19 章　研究開発費等

問題19-1　研究開発費　　　　　　　　　　（解答時間：　　／8分）

決算整理後残高試算表（一部）　　　　（単位：千円）

材　　　　　料		減価償却累計額	
建　　　　　物	300,000	法人税等調整額	
備　　　　　品	30,000		
繰延税金資産			
営　　業　　費			
減価償却費			
研究開発費			

問題19-2　ソフトウェア(1)　　　　　　　　　（解答時間：　　／8分）

（単位：千円）

	借　方　科　目	金　　　額	貸　方　科　目	金　　　額
1				
2				
3				

問題19-3　ソフトウェア(2)　　　　　　　　　（解答時間：　　／5分）

問1

　X1年度 [　　　　] 千円　　X2年度 [　　　　] 千円

問2

　X1年度 [　　　　] 千円　　X2年度 [　　　　] 千円

ソフトウェア(3)　　　　　　　　　　（解答時間：　　　／6分）

問1

　　X1年度 [　　　　　　] 千円　　X2年度 [　　　　　　] 千円

問2

　　X1年度 [　　　　　　] 千円　　X2年度 [　　　　　　] 千円

第 20 章　　本 支 店 会 計

問題20－1　　本支店会計(1)　　　　　　　　　（解答時間：　　　／10分）

（単位：円）

	本 店 の 仕 訳				支 店 の 仕 訳			
	借方科目	金　額	貸方科目	金　額	借方科目	金　額	貸方科目	金　額
(1)								
(2)								
(3)								
(4)								
(5)								
(6)								
(7)								
(8)								

問題20－2　本支店会計(2)　　　　　　　　　　　　（解答時間：　　　／8分）

問1　　　　　　　　　　　　　　　　　　　　　　　　　　　　（単位：千円）

		借 方 科 目	金 額	貸 方 科 目	金 額
1	（　　　　）				
2	（　　　　）				
3	（　　　　）				
4	（　　　　）				
5	（　　　　）				
6	（　　　　）				

問2　（単位：千円）

支店勘定 [　　　　　]　　　　支店売上勘定 [　　　　　]

問題20-3 本支店会計(3)　　　　　　　　　　（解答時間：　　　／10分）

（本店）　　　　　　　　　　　　損　　　益　　　　　　　　　（単位：千円）

売 上 原 価		売　　　　上	
営 業 費		支 店 売 上	
貸 倒 引 当 金 繰 入		支　　　　店	
減 価 償 却 費		繰 延 内 部 利 益 戻 入	
繰 延 内 部 利 益 控 除			
繰 越 利 益 剰 余 金			

（支店）　　　　　　　　　　　　損　　　益　　　　　　　　　（単位：千円）

売 上 原 価		売　　　　上	
営 業 費			
貸 倒 引 当 金 繰 入			
減 価 償 却 費			
本　　　　店			

合併精算表　　　　　　　　　　（単位：千円）

勘定科目	決算整理前残高試算表				未達・決算整理・合併整理		合併損益計算書		合併貸借対照表	
	本店		支店							
	借方	貸方	借方	貸方	借方	貸方	借方	貸方	借方	貸方
現 金 預 金	1,800		650							
売 掛 金	4,000		3,000							
繰 越 商 品	1,800		917				―	―		
備 品	8,000		3,200							
支 店	5,628									
買 掛 金		2,800		900						
貸 倒 引 当 金		50		35						
減価償却累計額		3,500		1,400						
繰 延 内 部 利 益		87								
本 店				4,135						
資 本 金		8,000								
利 益 準 備 金		1,000								
任 意 積 立 金		1,400								
繰越利益剰余金		2,563								
売 上		30,500		30,000						
支 店 売 上		12,328								
仕 入	30,000		10,000							
本 店 仕 入			11,500							
営 業 費	11,000		7,203							
合 計	62,228	62,228	36,470	36,470						
貸倒引当金戻入										
貸倒引当金繰入										
減 価 償 却 費										
未 払 費 用										
繰延内部利益戻入										
繰延内部利益控除										
当 期 純 利 益										
合 計										

問題20-5　本支店会計(5)　　　　　　　　　　　　（解答時間：　　　／20分）

問1　　　　　　　　　　　　決算整理後残高試算表　　　　　　　（単位：千円）

借 方 科 目	本店	支店	貸 方 科 目	本店	支店
現 金 預 金	（　　　）	12,100	買 掛 金	5,680	3,175
売 掛 金	4,500	（　　　）	未 払 費 用	―	（　　　）
繰 越 商 品	（　　　）	（　　　）	貸 倒 引 当 金	（　　　）	（　　　）
前 払 費 用	（　　　）	―	建物減価償却累計額	（　　　）	（　　　）
建 物	15,000	20,000	内 部 利 益	（　　　）	―
支 店	（　　　）	―	本 店	―	（　　　）
売 上 原 価	（　　　）	（　　　）	資 本 金	25,000	―
営 業 費	（　　　）	（　　　）	繰 越 利 益 剰 余 金	200	―
減 価 償 却 費	（　　　）	（　　　）	売 上	35,000	42,500
貸 倒 引 当 金 繰 入	（　　　）	（　　　）	支 店 売 上	（　　　）	―
合 計	（　　　）	（　　　）	合 計	（　　　）	（　　　）

問2　　　　　　　　　　　　本支店合併損益計算書

自ｘ1年4月1日　至ｘ2年3月31日　　　　　（単位：千円）

売 上 原 価	（　　　）	売 上 高	（　　　）
営 業 費	（　　　）		
減 価 償 却 費	（　　　）		
貸 倒 引 当 金 繰 入	（　　　）		
当 期 純 利 益	（　　　）		
	（　　　）		（　　　）

本支店合併貸借対照表

ｘ2年3月31日　　　　　　　　　（単位：千円）

現 金 預 金	（　　　）	買 掛 金	（　　　）
売 掛 金	（　　　）	未 払 費 用	（　　　）
商 品	（　　　）	貸 倒 引 当 金	（　　　）
前 払 費 用	（　　　）	減 価 償 却 累 計 額	（　　　）
建 物	（　　　）	資 本 金	（　　　）
		繰 越 利 益 剰 余 金	（　　　）
	（　　　）		（　　　）

問1

決算整理後残高試算表　（単位：千円）

借方科目	本店	A支店	B支店	貸方科目	本店	A支店	B支店
現金預金			2,790	買掛金	1,500	300	200
売掛金		1,500	2,000	借入金	2,000	—	—
繰越商品				未払費用			
前払費用		—	—	貸倒引当金			
車両	8,000	—	—	減価償却累計額		—	—
A支店		—	—	繰延内部利益		—	—
B支店		—	—	本店	—		
売上原価				資本金	15,000	—	—
営業費				利益準備金	5,000	—	—
貸倒引当金繰入				繰越利益剰余金	3,000	—	—
減価償却費				売上	5,500	6,500	8,500
支払利息		—	—	A支店売上	3,300	—	—
				B支店売上	2,200	1,320	—
合計				合計			

問2

本支店合併損益計算書　（単位：千円）

期首商品棚卸高		売上高	
当期商品仕入高		期末商品棚卸高	
営業費			
貸倒引当金繰入			
減価償却費			
支払利息			
当期純利益			
（　　　　）		（　　　　）	

問題20－7 本支店会計(7)　　　　　　　　　(解答時間：　　　／25分)

問1

① [　　　　] 千円　　② [　　　　] 千円　　③ [　　　　] 千円

④ [　　　　] 千円　　⑤ [　　　　] 千円　　⑥ [　　　　] 千円

⑦ [　　　　] 千円　　⑧ [　　　　] 千円　　⑨ [　　　　] 千円

問2

支店勘定の金額　　　　[　　　　　　] 千円

支店へ売上勘定の金額　[　　　　　　] 千円

問3

本支店合併損益計算書

自ｘ５年４月１日　至ｘ６年３月31日　　　（単位：千円）

期 首 商 品 棚 卸 高	(　　　)	売　　上　　高	(　　　)
当 期 商 品 仕 入 高	(　　　)	期 末 商 品 棚 卸 高	(　　　)
営　　業　　費	(　　　)	有 価 証 券 運 用 損 益	(　　　)
減 価 償 却 費	(　　　)	仕　入　割　引	(　　　)
貸 倒 引 当 金 繰 入	(　　　)		
雑　　損　　失	(　　　)		
備 品 廃 棄 損	(　　　)		
当 期 純 利 益	(　　　)		
	(　　　)		(　　　)

問1

決算整理後残高試算表　　　　　　（単位：千円）

現　金　預　金		貸　倒　引　当　金	
売　　掛　　金		減　価　償　却　累　計　額	
繰　越　商　品		本　　　　　店	
備　　　　　品		売　　　　　上	
投　資　有　価　証　券		有　価　証　券　利　息	
売　上　原　価		為　替　差　損　益	
営　　業　　費			
減　価　償　却　費			
貸　倒　引　当　金　繰　入			
（　　　　）		（　　　　）	

問2

損　益　計　算　書　　　　　　　　（単位：千円）

期 首 商 品 棚 卸 高	14,000	売　　上　　高	
当 期 商 品 仕 入 高	70,500	期 末 商 品 棚 卸 高	
営　　業　　費		有 価 証 券 利 息	
減　価　償　却　費		為　替　差　損　益	
貸 倒 引 当 金 繰 入			
支　払　利　息	800		
法　人　税　等	5,000		
当　期　純　利　益			
（　　　　）		（　　　　）	

貸　借　対　照　表　　　　　　　　（単位：千円）

現　金　預　金		買　　掛　　金	10,000
売　　掛　　金		未　払　費　用	2,000
商　　　　　品		未　払　法　人　税　等	3,000
備　　　　　品		借　　入　　金	20,000
投　資　有　価　証　券		貸　倒　引　当　金	
		減　価　償　却　累　計　額	
		資　　本　　金	50,000
		繰　越　利　益　剰　余　金	
（　　　　）		（　　　　）	

問題20－9 　本支店会計 (9)　　　　　　　　　　　（解答時間：　　　　／20分）

問1　工場の元帳勘定（単位：千円）

仕　掛　品

前期繰越		製　品	
材 料 費		次期繰越	
労 務 費			
製造経費			

損　　　益

売上原価		本社へ売上	

製　　　品

前期繰越		売上原価	
		次期繰越	

問2　本社の元帳勘定（単位：千円）

損　　　益

売上原価		売　　上	
営 業 費		貸倒引当金戻入	
減価償却費			
貸倒引当金繰入		内部利益戻入	
内部利益控除			
繰越利益剰余金			

| 問題21－1 | 推定簿記(1) | （解答時間：　　　／8分) |

売上高 [　　　　　　　千円]　　仕入高 [　　　　　　　　千円]

| 問題21－2 | 推定簿記(2) | （解答時間：　　　／8分) |

営業収入額 [　　　　　　千円]　　仕入支出額 [　　　　　　　千円]

| 問題21－3 | 推定簿記(3) | （解答時間：　　　／8分) |

| ① | 千円 | ② | 千円 | ③ | 千円 |

| 問題21－4 | 推定簿記(4) | （解答時間：　　　／10分) |

| ① | 千円 | ② | 千円 | ③ | 千円 |

第 22 章　　　帳　簿　組　織

問題22－1　特殊仕訳帳制 (1)　　　　　　　　　　（解答時間：　　　　／15分）

問 1

千円

問 2

決算整理前合計試算表　　　　　　　（単位：千円）

借方合計	勘 定 科 目	貸方合計
	現　　　　　　　金	
	当　座　預　金	
	受　取　手　形	
	売　　掛　　金	
	繰　越　商　品	
	支　払　手　形	
	買　　掛　　金	
	未　払　営　業　費	
	貸　倒　引　当　金	
	資　　本　　金	
	売　　　　　上	
	仕　　　　　入	
	営　　業　　費	
	合　　　　計	

問1

当座預金出納帳（預入）の合計仕訳　　　　　　　　　　（単位：千円）

借　方　科　目	金　額	貸　方　科　目	金　額
当　座　預　金	〔　　　〕	売　　掛　　金	〔　　　〕
		受　取　手　形	〔　　　〕
		受　取　手　形	〔　　　〕
		諸　　　　　口	〔　　　〕

当座預金出納帳（引出）の合計仕訳　　　　　　　　　　（単位：千円）

借　方　科　目	金　額	貸　方　科　目	金　額
買　　掛　　金	〔　　　〕	当　座　預　金	〔　　　〕
支　払　手　形	〔　　　〕		
諸　　　　　口	〔　　　〕		

売上帳の合計仕訳　　　　　　　　　　　　　　　　　　（単位：千円）

借　方　科　目	金　額	貸　方　科　目	金　額
売　　掛　　金	〔　　　〕	売　　　　　上	〔　　　〕
受　取　手　形	〔　　　〕		
諸　　　　　口	〔　　　〕		

仕入帳の合計仕訳　　　　　　　　　　　　　　　　　　（単位：千円）

借　方　科　目	金　額	貸　方　科　目	金　額
仕　　　　　入	〔　　　〕	買　　掛　　金	〔　　　〕
		支　払　手　形	〔　　　〕
		諸　　　　　口	〔　　　〕

受取手形記入帳の合計仕訳　　　　　　　　　　　　　　（単位：千円）

借　方　科　目	金　額	貸　方　科　目	金　額
受　取　手　形	〔　　　〕	売　　　　　上	〔　　　〕
		売　　掛　　金	〔　　　〕

支払手形記入帳の合計仕訳　　　　　　　　　　　　　　（単位：千円）

借　方　科　目	金　額	貸　方　科　目	金　額
仕　　　　　入	〔　　　〕	支　払　手　形	〔　　　〕
買　　掛　　金	〔　　　〕		

問2

決算整理前合計試算表 （単位：千円）

借方合計	勘　定　科　目	貸方合計
	現　　　　　　　金	
	当　座　預　金	
	受　取　手　形	
	売　　掛　　金	
	繰　越　商　品	
	土　　　　　地	
	支　払　手　形	
	買　　掛　　金	
	未　払　営　業　費	
	貸　倒　引　当　金	
	資　　本　　金	
	売　　　　　上	
	仕　　　　　入	
	営　　業　　費	
	手　形　売　却　損	
	土　地　売　却　損	
	合　　　計	

問3　一次締切金額 [　　　　　　　] 千円

問題22－3　伝票会計(1)　　　　　　（解答時間：　　／6分）

問1　振替伝票に記入される仕訳の合計額　[　　　　　]円

問2　振替伝票に記入される仕訳の合計額　[　　　　　]円
　　仕　訳　日　計　表　の　合　計　額　[　　　　　]円

問題22－4　伝票会計(2)　　　　　　（解答時間：　　／6分）

[　　　　　　　] 円

問題23－1　新株予約権(1)　　　　　　　　　　（解答時間：　　／6分）

（単位：千円）

	借　方　科　目	金　額	貸　方　科　目	金　額
(1)				
(2)				
(3)				
(4)				

問題23－2　新株予約権(2)　　　　　　　　　　（解答時間：　　／10分）

貸借対照表（一部）

X 2 年 3 月31日　　　　　　　　　　（単位：千円）

自　己　株　式	（　　　　）	資　　本　　金	（　　　　）
		資　本　準　備　金	（　　　　）
		その他資本剰余金	（　　　　）
		利　益　準　備　金	（　　　　）
		繰 越 利 益 剰 余 金	（　　　　）
		新　株　予　約　権	（　　　　）

問題23－3　新株予約権(3)　　　　　　　　　　　　（解答時間：　　　　／8分）

問1　　　　　　　　　　　　　　　　　　　　　　　　　　　　（単位：千円）

	借　方　科　目	金　　　額	貸　方　科　目	金　　　額
1				
2				
3				

問2　　　　　　　　　　　　　　　　　　　　　　　　　　　　（単位：千円）

	借　方　科　目	金　　　額	貸　方　科　目	金　　　額
1				
2				
3				

1　x12年3月期（人件費の計上） （単位：千円）

借　方　科　目	金　　額	貸　方　科　目	金　　額

2　x13年3月期（人件費の計上） （単位：千円）

借　方　科　目	金　　額	貸　方　科　目	金　　額

3　x14年3月期（人件費の計上） （単位：千円）

借　方　科　目	金　　額	貸　方　科　目	金　　額

（ストック・オプションの行使） （単位：千円）

借　方　科　目	金　　額	貸　方　科　目	金　　額

4　x15年3月期（ストック・オプションの行使） （単位：千円）

借　方　科　目	金　　額	貸　方　科　目	金　　額

5　x16年3月期（権利行使期間満了による新株予約権の失効） （単位：千円）

借　方　科　目	金　　額	貸　方　科　目	金　　額

問題23-5　新株予約権付社債(1)　　　　　　　　　　　　（解答時間：　　　　／8分）

(1)　x 1 年 4 月 1 日　　　　　　　　　　　　　　　　　　　　　　　　　　（単位：千円）

借　方　科　目	金　　額	貸　方　科　目	金　　額

(2)　x 2 年 6 月 30 日　　　　　　　　　　　　　　　　　　　　　　　　　（単位：千円）

借　方　科　目	金　　額	貸　方　科　目	金　　額

(3)　x 3 年 8 月 31 日　　　　　　　　　　　　　　　　　　　　　　　　　（単位：千円）

借　方　科　目	金　　額	貸　方　科　目	金　　額

問題23-6　新株予約権付社債(2)　　　　　　　　　　　　（解答時間：　　　　／12分）

(1)　x 1 年 4 月 1 日　　　　　　　　　　　　　　　　　　　　　　　　　（単位：千円）

借　方　科　目	金　　額	貸　方　科　目	金　　額

(2)　x 2 年 6 月 30 日　　　　　　　　　　　　　　　　　　　　　　　　　（単位：千円）

借　方　科　目	金　　額	貸　方　科　目	金　　額

(3)　x 3 年 8 月 31 日　　　　　　　　　　　　　　　　　　　　　　　　　（単位：千円）

借　方　科　目	金　　額	貸　方　科　目	金　　額

第24章　　　　　繰　延　資　産

問題24-1　繰延資産(1)　　　　　　　　　　　　　（解答時間：　　／4分）

（単位：千円）

	借　方　科　目	金　　額	貸　方　科　目	金　　額
1				
2				
3				

問題24-2　繰延資産(2)　　　　　　　　　　　　　（解答時間：　　／4分）

決算整理後残高試算表（一部）　　　　　（単位：千円）

株　式　交　付　費	（　　　　　）	社　　　　　　　債	（　　　　　）
社　債　発　行　費	（　　　　　）		
株 式 交 付 費 償 却	（　　　　　）		
社 債 発 行 費 償 却	（　　　　　）		

第 25 章　会計上の変更及び誤謬の訂正

問題25－1　会計上の変更及び誤謬の訂正 (1)　　　（解答時間：　　／5分）

問1

（単位：千円）

借　方　科　目	金　　額	貸　方　科　目	金　　額

問2

決算整理後残高試算表　　　（単位：千円）

繰 越 商 品	（　　　　）	繰 越 利 益 剰 余 金	（　　　　）
仕　　　　入	（　　　　）		

問題25－2　会計上の変更及び誤謬の訂正 (2)　　　（解答時間：　　／5分）

決算整理後残高試算表　　　（単位：千円）

車　　　両	150,000	減 価 償 却 累 計 額	（　　　　）
備　　　品	120,000		
減 価 償 却 費	（　　　　）		

会計上の変更及び誤謬の訂正(3) 　　　　　（解答時間：　　　　／8分）

決算整理後残高試算表（一部） 　　　　　（単位：千円）

繰 越 商 品	（ 　　　　 ）	未 払 営 業 費	（ 　　　　 ）
土 　　　　 地	（ 　　　　 ）	繰 越 利 益 剰 余 金	（ 　　　　 ）
繰 延 税 金 資 産	（ 　　　　 ）		
仕 　　　　 入	（ 　　　　 ）		
営 　 業 　 費	（ 　　　　 ）		
土 地 売 却 損	（ 　　　　 ）		
法 人 税 等 調 整 額	（ 　　　　 ）		

問題25－4　　会計上の変更及び誤謬の訂正(4) 　　　　　（解答時間：　　　　／8分）

決算整理後残高試算表（一部） 　　　　　（単位：千円）

繰 越 商 品	（ 　　　　 ）	繰 越 利 益 剰 余 金	（ 　　　　 ）
仕 　　　　 入	（ 　　　　 ）	売 　　　　 上	（ 　　　　 ）
法 人 税 等 調 整 額	（ 　　　　 ）		

第 26 章　　組　織　再　編

問題26－1　事業譲渡・事業譲受　　　　　　　　　　（解答時間：　　／5分）

（単位：千円）

	借　方　科　目	金　　額	貸　方　科　目	金　　額
A社				
B社				

問題26－2　吸収合併(1)　　　　　　　　　　（解答時間：　　／5分）

（単位：千円）

借　方　科　目	金　　額	貸　方　科　目	金　　額

問題26－3　吸収合併(2)　　　　　　　　　　（解答時間：　　／5分）

（単位：千円）

借　方　科　目	金　　額	貸　方　科　目	金　　額

問題26－4 吸収合併(3)　　　　　　　　　　　　　　　　（解答時間：　　／6分）

乙社株式の取得原価への振戻　　　　　　　　　　　　　　（単位：百万円）

借　方　科　目	金　額	貸　方　科　目	金　額

吸収合併　　　　　　　　　　　　　　　　　　　　　　（単位：百万円）

借　方　科　目	金　額	貸　方　科　目	金　額

問題26－5 株式交換(1)　　　　　　　　　　　　　　　　（解答時間：　　／4分）

（単位：百万円）

借　方　科　目	金　額	貸　方　科　目	金　額

株式交換直後の甲社貸借対照表　　　　　（単位：百万円）

諸　　資　　産		諸　　負　　債	
関 係 会 社 株 式		資　　本　　金	
		資 本 剰 余 金	
		利 益 剰 余 金	

問題26－6 株式交換(2)　　　　　　　　　　（解答時間：　　　／4分）

（単位：百万円）

借　方　科　目	金　　額	貸　方　科　目	金　　額

株式交換直後の甲社貸借対照表　　　　（単位：百万円）

諸　　資　　産		諸　　負　　債	
関 係 会 社 株 式		資　　本　　金	
		資 本 剰 余 金	
		利 益 剰 余 金	

問題26－7 株式交換(3)　　　　　　　　　　（解答時間：　　　／6分）

乙社株式の取得原価への振戻　　　　　　（単位：百万円）

借　方　科　目	金　　額	貸　方　科　目	金　　額

乙社株式の保有目的区分の変更　　　　　（単位：百万円）

借　方　科　目	金　　額	貸　方　科　目	金　　額

株式交換　　　　　　　　　　　　　　　（単位：百万円）

借　方　科　目	金　　額	貸　方　科　目	金　　額

企業評価額の算定　　　　　　　　　（解答時間：　　　　　／10分）

問1

合併比率　A社1：B社 [   ]

合併仕訳　　　　　　　　　　　　　　　　　　　　　　　　（単位：千円）

借　方　科　目	金　　額	貸　方　科　目	金　　額

問2

合併比率　A社1：B社 [   ]

合併仕訳　　　　　　　　　　　　　　　　　　　　　　　　（単位：千円）

借　方　科　目	金　　額	貸　方　科　目	金　　額

問3

合併比率　A社1：B社 [   ]

合併仕訳　　　　　　　　　　　　　　　　　　　　　　　　（単位：千円）

借　方　科　目	金　　額	貸　方　科　目	金　　額

問題26-9 吸収合併(4)　　　　　　　　　　　　（解答時間：　　　／8分）

合併後貸借対照表　　　　　　　　　　　　（単位：千円）

資　　　産	金　　額	負債・純資産	金　　額
諸　　資　　産		諸　　　負　　　債	
の　　れ　　ん		資　　　本　　　金	
		資　本　準　備　金	
		その他資本剰余金	
		利　益　準　備　金	
		繰越利益剰余金	
合　　　計		合　　　計	

問題26-10 会社分割　　　　　　　　　　　　　　（解答時間：　　　／5分）

問 1

（単位：千円）

借　方　科　目	金　　額	貸　方　科　目	金　　額

問 2

（単位：千円）

借　方　科　目	金　　額	貸　方　科　目	金　　額

問題27-1　株主資本等変動計算書　　　　　（解答時間：　　　／15分）

	資本金	株主資本						
		資本剰余金			利益剰余金			
		資本準備金	その他資本剰余金	資本剰余金合計	利益準備金	その他利益剰余金		
						新築積立金	別途積立金	
当 期 首 残 高	80,000	10,000	2,000	12,000	9,000	2,000	1,000	
当 期 変 動 額								
新 株 の 発 行								
資 本 金 の 減 少								
剰 余 金 の 配 当								
別途積立金の積立								
新築積立金の取崩								
当 期 純 利 益								
自 己 株 式 の 取 得								
自 己 株 式 の 処 分								
株主資本以外の項目の当期変動額（純額）								
当 期 変 動 額 合 計								
当 期 末 残 高								

	利益剰余金合　　計	自己株式	株主資本合　　計	評価・換算差額等 その他有価証券評価差額金	新　株予約権	純資産合　計
繰越利益剰余金						
30,000	42,000	—	134,000		1,000	

問1

<u>キャッシュ・フロー計算書（直接法）</u>　　　　（単位：千円）

I　営業活動によるキャッシュ・フロー
　　営業収入　　　　　　　　　　　　　　　（　　　　　　　）
　　商品の仕入れによる支出　　　　　　　　（　　　　　　　）
　　人件費の支出　　　　　　　　　　　　　（　　　　　　　）
　　その他営業支出　　　　　　　　　　　　（　　　　　　　）
　　　小計　　　　　　　　　　　　　　　　（　　　　　　　）
　　利息の支払額　　　　　　　　　　　　　（　　　　　　　）
　　法人税等の支払額　　　　　　　　　　　（　　　　　　　）
　　営業活動によるキャッシュ・フロー　　　（　　　　　　　）
II　投資活動によるキャッシュ・フロー
　　固定資産の売却による収入額　　　　　　（　　　　　　　）
　　投資活動によるキャッシュ・フロー　　　（　　　　　　　）
III　財務活動によるキャッシュ・フロー
　　借入による収入額　　　　　　　　　　　（　　　　　　　）
　　株式の発行による収入額　　　　　　　　（　　　　　　　）
　　配当金の支払額　　　　　　　　　　　　（　　　　　　　）
　　財務活動によるキャッシュ・フロー　　　（　　　　　　　）
IV　現金及び現金同等物の当期増減額　　　　（　　　　　　　）
V　現金及び現金同等物の期首残高　　　　　（　　　　　　　）
VI　現金及び現金同等物の期末残高　　　　　（　　　　　　　）

問2

<u>キャッシュ・フロー計算書（間接法）</u>　　　　（単位：千円）

I　営業活動によるキャッシュ・フロー
　　税引前当期純利益　　　　　　　　　　　（　　　　　　　）
　　減価償却費　　　　　　　　　　　　　　（　　　　　　　）
　　貸倒引当金の増減額　　　　　　　　　　（　　　　　　　）
　　車両売却益　　　　　　　　　　　　　　（　　　　　　　）
　　支払利息　　　　　　　　　　　　　　　（　　　　　　　）
　　売上債権の増減額　　　　　　　　　　　（　　　　　　　）
　　たな卸資産の増減額　　　　　　　　　　（　　　　　　　）
　　仕入債務の増減額　　　　　　　　　　　（　　　　　　　）
　　未払費用の増減額　　　　　　　　　　　（　　　　　　　）
　　　小計　　　　　　　　　　　　　　　　（　　　　　　　）

問題27-3 キャッシュ・フロー計算書(2) （解答時間： ／12分）

問1

キャッシュ・フロー計算書（直接法） （単位：千円）

I 営業活動によるキャッシュ・フロー

営業収入	（	）
商品の仕入れによる支出	（	）
人件費の支出	（	）
その他営業支出	（	）
小計	（	）

問2

キャッシュ・フロー計算書（間接法） （単位：千円）

I 営業活動によるキャッシュ・フロー

税引前当期純利益	（	）
減価償却費	（	）
貸倒引当金の増減額	（	）
賞与引当金の増減額	（	）
退職給付引当金の増減額	（	）
支払利息	（	）
売上債権の増減額	（	）
たな卸資産の増減額	（	）
仕入債務の増減額	（	）
前払費用の増減額	（	）
未払費用の増減額	（	）
小計	（	）

問題27-4 キャッシュ・フロー計算書(3) （解答時間： ／10分）

(1)	千円	(2)	千円	(3)	千円
(4)	千円	(5)	千円	(6)	千円
(7)	千円	(8)	千円		

第 28 章　連結財務諸表

問題28－1　連結財務諸表(1)　　　　　　　　　　　（解答時間：　　　／5分）

連結貸借対照表　　　　　　　　　　（単位：千円）

資　　　産	金　　額	負債・純資産	金　　額
諸　　資　　産		諸　　　負　　　債	
の　　れ　　ん		資　　本　　金	
		利　益　剰　余　金	
		非　支　配　株　主　持　分	
合　　　　計		合　　　　計	

問題28-2 連結財務諸表(2)　　　　　　　　（解答時間：　　　　／10分）

連結貸借対照表　　　　　　　　（単位：千円）

資　　産	金　額	負債・純資産	金　額
諸　　資　　産		諸　　負　　債	
の　　れ　　ん		資　　本　　金	
		利　益　剰　余　金	
		非　支　配　株　主　持　分	
合　　　　計		合　　　　計	

連結損益計算書　　　　　　　　（単位：千円）

借　方　科　目	金　額	貸　方　科　目	金　額
諸　　費　　用		諸　　収　　益	
の　れ　ん　償　却　額			
非支配株主に帰属する当期純利益			
親会社株主に帰属する当期純利益			
合　　　　計		合　　　　計	

連結株主資本等変動計算書　　　　　　　　（単位：千円）

	資　本　金	利益剰余金	非支配株主持分
当　期　首　残　高			
剰　余　金　の　配　当			
親会社株主に帰属する当期純利益			
株　主　資　本　以　外　の　当　期　変　動　額			
当　期　末　残　高			

連結貸借対照表

（単位：千円）

資　　　産	金　　額	負債・純資産	金　　額
諸　　資　　産		諸　　負　　債	
の　　れ　　ん		資　　本　　金	
		資　本　剰　余　金	
		利　益　剰　余　金	
		非　支　配　株　主　持　分	
合　　　計		合　　　計	

連結損益計算書

（単位：千円）

借　方　科　目	金　　額	貸　方　科　目	金　　額
諸　　費　　用		諸　　収　　益	
の　れ　ん　償　却　額			
非支配株主に帰属する当期純利益			
親会社株主に帰属する当期純利益			
合　　　計		合　　　計	

連結株主資本等変動計算書

（単位：千円）

	資　本　金	資本剰余金	利益剰余金	非支配株主持分
当　期　首　残　高				
剰　余　金　の　配　当				
親会社の持分変動による資本剰余金の増減額				
親会社株主に帰属する当期純利益				
株主資本以外の当期変動額				
当　期　末　残　高				

問題28－4 連結財務諸表(4)　　　（解答時間：　　　／12分）

連結損益計算書

自 x 1 年 4 月 1 日　至 x 2 年 3 月 31 日　　（単位：千円）

借　方　科　目	金　額	貸　方　科　目	金　額
売　上　原　価		売　上　高	
貸 倒 引 当 金 繰 入 額			
の れ ん 償 却 額			
そ の 他 の 費 用			
非支配株主に帰属する当期純利益			
親会社株主に帰属する当期純利益			
合　　　計		合　　　計	

連結株主資本等変動計算書

自 x 1 年 4 月 1 日　至 x 2 年 3 月 31 日　　（単位：千円）

	株　主　資　本			非支配株主持分
	資 本 金	利 益 剰 余 金	株 主 資 本 合 計	
当期首残高				
当期変動額				
剰余金の配当				
当期純利益				
株主資本以外の項目の当期変動額				
当期末残高				

連結貸借対照表

x 2 年 3 月 31 日　　（単位：千円）

借　方　科　目	金　額	貸　方　科　目	金　額
売　掛　金		買　掛　金	
貸 倒 引 当 金		そ の 他 の 負 債	
商　　品		資　本　金	
の れ ん		利 益 剰 余 金	
そ の 他 の 資 産		非 支 配 株 主 持 分	
合　　　計		合　　　計	

連結財務諸表(5)　　　　　　　　　　　　　（解答時間：　　　　／8分）

① _____ 百万円

② _____ 百万円

③ _____ 百万円

④ _____ 百万円

第 29 章　特 殊 商 品 売 買

問題29－1　割賦販売(1)　　　　　　　　　　　（解答時間：　　　　／8分）

問1

（単位：円）

	借　方　科　目	金　　額	貸　方　科　目	金　　額
1				
2				
3				

問2

（単位：円）

	借　方　科　目	金　　額	貸　方　科　目	金　　額
1				
2				
3				

問題29－2　割賦販売(2)　　　　　　　　　　　（解答時間：　　　　／5分）

（単位：円）

	借　方　科　目	金　　額	貸　方　科　目	金　　額
(1)				
(2)				
(3)				

問題29－3 割賦販売(3)　　　　　　　　　　　　　　（解答時間：　　／10分）

1　X1年4月1日　　　　　　　　　　　　　　　　　　　　　　（単位：千円）

借　方　科　目	金　額	貸　方　科　目	金　額

2　X2年3月31日　　　　　　　　　　　　　　　　　　　　　　（単位：千円）

借　方　科　目	金　額	貸　方　科　目	金　額

3　X3年3月31日　　　　　　　　　　　　　　　　　　　　　　（単位：千円）

借　方　科　目	金　額	貸　方　科　目	金　額

4　X4年3月31日　　　　　　　　　　　　　　　　　　　　　　（単位：千円）

借　方　科　目	金　額	貸　方　科　目	金　額

5　X5年3月31日　　　　　　　　　　　　　　　　　　　　　　（単位：千円）

借　方　科　目	金　額	貸　方　科　目	金　額

6　X6年3月31日　　　　　　　　　　　　　　　　　　　　　　（単位：千円）

借　方　科　目	金　額	貸　方　科　目	金　額

問題29－4 未着品売買(1)　　　　　　　　　　　　　（解答時間：　　／5分）

決算整理後残高試算表　　　　　　　　　　　　　（単位：千円）

繰　越　商　品		一　般　売　上	295,000
未　着　品		未　着　品　売　上	10,000
仕　　入			

問題29－5 未着品売買(2) （解答時間：　　　／10分）

問 1

決算整理前残高試算表（一部）　　　　（単位：千円）

繰 越 商 品	（　　　）	一 般 売 上	（　　　）
未 着 品	（　　　）	未 着 品 売 上	（　　　）
仕 入	（　　　）		

決算整理後残高試算表（一部）　　　　（単位：千円）

繰 越 商 品	（　　　）	一 般 売 上	（　　　）
未 着 品	（　　　）	未 着 品 売 上	（　　　）
仕 入	（　　　）		

問 2

決算整理前残高試算表（一部）　　　　（単位：千円）

繰 越 商 品	（　　　）	一 般 売 上	（　　　）
未 着 品	（　　　）	未 着 品 売 上	（　　　）
仕 入	（　　　）		

決算整理後残高試算表（一部）　　　　（単位：千円）

繰 越 商 品	（　　　）	一 般 売 上	（　　　）
未 着 品	（　　　）	未 着 品 売 上	（　　　）
仕 入	（　　　）		

問題29－6 未着品売買(3) （解答時間：　　　／ 5分）

（単位：千円）

借 方 科 目	金 額	貸 方 科 目	金 額

決算整理後残高試算表（単位：千円）

委 託 販 売	( )	一 般 売 上	245,000
繰 越 商 品	( )	積 送 品 売 上	( )
積 送 品	( )		
仕 入	( )		

問題29-8　委託販売(2)　　　　　　　　　　(解答時間：　　　／12分)

問1	問2	問3
千円	千円	千円

期中取引　　　　　　　　　　　　　　　　　　　　　　(単位：千円)

		借　方　科　目	金　　額	貸　方　科　目	金　　額
(1)				買　　掛　　金	
(2)	①			現　金　預　金	
	②				
	③	現　金　預　金			

決算整理　　　　　　　　　　　　　　　　　　　　　　(単位：千円)

	借　方　科　目	金　　額	貸　方　科　目	金　　額
一　般				
委　託				

《総勘定元帳》（単位：千円）

仕　　　　　　入

(1)　買　　掛　　金	(　　　)	(2)① (　　　　　)	(　　　)
(2)② (　　　　　)	(　　　)	3/31 (　　　　　)	(　　　)
3/31 (　　　　　)	(　　　)	〃　損　　　　　益	(　　　)
	(　　　)		(　　　)

積　送　売　掛　金

4/1　前　期　繰　越	(　　　)	(2)③ (　　　　　)	(　　　)
(2)② (　　　　　)	(　　　)	3/31 次　期　繰　越	(　　　)
	(　　　)		(　　　)

積　送　諸　掛　費

(2)① (　　　　　)	(　　　)	3/31 (　　　　　)	(　　　)
3/31 (　　　　　)	(　　　)	〃　損　　　　　益	(　　　)
	(　　　)		(　　　)

問題29－9 | 試用販売(1)　　　　　　　　　　　　　　　（解答時間：　　／5分）

決算整理後残高試算表　　　　　　　　　（単位：千円）

繰 越 商 品		一 般 売 上	54,000
繰 越 試 用 品		試 用 売 上	
試 用 未 収 金		試 用 仮 売 上	
仕　　　　　入			

問題29－10 | 試用販売(2)　　　　　　　　　　　　　　（解答時間：　　／6分）

決算整理後残高試算表　　　　　　　　　（単位：千円）

繰 越 商 品		一 般 売 上	54,000
繰 越 試 用 品		試 用 売 上	
試 用 未 収 金		試 用 仮 売 上	
仕　　　　　入			

問題29－11 | 試用販売(3)　　　　　　　　　　　　　　（解答時間：　　／4分）

決算整理後残高試算表　　　　　　　　　（単位：千円）

繰 越 商 品	（　　　　）	一 般 売 上	104,300
試 用 品	（　　　　）	試 用 品 売 上	37,800
仕　　　　　入	（　　　　）		

問題29－12 | 複合問題　　　　　　　　　　　　　　　　（解答時間：　　／8分）

決算整理後残高試算表（一部）　　　　　（単位：千円）

繰 越 商 品	（　　　　）	一 般 売 上	1,780,000
繰 越 試 用 品	（　　　　）	積 送 品 売 上	858,000
積 送 品	（　　　　）	試 用 品 売 上	147,500
仕　　　　　入	（　　　　）	試 用 仮 売 上	7,500
試 用 未 収 金	7,500		

第 30 章　　収　益　認　識

問題30－1　収益認識(1)　　　　　　　　　　（解答時間：　　／5分）

問1

（単位：円）

	借　方　科　目	金　　額	貸　方　科　目	金　　額
2				
3				
4				

問2

（単位：円）

	借　方　科　目	金　　額	貸　方　科　目	金　　額
2				
3				
4				

問題30－2　収益認識(2)　　　　　　　　　　（解答時間：　　／2分）

問1　取引価格について期待値を採用した場合 [　　　　　　] 円

問2　取引価格について最頻値を採用した場合 [　　　　　　] 円

問題30-3 収益認識 (3) （解答時間：　　／5分）

問1

（単位：円）

	借　方　科　目	金　額	貸　方　科　目	金　額
1				
2				

問2

（単位：円）

借　方　科　目	金　額	貸　方　科　目	金　額

問題30-4 収益認識 (4) （解答時間：　　／5分）

（単位：円）

	借　方　科　目	金　額	貸　方　科　目	金　額
1				
2				

問題30-5 **収益認識(5)** (解答時間：／8分)

(単位：円)

		借　方　科　目	金　額	貸　方　科　目	金　額
1	(1)				
	(2)				
2	(1)				
	(2)				
3	(1)				
	(2)				

問題30-6 **収益認識(6)** (解答時間：／2分)

(単位：円)

	借　方　科　目	金　額	貸　方　科　目	金　額
1				
2				

問題30－7　**収益認識(7)**　　　　　　　　　　　　（解答時間：　　　／5分）

決算整理後残高試算表（一部）　　　（単位：千円）

売　掛　　金	（　　　　　）	返　金　負　債	（　　　　　）
商　　　　品	（　　　　　）	売　　　　　上	（　　　　　）
返　品　資　産	（　　　　　）		
売　上　原　価	（　　　　　）		

問題30－8　**収益認識(8)**　　　　　　　　　　　　（解答時間：　　　／5分）

決算整理後残高試算表（一部）　　　（単位：円）

		契　約　負　債	（　　　　　）
		売　　　　　上	（　　　　　）

問題30－9　**収益認識(9)**　　　　　　　　　　　　（解答時間：　　　／5分）

（単位：千円）

	借　方　科　目	金　　額	貸　方　科　目	金　　額
1				
2				
3				

問題30－10　**建設業(1)**　　　　　　　　　　　　（解答時間：　　　／7分）

問1

　　x1年度：　[　　　　　]　千円

　　x2年度：　[　　　　　]　千円

　　x3年度：　[　　　　　]　千円

問2

　　x1年度：　[　　　　　]　千円

　　x2年度：　[　　　　　]　千円

　　x3年度：　[　　　　　]　千円

問3

	工事原価	工事収益
x 4 年度	千円	千円
x 5 年度	千円	千円
x 6 年度	千円	千円

問題30－11　建設業(2)　　　　　　　　　（解答時間：　　　／5分）

(1) 工事収益 　　　　　　　　　千円

(2) 工事原価（売上原価）　　　　千円

(3) 完成工事未収入金　　　　　　千円

(4) 契約資産　　　　　　　　　　千円

(5) 契約負債　　　　　　　　　　千円

問題30－12　建設業(3)　　　　　　　　　（解答時間：　　　／8分）

(1) 工事収益　　　　　　　　　　千円

(2) 工事原価（売上原価）　　　　千円

(3) 完成工事未収入金　　　　　　千円

(4) 契約資産　　　　　　　　　　千円

(5) 契約負債　　　　　　　　　　千円

問題30－13　建設業(4)　　　　　　　　　（解答時間：　　　／10分）

(1) 工事収益　　　　　　　　　　千円

(2) 工事原価（売上原価）　　　　千円

(3) 完成工事未収入金　　　　　　千円

(4) 契約資産　　　　　　　　　　千円

(5) 契約負債　　　　　　　　　　千円

(6) 工事損失引当金　　　　　　　千円